中华人民共和国法律释义丛书

全国人民代表大会常务委员会法制工作委员会　编

中华人民共和国
合同法释义

主　编　胡康生

副主编　王胜明　孙礼海

法律出版社

图书在版编目(CIP)数据

中华人民共和国合同法释义／全国人大常委会法制工作委员会编. --3版. --北京:法律出版社，2012.12(2018.11重印)

(中华人民共和国法律释义)

ISBN 978-7-5118-4307-4

Ⅰ.①中… Ⅱ.①全… Ⅲ.①合同法-法律解释-中国 Ⅳ.①D923.65

中国版本图书馆CIP数据核字(2012)第283077号

中华人民共和国合同法释义
ZHONGHUA RENMIN GONGHEGUO HETONGFA SHIYI

全国人大常委会法制工作委员会 编

责任编辑 麦 锐
装帧设计 李 瞻

编辑统筹 法规出版分社

出版 法律出版社
总发行 中国法律图书有限公司
经销 新华书店
印刷 北京玺诚印务有限公司
责任印制 吕亚莉

开本 850毫米×1168毫米 1/32
印张 21.75
字数 418千
版本 2013年3月第3版
印次 2018年11月第5次印刷

法律出版社／北京市丰台区莲花池西里7号(100073)
网址／www.lawpress.com.cn
投稿邮箱／info@lawpress.com.cn
举报维权邮箱／jbwq@lawpress.com.cn
销售热线／010-83938336
咨询电话／010-63939796

中国法律图书有限公司／北京市丰台区莲花池西里7号(100073)
全国各地中法图分、子公司销售电话:
统一销售客服／400-660-6393
第一法律书店／010-83938334/8335 西安分公司／029-85330678 重庆分公司／023-67453036
上海分公司／021-62071639/1636 深圳分公司／0755-83072995

书号:ISBN 978-7-5118-4307-4 **定价**:66.00元

总　序

人类文明的历史上，还没有哪一个时代像中国的改革开放40年一样，在历史长河中掀起如此巨大的浪花——它不仅深刻改变了一个国家的面貌与精神气质、使数亿人摆脱贫困，还极大地改变了世界格局。

1978，在那一年的年底，中共中央一次全体会议——十一届三中全会扭转了中国的前进方向，开辟了一个时代。回首过去，我们发现，一些观念从那时开始在中国出现，一些声音从那时开始逐渐响起，一些人物开始登上历史舞台。从这一年开始，随着"加强社会主义民主，健全社会主义法制"历史性任务的提出，"法制"两个字进入了人们的视野；政法机关开始恢复重建；法律院系开始蓬勃发展。一部部法律从庙堂走进了人们的生活，一次次裁决推动着国家前进的脚步。从"有法可依、有法必依、执法必严、违法必究"到"科学立法、严格执法、公正司法、全民守法"；从"法制"到"法治"；从法治观念的形成到"依法治国，建设社会主义法治国家"写进宪法，再到"法治国家、法治政府、法治社会一体建设"，人们对法治的认识步步深入，中国的改革不断向前推进，结出丰硕的果实。在中国共产党的带领下，这个励精图治的古老国度，再一次创造了改革的奇迹。

40年发生了无数故事,40年产生了许多事物。为了纪念这难忘的40年,本社组织编辑出版了一批"纪念改革开放40周年"主题图书。这些图书,将40年来颁布的重要法律及其释义甄选汇集,将法学领域有代表性的学术论文萃取精编,把有关政法机关的重建、法律院系的重生与发展进行展现,将一批被时代改变命运的人物再次唤起。我们希望从法律与法律人的视角,重新审视过去的40年,认真体会这不平凡的40年。

如江河东下,逝者如斯。岁月总会过去,人事总有代谢,但一个不平凡的时代留下的深刻痕迹,永远不会磨灭。"不忘初心,牢记使命",习近平总书记在党的十九大报告中向全党发出的号召,使我们有理由期待,下一个40年,中国将更加惊艳!

法律出版社编辑委员会

2018年10月

出 版 前 言

《中华人民共和国法律释义丛书》是由全国人大常委会法制工作委员会组织编辑的一套系列丛书。

该套丛书由一系列法律释义组成。邀请有关专家、学者和部分参与立法的同志编著。该丛书坚持以准确地反映立法宗旨和法律条款内容为最基本要求,在每部法律释义中努力做到观点的权威性和内容解释的准确性。

我们相信,该套丛书的陆续出版,将会给广大读者进一步学好法律提供有益的帮助。

重印说明

本次重印，是为改革开放40周年制作的特别纪念版，为了保持内容原貌，未对正文和附录作实质修改。个别法条内容有修订或修正的，以脚注形式作了标注。特此说明。

2018年10月

目　　录

第一部分　释　　义

总则

第二部分　附　　录

第一部分 释　　义

总　则

第一章　一般规定

本章共八条，对合同法的立法目的、合同法的调整范围以及合同法的基本原则作了规定。

第一条　为了保护合同当事人的合法权益，维护社会经济秩序，促进社会主义现代化建设，制定本法。

【释义】 本条是关于合同法立法目的的规定。

合同法是民商法的重要组成部分，是规范市场交易的基本法律，它涉及生产、生活领域的方方面面，与企业的生产经营和人们的生活密切相关。据不完全统计，每年订立的合同大约有40亿份。法院每年受理的合同纠纷案件，大约300万件。因此，制定一部统一的、较为完备的合同法，规范各类合同，能够更好地适应社会主义市场经济发展的需要，对于及时解决经济纠纷，保护当事人的合法权益，维护社会经济秩序，促进社会主义现代化建设，具有十分重要的作用。

党的十一届三中全会以来，我国先后制定了经济合同法、涉外经济合同法和技术合同法三部合同法。这三部合同法对保护合同当事人的合法权益,维护社会经济秩序,促进国内经济、技术和对外经济贸易的发展,保障社会主义建设事业的顺利进行,发挥了重要作用。但是,随着改革开放的不断深入和扩大、经济贸易的不断发展,这三部合同法的一些规定已经不能完全适应现阶段的经济发展状况了,存在的主要问题有:第一,国内经济合同、涉外经济合同和技术合同分别适用不同的合同法,有些共性的问题不统一,某些规定较为原则,有的规定不尽一致;第二,近年来,在市场交易中利用合同形式搞欺诈,损害国家、集体和他人利益的情况较为突出,在防范合同欺诈、维护社会经济秩序方面,需要作出补充规定;第三,调整范围不能完全适应,同时近年来也出现了融资租赁等新的合同种类,委托、行纪等合同也日益增多,需要相应作出规定。

制定合同法的原则是:第一,制定一部统一的、较为完备的合同法。过去之所以先后形成了三部合同法,不是不要搞统一的合同法,而是制定统一合同法的条件还不成熟,如果等成熟了再制定,又不能适应市场对法律的迫切需要,为了加快立法步伐,成熟的先制定,这样做是完全正确的。现在情况不同了,经过十多年的实践经验,已积累了大量经验,有条件制定一部统一的、比较完备的合同法,对有关合同的共性问题作出统一规定,把十多年来行之有效的有关合同的行政法规和司法的规定,尽量吸收进来。这个问题,在 1993 年修改经济合同法时就被反复考虑并提出来了。根据十四大关于建立社会主义市场经济体制的要求,1993 年对经济合同法进行了修改,同时开始着手研究起草统一的合同法。第二,以三个合同法为基础,总结实践经验,加以补充完善。实践证明,三部合同法总的原则和规定是正确的、可行的。制定统一的合同法,不是将现有的合同法律推倒重来,而是在总结实践经验的基础上,结合新的情况,进行修改、补充和完善。要注意法律的连续性,对于现行有效的制度和原则要继续保留,不适应的予以修改,不够的予以补充完善。第三,从我国实际出发,充分借鉴国外合同法律的有益经验。合同法主要是规范财产流转的,相对来讲共性问题要多些,我们要开展对外经济、技术、贸易,不考虑国际通行的做法也是行不通的。当然,借鉴国外经验,要从我国实际出发,不能离开我国实际。例如,我国是以公有制经济为主,这一点与西方资本主义国家是不同的。

第二条 本法所称合同是平等主体的自然人、法人、其他组织之间设立、变更、终止民事权利义务关系的协议。

婚姻、收养、监护等有关身份关系的协议,适用其他法律的规定。

【释义】 本条是关于合同法调整范围的规定。

提交全国人大常委会审议的合同法草案关于合同的调整范围是这样规定的:"本法所称合同是平等主体的公民、法人、其他组织之间设立、变更、终止债权债务关系的协议。"在修改、审议过程中,对"公民"和"债权债务关系"作了修改。有的委员和专家提出,外国人对我国的投资和经济贸易往来,也需要适用合同法,而"公民"一词不能包括这种情况。为此,本条将"公民"修改为"自然人",这就既包括中国人,也包括外国人和无国籍人。有的委员、部门和专家提出,鉴于对债权债务关系一词容易产生不同理解,对合同法调整范围的表述还是用"民事权利义务关系"为好。为此,本条将"债权债务关系"修改为"民事权利义务关系"。本条所称"法人",是指依法成立,能够独立享有民事权利和承担民事义务的组织,包括公司、企业事业单位、机关、团体等。本条所称"其他组织”,是指不具备法人资格的合伙组织以及分支机构等。

有的地方和部门提出,合同法应规范农村土地承包、企业承包合同。党的十五届三中全会提出,以家庭联产承包经营为基础、统分结合的经营制度,必须长期坚持,要抓紧制定确保农村土地承包关系长期稳定的法律法规。在审议过程中,有的委员认为,农村土地承包合同可以适用合同法总则的规定,同时建议抓紧研究制定专门法律,赋予农民长期而有保障的土地使用权。企业承包,有些是内部承包,有些是外部承包,两者情况有所不同,适用法律应有所区别,对于外部承包适用合同法总则的规定,至于内部职工的承包适用其他有关法律、行政法规的规定。

根据本条规定,可以从以下几个方面理解合同法适用范围:

1. 合同法的适用范围与三部合同法相比,作了适当扩大。经济合同法、涉外经济合同法和技术合同法的适用范围各有侧重。经济合同法适用范围是平等民事主体的法人、其他经济组织、个体工商户、农村承包经营户相互之间,为实现一定经济目的,明确相互权利义务关系而订立的合同,不包括公民之间以及公民与法人、其他经济组织之间的合同。涉外经济合同法适用范围是中国的企业或者其他经济组织同外国企业和其他经济组织或者个人之间订立的经济合同,不包括我国公民同外国企业和其他组织或者个人之间的经济合同。技术合同法适用范围是法人之间、公民之间以及公民同法人相互之间订立的技术合同,但不包括涉外技术合同。而统一的合同法的适用范围扩大了:一是合同主体,包括中国、外国的个人之间、组织之间以及个人与组织之间订立的合同;二是合同的种类,不仅是经济合同、技术合同,而且包括所有当事人设立、变更、终止民事权利义务关系的协议。

这里所说的民事权利义务关系,主要是指财产关系,有关婚姻、收养、监护等身份关系的协议不适用合同法,因此本条第二款规定:“婚姻、收养、监护等有关身份关系的协议,适用其他法律的规定。”

2. 合同是平等主体之间订立的民事权利义务关系的协议,属于民事法律关系。不属于民事法律关系的其他活动,不适用合同法。(1)政府对经济的管理活动,属于行政管理关系,不适用合同法。例如,贷款、租赁、买卖等民事合同关系,适用合同法;而财政拨款、征用、征购等,是政府行使行政管理职权,属于行政关系,适用有关行政法,不适用合同法。(2)企业、单位内部的管理关系,是管理与被管理的关系,不是平等主体之间的关系,也不适用合同法。例如,加工承揽是民事关系,适用合同法;而工厂车间内的生产责任制,是企业的一种管理措施,不适用合同法。

3. 关于政府机关参与的合同,应当区别不同情况分别处理。(1)政府机关作为平等的主体与对方签订合同的,如购买办公用品,属于一般的合同关系,适用合同法。(2)属于行政管理关系的协议,如有关综合治理、计划生育、环境保护等协议,不是民事合同,不适用合同法。(3)政府的采购活动。对政府的采购行为应加以规范,目的在于防止浪费,杜绝腐败,保护民族工业等。但这种规范,仅是对政府的采购行为加以约束,并不是约束对方,政府与对方之间订立的合同要适用合同法。对于政府采购行为本身,要专门制定政府采购法来规范。(4)关于指令性任务或国家订货任务问题。我们实行社会主义市场经济体制,指令性计划不是合同法普遍适用的基本原则。为了保证国防重点建设以及国家战略储备的需要，在个别情况下，国家需要下达指令性任务或国家订货任务，为此，在合同法关于合同订立的一章中规定，国家根据需要下达指令性任务或者国家订货任务的，有关企业、事业单位之间应当依照有关法律、行政法规的权利和义务订立合同。

第三条　合同当事人的法律地位平等，一方不得将自己的意志强加给另一方。

【释义】　本条是关于平等原则的规定。

平等原则是指地位平等的合同当事人，在权利义务对等的基础上，经充分协商达成一致，以实现互利互惠的经济利益目的的原则。这一原则包括三方面内容：

1. 合同当事人的法律地位一律平等。在法律上，合同当事人是平等主体，没有高低、从属之分，不存在命令者与被命令者、管理者与被管理者。这意味着不论所有制性质，也不问单位大小和经济实力的强弱，其地位都是平等的。

2. 合同中的权利义务对等。所谓“对等”，是指享有权利，同时就应承担义务，而且，彼此的权利、义务是相应的。这要求当事人所取得财产、劳务或工作成果与其履行的义务大体相当；要求一方不得无偿占有另一方的财产，侵犯他人权益；要求禁止平调和无偿调拨。

3. 合同当事人必须就合同条款充分协商，取得一致，合同才能成立。合同是双方当事人意思表示一致的结果，是在互利互惠基础上充分表达各自意见，并就合同条款取得一致后达成的协议。因此，任何一方都不得凌驾于另一方之上，不得把自己的意志强加给另一方，更不得以强迫命令、胁迫等手段签订合同。同时还意味着凡协商一致的过程、结果，任何单位和个人不得非法干涉。例如，工商行政管理部门在依法维护市场秩序时，与企业之间是管理与被管理的关系，但在购买商品时，与企业的法律地位是平等的，不能因为是工商行政管理部门就可以不管企业愿意不愿意，将自己的意志强加给企业。法律地位平等是自愿原则的前提，如果当事人的法律地位不平等，就谈不上协商一致，谈不上什么自愿。

第四条　当事人依法享有自愿订立合同的权利，任何单位和个人不得非法干预。

【释义】　本条是关于自愿原则的规定。

自愿原则是合同法的重要基本原则，合同当事人通过协商，自愿决定和调整相互权利义务关系。自愿原则体现了民事活动的基本特征，是民事关系区别于行政法律关系、刑事法律关系的特有的原则。民事活动除法律强制性的规定外，由当事人自愿约定。自愿原则也是发展社会主义市场经济的要求，随着社会主义市场经济的发展，合同自愿原则显得越来越重要了。

自愿原则意味着合同当事人即市场主体自主自愿地进行交易活动，让合同当事人根据自己的知识、认识和判断，以及直接所处的相关环境去自主选择自己所需要的合同，去追求自己最大的利益。合同当事人在法定范围内就自己的交易自治，涉及的范围小、关系简单，所需信息小、反应快。自愿原则保障了合同当事人在交易活动中的主动性、积极性和创造性，而市场主体越活跃，活动越频繁，市场经济才越能真正得到发展，从而提高效率，增进社会财富积累。

自愿原则是贯穿合同活动的全过程的，包括：第一，订不订立合同自愿，当事人依自己意愿自主决定是否签订合同；第二，与谁订合同自愿，在签订合同时，有权选择对方当事人；第三，合同内容由当事人在不违法的情况下自愿约定；第四，在合同履行过程中，当事人可以协议补充、协议变更有关内容；第五，双方也可以协议解除合同；第六，可以约定违约责任，在发生争议时，当事人可以自愿选择解决争议的方式。总之，只要不违背法律、行政法规强制性的规定，合同当事人有权自愿决定。

当然，自愿也不是绝对的，不是想怎样就怎样，当事人订立合同、履行合同，应当遵守法律、行政法规，尊重社会公德，不得扰乱社会经济秩序，损害社会公共利益。在合同法的起草过程中，有的同志建议规定合同自由原则。但是合同自由不是绝对的。许多国家都规定合同自由是在法律规定范围内的自由。一方面，只要当事人的意思不与强行性规范、社会公共利益和社会公德相抵触，就承认合同的法律效力，按当事人的合意赋予法律效力；另一方面，当事人的意思应在法律允许的范围内表示，唯有如此，合意才获得法律拘束力。违反强制性规范或社会公共利益的合意无效。所以，合同的法律效力源自法律，由国家的强制力保障。

本条规定当事人依法享有自愿订立合同的权利，任何单位和个人不得非法干预。这样规定，既体现了当事人有权按照自己的意愿订立合同，又明确了当事人行使这项权利时必须“依法”。依法订立合同，包括在内容上应当遵守法律、行政法规，违反法律、行政法规的强制性规定的合同无效，也包括在程序上应当遵守法律、行政法规，法律、行政法规规定应当办理批准、登记等手续的，依照其规定。比如，金融领域里发生的高息揽储情况，是违反有关金融法律、行政法规规定的，即使当事人双方自愿，该合同也是无效的，对违法者还应当依法追究法律责任。

第五条　当事人应当遵循公平原则确定各方的权利和义务。

【释义】　本条是关于公平原则的规定。

公平原则要求合同双方当事人之间的权利义务要公平合理,要大体上平衡,强调一方给付与对方给付之间的等值性,合同上的负担和风险的合理分配。具体包括:第一,在订立合同时,要根据公平原则确定双方的权利和义务,不得滥用权利,不得欺诈,不得假借订立合同恶意进行磋商;第二,根据公平原则确定风险的合理分配;第三,根据公平原则确定违约责任。

公平原则作为合同法的基本原则,其意义和作用是:公平原则是社会公德的体现,符合商业道德的要求。将公平原则作为合同当事人的行为准则,可以防止当事人滥用权利,有利于保护当事人的合法权益,维护和平衡当事人之间的利益。

第六条　当事人行使权利、履行义务应当遵循诚实信用原则。

【释义】　本条是关于诚实信用原则的规定。

诚实信用原则要求当事人在订立、履行合同,以及合同终止后的全过程中,都要诚实、讲信用、相互协作。诚实信用原则具体包括:第一,在订立合同时,不得有欺诈或其他违背诚实信用的行为;第二,在履行合同义务时,当事人应当遵循诚实信用的原则,根据合同的性质、目的和交易习惯履行及时通知、协助、提供必要的条件、防止损失扩大、保密等义务;第三,合同终止后,当事人也应当遵循诚实信用的原则,根据交易习惯履行通知、协助、保密等义务,称为后契约义务。

诚实信用原则作为合同法基本原则的意义和作用,主要有以下两个方面：第一，将诚实信用原则作为指导合同当事人订立合同、履行合同的行为准则，有利于保护合同当事人的合法权益，更好地履行合同义务。第二，合同没有约定或约定不明确而法律又没有规定的，可以根据诚实信用原则进行解释。

第七条　当事人订立、履行合同，应当遵守法律、行政法规，尊重社会公德，不得扰乱社会经济秩序，损害社会公共利益。

【释义】　本条是关于遵守法律，不得损害社会公共利益原则的规定。

遵守法律，尊重公德，不得扰乱社会经济秩序，损害社会公共利益，是合同法的基本原则。一般来讲，合同的订立和履行，属于合同当事人之间的民事权利义务关系，主要涉及当事人的利益，只要当事人的意思不与强制性规范、社会公共利益和社会公德相抵触，就承认合同的法律效力，国家及法律尽可能尊重合同当事人的意思，一般不予干预，由当事人自主约定，采取自愿的原则。但是，合同绝不仅仅是当事人之间的问题，有时可能涉及社会公共利益和社会公德，涉及维护经济秩序，合同当事人的意思应当在法律允许的范围内表示，不是想怎么样就怎么样。为了维护社会公共利益，维护正常的社会经济秩序，对于损害社会公共利益、扰乱社会经济秩序的行为，国家应当予以干预。至于哪些要干预，怎么干预，都要依法进行，由法律、行政法规作出规定。

必须遵守法律的原则与自愿原则是不是矛盾呢？如何正确理解和把握这两个原则的关系呢？一方面，自愿原则鼓励交易，促进交易的开展，发挥当事人的主动性、积极性和创造性，以活跃市场经济；另一方面，必须遵守法律的原则保证交易在遵守公共秩序和善良风俗的前提下进行，使市场经济有一个健康、正常的道德秩序和法律秩序。所以说，遵守法律原则和自愿原则是不矛盾的，自愿是以遵守法律、不损害社会公共利益为前提；同时，只有遵守合同法，依法订立合同、履行合同，才能更好地体现和保护当事人在合同活动中的自愿原则。依法保护当事人的合法权益同依法禁止滥用民事权利是统一的。法律、行政法规有关合同条文的规定，有不同的情况，有强制性规定，有非强制性规定。对强制性规定当事人在合同活动中是必须执行的。例如，禁止非法借贷，不得恶意串通损害国家、集体或者第三人利益等。对非强制性规定，由当事人自愿选择。例如，合同法规定，合同内容由当事人约定，合同生效后当事人对质量、价款或者报酬、履行地点等内容没有约定或者约定不明确的，应由当事人协议补充。正确认识以上两种不同的规定，有助于指导当事人在遵守法律、行政法规的前提下自主、自愿地从事订立合同、履行合同等合同活动。

第八条　依法成立的合同，对当事人具有法律约束力。当事人应当按照约定履行自己的义务，不得擅自变更或者解除合同。

依法成立的合同，受法律保护。

【释义】　本条是关于依法成立的合同效力的规定。

根据合同法的自愿原则，订不订合同、与谁订合同、合同的内容如何等，由当事人自愿约定。但是，合同依法成立生效以后，对当事人就具有了法律约束力。所谓法律约束力，也就是说，当事人应当按照合同的约定履行自己的义务，非依法律规定或者取得对方同意，不得擅自变更或者解除合同。如果不履行合同义务或者履行合同义务不符合约定,就要承担违约责任。

依法成立的合同受法律保护。所谓受法律保护,就是说,如果一方当事人未取得对方当事人同意,擅自变更或者解除合同,不履行合同义务或者履行合同义务不符合约定,从而使对方当事人的权益受到损害,受损害方向人民法院起诉要求维护自己的权益时,法院就要依法维护,对于擅自变更或者解除合同的一方当事人强制其履行合同义务并承担违约责任。

第二章 合同的订立

本章共三十五条，对订立合同的主体的资格、合同的形式、合同的主要条款、要约与承诺制度、根据国家的指令性任务或者国家订货任务订立的合同、格式条款、缔约过失责任作了规定。

第九条 当事人订立合同，应当具有相应的民事权利能力和民事行为能力。

当事人依法可以委托代理人订立合同。

【释义】 本条是关于合同当事人的资格以及委托代理人订立合同的规定。

一、民事权利能力

民事权利能力是指法律赋予民事主体享有民事权利和承担民事义务的能力，也就是民事主体享有权利和承担义务的资格，是作为民事主体进行民事活动的前提条件。如法律规定，国家保护公民的财产所有权，则每一个公民都享有行使财产所有权的权利能力。但并不是说，只有当公民行使了某一项民事权利，才能证明其有权利能力。国家赋予公民的民事权利能力是一种法律上的确认，它不以公民是否行使民事权利决定是否拥有民事权利能力。

民事权利能力与具体民事权利的不同在于：第一，民事权利能力是取得具体民事权利的前提。法律赋予公民财产所有权的权利能力，但只有参加到具体的民事法律关系中，才能享有具体的民事权利，如果不参加具体的民事关系，就只有民事权利能力，而没有民事权利。第二，民事权利能力是指享有民事权利与承担民事义务两个方面，民事权利能力不仅是享有民事权利的前提，还是承担民事义务的前提。而民事权利一般仅仅指权利，不包括民事义务。第三，民事权利能力是由法律直接赋予的，而民事权利则是在具体的民事活动中产生的。

公民的权利能力始于出生，终于死亡。一般说来，公民的权利能力与年龄无关，但有的权利能力，需要达到一定年龄时才能享有，如工作的权利能力。公民的权利能力是法律所赋予的，与公民的人身不可分离，非依法律不得限制与剥夺，亦不得由公民本人放弃。公民从事订立合同的民事活动，应当具备订立合同所需要的民事权利能力。一般说来，公民订立合同的权利能力不受限制。只要不违背法律的强制性规定，都可以自由地订立合同。但是，公民的权利能力受到一般的社会发展条件的限制。

二、民事行为能力

民事行为能力是指民事主体以自己的行为享有民事权利、承担民事义务的能力。也就是民事主体以自己的行为享有民事权利、承担民事义务的资格。这里的“能力”或者“资格”是指民事主体的意识能力或者精神状态，包括思维是否正常，是否有认识能力、判断能力，是否具有辨别是非和处理自己事务的能力。民事行为能力与民事权利能力不同。民事行为能力以民事权利能力为前提，只有具备民事权利能力，才可能有民事行为能力。但有民事权利能力，不一定有民事行为能力。民事行为能力既包括民事主体对其实施的合法行为取得民事权利、承担民事义务的能力，也包括对其实施的违法行为承担民事责任的能力。

自然人的民事行为能力可以分为完全民事行为能力、无民事行为能力和限制民事行为能力三种情况。

(一)完全民事行为能力,指达到一定年龄的人,具有以自己的行为取得民事权利和承担民事义务的资格。一般而言,成年人生理和心理发育成熟,具有一定的社会经验和对事物的认识能力和判断能力,具有独立生活的能力,不仅能够有意识地实施法律行为,而且能够估计到实施某种行为可能发生的后果及对自己和他人的影响。因此,一般的立法都规定成年人在法律上具有完全民事行为能力。民法通则规定,18周岁以上的公民是成年人,具有完全民事行为能力,可以独立进行民事活动,是完全民事行为能力人。

(二)无民事行为能力,是指公民不具有以自己的行为参与民事法律关系取得民事权利和承担民事义务的资格。依据民法通则的规定,不满10周岁的未成年人和不能辨认自己行为的精神病人是无民事行为能力人。

不满10周岁的未成年人,由于年龄太小,认识能力与判断能力太差,还不能有意识、有目的地进行民事活动,从保护他们的利益和保障社会经济秩序出发,法律不赋予他们民事行为能力。他们所需要进行的民事活动,由他们的父母或者其他法定代理人代为进行。

不能辨认自己行为的精神病人,由于他们丧失了认识能力和判断能力,无法独立进行民事活动,从维护他们的利益与保障社会经济秩序出发,法律不赋予他们民事行为能力。他们所需要进行的民事活动,由其法定代理人代为进行。

(三)限制民事行为能力,又称不完全民事行为能力,按照民法通则的规定,10周岁以上的未成年人和不能完全辨认自己行为的精神病人是限制民事行为能力人。

一方面,10周岁以上的未成年人,生理与心理有一定程度的发育,并且已接受一定程度的正规而有系统的社会教育,有一定的认识能力与判断能力,具有一定的独立生活能力,并且随着年龄的增长,各方面的能力也在不断地增强。具备了一定的从事民事活动的能力。因此,法律应当赋予他们一定的民事行为能力。另一方面,虽然有一定的行为能力,但智力发展还不全面,社会生活经验还不够丰富,认识能力与判断能力还比较弱,对某些较为复杂的事情还不能完全进行成熟地认识与判断,也不完全具备有效地保护自己的能力。因此,法律不能赋予他们完全的民事行为能力,而是赋予他们一定的、与其认识能力和判断能力相适应的行为能力。他们可以进行与其年龄、智力相适应的民事活动。其他民事活动,由其法定代理人代理进行,或者取得法定代理人的同意。

并非所有精神病人都是完全无民事行为能力的人,有的精神病人并未完全丧失行为能力,有一定的认识与判断能力,应当赋予一定的民事行为能力。因此,民法通则规定,不能完全辨认自己行为的精神病人是限制民事行为能力人,可以进行与其精神健康状况相适应的民事活动;其他民事活动由其法定代理人代理,或者征得其法定代理人的同意。

三、法人的民事权利能力与民事行为能力

法人是法律设定的民事主体,与自然人有很大不同,法人是否有民事权利能力与民事行为能力呢?民法通则规定,法人是具有民事权利能力和民事行为能力,依法独立享有民事权利和承担民事义务的组织。法人的民事权利能力和民事行为能力,从法人成立时产生,到法人终止时消灭。法人的民事权利能力在性质上与自然人的民事权利能力一样,是法人享有民事权利、承担民事义务的能力，是法人作为民事主体的资格。法人的民事行为能力在性质上与自然人的民事行为能力也是一样的，是法人通过自己的行为参与民事活动、享有民事权利、承担民事义务的能力，是法人能够以自己的意思进行民事活动的资格。法人的民事行为能力是通过法人的法定代表人、代表机构或者代理人来实现的。

法人的民事权利能力与行为能力，取决于有关法律、法规的规定以及有关部门对法人设立等的审查批准，不同法人的权利能力、行为能力的范围是不同的。一般来说，法人的业务范围或者经营范围就是法人的民事权利能力与行为能力的范围。法人的权利能力与行为能力在范围上是一致的。法人的权利能力和行为能力与自然人有很大不同。自然人的民事权利能力是普遍、一致和平等的，自然人的权利能力通常没有多大差别，基本上是相同的，而法人的民事权利能力的大小、范围，取决于成立的宗旨和任务，差别可能是很大的。某些民事权利能力只有自然人才能享有，如婚姻、收养、继承等，而某些民事权利能力只有法人才能享有，如烟草、黄金等只有法人才能经营。

四、关于代理

自然人、法人进行民事活动，一是亲自实施某种民事法律行为，二是通过代理人实施某种民事法律行为。通过代理人实施民事法律行为，就涉及民法中的代理。民法通则规定，代理人在代理权限内，以被代理人的名义实施民事法律行为。被代理人对代理人的代理行为，承担民事责任。这一规定表明了代理的几个特点：(1)代理人在代理权限内进行代理活动。(2)代理人以被代理人的名义进行代理活动。(3)代理人的代理活动是实施某种民事法律行为。(4)代理人代理活动产生的法律后果由被代理人承担。

按照民法通则的规定,代理分为三种形式:

(一)法定代理。基于法律的直接规定而产生的代理为法定代理。民法通则规定,无民事行为能力人、限制民事行为能力人的法定代理人是其监护人。未成年人的父母是未成年人的监护人,如果没有父母或者父母没有监护能力,依法由祖父母、外祖父母、兄、姐以及依法确定的其他人、单位担任监护人。无民事行为能力人的精神病人、限制民事行为能力人的精神病人,由配偶、父母、成年子女、其他近亲属以及依法确定的其他人、单位担任监护人。

(二)指定代理。依照法律规定因人民法院或者其他部门的指定而产生的代理为指定代理。指定代理适用于无民事行为能力人、限制民事行为能力人,在没有法定代理人、对法定代理人有争议或者法定代理人无正当理由不能代理的情况下,才会产生指定代理。民法通则规定,对担任监护人有争议的,由未成年人的父、母的所在单位或者未成年人住所地的居民委员会、村民委员会在近亲属中指定。对指定不服提起诉讼的,由人民法院裁决。指定监护人,也就是指定法定代理人。民事诉讼法规定,无诉讼行为能力人由他的监护人作为法定代理人代为诉讼。法定代理人之间互相推诿代理责任的,由人民法院指定其中一人代为诉讼。

(三)委托代理。委托代理是按照委托人的委托而产生的代理。委托代理是代理中适用最广泛、最普遍的一种形式,除具有人身关系性质的民事活动外,一般民事活动都可以实行委托代理。因此,本条第二款规定,当事人依法可以委托代理人订立合同。按照民法通则的规定,委托代理可以采用口头形式,也可以采用书面形式。法律规定用书面形式的,应当用书面形式。如果是书面形式的委托代理，应当签发授权委托书。授权委托书属单方法律行为，一经被代理人签发，立即生效。授权委托书是产生委托代理的根据。在民事活动中，如果第三人要求证明委托代理的资格，委托代理人应当出示授权委托书。在委托代理中，委托代理人必要时可能将受委托的一部分或者全部事项再委托给其他人办理，这叫转委托。按照民法通则的规定，委托代理人为被代理人的利益需要转委托他人代理的，应当事先取得被代理人的同意。事先没有取得被代理人同意的，应当在事后及时告诉被代理人，如果被代理人不同意，由代理人对自己所转托的人的行为负民事责任，但在紧急情况下，为了保护被代理人的利益而转委托他人代理的除外。

第十条　当事人订立合同，有书面形式、口头形式和其他形式。

法律、行政法规规定采用书面形式的，应当采用书面形式。当事人约定采用书面形式的，应当采用书面形式。

【释义】　本条是关于合同形式的规定。

民法通则第五十六条规定："民事法律行为可以采取书面形式、口头形式或者其他形式。法律规定用特定形式的，应当依照法律规定。"民法通则的这一规定并没有提出严格的书面形式要求，应当说对于合同形式采取的是不要式原则，一般不作特殊要求，法律规定用特定形式的属例外情形。但是，我国现行的三部合同法和其他法律有关合同的规定一般要求合同采用书面形式。如经济合同法第三条规定："经济合同，除即时清结者外，应当采用书面形式。"涉外经济合同法第七条规定："当事人就合同条款以书面形式达成协议并签字，即为合同成立。”技术合同法第九条规定:“技术合同的订立、变更和解除采用书面形式。”海商法规定,船舶所有权的转让、航次租船、船舶租用(包括定期租船合同和光船租赁)、海上拖航合同都应当以书面订立。其他法律对具体合同要求采用书面形式的规定还有:劳动法第十九条、商业银行法第三十七条、合伙企业法第三条以及担保法第十三条等。我国参加国际公约,也往往对公约中不限定合同形式的规定予以保留。在司法实践中,对于不符合法律规定的合同形式的合同,往往认定其为无效。如最高人民法院《关于适用〈涉外经济合同法〉若干问题的解答》规定,涉外经济贸易“订立合同未采用书面形式的”,“应当确认无效”。由于我国法律在对合同要求法定形式的规定中除了规定这些合同应当采用书面形式以外,没有对未采用书面形式的法律后果作出明确的规定。因此,实践中有不少未采用书面形式的合同被认定为无效。

在制定合同法的过程中,对于合同的形式有不少意见,归纳起来有两种:一种意见认为,合同法应当规定合同必须以书面形式订立,口头合同容易发生争议。另一种意见认为,合同可以书面、口头或者其他形式订立,凡是不违反法律,民事主体双方自愿订立的合同就是有效的,合同法不应对合同再规定限制条件。在起草的过程中,有关合同形式条文的写法也数易其稿。考虑到既要适应现实需要,又要提倡当事人尽量采取书面形式订立合同,避免口说无凭,使订立的合同规范化、法制化,本条对合同形式的规定为:当事人订立合同,有书面形式、口头形式和其他形式。法律、行政法规规定采用书面形式的,应当采用书面形式。当事人约定采用书面形式的,应当采用书面形式。

书面形式是指以文字等可以有形式再现内容的方式达成

的协议。这种形式明确肯定，有据可查，对于防止争议和解决纠纷，有积极意义。书面形式一般是指当事人双方以合同书、书信、电报、电传、传真等形式达成协议。

口头形式是指当事人面对面地谈话或者以通讯设备如电话交谈达成协议。以口头订立合同的特点是直接、简便、快速，数额较小或者现款交易通常采用口头形式。如在自由市场买菜、在商店买衣服等。口头合同是老百姓日常生活中广泛采用的合同形式。口头形式当然也可以适用于企业之间，但口头形式没有凭证，发生争议后，难以取证，不易分清责任。

除了书面形式和口头形式，合同还可以其他形式成立。我们可以根据当事人的行为或者特定情形推定合同的成立，或者也可以称之为默示合同。此类合同是指当事人未用语言明确表示成立，而是根据当事人的行为推定合同成立，如租赁房屋的合同，在租赁房屋的合同期满后，出租人未提出让承租人退房，承租人也未表示退房而是继续交房租，出租人仍然接受租金。根据双方当事人的行为，我们可以推定租赁合同继续有效。再如，当乘客乘上公共汽车并到达目的地时，尽管乘车人与承运人之间没有明示协议，但可以依当事人的行为推定运输合同成立。

第十一条　书面形式是指合同书、信件和数据电文（包括电报、电传、传真、电子数据交换和电子邮件）等可以有形地表现所载内容的形式。

【释义】　本条是关于书面形式含义的规定。

一、合同书、信件、电报、电传和传真

合同的书面形式有多种，最通常的是当事人双方对合同有关内容进行协商订立的并由双方签字（或者同时盖章）的合同文本,也称作合同书或者书面合同。通常合同书中明确地记载合同的双方当事人的权利义务、解决争议的方法等具体内容。因此,发生争议可以按照合同的规定进行处理,比较容易解决纠纷,摆脱了“口说无凭”的状况。所以,最好采用签订合同书的形式。合同书有多种多样,有行业协会等制定的示范性合同文本,国际上也有通行的某种行业的标准文本,也有营业者提供的由营业者制订的格式合同文本,大量的还有双方当事人自己签订的合同文本。一般来说,作为合同书应当符合如下条件:(1)必须以某种文字、符号书写。(2)必须有双方当事人(或者代理人)的签字(或者同时盖章)。(3)必须规定当事人的权利义务。

合同也可以信件订立,也就是平时我们所说的书信。书信有平信、邮政快件、挂号信以及特快专递等多种形式。

电报、电传、传真也属于书面形式,大量的合同通过这三种形式订立。

二、电子数据交换和电子邮件

通过计算机网络系统订立合同,近年来在国外发展迅速,我国也已出现网上交易形式并且发展很快。通过计算机网络系统订立合同,主要形式有电子数据交换(Electronic Data Interchange,EDI)和电子邮件(E-mail)。

电子邮件(E-mail),又称电子信箱,电子邮件与我们平时寄信差不多,一般我们将信件投入邮箱,邮政系统进行分拣、运输、投递,将信件交给收信人。所不同的是,电子邮件的传递是通过电子计算机系统来完成的。它要求发信人与收信人都有计算机终端,与计算机网络系统连接并登记注册,网络系统为每一个注册用户分配一个信箱,也就是在计算机的存储空间内划分出区域并确定相应的用户名及口令,用户可以随时随地通过计算机使用口令开启信箱,进行写作和收发信件。电子信箱系统中传递的信件与传统的信件不同,它是电子信件,其内容可以是文本文件,数据文件以及传真、语音和图像文件等。电子信箱是一种新型的快速、经济的信息交换方式,是实现办公自动化的重要手段,不仅可用于个人间、办公室间的通讯,而且还可用于各种贸易活动。

电子数据交换(EDI),又称“电子资料通联”,是一种在公司、企业间传输订单、发票等商业文件进行贸易的电子化手段。它通过计算机通信网络,将贸易、运输、保险、银行和海关等行业信息,用一种国际公认的标准格式,完成各有关部门或者公司、企业之间的数据交换与处理,实现以贸易为中心的全部过程。电子数据交换20世纪60年代始于欧洲与美国。早期的EDI只是在两个商业伙伴之间通过计算机直接通信完成,70年代数字通讯技术加快了EDI技术的成熟与应用范围的扩大,出现了跨行业的EDI系统。80年代EDI标准的国际化以使其应用进入一个新的发展阶段。EDI是一种新颖的电子化贸易工具,是计算机、通信和现代管理技术相结合的产物。国际标准化组织将其描述为:“将贸易或者行政事务按照一个公认的标准形成结构化的事务处理或信息数据格式,从计算机到计算机的电子传输。”一般的买卖,是由买方向卖方发出订单,卖方按照订单发货,买方收到货物及发货票后开出支票给卖方,卖方到银行兑现。而EDI的处理过程是:企业收到EDI订单,EDI系统就会自动处理该订单,检查订单是否符合要求;通知安排生产;向供应商订购零配件;向运输部门预订集装箱;向海关、商检等部门申请许可证;通知银行并给订货方开出EDI发票;向保险公司申请保险单等,使整个交易过程在最短时间内准确完成。

1984年,联合国国际贸易法委员会第十七次会议开始研究电子数据,并着手起草法律草案。原来搞EDI,后来认为仅搞EDI太狭窄,因通过计算机或其他类似方式签订合同还有电子邮件和计算机传真等多种形式。1995年,联合国国际贸易法委员会第二十八届会议,制定了电子商业示范法草案,此草案只规定了第一部分"电子商业总则"的内容,征求意见,并继续工作,增加了第二部分"电子商业的特定领域",联合国国际贸易法委员会第二十九届会议于1996年6月通过了《贸易法委员会电子商业示范法》,并于同年12月发布了该示范法的说明指南。示范法将以电子方式进行的贸易称作"电子商业",将各种通过电子方式传达信息的手段称作"数据电文",指"经由电子手段、光学手段或类似手段生成、储存或传递的信息,这些手段包括但不限于电子数据交换(EDI)、电子邮件、电报、电传或传真"。

示范法对电子合同的有关问题作了规定,核心内容是:一是确认电子合同的有效性。第5条"数据电文的法律承认"规定,不得以某项信息采用数据电文的形式为理由而否定其法律效力、有效性或可执行性。第11条"合同的订立和有效性"规定,就合同的订立而言,除非当事人各方另有协议,一项要约以及对要约的承诺均可以通过数据电文的手段表示。如使用了一项数据电文来订立合同,则不得仅仅以使用了数据电文为理由而否定合同的有效性或可执行性。二是确定电子合同符合法律对书面、签字、原件的要求。(1)法律对"书面"的要求问题。第6条规定,假若一项数据电文所含信息可以调取以备日后查用,即满足了法律对"书面"的要求。(2)法律要求"签字"的问题。第7条规定,如果采用可靠的方法鉴定了某人的身份并表明该人认可了数据电文内含的信息，即满足了法律对“签字”的要求。(3)法律对“原件”的要求问题。第8条规定，如果可靠地保证信息自首次以最终形式生成并保持了完整性，同时可以将信息展示，即满足了法律对“原件”的要求。三是确定电子合同的证据效力。第9条规定，在任何法律诉讼中，证据规则的适用在任何方面不得以它仅是一项数据电文或者并不是原样为由否定一项数据电文作为证据的可接受性。对于以数据电文为形式的信息，应给予应有的证据力。在评估一项数据电文的证据力时，应考虑到生成、储存或者传递该数据电文的办法的可靠性，保持信息完整性的办法的可靠性，用以鉴别发件人的办法，以及任何其他相关因素。

世界各主要国家都面临传统合同法与电子商务合同的冲突问题。如英国1968年的《民事诉讼证据法》规定，民诉中第一手传闻可以采证，据此，计算机输出资料也可采纳作为证据。1979年银行法明文承认用电子形式所保存的数据。美国判例法承认商务记录作为传闻证据的例外，只要是在进行正常的业务中作成并于业务完成的同时或稍后输入的，此做法已为《统一证据法规则》所采纳。美国《联邦诉讼规则》还规定，此项例外适用于以任何储存方式的数据，当然包括计算机储存的数据。英美的判例法也都允许当事人在证明无从取得正本时可以使用抄本以证明正本的内容。英国的民事诉讼证据法也规定可以采纳计算机输出文件的抄本。

1998年3月，澳大利亚电子商务专家组给司法部长提交了“建立电子商务法律框架”的报告。报告中就电子商务合同提出以下立法建议：(1)国家应当确认电子商务合同与传统的书面合同具有同等的法律效力。(2)订立合同的技术手段的差异不影响合同的效力。如采用性能有差别的不同的计算机订立的合同效力是一样的。(3)电子商务合同主要适用于商事行为,但不宜适用于支票、汇票、提单及遗嘱等。(4)关于订立电子商务合同的签字问题,只要能确认签字,任何形式都应当得到承认,不宜只承认数码式签字。(5)当事人可以选择是否适用有关电子商务合同的法律。(6)应当减少政府在电子商务合同方面的管理职能。(7)可以参照"联合国国际贸易法委员会电子商务示范法草案"制定澳大利亚的法律。如可以吸收示范法第5条关于数据电文交易法律效力的规定;第6条法律要求采用书面形式的,数据电文只要能够调取以备日后查用即符合法律要求的规定;第10条关于数据电文留存的规定;第11条关于确认电子合同的订立和有效性的规定等。但不宜将示范法第13条关于数据电文归属的规定;第15条关于确认何时收到信息的规定纳入澳大利亚有关电子商务合同的法律。理由是上述规定较为复杂,不易操作。还有的专家提出,在电子商务合同立法中还应当解决在订立电子商务合同过程中消费者的知情权问题以及电子商务合同付款的安全、保密等问题。

为了解决电子合同的问题,韩国1991年12月颁布了《促进贸易自动化条例》,是对EDI的应用法规,共7章29条和一个附录。该条例从总体上解决了电子文件作为合法的书面文件、电子签名的合法性和计算机记录的证据力等几个问题,条例对EDI应用过程中当事人各方的责任作出限定,并明确规定了法律责任。

进入20世纪90年代,我国电子商务合同应用逐步开展,电子商务的有关问题也得到有关机构与组织的重视。我国政府对这一领域的工作十分重视,多次派代表出席国际会议,参加联合国国际贸易法委员会的会议,并对电子商业示范法的制定发表意见。为实施中国海关 EDI 自动化通关系统，海关总署于 1992 年 9 月颁布第 36 号总署令《中华人民共和国海关对报关单位和报关员的管理规定》，其中第十九条明确规定："经电子计算机传送数据的报关单与手工填写的报关单具有同等的法律效力。"各试点海关还具体订立了 EDI 通关暂行管理办法，并通过海关与用户的协议，具体规定了参加 EDI 通关的审批办法、双方的权利与义务、发生争议时的裁定方法等。为了约束和规范实施 EDI 的行为，推动 EDI 的应用的发展，广东省政府于 1996 年 10 月颁布了《广东省对外贸易实施电子数据交换（EDI）暂行规定》，于 1997 年 1 月 1 日实施。该规定共 24 条，对电子报文作为合法的书面形式、电子签名的合法性以及有关问题作了规定。第八条规定，协议方依据协议，利用 EDI 服务中心的 EDI 网络系统进行信息传递或交换，其电子报文是合法、有效和可执行的。第九条规定，凡法律、法规规定必须采用书面形式，而电子报文的内容可以随时查阅的，则此电子报文同合法的书面文件。第十条规定，由协议方或法律、法规要求文件必须签名，而电子报文附有电子签名时，则此电子报文视同符合协议方的要求或法律、法规的规定。

统一合同立法，电子商务合同是个不可回避的问题。一些部门、单位和专家也建议合同法中应当确认采用电子数据交换和电子邮件等形式订立的合同的有效性。因此，合同法借鉴了联合国国际贸易法委员会制定的电子商务示范法的有关规定，针对我国实践中需要解决而又较有把握的问题作出规定。本条明确规定了电子数据交换和电子邮件作为合同的形式，并且该条文的表述也表明并不限于此两种形式。

三、关于“可以有形地表现所载内容的形式”

合同书、信件和数据电文是“可以有形地表现所载内容的形式”,但也不限于明确规定的这几类。凡是“可以有形地表现所载内容的形式”都可以作为合同的书面形式。联合国国际贸易法委员会的电子商业示范法对数据电文的规定就是“包括但不限于”电报、电传、传真、EDI 和电子邮件。表明数据电文尚可有其他形式。本条亦不排斥其他形式的数据电文。所以,合同的书面形式包括一切可以有形地表现所载内容的形式。

第十二条　合同的内容由当事人约定,一般包括以下条款:

(一)当事人的名称或者姓名和住所;

(二)标的;

(三)数量;

(四)质量;

(五)价款或者报酬;

(六)履行期限、地点和方式;

(七)违约责任;

(八)解决争议的方法。

当事人可以参照各类合同的示范文本订立合同。

【释义】　本条是关于合同主要条款和示范文本的规定。

一、合同的主要条款

合同的条款是合同中经双方当事人协商一致、规定双方当事人权利义务的具体条文。合同的条款就是合同的内容。合同的权利义务,除法律规定的以外,主要由合同的条款确定。合同的条款是否齐备、准确,决定了合同能否成立、生效以及能否顺利地履行、实现订立合同的目的。合同的条款是非常重要的，所以在此条规定了合同的主要条款。但是，并不是说当事人签订的合同中缺了其中任何一项就会导致合同的不成立或者无效。主要条款的规定只具有提示性与示范性。合同的主要条款或者合同的内容要由当事人约定，一般包括这些条款，但不限于这些条款。不同的合同，由其类型与性质决定，其主要条款或者必备条款可能是不同的。比如，买卖合同中有价格条款，而在无偿合同如赠与合同中就没有此项。

在订立合同的过程中，如果一方当事人坚持合同的订立以对特定事项达成协议为条件，则在这些特定事项未达成协议前，合同不成立。

如果当事人各方在订立合同时，有意将一项合同的内容留待进一步商定，则尽管这一项条款没有确定，也不妨碍合同的成立。

现将本条第一款规定的九项内容简述如下：

（一）当事人的名称或者姓名和住所。这是每一个合同必须具备的条款，当事人是合同的主体。合同中如果不写明当事人，谁与谁做交易都搞不清楚，就无法确定权利的享受和义务的承担，发生纠纷也难以解决，特别是在合同涉及多方当事人的时候更是如此。合同中不仅要把应当规定的当事人都规定到合同中去，而且要把各方当事人名称或者姓名和住所都规定准确、清楚。

（二）标的。标的是合同当事人的权利义务指向的对象。标的是合同成立的必要条件，是一切合同的必备条款。没有标的，合同不能成立，合同关系无法建立。

合同的种类很多，合同的标的也多种多样：

1. 有形财产。有形财产指具有价值和使用价值并且法律允许流通的有形物。如依不同的分类有生产资料与生活资料、种类物与特定物、可分物与不可分物、货币与有价证券等。

2. 无形财产。无形财产指具有价值和使用价值并且法律允许流通的不以实物形态存在的智力成果。如商标、专利、著作权、技术秘密等。

3. 劳务。劳务指不以有形财产体现其成果的劳动与服务。如运输合同中承运人的运输行为,保管与仓储合同中的保管行为,接受委托进行代理、居间、行纪行为等。

4. 工作成果。工作成果指在合同履行过程中产生的、体现履约行为的有形物或者无形物。如承揽合同中由承揽方完成的工作成果,建设工程合同中承包人完成的建设项目,技术开发合同中的委托开发合同的研究开发人完成的研究开发工作等。

合同对标的的规定应当清楚明白、准确无误,对于名称、型号、规格、品种、等级、花色等都要约定得细致、准确、清楚,防止差错。特别是对于不易确定的无形财产、劳务、工作成果等更要尽可能地描述准确、明白。订立合同中还应当注意各种语言、方言以及习惯称谓的差异,避免不必要的麻烦和纠纷。

(三)数量。在大多数的合同中,数量是必备条款,没有数量,合同是不能成立的。许多合同,只要有了标的和数量,即使对其他内容没有规定,也不妨碍合同的成立与生效。因此,数量是合同的重要条款。对于有形财产,数量是对单位个数、体积、面积、长度、容积、重量等的计量;对于无形财产,数量是个数、件数、字数以及使用范围等多种量度方法;对于劳务,数量为劳动量;对于工作成果,数量是工作量及成果数量。一般而言,合同的数量要准确,选择使用共同接受的计量单位、计量方法和计量工具。根据不同情况，要求不同的精确度，允许的尾差、磅差、超欠幅度、自然耗损率等。

（四）质量。对有形财产来说，质量是物理、化学、机械、生物等性质；对于无形财产、服务、工作成果来说，也有质量高低的问题，并有衡量的特定方法。对于有形财产而言，质量亦有外观形态问题。质量指标准、技术要求，包括性能、效用、工艺等，一般以品种、型号、规格、等级等体现出来。质量条款的重要性是毋庸讳言的，许许多多的合同纠纷由此引起。合同中应当对质量问题尽可能地规定细致、准确和清楚。国家有强制性标准规定的，必须按照规定的标准执行。如有其他质量标准的，应尽可能地约定其适用的标准。当事人可以约定质量检验的方法、质量责任的期限和条件、对质量提出异议的条件与期限等。

（五）价款或者报酬。价款或者报酬，是一方当事人向对方当事人所付代价的货币支付。价款一般指对提供财产的当事人支付的货币，如在买卖合同的货款、租赁合同的租金、借款合同中借款人向贷款人支付的本金和利息等。报酬一般是指对提供劳务或者工作成果的当事人支付的货币，如运输合同中的运费、保管合同与仓储合同中的保管费以及建设工程合同中的勘察费、设计费和工程款等。如果有政府定价和政府指导价的，要按照规定执行。价格应当在合同中规定清楚或者明确规定计算价款或者报酬的方法。有些合同比较复杂，货款、运费、保险费、保管费、装卸费、报关费以及一切其他可能支出的费用，由谁支付都要规定清楚。

（六）履行期限。履行期限是指合同中规定的当事人履行自己的义务如交付标的物、价款或者报酬，履行劳务、完成工作的时间界限。履行期限直接关系到合同义务完成的时间,涉及当事人的期限利益,也是确定合同是否按时履行或者迟延履行的客观依据。履行期限可以是即时履行的,也可以是定时履行的;可以是在一定期限内履行的,也可以是分期履行的。不同的合同,对履行期限的要求是不同的,期限可以以小时计,可以以天计,可以以月计,可以以生产周期、季节计,也可以以年计。期限可以是非常精确的,也可以是不十分确定的。不同的合同,其履行期限的具体含义是不同的。买卖合同中卖方的履行期限是指交货的日期、买方的履行期限是交款日期,运输合同中承运人的履行期限是指从起运到目的地卸载的时间,工程建设合同中承包方的履行期限是从开工到竣工的时间。正因如此,期限条款还是应当尽量明确、具体,或者明确规定计算期限的方法。

(七)履行地点和方式。履行地点是指当事人履行合同义务和对方当事人接受履行的地点。不同的合同,履行地点有不同的特点。如买卖合同中,买方提货的,在提货地履行;卖方送货的,在买方收货地履行。在工程建设合同中,在建设项目所在地履行。运输合同中,从起运地运输到目的地为履行地点。履行地点有时是确定运费由谁负担、风险由谁承担以及所有权是否转移、何时转移的依据。履行地点也是在发生纠纷后确定由哪一地法院管辖的依据。因此,履行地点在合同中应当规定得明确、具体。

履行方式是指当事人履行合同义务的具体做法。不同的合同,决定了其履行方式的差异。买卖合同是交付标的物,而承揽合同是交付工作成果。履行可以是一次性的,也可以是在一定时期内的,也可以是分期、分批的。运输合同按照运输方式的不同可以分为公路、铁路、海上、航空等方式。履行方式还包括价款或者报酬的支付方式、结算方式等,如现金结算、转账结算、同城转账结算、异地转账结算、托收承付、支票结算、委托付款、限额支票、信用证、汇兑结算、委托收款等。履行方式与当事人的利益密切相关，应当从方便、快捷和防止欺诈等方面考虑采取最为适当的履行方式，并且在合同中应当明确规定。

（八）违约责任。违约责任是指当事人一方或者双方不履行合同或者不适当履行合同，依照法律的规定或者按照当事人的约定应当承担的法律责任。违约责任是促使当事人履行合同义务，使对方免受或少受损失的法律措施，也是保证合同履行的主要条款。违约责任在合同中非常重要，因此一般有关合同的法律对于违约责任都已经作出较为详尽的规定。但法律的规定是原则性的，即使再细致也不可能面面俱到，照顾到各种合同的特殊情况。因此，当事人为了特殊的需要，为了保证合同义务严格按照约定履行，为了更加及时地解决合同纠纷，可以在合同中约定违约责任，如约定定金、违约金、赔偿金额以及赔偿金的计算方法等。

（九）解决争议的方法。解决争议的方法指合同争议的解决途径，对合同条款发生争议时的解释以及法律适用等。解决争议的途径主要有：一是双方通过协商和解；二是由第三人进行调解；三是通过仲裁解决；四是通过诉讼解决。当事人可以约定解决争议的方法，如果意图通过诉讼解决争议是不用进行约定的，通过其他途径解决都要事先或者事后约定。依照仲裁法的规定，如果选择适用仲裁解决争议，除非当事人的约定无效，即排除法院对其争议的管辖。但是，如果仲裁裁决有问题，可以依法申请法院撤销仲裁裁决或者申请法院不予执行。当事人选择和解、调解方式解决争议，都不能排除法院的管辖，当事人可以提起诉讼。

涉外合同的当事人约定采用仲裁方式解决争议的，可以选择中国的仲裁机构进行仲裁，也可以选择在外国进行仲裁。涉外合同的当事人还可以选择解决他们的争议所适用的法律，当事人可以选择选用中国的法律、港澳地区的法律或者外国的法律。但法律对有些涉外合同法律的适用有限制性规定的，依照其规定。

解决争议的方法的选择对于纠纷发生后当事人利益的保护是非常重要的，应该慎重对待。选择解决争议的方法比如选择仲裁，那么选择哪一个仲裁机构要规定得具体、清楚，不能笼统地规定“采用仲裁解决”。否则，将无法确定仲裁协议条款的效力。

当事人在合同中特别约定的条款，虽然超出本条规定的九项内容，也作为合同的主要条款。

二、关于合同的示范文本

在制定合同法的过程中，有的委员和部门认为，由于经济贸易活动的多样性，如果当事人缺乏经验，所订合同常易发生难以处理的纠纷。实践中合同的示范文本对于提示当事人在订立合同时更好地明确各自的权利义务起到了积极作用，对此应当在合同法中作出规定。因此，本条第二款规定订立合同可以参照各类合同的示范文本，其目的与第一款一样，就是为了使当事人订立合同更加认真、更加规范，尽量减少合同规定缺款少项、容易引起纠纷的情况。

第十三条　当事人订立合同，采取要约、承诺方式。

【释义】　本条是关于订立合同方式的规定。

合同是当事人之间设立、变更、终止民事权利义务关系的协议。合同本质上是一种合意。使合同得以成立的合意是指当事人对合同必备条款达成一致意见。当事人合议的过程，对合同内容协商一致的过程，就是经过要约、承诺完成的。向对方提出合同条件作出签订合同的意思表示称为“要约”，而另一方如果表示接受就称为“承诺”。一般而言，一方发出要约，另一方作出承诺，合同就成立了。但是，有时要约和承诺往往难以区分。许多合同是经过了一次又一次的讨价还价、反复协商才得以达成。

在统一的合同法制定以前，我国的民事立法包括三部合同法以及有关合同的法律、行政法规，都没有有关要约与承诺制度的规定。没有要约与承诺制度，在不少情况下对于合同成立与否难以判断，有可能使本来已经成立的合同认定为不成立。在合同法中规定要约与承诺制度，就可以使合同的成立有一个较为具体的标准，就会使在经济交往和社会生活中需要签订合同的当事人有所遵循，也使司法机关有所遵循。更好地分清各方当事人的责任，正确而恰当地确定合同的成立，充分保障当事人的权益，鼓励交易，减少与解决纠纷，促进经济的发展。

第十四条　要约是希望和他人订立合同的意思表示，该意思表示应当符合下列规定：

（一）内容具体确定；

（二）表明经受要约人承诺，要约人即受该意思表示约束。

【释义】　本条是关于要约的定义及其构成要件的规定。

一、关于要约的定义

要约在不同的情况下可以称为“发盘”、“发价”等，发出要约的人称为“要约人”，接收要约的人称为“受要约人”。

按照大陆法系，合同被定义为当事人的“合意”，要约则一般被定义为：“以一定契约之成立为目的之确定的意思表示”或者“是当事人一方向另一方提出合同条件，希望另一方接受的意思表示。”大陆法系的民法理论认为，要约仅仅是一个希望订立合同的意思表示，还不能算是法律行为。因为，法律行为是设立、变更、终止民事权利义务关系的合同法律行为，要约本身虽然会引起一定的法律效果，但尚不能发生当事人所希望的成立合同的效力。也有的学者认为，要约在性质上是一种附条件的法律行为。要约人发出要约之后，要受法律规定的限制，不依规定不能撤回或者撤销。如果对方承诺则协议达成，就必须按照达成的协议履行，违反协议就要承担违约责任。

在英美法系，合同则被定义为“许诺”或者一系列的“许诺”，要约也被视为或者被定义为当事人所作的一种允诺。如“要约，实际上是要约人做什么事或不做什么事的一种许诺”。以“许诺”为要约下定义是不奇怪的，“许诺”或“诺言”(Promise)是英美合同法理论的一个十分重要的概念，基本上是合同的同义语，如“合同是由法律强制履行的一个或一系列的诺言”。《美国合同法重述》也是这样下定义的：“一个合同是这样一个或一系列许诺，违背它，法律将给予补偿；履行它，法律将通过某种方式确认是一种义务”。英美法合同理论上还有一个重要的概念：“对价”(Consideration)，要约是否有效以及合同是否有效取决于有无对价。P. S. 阿蒂亚在他的《合同法概述》中对要约的说明：“要约，实际上是要约人做什么事或不做什么事的一种许诺，而这种许诺有效的条件是承诺人应接受这个要约，并对这个要约支付或答应支付它的对价。”

以许诺给要约下定义从英美法来讲可能是最贴切的,但在英美法也可以看到其他的定义方式。《美国合同法重述》第24条规定:“要约是对即时进行交易的愿望的表达。这一表达能使一个通情达理处于受要约人地位的人相信,他或她只要对该要约表示同意,即接受该要约,就可以进行交易。”世界学生版教科书《合同法》(G. H. Treitel 著,Sweet & Maxwell 1995 年版)也采纳了这样的定义:“要约是要约人希望就特定事项签订合同,并且一经受要约人承诺即受拘束的意思表示。”这两个定义与大陆法的定义没有什么差别。尽管存在不同的理论和不同的定义方式,我们可以知道,两大法系对要约含义的认识基本是一致的。因为说的是同一件事,解决的是同一个问题。本条采取的是最通常和最简单的定义方式:要约是希望和他人订立合同的意思表示。

二、要约的构成要件

一项订约的建议要成为一个要约,要取得法律效力,必须具备一定的条件。如不具备这些条件,作为要约在法律上就不能成立。按照大陆法系的合同法理论对要约的解释,要约成立的要件有四个:

(一)要约是特定合同当事人的意思表示。发出要约的目的在于订立合同,要约人必须使接收要约的相对方能够明白是谁发出了要约以便作出承诺。因此,发出要约的人必须能够确定,必须能够特定化。虽然合同双方都可以作为要约人,但作为要约人的必须是特定的合同当事人。不论是自然人或者是法人,只要是具有相应民事权利能力与民事行为能力的人,都可以作为要约人。如果是代理人,必须取得本人的授权,还必须说明谁是被代理人。作为要约人只要能够特定即可,并不一定需要说明要约人的具体情况,也不一定需要知道他究竟是谁。一个要约,如果处于能够被承诺的状态就可以,不需要一切情况都清清楚楚。如自动售货机,消费者不需要了解究竟是哪家公司安置,谁是真正的要约人。只要投入货币,作出承诺,便会完成交易。

(二)要约必须向要约人希望与之缔结合同的相对人发出。合同因相对人对于要约的承诺而成立,所以要约不能对希望与其订立合同的相对人以外的第三人发出。但相对人是否必须是特定的人,则有不同的看法。一种观点认为,要约必须是向特定人发出,向不特定人发出的订约建议是要约邀请。因为,向特定人发出的要约,一旦承诺合同就成立,而向不特定的人发出的订约建议,承诺了也不会当然导致合同成立。另一种观点认为,要约可以向不特定的人发出。现实有许多向不特定人发出要约的情况。如自动售货机的设置,电车、渡船、公共汽车的行驶,戏院、电影院的开设。但不是说在一切情况下都可以向不特定的人发出要约。

要约一般应向特定人发出。因为,相对人的特定化意味着要约人对谁有资格作为承诺人,作为合同相对方作出了选择,这样对方一承诺,一个合同就成立了。如果相对人不确定,则作为合同的另一方当事人就是不确定的,既然不确定,作出承诺后合同也不一定成立。如果是这种情况,把一项订约的建议作为一个要约就是不合适的,只能作为一个要约邀请。如果向不特定的人以出让某一特定物为内容的订立合同的建议,如果视为是一个有效的要约,则会造成一物数卖,当然不行。如果要把向不特定人发出的订约建议作为要约,必须限定条件来达到这一目的:在一物数卖的情况下,凡作出承诺的,合同均成立,但要约人要对作出承诺而得不到履行的受要约人承担违约责任。但这样规定是对要约进行了法律上的限制，不是对要约的肯定，而是对要约的否定。自动售货机、公共运输事业在大陆法一般认为是要约方，但这种看法并非没有异议。一般认为，悬赏广告是向不特定人发出的要约。一般情况下，悬赏广告所要求的事项是特定的，完成所要求事项的承诺人只有一个人，或只有很少的人。但无论有几人，如果符合广告的条件，作了广告所要求的行为，发出悬赏广告的人都必须按照广告的约定支付报酬。否则，要承担法律责任。

（三）要约必须具有缔约目的并表明经承诺即受此意思表示的拘束。这一点很重要，很多类似订约建议的表达实际上并不表示如果对方接受就成立了一个合同，如“我打算五千元把我的钢琴卖掉”，尽管是特定当事人对特定当事人的陈述，也不构成一个要约。能否构成一个要约要看这种意思表示是否表达了与被要约人订立合同的真实意愿。这要根据特定情况和当事人所使用的语言来判断。当事人在合同中一般不会采用诸如“如果承诺合同就成立”这样明确的词语来表示，所谓“表明”并不是要有明确的词语进行说明，而是整个要约的内容表明了这一点。

（四）要约的内容必须具备足以使合同成立的主要条件。这要求要约的内容必须是确定的和完整的。所谓确定的是要求必须明确清楚，不能模棱两可、产生歧义。所谓完整的是要求要约的内容必须满足构成一个合同所必备的条件，但并不要求一个要约事无巨细、面面俱到。要约的效力在于，一经被受要约人承诺，合同即可成立。因此，如果一个订约的建议含混不清、内容不具备一个合同的最根本的要素，是不能构成一个要约的。即使受要约人作出承诺，也会因缺乏合同的主要条件而使合同无法成立。一项要约的内容可以很详细，也可以较为简明，一般法律对此并无强制性要求。只要其内容具备使合同成立的基本条件,就可以作为一项要约。合同的基本条件也没有必要全部确定,只要能够确定就可以。但究竟怎样才算具备了使合同成立的基本条件,如果法律有类似规定的要依据规定进行判断,最重要的是要根据具体情况进行判断。按照《美国统一商法典》的规定的做法,一个货物买卖合同只要有标的和数量就是一个成立生效的合同。因为价格、履行地点与时间可以事后确定。《联合国国际货物销售合同公约》第 14 条规定:“向一个或一个以上特定的人提出的订立合同的建议,如果十分确定并且表明发价人在得到接受时承受约束的意旨,即构成发价。一个建议如果写明货物并且明示或暗示地规定数量和价格或规定如何确定数量和价格,即为十分确定。”此条仅要求货物是明确的,数量和价格只要能够确定就可以,就算是满足了要约的条件。

要约的四个要件中最重要的是两个:一是内容具体确定;二是表明经受要约人承诺,要约人即受该意思表示约束。本条规定了要约的三个要件。至于要约是否必须向特定人发出,在多数情况下是这样的,但在某些特殊场合则有例外,如悬赏广告,构成要约的商业广告等,因此,对该条件未作规定。

第十五条　要约邀请是希望他人向自己发出要约的意思表示。寄送的价目表、拍卖公告、招标公告、招股说明书、商业广告等为要约邀请。

商业广告的内容符合要约规定的,视为要约。

【释义】　本条是关于要约邀请的规定。

要约邀请,又称要约引诱,是邀请或者引诱他人向自己发出订立合同的要约的意思表示。要约邀请可以是向特定人发出的,也可以是向不特定的人发出的。要约邀请与要约不同,要约是一个一经承诺就成立合同的意思表示，而要约邀请只是邀请他人向自己发出要约，自己如果承诺才成立合同。要约邀请处于合同的准备阶段，没有法律约束力。有的学者认为，要约邀请不是意思表示，只是事实行为。但要约邀请也并不是单纯地建议他人与自己进行有关合同的讨论，而是明确提出订立合同的建议，只不过仅指明合同的类型，并没有提出合同的具体内容。虽然在理论上，要约与要约邀请有很大区别，但事实上往往很难区分。当事人可能原意是发出要约，但由于内容不确定只能被看作是一个要约邀请。当事人可能原意是发出要约邀请，但由于符合了要约的条件而会被判定为是一个要约。

因此，以法律对何为要约、何为要约邀请进行规定是一个好的办法。如我国台湾地区“民法典”第 154 条第 2 款规定：“货物标定卖价陈列者，视为要约。但价目表之寄送，不视为要约。”但是，法律只能对一些特殊的少量的行为作出规定，而大量的缔约行为不可能由法律一一作出规定。许多行为是作为要约还是作为要约邀请肯定还将争论下去。下面对本条所规定的要约邀请作必要的说明。

1. 寄送的价目表。寄送的价目表，无论在大陆法系还是在英美法系国家，都认为是要约邀请。根据对要约构成要件的分析，价目表仅指明什么商品、什么价格，并没有指明数量，对方不能以“是”、“对”或者“同意”等肯定词语答复成立合同，自然不符合作为要约的构成要件，只能视作要约邀请。发送的商品价目表，是商品生产者或者销售者推销商品的一种方式。这种方式当然表达行为人希望订立合同的意思，但并不表明他人表示承诺就立即达成一个合同。实际上，寄送的价目表与货物标价陈列在性质上没有什么差别，只是方式有所不同,商品标价陈列亦作为要约邀请。在商店买卖东西,虽然商品的价格是标明的,但要买多少数量,总是由顾客提出要求。

2. 拍卖公告。拍卖是一种特殊买卖方式。一般认为,在拍卖活动中,竞买人的出价为要约,拍卖人击槌(或者以其他方式)拍定为承诺。拍卖人在拍卖前刊登或者以其他形式发出拍卖公告、对拍卖物的宣传介绍或者宣布拍卖物的价格等,都属于要约邀请。

3. 招标公告。招标投标是一种特殊的签订合同的方式,广泛应用于货物买卖、建设工程、土地使用权出让与转让、租赁、技术转让等领域。为了公平、合理、有效地使用纳税人的财产,防止官商勾结产生腐败,一些国家规定,凡涉及国家与私人企业之间的大宗交易,如国家订货、市政建设等都必须采用招标投标方式。我国在土地使用权出让与转让、建设工程等方面也有规定采用招标投标方式。这种方式的好处是,能够在最接近公平、合理的价格上达成交易、签订合同。所谓招标是指招标人采取招标通知或者招标公告的方式,向不特定的人发出,以吸引投标人投标的意思表示。所谓投标是指投标人按照招标人的要求,在规定的期限内向招标人发出的包括合同全部条款的意思表示。对于招标公告或者招标通知,一般都认为属于要约邀请,不是要约。而投标是要约,招标人选定中标人,为承诺。英美法也认为招标属于要约邀请,但认为招标有一定的法律意义,因为招标中对有关合同条件的说明,对达成协议的双方都有拘束力。

4. 招股说明书。招股说明书是股份有限公司在公司设立时由公司发起人向社会公开募集股份时或者公司经批准向社会公开发行新股时,向社会公众公开的说明文书。按照我国公司法的规定，公司成立时，发起人向社会公开募集股份时，必须向国务院证券管理部门递交募股申请，并报送有关文件，招股说明书是其中之一。招股说明书应当附有发起人制作的公司章程并载明下列事项：发起人认购的股份数；每股的票面金额和发行价格；无记名股票的发行总数；认股人的权利、义务；本次募股的起止期限及逾期未募足时认股人可撤回所认股份的说明。发起人向社会公开募集股份，必须公告招股说明书，并制作认股书。公司经批准向社会公开发行新股时，必须公告招股说明书和财务会计报表及附属明细表，并制作认股书。规定要制定招股说明书并向社会公告，其目的是让社会公众了解发起人或者公司的情况和认股人自己所享有的权利和承担的义务。

招股说明书是向社会发出的要约邀请，邀请公众向公司发出要约，购买公司的股份。认股人认购股份，为要约，公司卖出股份，为承诺，买卖股份的合同成立。但是，如果发起人逾期未募足股份的情况下，则依法失去承诺的权利，认股人撤回所认购的股份。招股说明书是要约邀请，但并非一般的要约邀请，是具有法律意义的文件。这一点与一般的要约邀请不同。

5. 商业广告。商业广告是指商品经营者或者服务提供者承担费用、通过一定的媒介和形式直接或间接地介绍自己所推销的商品或者所提供的服务的广告。商业广告的目的在于宣传商品或者服务的优越性，并以此引诱顾客购买商品或者接受服务。对于商业广告，均认为是要约邀请。但法律并不排除商业广告如果符合要约的要件也可以成为要约。因此，本条第二款规定，商业广告的内容符合要约规定的，视为要约。商业广告是否构成要约也是很复杂的问题，一般的商业广告并不能构成一个要约，但也不排除有些内容确定的广告是要约。而问题是如何认定一个广告是“内容确定”的，依什么原则去认定这一点。有人认为，如果广告中含有“保证现货供应”、“先来先买”，或者含有确切的期限保证供货等词语，即表明广告中含有一经承诺即受拘束的意思，这种广告就应视为要约。如广告中称：“我公司现有某型号的水泥 1000 吨，每吨价格 200 元，先来先买，欲购从速。”

第十六条　要约到达受要约人时生效。

采用数据电文形式订立合同，收件人指定特定系统接收数据电文的，该数据电文进入该特定系统的时间，视为到达时间；未指定特定系统的，该数据电文进入收件人的任何系统的首次时间，视为到达时间。

【释义】　本条是关于要约生效时间的规定。

要约何时生效？有人认为，应采取“发信主义”，即要约发出之后就生效。但大多数人认为应当采取“到达主义”，要约必须自到达受要约人时才生效。世界上许多国家和国际公约都持这种观点。如德国民法典第 130 条规定，在相对人以非对话方式向其为意思表示时，意思表示以通知达到相对人时发生效力。我国台湾地区“民法典”第 94 条规定，对话人为意思表示者，其意思表示，以相对人了解时，发生效力。第 95 条中规定，非对话而为意思表示者，其意思表示，以通知达到相对人时，发生效力。《联合国国际货物销售合同公约》第 15 条和《国际商事合同通则》第 2.3 条中也都规定，要约于送达受要约人时生效。

我国合同法这一规定也是参照国外一般规定作出的。需要说明的是，要约“到达受要约人时”并不是指一定实际送达到受要约人或者其代理人手中,要约只要送达到受要约人通常的地址、住所或者能够控制的地方(如信箱等)即为送达。“送达到受要约人时”生效,即使在要约送达受要约人之前受要约人已经知道其内容,要约也不生效。在对话要约时,以采用“其意思表示以相对人了解时发生效力”的解释较为妥当。

以数据电文发出要约何时生效,如何到达,是一个问题。数据电文都是现代化的通讯工具传送的信息,发出就已到达。我国合同法是参考了联合国国际贸易法委员会制定的《电子商业示范法》的有关规定作出的。示范法第 15 条“发出和收到数据电文的时间和地点”中第 1 款规定:“除非发端人与收件人另有协议,一项数据电文的发出时间以它进入发端人或者代表发端人发送数据电文的人控制范围之外的某一信息系统的时间为准。”第 2 款规定:“除非发端人与收件人另有协议,数据电文的收到时间按下述办法确定:1. 如收件人为接收数据电文而指定了某一信息系统:(1)以数据电文进入该指定信息系统的时间为收到时间;或(2)如数据电文发给了收件人的一个信息系统但不是指定的信息系统,则以收件人检索到该数据电文的时间为收到时间;2. 如收件人并未指定某一信息系统,则以数据电文进入收件人的任一信息系统的时间为收到时间。”该条第 1 款规定了何为数据电文的“发出”,第 2 款规定了何为数据电文的“收到”即到达。合同法本条采用了示范法第 15 条第 2 款的规定,但省略了该款第 1(2)项的规定,即在指定了特定接收系统时而对方未发送到特定接收系统(虽然也发送到了收件人的系统),以收件人检索到数据电文的时间为收到时间。并非示范法的这个规定有什么问题,只是合同法规定得比较简明,遇到此类问题,也应当如此掌握。

对于示范法的这一规定,示范法指南的解释是:第二款的目的在于规定一项数据电文的收到时间,所针对的情况是收件人单方面指定了收取电文的特定信息系统(所指定的系统可能是也可能不是收件人的一个信息系统),而数据电文实际上到达了收件人的一个信息系统但并非指定的那个系统,在这种情况下,应以收件人检索到数据电文的时间为收到时间。在示范法中,所谓“指定的信息系统”是意图包括由某一方特别指定的系统,例如,一项要约明文指定了应发回承诺通知的地址。如果只是在信头上或在其他文件上显示电子邮件或传真印件的地址,不应视为明确指定了一个或多个信息系统。“进入”的概念既用以界定数据电文的发出,也用以界定其收到。所谓一项数据电文进入了一个信息系统,其时间应是在该信息系统内可投入处理的时间。究竟进入了一个信息系统的数据电文是不是能为收件人所识读或使用,这个问题不在示范法的范围以内。示范法不妨碍这样的立法:如果进入了系统,尽管没有为收件人所识读或使用,也认为是收到了电文。假如一项数据电文只是到达了收件人的信息系统但未能进入该系统,则不应认为发出了该电文。在制定示范法的过程中,人们觉得,不应通过一项一般性规定,使收件人必须承担使其信息系统任何时候都保持正常运转的繁重义务。

第十七条　要约可以撤回。撤回要约的通知应当在要约到达受要约人之前或者与要约同时到达受要约人。

【释义】　本条是关于要约撤回的规定。

要约的撤回,是指在要约发出之后但在发生法律效力以前，要约人欲使该要约不发生法律效力而作出的意思表示。

要约得以撤回的原因是，要约尚未发生法律效力，所以不会对受要约人产生任何影响，不会对交易秩序产生任何影响。在此阶段，应当允许要约人使尚未生效的要约不产生预期的效力。

撤回的条件是，在要约通知到达受要约人之前或者同时到达受要约人。此时应当认为要约尚未生效。撤回要约也可以采取下列方法，即在一个文件中，前面写了要约的内容，后面写一句话：上述内容无效。

撤回要约的条件是撤回要约的通知在要约到达受要约人之前或者同时到达受要约人，如果撤回要约的通知在要约到达受要约人以后到达，则要约已经生效，是否能够使要约失效，就要看是否符合撤销的条件。因此，要约人如欲撤回要约，必须选择快于要约的方式向受要约人发出撤回的通知，使之能在要约到达之前到达受要约人。如果要约人在发出要约以后马上又以比发出要约更快的方式发出撤回的通知，按照通常情况，撤回的通知应当先于或最迟与要约同时到达受要约人，但如果因为其他原因耽误了，撤回的通知在要约到达之后才到达受要约人。在这种情况下，受要约人应当及时向要约人发出通知，告知其撤回的通知已经迟到，要约已经生效。如果受要约人怠于通知时，要约人撤回要约的通知视为未迟到，仍发生撤回要约的效力。我国台湾地区"民法典"第162条规定："撤回要约之通知，其到达在要约到达之后，而按其传达方法，依通常情形应先时或同时到达者，相对人应向要约人即发迟到之通知。相对人怠于为前项通知者，其要约撤回之通知，视为未迟到。"

第十八条　要约可以撤销。撤销要约的通知应当在受要约人发出承诺通知之前到达受要约人。

【释义】　本条是关于要约撤销的规定。

要约的撤销，是指要约人在要约发生法律效力之后而受要约人承诺之前，欲使该要约失去法律效力的意思表示。要约的撤销与要约的撤回不同在于：要约的撤回发生在要约生效之前，而要约的撤销发生在要约生效之后；要约的撤回是使一个未发生法律效力的要约不发生法律效力，要约的撤销是使一个已经发生法律效力的要约失去法律效力；要约撤回的通知只要在要约到达之前或与要约同时到达就发生效力，而要约撤销的通知在受要约人发出承诺通知之前到达受要约人，不一定发生效力。在法律规定的特别情形下，要约是不得撤销的。

在要约撤销的问题上，英美法与大陆法的理论迥异。按照英美合同法"对价"的理论，要约作为诺言在被承诺以前是无对价的，对发出要约的人没有拘束力，因而在要约被承诺以前是可以撤销的，即使是附承诺期限的要约也是如此。大陆法国家或地区则一般认为，要约一旦生效就不得撤销。如德国民法典第145条规定，向他方要约订立契约者，因要约而受拘束，但预先声明不受拘束者不在此限。德国民法典规定了要约的撤回，但没有规定要约人有权撤销要约。我国台湾地区的规定与德国一致。日本规定了有限制的撤销：有承诺期限的要约不得撤销，没有承诺期限的向隔地人发出的要约，在合理的期限内不得撤销。

英美合同法虽然认为要约在承诺以前可以撤销，但也有例外。第一种例外情况是，如果要约是限期承诺的，受要约人在一定期限内向要约人提供了对价，就获得了承诺或拒绝的选择权，因而要约人在一定期限内无权撤销要约。实际的情况是，由于要约人在限期承诺的要约被承诺前可以撤销要约，受要约人往往支付一个名义上的对价，如一美元，就获得了承诺或拒绝的选择权。第二种例外情况是，如果要约人可以合理地预见到，其发出的限期承诺的要约将使受要约人在承诺之前发生依赖，并且这种依赖后来在事实上发生了，该要约就是不可撤销的。《美国合同法重述》第87条为避免不公正而对要约人的要约进行了限定："如果要约人应当合理地预见到其要约会使受要约人在承诺前采取具有某种实质性的行为或不行为，并且，该要约的确导致了这样的行为或不行为，该要约便同选择权合同一样，在为避免不公正而必需的范围内具有拘束力。"第三种例外情况是，当受要约人以行为表示承诺时，要约人对其要约不可撤销。因此，当要约人发出要约后，受要约人的履行一旦开始，便不允许要约人撤销要约。第四种例外的情形是，《美国统一商法典》对商人成立买卖合同的要约是否可以撤销的规定，该法典第2－205条规定："商人购买或出售货物，以经签字的书面文件做成的要约，通过其条件保证其有效，这样的要约即使缺乏对价，在规定的期限内，或虽未规定期限，但在一段合理的期限内，是不可撤销的，而不可撤销的期限不超过3个月。"

由于有许多例外，使得美国法在要约的撤销问题上已很接近大陆法。但是，按照大陆法的观点来看，由于在承诺之前要约人可以撤销限期承诺的要约，对受要约人欠公平。这一做法导致了要约人的随意性和不负责任，并给受要约人带来可能的损害。不应鼓励这一做法。联合国国际贸易法委员会1980年通过的《联合国国际货物销售合同公约》在这个问题上调和了两大法系的不同做法。该公约第16条规定，在未订立合同之前,发价得予撤销。如果撤销通知于被发价人发出接受通知之前送达被发价人。但在两种情况下发价不得撤销:(1)发价写明接受发价的期限或以其他方式表示发价是不可撤销的;(2)被发价人有理由信赖该项发价是不可撤销的,而且被发价人已本着对该项发价的信赖行事。可见在是否可以撤销的问题上,基本上采纳了英美法系的做法,但是对撤销的条件作了较为严格的限制。这种做法也是两大法系相互妥协的产物。《国际商事通则》第2.4条作了与公约同样的规定。合同法本条的规定采纳了公约与通则的做法。

第十九条　有下列情形之一的,要约不得撤销:

(一)要约人确定了承诺期限或者以其他形式明示要约不可撤销;

(二)受要约人有理由认为要约是不可撤销的,并已经为履行合同作了准备工作。

【释义】　本条是关于要约不得撤销的规定。

本条规定了不可撤销的两个例外:一是要约中有不可撤销的表示;二是受要约人有理由认为要约不可撤销并依其信赖行事。本条的规定与《国际商事通则》第2.4条第2款的规定是一致的,该款中规定:"在下列情况下,要约不得撤销:(a)要约写明承诺的期限,或以其他方式表明要约是不可撤销的;或(b)受要约人有理由信赖该项要约是不可撤销的,而且受要约人已依赖该要约行事。"通则对此款作了解释,说明如下,可作为参考:

1. 要约中不可撤销的表示

不可撤销的意思表示可以用不同的方式作出,最直接和最清楚的方式是由要约人在要约中作一个有效的声明,如

“这是一个确定的要约”、“我们坚持我们的要约直到收到贵方的回复”等。另外，还可以从要约人的其他表示或者行为中推断出来。对于要约中规定的承诺期限，通则认为，如果当事人所在的法系确定，规定了承诺期限的要约为不可撤销的要约，则可以推断该要约为不可撤销。如果当事人所在的法系确定，规定承诺期限不足以显示要约的不可撤销性，则可以推断该要约并不是不可撤销的。通则并举了两个例子说明这个问题。第一个例子是，一家旅行社在其发送的小册子中通知游客将组织新年度假旅游，并敦促游客在通知后 3 天内预订，否则过期将可能没有多少剩余名额。这个声明本身不表示在这 3 天内该要约不可撤销。第二个例子是，乙准备建楼，向甲发出要约，其中声明：“9 月 1 日后价格和其他条件将失效。”如果甲与乙属于同一法系，如果该法系认为其声明表明了要约的不可撤销，则要约不可撤销；如果该法系认为其声明并不能表明要约不可撤销，则要约并不是不可以撤销。

但是，合同法本条第一项的规定并不能作出通则那样的解释。按照本项的规定，要约中规定了承诺期限，则该要约就是不可撤销的。通则要适用于不同法系的不同国家，必须那样解释。

2. 有理由认为要约不可撤销并依其信赖行事

这种情况适用诚实信用和公平交易的原则，受要约人的信赖可源于要约人的行为，比如受要约人对要约人有所了解，或者以前在商业上就有来往等，因此相信要约人的要约不可撤销。受要约人的信赖也可源于要约本身的性质，如对某一项要约的承诺需要受要约人进行广泛的、费用昂贵的调查，或者某一要约的发出意在允许受要约人继续向第三方发出要约。受要约人基于对要约不可撤销的信赖所做的行为，可以包括为生产所做的准备、购买或者租用材料或者设备、负担费用,等等。只要这些行为在有关的贸易中可被视为是正常的,或者应是要约人所预见或者知悉的行为。通则也举了两个例子说明这个问题。第一个例子是,甲是古董商,要求乙在3个月内修复10幅画,价格不超过一个具体金额。乙告知甲,为了决定是否承诺,有必要先对一幅画进行修复,然后才能在5天内明确答复。甲同意。基于对甲的要约的信赖,乙开始工作,甲在5天内不得撤销要约。第二个例子是,为合作参与一个项目的投标,乙向甲发出要约,在要约期限届满前,甲已投标,但乙通知甲,声称不愿意再遵守要约。因为甲在投标时信赖了乙的要约,因此该要约在期限届满前是不可撤销的。

第二十条　有下列情形之一的,要约失效:

(一)拒绝要约的通知到达要约人;

(二)要约人依法撤销要约;

(三)承诺期限届满,受要约人未作出承诺;

(四)受要约人对要约的内容作出实质性变更。

【释义】 本条是关于要约失效的规定。

要约的失效,也可以称为要约的消灭或者要约的终止,指要约丧失法律效力,要约人与受要约人均不再受其约束。要约人不再承担接受承诺的义务,受要约人亦不再享有通过承诺使合同得以成立的权利。本条规定了要约失效的几种情形。分述如下:

1. 对要约的拒绝

受要约人接到要约后,通知要约人不同意与之签订合同,则拒绝了要约。在拒绝要约的通知到达要约人时,该要约失去法律效力。但是,受要约人的通知中,可能明确地说明拒绝要约,这当然没有疑问。但有的通知中,既没有说明接受要约,也没有明确拒绝要约,也没有明确提出反要约。这时,要根据该通知的具体内容进行判断,搞清楚受要约人究竟是什么意思。比如,回复中仅仅是询问价格有没有降低的可能?是否能提前几天交货等,这种答复不足以证明受要约人拒绝了要约。

如果受要约人的回复没有作出承诺,但提出了一些条件,要约人在规定期限内仍不作答复,可以视为拒绝要约。按照商事通则的解释,视为"默示拒绝"。商事通则对默示拒绝还举了一例说明:甲收到了乙发出的要约,其中规定该要约两周内是不可撤销的。甲通过邮件回复提出了部分不同的条件,对此乙不予接受。尽管离期限届满还有几天时间,但甲可能不再承诺原来的要约,因为通过发出反要约,甲实际上默示地拒绝了原来的要约。

也有这种情况,受要约人拒绝了要约,但又反悔,这时可以撤回拒绝的通知,但撤回拒绝的通知也应像撤回要约一样,必须在拒绝的通知到达之前或者同时到达要约人。

2. 要约人撤销要约

要约被撤销当然使要约失效,不再赘述。

3. 受要约人未在承诺期限内承诺

要约中确定了承诺期限的,表明要约人规定了要约发生法律效力的期限,超过这个期限不承诺,要约的效力当然归于消灭。

最通常的情形是,要约中没有规定承诺期限,受要约人也不对要约作答复,这种情况下,要约什么时候失效?一般而言,在通常的情况下如果要约人发出要约后一段合理期间内没有收到承诺,则要约失效。本项的承诺期限包括合理的期限。确定该合理期间当然要考虑到通讯方式的便捷程度。

4. 受要约人对要约的内容作出实质性变更

受要约人对一项要约的内容作出实质性的变更,为反要约。反要约是否就使原要约失去效力呢?一般的看法是,提出反要约就是对要约的拒绝,使要约失去效力,要约人即不受其要约的拘束。

第二十一条　承诺是受要约人同意要约的意思表示。

【释义】　本条是关于承诺定义的规定。

所谓承诺,是指受要约人同意接受要约的全部条件以缔结合同的意思表示。在商业交易中,与"发盘"、"发价"等相对称,承诺称作"接受"。在一般情况下,承诺作出生效后合同即告成立。

作为使合同得以成立生效的承诺,必须具备一定的条件,其必要条件是:

1. 承诺必须由受要约人作出。要约是要约人向特定的受要约人发出的,受要约人是要约人选定的交易相对方,受要约人进行承诺的权利是要约人赋予的,只有受要约人才能取得承诺的能力,受要约人以外的第三人不享有承诺的权利。因此,第三人进行承诺不是承诺,只能视作对要约人发出了要约。如果订约的建议是向不特定人发出的,并且如果该订约建议可以构成要约,则不特定人中的任何人均可以作出承诺。不过实际上,最后能够作出承诺的,只能是特定的人。比如悬赏广告。

2. 承诺须向要约人作出。承诺是对要约的同意,是受要约人与要约人订立合同,当然要向要约人作出。如果承诺不是向要约人作出，则作出的承诺不视为承诺，达不到与要约人订立合同的目的。

3. 承诺的内容须与要约保持一致。这是承诺最核心的要件，承诺必须是对要约完全的、单纯的同意。因为受要约人如果想与要约人签订合同，必须在内容上与要约的内容一致，否则要约人就可能拒绝要约人而使合同不能成立。如果受要约人在承诺中对要约的内容加以扩张、限制或者变更，便不能构成承诺，而应当视为对要约的拒绝。但认为同时提出了一项新的要约，称为反要约。判断承诺的内容是否与要约的内容一致并非易事，受要约人对要约简单地回答同意并不多见，因此，必须对受要约人的承诺进行分析。如果仅仅是表述的形式不同，而不是实质的不一致，则不应当否定承诺的效力。如果承诺中提出了一些新的条件，就要分析这些新的条件是否从实质上改变了要约的内容，如果没有从实质上改变要约则应当认为是对要约的承诺，如果从实质上改变了要约的内容，则不应认为是一项承诺，而应是对要约的拒绝并可能构成反要约。

4. 承诺必须在要约的有效期内作出。如果要约规定了承诺期限，则承诺应在规定的承诺期限内作出，如果要约没有规定承诺期限，则承诺应当在合理的期限内作出。如果要约的承诺期限已过，或者已超过一个合理的时期，则不应再作出承诺。如果承诺期限已过而受要约人还想订立合同，当然也可以发出承诺，但此承诺已不能视为是承诺，只能视为是一项要约。原来的要约人不再受原要约的拘束，他可以不答应受要约人，当然也可以答应，如果答应，是作为受要约人承诺要约人的要约。

第二十二条　承诺应当以通知的方式作出，但根据交易习惯或者要约表明可以通过行为作出承诺的除外。

【释义】 本条是关于承诺方式的规定。

承诺方式，是指受要约人将其承诺的意思表示传达给要约人所采用的方式。对一项要约作出承诺即可使合同成立，因此承诺以何种方式作出是很重要的事情。一般说来，法律并不对承诺必须采取的方式作规定，而只是一般规定承诺应当以明示或者默示的方式作出。

所谓明示的方法，一般依通知，可以口头或者书面表示承诺。一般说来，如果法律或要约中没有规定必须以书面形式表示承诺，当事人就可以口头形式表示承诺。如德国民法典第130条规定："在相对人以非对话方式向其为意思表示时，意思表示以通知达到相对人时发生效力。"所谓默示的方法，一般按照交易的习惯或者当事人之间的约定。要约人尽管没有通过书面或者口头方式明确表达其意思，但是通过实施一定的行为和其他形式作出了承诺。如我国台湾地区"民法典"第161条规定："依习惯或依其事件之性质，承诺无需通知者，在相当时期内，有可认为承诺之事实时，其契约为成立。前项规定，于要约人要约当时预先声明承诺无需通知者，准用之。"国际公约也有大致类似的规定，《联合国国际货物销售合同公约》和《国际商事通则》的规定基本一致。如公约第18条规定："受要约人声明或做出其他行为表示同意一项要约，即为承诺。缄默或不行为本身不等于承诺。"我国合同法本条的规定与国外的规定意思也是一致的。承诺应当以明示通知的方式作出，根据交易习惯或者当事人约定也可以默示的方式表达。

所谓以行为承诺，如果要约人对承诺方式没有特定要求，承诺可以明确表示，也可由受要约人的行为来推断。所谓的行为通常是指履行的行为，比如预付价款、装运货物或在工地上开始工作等。如甲写信向乙借款，乙未写回信但直接将借款寄来。

缄默是不作任何表示，即不行为，与默示不同。默示不是明示但仍然是表示的一种方法，而缄默与不行为是没有任何表示，所以不构成承诺。但是，如果当事人约定或者按照当事人之间的习惯做法，承诺以缄默与不行为来表示，则缄默与不行为又成为一种表达承诺的方式。但是，如果没有事先的约定，也没有习惯做法，而仅仅由要约人在要约中规定如果不答复就视为承诺是不行的。《国际商事通则》在对这个问题的解释上举了两个例子，很能说明这个问题。其一：甲和乙之间的供酒合同 12 月 31 日到期，甲要求乙提出续展合同的条件。乙在其要约中规定“最晚在 11 月底以前，如果我方未收到你方的答复，我方将推定你方同意按上述条件续展合同”。甲发现乙所建议的条件均不可接受，因此未予答复。这样，当事人间未能达成新的合同，先前的合同到期失效。其二：在一项长期供酒协议中，乙惯常接受甲的订单不需要明确表示承诺。11 月 15 日，为准备新年向乙订一大批货。乙既没有答复，也没有按要求的时间供货。此时乙违约了，因为根据当事人间业已建立的习惯做法，乙的缄默视同对甲的订单的承诺。

如果要约人在要约中规定承诺需用特定方式的，承诺人作出承诺时，必须符合要约人规定的承诺方式。即使是这种要求的方式在一般人看来是很特别的，只要不为法律所禁止或者不属于在客观上根本不可能，受要约人都必须遵守。例如，要约人限定承诺应以电报回答，则受要约人纵以书面回答，不生承诺的效力。但如果要约人仅仅是希望以电报回复，受要约人则不必一定用电报回答。如果某些交易习惯上对承诺的方法有限定的,则一般遵守交易习惯的要求,但如果要约人明确反对或者规定特定方式的,受要约人应当尊重要约人的意思,并按照要约人的要求的方式作出承诺。如果要约规定了一种承诺方式,但并没有规定这是唯一的承诺方式,则一般来说,受要约人可以比要约规定的方式更为迅捷的方式作出承诺。反之,受要约人如果使用比要约的规定更为迟缓的方式,则为无效。对于承诺的特定方式问题,有的法律作了规定,如意大利民法典第 1326 条规定:"当要约人对承诺要求特定形式时,如果承诺以不同于要求的形式发出,则该承诺无效。"有些国家的法律没有特别规定,但一般可从其对意思表示或对合同形式的要求中推断出来。

第二十三条　承诺应当在要约确定的期限内到达要约人。

要约没有确定承诺期限的,承诺应当依照下列规定到达:

(一)要约以对话方式作出的,应当即时作出承诺,但当事人另有约定的除外;

(二)要约以非对话方式作出的,承诺应当在合理期限内到达。

【释义】　本条是关于承诺到达时间的规定。

要约中规定了承诺期限的,承诺必须在要约规定的期限内到达要约人。因为超过承诺期限,则要约失效,在此期限内作出的承诺才是有效的承诺。

要约没有规定承诺期限的,如果是口头要约,则按照一般的法律规定,必须即时承诺才有效。口头发出的要约包括双方面谈提出的要约和在电话交谈中提出的要约,对于这种口头要约，如当时不立即表示接受，则在谈话结束后，该项口头要约即不复存在。如德国民法典第147条规定："对向在场人发出的要约，应立即作出承诺。一方用电话向另一方发出要约的，亦同。"我国台湾地区"民法典"第156条规定："对话为要约者，非立时承诺，即失其拘束力。"根据解释，对话间的要约，他方承诺与否本可立时决定。故必立时承诺，始生拘束力，否则契约不能成立。这是没有其他条件的。《联合国国际货物销售合同公约》、《国际商事合同通则》的规定与德国及我国台湾地区的规定有些不同，公约第18条规定："对口头发价必须立即接受，但情况有别者不在此限。"通则第2.7条也规定："对口头要约必须立即作出承诺，除非情况另有表明。""情况有别者"、"情况另有表明"所指何意？是指要约人在口头要约中规定了承诺期限等情况，如在口头要约中说："请在3日内答复。"本条第二款第一项中"当事人另有约定的"，不仅指要约人在要约中规定了承诺期限，也指事先约定好的情况。

要约没有规定承诺期限，如果要约以非对话方式作出，如何确定承诺的期限？境外法律有些类似的规定。德国民法典第147条规定："对向非在场人发出的要约，只能在通常情况下可预期到达的时间内作出承诺。"以"在通常情况下可预期到达的"时间作为承诺期限。意大利民法典第1326条规定："承诺应当在要约人确定的期间内或者根据事务的性质或根据惯例在通常所需的必要期间内到达要约人处。"以"根据事务的性质或惯例在通常所需的必要期间"作为承诺期限。我国台湾地区"民法典"第157条规定："非对话为要约者，依通常情形可期待承诺到达时期内，相对人不为承诺时，其要约失其拘束力。"以"通常情形可期待承诺到达时期"作为承诺期限。《联合国国际货物销售合同公约》第18条规定，要约中如未规定时间，应“在一段合理的时间内”送达要约人，“但须适当地考虑到交易的情况，包括发价人所使用的通讯方法的迅速程度”。《国际商事合同通则》第2.7条的规定与公约的规定相仿：“如果未规定时间，应在考虑了交易的具体情况，包括要约人所使用的通讯方法的快捷程度的一段合理的时间内作出承诺。”这些规定虽不尽一致，但都考虑了作出承诺所需要的合理的期间，合同法本条没有具体规定情况，只规定“合理期限”。其意思与有关国家的法律以及国际公约等的规定的情况是一致的，因此上述规定可以作为解释本条的参考。史尚宽对于“依通常情形可期待承诺到达时期”有过解释，也可作为参考。解释说，相当的期间，可分为三段：第一，要约到达于受要约人的期间；第二，为承诺所必要的期间；第三，承诺的通知达到要约人所必要的期间。第一段与第三段的期间，依通讯方式确定，如依邮寄或电报为要约或回答通常所必要的期间。如果要约及承诺的通知，途中有非常事变（火车障碍、暴风雨等）的迟延，要约人如果知道该情况的发生，应当斟酌以定其达到所必要的期间。此承诺达到所必要的期间，依其通知的方法而有不同。要约人如特别限定其承诺通知的方法，须以其方法为承诺。否则得依通常交易上所用的方法。以电报为要约时，是否必须以电报作为回答，应依要约的性质及特别的情事确定。第二段的期间，是自要约达到时以至发送承诺通知的期间，是受要约人审查考虑是否承诺所必要的时间。这个时间可以通常人为标准确定，但依要约的内容不同有所差异，内容复杂，审查考虑的时间就长，如果还要经过法定代表人或者董事会的批准，可能时间还会更长。此三段期间为“依通常情形可期待承诺到达时期”，也就是“合理期间”。

第二十四条　要约以信件或者电报作出的，承诺期限自信件载明的日期或者电报交发之日开始计算。信件未载明日期的，自投寄该信件的邮戳日期开始计算。要约以电话、传真等快速通讯方式作出的，承诺期限自要约到达受要约人时开始计算。

【释义】　本条是关于以信件或者电报等作出的要约的承诺期限计算方法的规定。

以信件或者电报等发出要约，要约中规定了承诺期限，要约人与受要约人如何确定承诺期限的起止时期，以决定何时不再受要约之拘束、是否作出承诺、何时作出承诺、以何种方式作出承诺等，是一个重要的问题。必须确定一个统一的标准而尽量减少可能发生的争议。《联合国国际货物销售合同公约》第 20 条规定：“发价人在电报或信件内规定的接受期间，从电报交发时刻或信上载明的发信时期起算，如信上未载明发信日期，则从信封上所载日期起算。发价人以电话、电传或其他快速通讯方法规定的接受期间，以发价送达被发价人时起算。”《国际商事合同通则》第 2.8 条的规定基本上照搬了公约的规定：“要约人在电报或信件内规定的期间，应从电报被交发的时刻或从信件中载明的发信日期起算。如信上未载明发信日期，则从信封上所载日期起算。要约人以快速通讯方法规定的承诺期间，从要约送达受要约人时起算。”

本条参考了公约与通则，规定了两种标准。一是信件与电报，以信件作出的要约，其承诺期限自信件中载明的日期起算，如果信件中没有载明日期则从信封上的日期起算，电报则从交发时起算。二是电话、传真等快速通讯方式，承诺期限从到达受要约人时起算。

第二十五条　承诺生效时合同成立。

【释义】　本条是关于合同成立时间的规定。

承诺为意思表示，所以意思表示效力发生之时也就是承诺效力发生之时。合同因对方要约的承诺而成立，所以承诺效力发生之时，就是合同成立之时。

承诺生效时合同成立，这是最大量、最普遍的。但合同成立还有其他方式。传统上还有三种方式：一是交叉要约，二是同时表示，三是意思实现。有的同志认为，交叉要约，同时表示属于要约、承诺的特例，是互为要约人，互为承诺人。意思实现则属于承诺的表述方式，是根据交易习惯或者要约的要求作出承诺的行为来表明承诺。

1. 交叉要约。交叉要约是指合同当事人采取非直接对话的方式，作出了为订立同一内容合同的要约。如甲对乙作出为订立合同的要约，而乙对甲也作出了同样内容的要约。此时双方的意思表示的内容完全一致，而且双方均有订立合同的意思表示，并且发出要约的时间也几乎在同时。既然双方有相同的意思表示，法律即可推定其必互有承诺的结果，所以认定合同成立。合同成立的时间以后一个要约到达对方当事人时为准。由于此种情况下难以认定谁是要约人谁是承诺人，因此将此种特别方式作为合同成立的方式之一。

2. 同时表示。同时表示与交叉要约本质上相同，交叉要约是在非直接对话的方式的情况下发生的，而同时表示是在对话方式的情况下发生的。指对话的当事人双方毫无先后之别，同时向对方为同一内容的要约的意思表示。例如，买卖的条件适合当事人双方之意时双方同时拍手，或对于第三人所作成的合同方案，当事人同时表示同意。与交叉要约一样，同时表示亦应作为合同成立的特别方式之一。

3. 意思实现。意思实现是指按照习惯或事件的性质，不需要承诺通知，或者要约人预先声明承诺无须通知，要约人在相当时间内如有可以推断受要约人有承诺意思的客观事实，则可以据此成立合同。按照习惯或事件的性质不需要承诺通知的，比如订旅馆房间、订饭店席位等，不需要表明承诺，如不承诺则需要告知。推断受要约人有承诺的客观事实，一般是指受要约人不进行口头或书面承诺但按照要约人的要求履行合同义务，如受委托开始处理委托事务、发运要约人欲购货物等。

第二十六条　承诺通知到达要约人时生效。承诺不需要通知的，根据交易习惯或者要约的要求作出承诺的行为时生效。

采用数据电文形式订立合同的，承诺到达的时间适用本法第十六条第二款的规定。

【释义】　本条是关于承诺生效时间的规定。

承诺生效的时间即为合同成立的时间，当事人亦于此时开始享有合同权利、承担合同义务。承诺生效的时间又与合同订立的地点密切相联系，与法院管辖的确定以及法律的选择适用密切相关。确定承诺生效的时间非常重要。

大陆法系国家或地区在承诺何时生效的问题上采用到达主义，或称为送达主义。即承诺的意思表示到达要约人时生效，合同成立。如德国民法典第 130 条规定：“在向另一方作出意思表示时，如果另一方不在场，那么意思表示以其到达另一方时发生效力。”我国台湾地区“民法典”第 95 条也规定：

"非对话而为意思表示,其意思表示,以通知达到相对方时,发生效力。"根据到达主义,要约人收到承诺通知时,承诺才生效,合同才成立。如果由于邮局、电报局及其他原因导致承诺通知丢失或延误,一律由发出承诺的人承担后果。

在承诺何时生效的问题上,英美法系一般认为,承诺应当送达至要约人,而且直至要约人已被告知并真正收到承诺以前,合同并未成立。承诺必须真正送到要约人的手中,这是个基本原则。但是,在承诺通过邮局发送时,则有了特别重要的例外。通过邮局发送承诺,承诺的意思表示自发送之时生效、合同成立。这就是学者所讲的发信主义,或称为送信主义。根据送信主义,一旦承诺人将承诺信件丢进邮筒或者把承诺的电报交给电报局,则承诺生效、合同成立,不论要约人是否收到。承诺的通知因邮局、电报局或者其他原因迟延、丢失,后果由要约人承担。

《联合国国际货物销售合同公约》第18条规定:"接受发价于表示同意的通知送达发价人时生效。"《国际商事合同通则》第2.6条也规定:"对一项要约的承诺于同意的表示送达要约人时生效。"可见公约和通则排除了英美法的以信件与电报发送承诺通知上的发信主义,而采用送达主义。《国际商事合同通则》的解释说,认可送达主义优先于发信主义的理由在于:由受要约人承担传递的风险比由要约人承担更合理,因为是受要约人选择的通讯方式,他知道该方式是否容易出现特别的风险或延误,他应能采取最有效的措施以确保承诺送达目的地。我们的合同法也采纳了送达主义的做法,规定"承诺通知到达要约人时生效"。

承诺不需要通知的,根据交易习惯或者要约的要求作出承诺的行为时,承诺生效。《联合国国际货物销售合同公约》

第 18 条第 3 款与《国际商事合同通则》第 2.6 条第 3 款作了基本一致的规定。通则规定："如果根据要约本身，或依照当事人之间建立习惯做法或依照惯例，受要约人可以通过作出某行为来表示同意，而无须向要约人发出通知，则承诺于作出该行为时生效。"通则并举例说明这个规定：为建立一个数据库，甲要求乙拟出一份专门的计划。在未给甲发出承诺通知的情况下，乙开始草拟计划，并在完成后要求甲根据要约中所开列的条件付款。此时，乙无权要求付款，因为乙从未通知甲，他对要约的所谓承诺没有生效。但如果甲在其要约中通知乙随后的两周甲不在。如果乙有意承诺该要约，为节省时间，他应立即着手草拟计划。一旦乙开始起草，合同即告成立，即便乙未能将承诺立即通知甲或是延迟通知甲。

采用数据电文形式订立合同的，承诺到达的时间适用合同法第十六条第二款的规定，即采用数据电文订立合同，收件人指定特定系统接收数据电文的，该数据电文进入该特定系统的时间，视为到达时间；未指定特定系统的，该数据电文进入收件人的任何系统的首次时间，视为到达时间。需要说明的是，不采用特定系统发送的传真、电传、电报应当与信件同样看待。

第二十七条　承诺可以撤回。撤回承诺的通知应当在承诺通知到达要约人之前或者与承诺通知同时到达要约人。

【释义】　本条是关于承诺撤回的规定。

承诺的撤回是指受要约人阻止承诺发生法律效力的意思表示。由于承诺一经送达要约人即发生法律效力，合同即刻成立，所以撤回承诺的通知应当在承诺通知到达之前或者与承诺通知同时到达要约人。如果撤回承诺的通知晚于承诺的通知到达要约人,则承诺已经生效,合同已经成立,受要约人便不能撤回承诺。德国民法典第130条规定:“在向另一方作出意思表示时,如果另一方不在场,那么意思表示以其到达另一方时发生效力。如果撤销的通知先于或者同时到达另一方,则意思表示不发生效力。”意大利民法典第1328条规定:“承诺得被撤回,但撤回的通知要在承诺之前送达要约人。”

在英美法国家,对于通过信件和电报传递的承诺由于采取发信主义,承诺的信件与电报交发即生效,因此,承诺的撤回是不可能的。所以,对于以信件和电报传递的承诺,英美法是不允许撤回的。英美法认为,受要约人不享有撤回权是合理的,可以防止承诺人在发出承诺之后根据市场行情变化投机取巧,看行情涨落,如果不利,就以电话等快速方式撤回承诺。而大陆法认为,如同撤回要约一样,受要约人应当有权决定承诺。

《联合国国际货物销售合同公约》第22条规定:“接受得予撤回,如果撤回通知于接受原应生效之前或同时送达发价人。”《国际商事合同通则》第2.10条也规定:“承诺可以撤回,只要撤回通知在承诺本应生效之前或同时送达要约人。”可见,两者的规定都采用了送达主义原则,而没有采纳发信主义原则,允许受要约人撤回承诺。通则解释说,对于承诺的撤回,规定了与要约的撤回相同的原则,即受要约人可以改变其想法并撤回承诺。合同法采纳了大陆法与国际公约的规定。

第二十八条　受要约人超过承诺期限发出承诺的,除要约人及时通知受要约人该承诺有效的以外,为新要约。

【释义】　本条是关于延迟承诺的规定。

承诺本应在承诺期限内作出,超过有效的承诺期限,要约已经失效,对于失效的要约发出承诺,不能发生承诺的效力,应视为新要约。如德国民法典第150条、日本民法典第523条、我国台湾地区“民法典”第160条均规定,迟到的承诺,视为新要约。有的国家规定,如果要约人欲使该承诺生效,则应当立即通知受要约人。如意大利民法典第1326条第3款规定:“即使承诺迟延,要约人亦可以保留迟延承诺的效力,但是,以立即向另一方发出通知为限。”这样规定的结果与德国、日本以及我国台湾地区的规定是一样的。迟延的承诺视为新要约,立即发出通知等于是对此新要约的承诺。

迟到的承诺视为新要约,英美法也有同样的原则。但是,英美法的要约通常是虚盘,其有效期常常采用合理期限进行推定。如果承诺明显地迟发了,明显地超过了合理期限,当然不能生效。但是,有许多承诺难以判断是否在合理期间发出的。判例法认为,如果受要约人有根据认为其承诺是在合理期间内发出的,根据诚实信用原则,要约人应当接受这个承诺。如果根据他的理由断定这个承诺已经逾期,不愿承认这个承诺,他就必须把这个意思及时通知受要约人,否则承诺有效、合同成立。

《联合国国际货物销售合同公约》第21条第1款的规定与意大利的规定相仿:“逾期接受仍有接受的效力,如果发价人毫不迟延地用口头或书面将此种意见通知被发价人。”《国际商事合同通则》第2.9条中也有类似的规定:“逾期承诺仍应具有承诺的效力,如果要约人毫不迟延地告知受要约人该承诺具有效力或就该承诺的效力发出通知。”通则的解释是,逾期承诺通常无效,本条中此项的规定与《联合国国际货物销售合同公约》第21条的规定一致。如果要约人接受逾期承诺,则在一项逾期的承诺送达要约人时,而不是在要约人通知受要约人其认为该逾期承诺有效时，合同视为成立。并举例说明：甲指定3月31日为承诺其要约的最后期限。乙的承诺于4月3日送达甲。甲仍然对该合同有兴趣，愿意接受乙的逾期承诺，并且立即通知了乙。虽然该通知是在4月5日才送达乙，但合同于4月3日成立。

本条的规定参考了公约与通则。受要约人超过承诺期限发出承诺，要约人及时通知受要约人该承诺有效的，该承诺有效。另外，本条的"承诺期限"不但指要约人在要约中规定的承诺期限，也指要约人未规定承诺期限，而根据实际需要推断的合理的承诺期限。

第二十九条　受要约人在承诺期限内发出承诺，按照通常情形能够及时到达要约人，但因其他原因承诺到达要约人时超过承诺期限的，除要约人及时通知受要约人因承诺超过期限不接受该承诺的以外，该承诺有效。

【释义】　本条是关于未迟发而迟到承诺的规定。

受要约人在要约的有效期限内发出承诺通知，依通常情形可于有效期限内到达要约人而迟到的，对这样的承诺，如果要约人不愿意接受，即负有对承诺人发迟到通知的义务。要约人及时发出迟到通知后，该迟到的承诺不生效力、合同不成立。如果要约人怠于发迟到通知，则该迟到的承诺视为未迟到的承诺，具有承诺的效力、合同成立。这是大陆法的一个基本原则。大陆法有关国家如德国、日本等以及我国台湾地区一般都有类似规定，如德国民法典第149条规定："承诺通知迟延到达时，如果要约人可能知道依通常传达情形可以及时到达，而且以前尚未有过同样情形的，要约人应在收到承诺通知后，立即将迟延情况通知承诺人。要约人怠于发出上述通知的,承诺视为未迟延。”英美法以信件、电报发送承诺采用发信主义,发出即生效,因此不存在这个问题。

《联合国国际货物销售合同公约》第 21 条第 2 款规定:“如果载有逾期接受的信件或其他书面文件表明,它是在传递正常、能及时送达发价人的情况下寄发的,则该项逾期接受具有接受的效力,除非发价人毫不迟延地用口头或书面通知被发价人:他认为他的发价已经失效。”《国际商事合同通则》第 2.9 条第 2 款作了与公约一致的规定。通则对此问题的解释是,只要承诺是因受要约人未及时发送而逾期,一般认定其无效,除非要约人有明确相反的表示。如受要约人已及时答复,只是因为不可预料的传递延迟导致承诺逾期送达要约人,情况则不一样。在这种情况下,受要约人对能够及时送达承诺的信赖应该得到保护,其结果是逾期的承诺视为有效,除非要约人毫不延迟地拒绝。本条第二款所要求的唯一条件是,载有逾期承诺的信件或其他书面文件可以表明其传递正常,能够及时送达要约人。并举例说明:甲指定 3 月 31 日为承诺其要约的最后期限。乙知道信件经航空传递到甲需要 3 天时间,乙于 3 月 25 日发出了载有承诺的信件。由于甲的国家邮政部门罢工,信封上盖有邮寄日期的信件 4 月 3 日才到。乙的承诺虽然逾期了,但仍应有效,除非甲毫不延迟地拒绝。

合同法本条采纳了大陆法系国家以及公约与通则的规定,通则对该原则的解释也适用于本条。

第三十条　承诺的内容应当与要约的内容一致。受要约人对要约的内容作出实质性变更的,为新要约。有关合同标的、数量、质量、价款或者报酬、履行期限、履行地点和方式、违约责任和解决争议方法等的变更,是对要约内容的实质性

变更。

【释义】 本条是关于承诺对要约的内容变更的规定。

承诺的内容必须与要约的内容完全一致，不得作任何更改，是英美法与大陆法两大法系一致的原则。否则，视为新的要约。但在解释上，也并非铁板一块。因为现实中的承诺往往不是简单地回答“是”或者“同意”，承诺是否与要约完全一致，也是需要进行判断的。形式上虽然承诺对要约内容有变更，但实质上并没有变更的，仍然可以认为与要约一致，承诺仍为有效。比如就要约的主要内容意思一致，仅就要约的附随事项附以条件或者为其他变更，承诺仍为有效。

要求承诺与要约的内容绝对一致，不利于合同的成立，不利于鼓励交易。在英美法，也突破了所谓的镜像原则。《美国统一商法典》第 2 - 207 条第 1 款规定：“在合理时间内寄送的承诺表示或确认书，只要确定并且及时，即使与原要约或原同意的条款有所不同或对其有所补充，仍具有承诺的效力，除非承诺中明确规定，以要约人同意这些不同的条款为承诺的生效条件。”在第 2 款中，明确规定如果“补充条款对合同作了实质性改变”则不“构成合同的组成部分”。

因此，可以认为，承诺对要约的内容并非绝对不可以改变，对非实质内容可以变更，改变实质内容则是一个新要约。问题在于，什么样的内容是非实质性的？《联合国国际货物销售合同公约》第 19 条第 3 款规定：“有关货物价格、付款、货物质量和数量、交货地点和时间、一方当事人对另一方当事人的赔偿责任范围或解决争端等等的添加或不同条件，均视为在实质上变更发价的条件。”但是，除了列举的这些项目，其他项目如合同的标的、合同所适用的法律等是不是实质性的内容？就列出的项目来说，是否任何一点改变就是实质性改变呢?

《国际商事合同通则》第 2.11 条也规定了实质性改变合同构成反要约,但没有具体列项规定什么条款是实质性条款。通则认为,什么能构成实质性变更,对此无法抽象确定,必须视每一交易的具体情况而定。如果添加条款或差异条款的内容涉及价格或支付方式、非金钱债务的履行地点和时间、一方当事人对其他人承担责任的限度或争议的解决等问题,则通常(但不是必然)构成对要约的实质性变更。对此总是应予考虑的一个重要因素是,变更条款或差异条款在有关的贸易领域中须是常用的,而不能出乎要约人的意料之外。

本条对实质性条款作了列举,所列项目为实质性条款,但实质性条款不限于所列各项。如对法律的选择也应是实质性的条款。本条对于实质性条款项目的开列具有提示性质。所列实质性条款在实际交易的具体合同中是否构成实质性改变,还需就个案进行具体分析。

第三十一条 承诺对要约的内容作出非实质性变更的,除要约人及时表示反对或者要约表明承诺不得对要约的内容作出任何变更的以外,该承诺有效,合同的内容以承诺的内容为准。

【释义】 本条是关于承诺对要约内容作非实质性变更的规定。

对于要约的内容作非实质性变更的承诺,如何处理,《联合国国际货物销售合同公约》第 19 条第 1 款和第 2 款规定:“对发价表示接受但载有添加、限制或其他更改的答复,即为拒绝该项发价,并构成还价。但是,对发价表示接受但载有添加或不同条件的答复,如所载的添加或不同条件在实质上并不变更该项发价的条件,除发价人在不过分迟延的期间内以口头或书面通知反对其间的差异外,仍构成接受。如果发价人不作出这种反对,合同的条件就以该项发价的条件以及接受通知内所载的更改为准。”《国际商事合同通则》第2.11条的规定与公约该两款的规定是一致的。

本条的规定参考了《美国统一商法典》、公约以及通则的规定,本条的意思与公约及通则的规定相同。

第三十二条　当事人采用合同书形式订立合同的,自双方当事人签字或者盖章时合同成立。

【释义】　本条是关于采用合同书形式订立的合同何时成立的规定。

采用合同书等书面形式订立合同,由合同双方当事人签字、盖章是我国企业间订立合同的一般方式。我国有关法律、行政法规也有关于签字、盖章的规定。如我国技术合同法第十条、涉外经济合同法第七条等都有规定,如技术合同法规定:“技术合同自当事人在合同上签名、盖章后成立。”合同法中保留这一我国贸易实践中行之有效的签订书面合同的方式。

除非法律、行政法规要求必须签订合同书,当事人要求签订合同书的,一般应当在合同成立之前提出,因在承诺生效之后提出签订合同书的,对方当事人可以拒绝,并且,在承诺生效之后提出签订合同书的,因为合同已经成立,合同书只是作为合同成立的证明,合同并非从签字盖章时成立。

第三十三条　当事人采用信件、数据电文等形式订立合同的,可以在合同成立之前要求签订确认书。签订确认书时合同成立。

【释义】 本条是关于确认书的规定。

当事人在合同的订立过程中，常常会提出签订确认书的要求。按照我国对外贸易企业的习惯做法，双方以函电方式达成协议后，中方往往还要提出一式两份的销售确认书，邮寄对方交换签字后，才作为合同正式成立的依据。这种销售确认书实质上是一份简单的书面合同。涉外经济合同法反映了我国对外贸易的这种习惯做法，该第七条规定："当事人就合同条款以书面形式达成协议并签字，即为合同成立。通过信件、电报、电传达成协议，一方当事人要求签订确认书的，签订确认书时，方为合同成立。"

这一规定虽然没有明确何时可以提出签订确认书，但不能理解为允许当事人在承诺生效后即合同成立后提出签订确认书的要求；否则，和对要约与承诺的科学严谨的规定是相矛盾的。

因此，本条规定，采用信件、数据电文订立合同的，当事人可以在要约或者承诺中提出签订确认书的要求，合同以最后签订的确认书为成立。一方当事人在承诺生效后（即合同成立后）提出签订确认书的要求，如果对方不表示同意，不影响已经成立的合同的效力。按照本条规定，在合同成立后，如果一方当事人提出签订确认书的要求，对合同的成立不产生任何影响。

第三十四条　承诺生效的地点为合同成立的地点。

采用数据电文形式订立合同的，收件人的主营业地为合同成立的地点；没有主营业地的，其经常居住地为合同成立的地点。当事人另有约定的，按照其约定。

【释义】 本条是关于合同成立地点的规定。

承诺生效合同成立，而承诺生效地点为合同成立地点是基本原则。大陆法系与英美法系在某些方式的合同成立上因采取不同的原则而使合同的成立时间及地点有所不同。在以信件与电报订立合同的情况下，在英美法，由于承诺生效采取发信主义，因而承诺生效的地点为发信人所在地，承诺生效的地点又是合同成立的地点。而在大陆法，由于承诺生效采用送达主义，承诺生效的地点为收件人所在地，因而合同成立的地点为收件人所在地。

一般来说，承诺生效合同成立的，承诺生效的地点为合同成立的地点。而法律规定或者当事人约定采用特定形式成立合同的，特定形式完成地点为合同成立的地点。如当事人在合同成立前要求采用确认书、合同书等书面形式的，确认书从签订生效时起合同成立，合同成立时的地点为合同成立的地点。合同书从签字或者盖章时起成立，签字或者盖章的地点为合同成立的地点。法律、行政法规规定或者当事人约定必须经过公证合同才成立的，公证的地点为合同成立的地点。

合同成立的地点也可以由双方当事人自行约定。

以数据电文形式订立合同，其合同的成立地点如何确定？本条的规定参考了联合国贸易法委员会的《电子商业示范法》。

该示范法第15条第4款规定："除非发端人与收件人另有协议，数据电文应以发端人设有营业地的地点视为其发出地点，而以收件人设有营业地的地点视为其收到地点，就本款的目的而言：（1）如发端人或收件人有一个以上的营业地，应以对基础交易具有最密切关系的营业地为准，又如果并无任何基础交易，则以其主要的营业地为准；（2）如发端人或收件人没有营业地，则以其惯常居住地为准。"示范法对此款解释说,此款的目的是解决数据电文的收到地点问题。规定此条确定收到地点的规则,主要原因在于要处理电子商业中特有的情况,那就是,收件人收到数据电文的信息系统或者检索到数据电文的信息系统常常是设在非收件人所在地的一个管辖区内。作出这一规定的出发点是要确保一个信息系统的地点不作为决定性因素,确保收件人与视作收件地点的所在地有某种合理的联系,而且发端人可以随时查到该地点。该款的规定只是在法律事实上确立一种不容反驳的推定,当另一项法律(如有关合同订立或法律冲突的法律)要求确定一项数据电文的收到地点时,即可使用这种推定。在示范法的制定过程中,有人认为,在计算机传输的范围之外(如在使用电报或电传时),区分一项数据电文的推定收到地点与该数据电文按收到时间实际到达的地点是不合宜的。因此,这项规定的范围只包括数据电文以计算机手段的传递。

示范法的解释把此款的立法目的、理由与适用的范围说得很清楚。这个解释适用于本条第二款。

第三十五条　当事人采用合同书形式订立合同的,双方当事人签字或者盖章的地点为合同成立的地点。

【释义】　本条是关于采用合同书形式订立合同如何确定合同成立地点的规定。

非要式的合同,一般以承诺生效地点为合同成立的地点。要式合同,以要式达成的地点为合同成立的地点。双方当事人在合同成立以前约定以合同书形式订立合同的,以签字或者盖章的地点为合同成立的地点。如果当事人以要约与承诺达成合同后又协商签订合同书的,除非当事人另有约定,合同已于承诺生效时成立,承诺生效的地点为合同订立的地点,不适用本条的规定。

本条规定，也适用于双方当事人在合同成立前约定签订确认书的情况。

第三十六条　法律、行政法规规定或者当事人约定采用书面形式订立合同，当事人未采用书面形式但一方已经履行主要义务，对方接受的，该合同成立。

【释义】　本条是关于应当采用书面形式而未采用的合同如何成立的规定。

法律、行政法规规定或者当事人约定采用书面形式订立的合同，当事人应当采用书面形式订立合同。在未采用书面形式之前，应当推定合同不成立。但是，形式不是主要的，重要的在于当事人之间是否真正存在一个合同。如果合同已经得到履行，即使没有以规定或者约定的书面形式订立，合同也应当是成立的。如果合同不违反法律的强制性规定，就是有效的。

第三十七条　采用合同书形式订立合同，在签字或者盖章之前，当事人一方已经履行主要义务，对方接受的，该合同成立。

【释义】　本条是关于没有签字或者盖章的合同书如何成立的规定。

在合同书中双方当事人的签字盖章是十分重要的，没有双方当事人的签字盖章，就不能最终确认当事人对合同的内容协商一致，也就不能证明合同的成立有效，所以本法第三十二条规定，当事人采用合同书形式订立合同的，自双方当事人签字或者盖章时合同成立。但是，双方当事人的签字盖章也只是形式问题,实质上应当追求当事人的真实意思。如果一个以合同书形式订立的合同已经履行,而仅仅是没有签字盖章,就认定合同不成立,则违背了当事人的真实意思。当事人既然已经履行,合同当然成立,除非当事人的协议违背法律的强制性规定。

第三十八条 国家根据需要下达指令性任务或者国家订货任务的,有关法人、其他组织之间应当依照有关法律、行政法规规定的权利和义务订立合同。

【释义】 本条是关于依照国家的指令性任务和国家订货任务订立合同的规定。

过去,我国实行计划经济体制,随着改革开放的深入和扩大,建立社会主义市场经济体制,国家指令性计划管理的范围逐步缩小,数量逐步减少,作用逐渐减弱,市场对资源配置的作用明显增强。国家指令性计划的具体指标,由国家计委会同有关部门确定。有的重要物资的指令性计划,还要报国务院批准。

对国家指令性任务所涉及的工矿产品,有的开始施行国家订货制度。我国从 1992 年起开始试行国家订货,其目的是在我国经济体制改革不断深入,国家指令性计划的范围和品种数量大幅度缩小的情况下,为了维护全国经济和市场的稳定,保证国防军工、重点建设以及国家战略储备的需要,对于国家还必须掌握的一些重要物资,将以国家订货方式逐步取代重要物资分配的指令性计划管理。从有关部门的设想来看,国家订货与原有的国家指令性计划管理的区别主要是,订货的价格比过去进一步放开,同时国家也不再保证生产企业的生产条件,但可以作协调工作。

为保证国防军工、重点建设以及国家战略储备的需要，对国家下达指令性任务或者国家订货任务的，必须予以充分保障，不能借口合同自愿不落实国家下达的指令性任务或者国家订货任务。因此，合同法规定，国家根据需要下达指令性任务或者国家订货任务的，有关法人、其他组织之间应当依照有关法律、行政法规规定的权利和义务订立合同。

第三十九条　采用格式条款订立合同的，提供格式条款的一方应当遵循公平原则确定当事人之间的权利和义务，并采取合理的方式提请对方注意免除或者限制其责任的条款，按照对方的要求，对该条款予以说明。

格式条款是当事人为了重复使用而预先拟定，并在订立合同时未与对方协商的条款。

【释义】　本条是关于格式条款的规定。

“格式条款”，又称为标准条款、标准合同、格式合同、定式合同、定型化合同，也有人称作附合合同等。

格式条款，是自19世纪以来发展起来的，是由于某些行业进行频繁地、重复性地交易的过程中为了简化合同订立的程序而形成的。这些行业一般是发展较大的具有一定规模的企业，往往具有垄断性。如水、电、热力、燃气、邮电、电信、保险、铁路、航空、公路、海运等行业。有公用事业，也有一般的大企业。格式条款具有以下特点：(1)作为要约，其对象具有广泛性。要约向公众发出，任何人只要同意要约的规定就可以签订合同。(2)条款具有持久性。格式条款一般是经过认真研究拟定的，在一个相当长的时期内不会改变。(3)条款具体细致。格式条款往往内容繁复，条款甚多，具体细致。(4)由事业者提出。不论是由事业者自行拟定或由某行业协会拟定，无论以何种形式表现，可以合同书形式、票证形式或者其他形式，甚至其条款并不在书面形式上记载，但是由事业者一方提出。但如果格式合同是由政府部门拟定的，一般不作为格式条款。但也有学者认为，如果涉及部门利益，有明显不合理条款，政府部门拟定的格式合同也应作为本法中的格式条款。

使用格式条款的好处是，简捷、省时、方便、降低交易成本，但其弊端在于，提供商品或者服务的一方往往利用其优势地位，制定有利于自己而不利于交易对方的条款，这一点在消费者作为合同相对方时特别突出。因此，必须在立法上予以限制。合同法本条第一款规定了提供格式条款一方在拟定格式条款以及在订立合同时应当遵循的原则和义务。首先，应当遵循公平的原则确定双方的权利和义务，不能利用自己的优势地位制定不公平的条款欺负对方当事人。其次，提供格式条款的一方当事人应当采取合理的方式提请对方注意免除或者限制其责任的条款，并按照对方提出的要求，对该类条款予以说明。

第四十条　格式条款具有本法第五十二条和第五十三条规定情形的，或者提供格式条款一方免除其责任、加重对方责任、排除对方主要权利的，该条款无效。

【释义】 本条是关于格式条款无效的规定。

本条明确规定了格式条款在什么情况下无效。本法第五十二条是对于无效合同的规定。如果格式条款具有本法第五十二条规定的情形当然无效。本法第五十三条是对合同中的免责条款的规定，如果合同中有免除“造成对方人身伤害的”或者“因故意或者重大过失造成对方财产损失的”责任的条款,则该条款无效。如果格式条款具有第五十三条规定的情形,当然无效。

除了上述两种情况,如果提供格式条款的一方当事人免除其责任、加重对方责任、排除对方当事人的主要权利,则该条款无效。这一规定与第五十二条、第五十三条规定的情形一样,是当然无效的条款,即使当事人同意,也不使其产生效力。

第四十一条　对格式条款的理解发生争议的,应当按照通常理解予以解释。对格式条款有两种以上解释的,应当作出不利于提供格式条款一方的解释。格式条款和非格式条款不一致的,应当采用非格式条款。

【释义】　本条是关于格式条款解释以及格式条款与非格式条款不一致时如何处理的规定。

对格式条款的理解发生争议,对该条款的解释,当然适用本法第一百二十五条关于合同解释的规定。但是,在对格式条款的解释上还是适用本条的特别规定。按通常理解予以解释,指的是当提供格式条款的对方订约能力较弱时,可以不按提供格式条款的一方的理解予以解释,而是按可能订立该合同的一般人的理解予以解释,这对保护采用格式条款订立合同的公民、小企业是有利的。有两种以上解释的,应当作出不利于提供格式条款一方的解释,也就是作出有利于其相对方的解释。

非格式条款一般是在格式条款外另行商定的条款,或对原来的格式条款重新协商修改的条款,是当事人特别约定的,如果与格式条款不一致,当然采用非格式条款。

第四十二条　当事人在订立合同过程中有下列情形之一，给对方造成损失的，应当承担损害赔偿责任：

（一）假借订立合同，恶意进行磋商；

（二）故意隐瞒与订立合同有关的重要事实或者提供虚假情况；

（三）有其他违背诚实信用原则的行为。

【释义】　本条是关于缔约过失责任的规定。

缔约过失责任指因当事人在订立合同过程中，因违背诚实信用原则而给对方造成损失的赔偿责任。

根据自愿原则，当事人可以自由决定是否订合同，与谁订合同，订什么样的合同。为订立合同与他人进行协商，协商不成的，一般不承担责任。但是，当事人进行合同的谈判，应当遵循诚实信用原则。根据本条规定，有下列情况之一，给对方当事人造成损失的，应当承担损害赔偿责任。

1. 假借订立合同，恶意进行磋商。所谓“假借”就是根本没有与对方订立合同的目的，与对方进行谈判只是个借口，目的是损害对方或者第三人的利益，恶意地与对方进行合同谈判。如通则举的一个例子：甲知道乙有转让餐馆的意图，甲并不想购买该餐馆，但为了阻止乙将餐馆卖给竞争对手丙，却假意与乙进行了长时间的谈判。当丙买了另一家餐馆后，甲中断了谈判。后来乙以比丙出价更低的价格将餐馆转让了。

2. 在订立合同中隐瞒重要事实或者提供虚假情况。如意大利民法典第1338条规定：“知道或者应当知道契约无效原因存在的一方没有将其通知另一方，则该方要为此就对方在契约有效期内基于依赖、没有过错而遭受的损失承担赔偿责任。”

3. 其他违背诚实信用原则的行为。当事人按照诚实信用的原则进行谈判,有谈成的,有谈不成的,都不足为奇,中途停止谈判也是正常的。但是,如果当事人违背诚实信用的原则终止谈判,就是不正常的,如果损害对方当事人的利益则要承担缔约过失的责任,赔偿损失。比如,甲向乙保证,如果乙努力取得经验并准备投资15万美元,则向乙授予专营许可。此后的两年间,乙为订立该合同做了大量工作,且一直深信将会得到甲的专营许可。当订立协议的一切准备工作就绪时,甲通知乙必须投资更多的金额。乙拒绝了这种要求,同时乙有权要求甲补偿其为准备订立合同所发生的费用。

负有缔约过失责任的当事人,应当赔偿受损害的当事人。赔偿应当以受损害的当事人的损失为限。这个损失包括直接利益的减少,如谈判中发生的费用,还应当包括受损害的当事人因此失去的与第三人订立合同的机会的损失。

第四十三条　当事人在订立合同过程中知悉的商业秘密,无论合同是否成立,不得泄露或者不正当地使用。泄露或者不正当地使用该商业秘密给对方造成损失的,应当承担损害赔偿责任。

【释义】　本条是关于当事人保密义务的规定。

在一般的合同订立过程中,不涉及商业秘密的问题。因此,没有必要将当事人双方在合同谈判的过程中交换的信息都作为商业秘密来处理。这些信息可能是很有用的,也很有价值。如果不是商业秘密,当事人均可以使用这些信息。比如当事人要购买一种机器,可以向很多生产或者出售这种机器的商家发出要约邀请,邀请向他们发出要约,介绍所生产或者出售的机器的价格、性能、技术指标等。在这个过程中,当事人会了解到这种机器的性能标准、技术细节等许多情况,这样就可以更有把握地选择商家订立合同。

但是，如果订立合同的过程中知悉到商业秘密，情况就有很大不同。按照我国反不正当竞争法第十条的规定，商业秘密，是指不为公众所知悉、能为权利人带来经济利益、具有实用性并经权利人采取保密措施的技术信息和经营信息。技术信息，比如技术秘密，可以给权利人带来很大的经济利益。在经营方面的经营信息，比如说客户名单，为交易带来极大的便利条件，对其经营活动，比如材料与成品的购销，意义重大。这些信息，一般当事人是严格保密的，除非当事人认为其不需要保密。商业秘密受法律保护，任何人不得采用非法手段获取、泄露、使用他人的商业秘密，否则要承担法律责任。在订立合同的过程中，为达成协议，有时告诉对方当事人商业秘密是必需的，但一般也提请对方不得泄露、使用。在这种情况下，对方当事人有义务不予泄露，也不能使用。如果违反规定，则应当承担由此给对方造成损害的赔偿责任。在有的情况下，虽然一方当事人没有明确告知对方当事人有关的信息是商业秘密，基于此种信息的特殊性质，按照一般的常识，对方当事人也不应当泄露或者不正当地使用，否则有悖于诚实信用原则，也应当承担赔偿责任。比如，乙与丙是两个主要的轿车生产商。甲有意与乙或者丙达成一合资企业协议。在与乙的谈判过程中，甲收到了乙关于新型车设计方案的详细资料。尽管乙没有明确要求甲将该信息作为秘密，但因为这是一种新车的设计方案，甲负有不向丙披露的义务，只要合同尚未达成，甲也不能将该设计方案用于自己的生产程序。

无论合同是否达成，当事人均不得泄露或者不正当使用所知悉的商业秘密，而且只要商业秘密仍然是商业秘密，无论经过了多长时间，都不得泄露或者不正当地使用。不得泄露或者不正当地使用商业秘密，不仅是合同法的要求，其他法律如反不正当竞争法等也有规定。因此，违反法律规定泄露或者不正当地使用商业秘密的，不仅限于承担民事赔偿责任，还有可能承担行政责任甚至刑事责任。

第三章 合同的效力

本章共十六条，是关于合同效力的规定。合同的效力，是指已经成立的合同在当事人之间产生的一定的法律拘束力，也就是通常所说的合同的法律效力。本章对合同的生效时间、附条件的合同、附期限的合同、效力待定合同、表见代理合同、无效合同、可撤销合同等合同效力的主要问题作了规定。

第四十四条 依法成立的合同，自成立时生效。

法律、行政法规规定应当办理批准、登记等手续生效的，依照其规定。

【释义】 本条是关于合同生效时间的规定。

合同生效是指合同产生法律约束力。合同生效后，其效力主要体现在以下几个方面：

1. 在当事人之间产生法律效力。一旦合同成立生效后，当事人应当依合同的规定，享受权利，承担义务。当事人依法受合同的拘束，是合同的对内效力。当事人必须遵循合同的规定，依诚实信用的原则正确、完全地行使权利和履行义务，不得滥用权利，违反义务。在客观情况发生变化时，当事人必须依照法律或者取得对方的同意，才能变更或解除合同。

2. 合同生效后产生的法律效果还表现在对当事人以外的第三人产生一定的法律拘束力。合同的这一效力表现，称为合同的对外效力。合同一旦生效后，任何单位或个人都不得侵犯当事人的合同权利，不得非法阻挠当事人履行义务。

3. 合同生效后的法律效果还表现在，当事人违反合同的，将依法承担民事责任，必要时人民法院也可以采取强制措施使当事人依合同的规定承担责任、履行义务，对另一方当事人进行补救。对此本法第七章作了规定。

什么样的合同才能生效？民法通则第五十五条规定，民事法律行为应该具备下列条件：(1)行为人具有相应的民事行为能力；(2)意思表示真实；(3)不违反法律或者社会公共利益。这是合同的一般生效要件。

合同什么时候产生效力？我国民法通则第五十七条规定，民事法律行为从成立时起具有法律约束力。本条对合同何时生效作了两层规定：

1. 依法成立的合同，自成立时生效。也就是说，合同的生效，原则上与合同的成立是一致的，合同成立就产生效力。那么合同何时成立？本法第二十五条规定："承诺生效时合同成立。"例如，买卖合同，如果双方当事人对合同的生效没有特别约定，那么双方当事人就买卖合同的主要内容达成一致时，合同就成立并且生效。

2. 法律、行政法规规定应当办理批准、登记等手续生效的，自批准、登记时生效。也就是说，某些法律、行政法规规定合同的生效要经过特别程序后才产生法律效力，这是合同生效的特别要件。例如，我国的中外合资经营法、中外合作经营法规定，中外合资经营合同、中外合作经营合同必须经过有关部门的审批后，才具有法律效力。

第四十五条　当事人对合同的效力可以约定附条件。附生效条件的合同，自条件成就时生效。附解除条件的合同，自

条件成就时失效。

当事人为自己的利益不正当地阻止条件成就的，视为条件已成就；不正当地促成条件成就的，视为条件不成就。

【释义】 本条是关于附条件合同效力的规定。

根据本条的规定，合同的双方当事人可以对合同的效力附条件，即附条件的合同。所谓附条件的合同，是指合同的双方当事人在合同中约定某种事实状态，并以其将来发生或者不发生作为合同生效或者不生效的限制条件的合同。

所附条件是指合同当事人自己约定的、未来有可能发生的、用来限定合同效力的某种合法事实。所附条件具有以下特点：

1. 所附条件是由双方当事人约定的，并且作为合同的一个条款列入合同中。其与法定条件的最大区别就在于后者是由法律规定的，不由当事人的意思取舍并具有普遍约束力的条件。因此，合同双方当事人不得以法定条件作为所附条件。

2. 条件是将来可能发生的事实。过去的、现存的事实或者将来必定发生的事实或者必定不能发生的事实不能作为所附条件。此外，法律规定的事实也不能作为附条件，如子女继承父亲遗产要等到父亲死亡，就不能作为条件。

3. 所附条件是当事人用来限制合同法律效力的附属意思表示。它同当事人约定的所谓供货条件、付款条件是不同的，后者是合同自身内容的一部分，而附条件合同的所附条件只是合同的附属内容。

4. 所附条件必须是合法的事实。违法的事实不能作为条件，如双方当事人不能约定某人杀死某人作为合同生效的条件。

所附条件可分为生效条件和解除条件。生效条件是指使合同的效力发生或者不发生的条件。在此条件出现之前，也即本条所说的条件成就之前，合同的效力处于不确定状态，当此条件出现后，即条件成就后，合同生效；当条件没有出现（或成就），合同也就不生效。例如，甲与乙签订买卖合同，甲同意把房子卖给乙，但是条件是要在甲调到外地工作之后。这个条件一旦出现，则卖房的合同即生效。解除条件又称消灭条件，是指对具有效力的合同，当合同约定的条件出现（成就）时，合同的效力归于消灭；若确定该条件不出现（不成就），则该合同仍确保其效力。

附条件的合同中，所附条件的出现对该合同的法律效力有决定性作用，根据本条的规定，附条件合同在所附条件出现时分为两种情况：生效条件的出现使该合同产生法律效力；附解除条件的合同中，解除条件的出现使该合同失去效力。

这里需要特别指出的是，附条件的合同虽然要在所附条件出现时生效或者失效，但是对于当事人仍然具有法律约束力，双方当事人不能随意变更或者解除。一旦符合所附条件时，一方如果不履行，就要赔偿因此给对方造成的损失。所以，附条件的合同效力可分为条件成就前的效力和条件成就后的效力。条件未出现前的效力对于附生效条件的合同表现为当事人不得自行撤销、变更合同的拘束力和可基于条件出现时对该合同生效的期待权；在附解除条件的合同中则表现为当事人可期待条件出现时合同效力归于消灭的期待权。条件出现后效力在附生效条件的合同中表现为该合同生效，在附解除条件的合同中则表现为条件出现后合同的效力归于消灭。

由于附条件的合同的生效或者终止的效力取决于所附条件的成就或者不成就（即出现或不出现），并且所附条件事先是不确定的，因此，任何一方均不得以违反诚实信用原则的方法恶意地促成条件的成就或者阻止条件的成就（出现）。因此，本条第二款规定，当事人为自己的利益不正当地阻止条件成就的，视为条件已成就；不正当地促成条件成就的，视为条件不成就。

第四十六条　当事人对合同的效力可以约定附期限。附生效期限的合同，自期限届至时生效。附终止期限的合同，自期限届满时失效。

【释义】　本条是关于附期限合同效力的规定。

根据本条的规定，合同的双方当事人可以对合同的效力附期限，即附期限的合同。所谓附期限的合同，是指附有将来确定到来的期限作为合同的条款，并在该期限到来时合同的效力发生或者终止的合同。所附的期限就是双方当事人约定的将来确定到来的某个时间。

附期限合同中的期限的特征在很多方面与附条件合同中的条件是相同的。但是二者是不完全相同的。在附条件的合同中条件的成就与否是当事人不能预见的，条件可能成就（出现），也可能不成就（不出现），因此，条件是不确定的事实。但是在附期限的合同中，合同的当事人在合同中规定一定的期限，把期限的到来作为合同生效和失效的根据，但期限的到来是当事人所预知的，所以期限是确定的事实。当事人在签订合同时，对于确定的事实只能在合同中附期限，而不能附条件。

附期限合同中的附期限可分为生效期限和终止期限。生效期限又可称为始期，是指以其到来使合同发生效力的期限。该期限的作用是延缓合同效力的发生，其作用与附条件合同中的生效条件相当。合同在该期限到来之前,其效力处于停止状态,待期限到来时,合同的效力才发生。终止期限是指以其到来使合同效力消灭的期限。附终止期限合同中的终止期限与附条件合同中的附解除条件的作用相当,故其又称为解除期限。本条规定,附生效期限的合同,自期限届至时生效。附终止期限的合同,自期限届满时失效。

附期限合同中的期限可以是一个具体的期日,如某年某月某日;也可以是一个期间,如"合同成立之日起5个月"。

这里需要特别指出的是,附期限合同中的附期限与合同的履行期限是完全不同的两个概念。对于这两个概念是否一致曾有不同的意见:一种意见认为,附期限合同中的期限实质上就是合同中的履行期限,二者没有区别的必要;另一种意见认为,附期限合同中的期限与合同的履行期限是完全不同的,不可混淆。我们认为,合同的履行期限仅仅是规定债务人必须履行其义务的时间,法律除了特殊情况外,并没有绝对禁止债务人提前履行,债权人接受履行的,也是正当权利。但是在附生效期限的合同中所附生效期限到来之前,当事人根本没有债务,只有期限到来后合同的债务才产生。

第四十七条　限制民事行为能力人订立的合同,经法定代理人追认后,该合同有效,但纯获利益的合同或者与其年龄、智力、精神健康状况相适应而订立的合同,不必经法定代理人追认。

相对人可以催告法定代理人在一个月内予以追认。法定代理人未作表示的,视为拒绝追认。合同被追认之前,善意相对人有撤销的权利。撤销应当以通知的方式作出。

【释义】　本条是关于限制民事行为能力人订立的合同

效力的规定。

民法通则第五十五条规定,行为人具有相应的民事行为能力是民事法律行为有效的必备要件之一。合同作为一种民事法律行为也必须要求合同当事人具有相应的民事行为能力。限制民事行为能力人所签订的合同从主体资格上讲是有瑕疵的,因为当事人缺乏完全的缔约能力、代签合同的资格和处分能力。以前的司法实践在处理此类合同时,基本上是认定为无效合同。本条将此类合同列入了效力待定合同中,是基于以下几点考虑:(1)此类合同与无效合同和可撤销合同不同,它并非因为当事人故意违反法律的强制性规定及社会公共利益,也不是因为当事人意思表示不真实而导致合同可撤销,主要是因为当事人缺乏完全的缔约能力和处分能力而造成的。(2)这类合同可经限制民事行为能力人的法定代理人的承认而生效,这种承认表明限制民事行为能力人所签的合同是符合权利人利益的。(3)有利于促成更多的交易,也有利于维护相对人的利益。因为相对人与限制民事行为能力人订的合同,总是希望合同有效,并且通过有效合同的履行使自己获得期待的利益,因此,通过法定代理人的追认使效力待定合同生效,而不是简单地宣告这种合同无效,是符合相对人的利益的。

限制民事行为能力人签订的合同要具有效力,一个最重要的条件就是要经过其法定代理人的追认,这种合同一旦经过法定代理人的追认就具有法律效力,在没有经过追认前,该合同虽然成立,但是并没有实际生效。所谓追认,是指法定代理人明确无误地表示同意限制民事行为能力人与他人签订的合同。这种同意是一种单方意思表示,无须合同的相对人同意即可发生效力。这里需要强调的是,法定代理人的追认应当以明示的方式作出，并且应当为合同的相对人所了解，才能产生效力。特别指出的有两点：(1)法定代理人以行动自愿履行合同的行为也可视为法定代理人对合同的追认；(2)法定代理人的追认必须是无条件的，法定代理人不得对合同的追认附加任何条件，除非合同相对人的同意。

对于限制民事行为能力人签订的合同，并非所有的都必须经过法定代理人的追认。本条规定，限制民事行为能力人签订的纯获利益的合同或者与其年龄、智力、精神健康状况相适应而订立的合同，不必经法定代理人追认就具有法律效力。所谓"纯获利益"在我国一般是指限制民事行为能力人在某合同中只享有权利或者利益，不承担任何义务，如限制民事行为能力人接受奖励、赠与、报酬等，对于这些纯获利益的合同，他人不得以行为人的限制民事行为能力为由，主张该合同不具有效力。同时，限制民事行为能力人也可独立订立与其年龄、智力、精神健康相适应的合同，这类合同一般是日常生活方面的合同，如购买书本、乘坐交通工具等；对于不能完全辨认其行为的精神病人在其健康状况允许时，可订立某些合同，而不必经法定代理人追认。除此之外，限制民事行为能力人订立的合同就必须经过其法定代理人的同意后才具有法律效力。

根据本条第二款的规定，合同的相对人可以催告限制民事行为能力人的法定代理人在1个月内予以追认。法定代理人未作表示的，视为拒绝追认。所谓"催告"就是指合同的相对人要求法定代理人在一定时间内明确答复是否承认限制民事行为能力人所签订的合同，法定代理人逾期不作表示的，视为法定代理人拒绝追认。设立相对人的催告权，可以避免限制民事行为能力人签订的合同长期处于不确定状态，从而维护相对人的利益。但是相对人的催告应当用明示的方式作出；同时，相对人在催告中一般要设定一个期限，本条规定1个月为限，超过这个期限，法定代理人不作答复的，则视为拒绝追认。

本条第二款除了规定相对人有催告权外，还规定了相对人有撤销合同的权利。这里的撤销权，是指合同的相对人在法定代理人未追认限制民事行为能力人所签订的合同之前，撤销自己对限制民事行为能力人所作的意思表示。在此类合同中，仅有法定代理人的追认权，而没有相对人的撤销权，那么，相对人在法定代理人作出追认前，就不能根据自己的利益来进行选择，只能被动地依赖法定代理人的追认或者否认，这对相对人是很不公平的。设立相对人的撤销权，正是为了使相对人与法定代理人能有同等的机会来处理这类效力待定合同的效力。但是相对人撤销这类合同必须满足以下条件：

1. 撤销的意思表示必须是在法定代理人追认之前作出，对于法定代理人已经追认的合同，相对人不得撤销。

2. 只有善意的相对人才可以作出撤销合同的行为。所谓“善意”，这里是指合同的相对人在签订合同之时并不知道或者也不可能知道对方是限制民事行为能力人。倘若相对人明知对方是限制民事行为能力人而仍然与对方签订合同，那么相对人就没有撤销合同的权利。

3. 相对人作出撤销的意思表示时，应当用通知的方式作出，任何默示的方式都不构成对此类合同的撤销。

第四十八条　行为人没有代理权、超越代理权或者代理权终止后以被代理人名义订立的合同，未经被代理人追认，对被代理人不发生效力，由行为人承担责任。

相对人可以催告被代理人在一个月内予以追认。被代理人未作表示的，视为拒绝追认。合同被追认之前，善意相对人有撤销的权利。撤销应当以通知的方式作出。

【释义】 本条是关于无代理权人签订的合同效力的规定。

所谓无权代理合同，就是无代理权人代理他人从事民事行为所签订的合同。根据民法通则第六十六条的规定，因无权代理而签订的合同有以下三种情形：（1）根本没有代理权而签订的合同。是指签订合同的人根本没有经过被代理人的授权，就以被代理人的名义签订的合同。（2）超越代理权而签订的合同。是指代理人与被代理人之间有代理关系存在，但是代理人超越了被代理人的授权范围与他人签订了合同。例如，甲委托乙购买电视机300台，但是乙擅自与他人签订了购买500台电视机的合同，这就是超越代理权而签订的合同。（3）代理关系终止后签订的合同。这是指行为人与被代理人之间原有代理关系，但是由于代理期限届满、代理事务完成或者被代理人取消委托关系等原因，被代理人与代理人之间的代理关系已不复存在，但原代理人仍以被代理人的名义与他人签订的合同。

对于无权代理人以被代理人名义与他人签订的合同，本法规定的是一种效力待定的合同。将无代理权人签订的合同纳入效力待定合同中，是基于以下原因：（1）无权代理人签订的合同并非都对本人不利，有些因无权代理而签订的合同对本人可能是有利的；（2）从本质上讲无权代理行为也具有某些代理的特性，如无权代理人具有为本人签订合同的意思表示，第三人也有意与本人签订合同，如果本人事后授权也就意味着事后对合同的承认；（3）无权代理合同经过事后的追认，将有利于维护交易秩序的稳定和保护合同相对人的利益。

本条第一款规定，行为人没有代理权、超越代理权或者代理权终止后以被代理人名义订立的合同，未经被代理人追认，对被代理人不发生效力。本条的追认，是指被代理人对无权代理行为事后予以承认的一种单方意思表示。被代理人的追认应当以明示的意思表示向相对人作出，如果仅向无代理权人作出意思表示，也必须使相对人知道后才能产生法律效果。一旦被代理人作出追认，因无权代理所订立的合同就从成立时起产生法律效力。追认权是被代理人的一项权利，被代理人既有权作出追认，也可以拒绝追认，如果被代理人明确地表示拒绝追认，那么因无权代理而签订的合同就不能对被代理人产生法律效力，因此而产生的责任就应该由行为人自己承担。

与本章第四十七条的第二款一样，本条的第二款也规定了合同的相对人享有催告权和撤销权。所谓催告权，是指合同的相对人催促被代理人在一定期限内明确答复是否承认无权代理合同。催告权的行使一般具有以下要件：(1)要求被代理人在一定的期限内作出答复，本条第二款规定的期限为1个月。(2)催告应当以明示的方式作出。(3)催告的意思必须是向被代理人作出。根据本条的规定，如果被代理人在催告后一个月内未作表示的，则视为拒绝追认。因无权代理而订立的合同在本人追认之前，处于效力待定状态，为了保护合同相对人的利益，本条还规定，合同的相对人还享有撤销权。这里的撤销权，是指相对人在被代理人未追认合同之前，可撤回其对无权代理人所作的意思表示。被代理人撤销权的行使必须满足以下条件：(1)必须在被代理人作出追认之前作出，如果被代理人已经对合同作出追认了，那么合同产生了效力,合同相对人就不能撤销其意思表示了。(2)相对人在无权代理人签订合同时必须是善意的,也就是说,相对人在订立时,并不知道对方是无权代理人。如果明知对方是无权代理人而仍与对方签订合同,那么相对人就无权撤销其意思表示。(3)撤销应当以通知的方式作出。

第四十九条　行为人没有代理权、超越代理权或者代理权终止后以被代理人名义订立合同,相对人有理由相信行为人有代理权的,该代理行为有效。

【释义】 本条是关于表见代理合同效力的规定。

所谓表见代理,是指行为人没有代理权、超越代理权或者代理权终止后签订了合同,如果相对人有理由相信其有代理权,那么相对人就可以向本人主张该合同的效力,要求本人承担合同中所规定的义务,受合同的约束。本法设立表见代理制度是为保护合同相对人的利益,并维护交易的安全,依诚实信用原则使怠于履行其注意义务的本人直接承受行为人没有代理权、超越代理权或者代理权终止后仍为代理行为而签订的合同的责任。

构成表见代理合同要满足以下条件:(1)行为人并没有获得本人的授权就与第三人签订了合同。本条规定了没有代理权、超越代理权或者代理权终止这三种情形。(2)合同的相对人在主观上必须是善意的、无过失的。所谓善意,是指相对人不知道或者不应当知道行为人实际上无权代理;所谓无过失,是指相对人的这种不知道不是因为其大意造成的。如果相对人明知或者理应知道行为人是没有代理权、超越代理权或者代理权已终止,而仍与行为人签订合同,那么就不构成表见代理,合同相对人也就不能受到保护。

在本条的立法过程中,对于是否要求以本人的过错作为表见代理合同的构成要件曾有两种不同的意见:一种意见认为,应当以本人的过错作为表见代理合同的要件,否则对本人是不公平的;另一种意见认为,表见代理最重要的特征就是相对人有正当理由相信行为人有代理权,而不问本人是否有过错。本法基本上是采纳了第二种意见。一般来说,表见代理合同的产生与本人的过错有关,如因为本人管理制度的混乱,导致其公章、介绍信被他人借用或者冒用而订立了合同;本人在知道行为人以其名义与第三人订立合同而不作否认表示等。这些都表明本人是有过错的。但是,设立表见代理制度的目的是保护交易的安全性,不至于使没有过失的相对人劳而无获。因此,相对人只要证明自己和无权代理人订立合同时没有过失,至于本人在无权代理人订立合同问题上是否有过失,相对人有时难以证明。故在本条的规定中,对于行为人没有代理权、超越代理权或者代理权终止后仍然以本人名义订立合同的情况,只要相对人有理由相信行为人有代理权,合同就有效。

需要注意的是,本条的规定与本法第四十八条的规定是不相同的。第四十八条规定的合同必须要经过本人的追认才具有效力,而本条规定的合同不必经过本人的追认就当然具有效力。

第五十条 法人或者其他组织的法定代表人、负责人超越权限订立的合同,除相对人知道或者应当知道其超越权限的以外,该代表行为有效。

【释义】 本条是关于因代表行为订立的合同效力的规定。

本条是新规定。在日常的经济活动中,法人或者其他经济组织的经济活动都是经过其法定代表人、负责人进行的,法定代表人、负责人代表法人或者其他组织进行谈判、签订合同等。法定代表人、其他组织的负责人的权限不是无限制的,他们必须在法律的规定或者法人的章程规定的范围内行使职责。但是在现实经济活动中,却存在大量法定代表人、负责人超越权限订立合同的情形,如何对待此类合同的效力?我国民法通则第三十八条规定,法人的法定代表人是指依照法律或者法人的组织章程的规定,代表法人行使职权的负责人。可见法人的法定代表人或者其他组织的负责人是代表法人或者其他组织行使职权的。一般说来,法定代表人或者其他组织的负责人本身就是法人或者其他组织的组成部分,法定代表人的行为或者其他组织负责人的行为就是法人或者其他组织的行为,因此,他们执行职务的行为所产生的一切后果都应当由法人或者其他组织承担。对于合同的相对人来说,他只认为法定代表人或者其他组织的负责人就是代表法人或者其他组织,他一般并不知道也没有义务知道法定代表人或者其他组织负责人的权限到底有哪些,法人或者其他组织的内部规定也不应对合同的相对人构成约束力;否则,将不利于保护交易的安全,也不利于保护合同相对人的利益,对合同相对人来说也是不公平的。从以往的司法实践来看,由于对大量法定代表人或者其他组织的负责人超越权限而订立的合同作无效处理,严重地损害了合同相对人的利益,助长了一些法人或者其他组织借此逃避责任,谋取非法利益。因此,规定法定代表人或者其他组织的负责人超越权限的行为一般也有效,可以有效地防止此类现象的发生,也符合交易的规则。

需要特别注意的是,在订立合同的过程中,合同的相对人知道或者应当知道法定代理人或者其他组织的行为是超越了权限,而仍与之订立合同,则具有恶意,那么此时,合同就不具效力。因此,本条规定,法人或者其他组织的法定代表人、负责人超越权限订立的合同,除相对人知道或者应当知道其超越权限的以外,该代表行为有效。

第五十一条 无处分权的人处分他人财产,经权利人追认或者无处分权的人订立合同后取得处分权的,该合同有效。

【释义】 本条是关于无权处分合同的效力的规定。

在现实生活中常常出现无处分权人利用合同擅自处分他人财产的行为,如何对待这些合同的效力,这在司法实践中是一个必须予以回答的问题,为了解决这些合同的法律效力问题,保护合法权利人的利益,很有必要在统一的合同法对此作出规定。

所谓无处分权人,就是对归属于他人的财产没有权利进行处置的权利或者虽对财产拥有所有权,但由于在该财产上负有义务而对此不能进行自由处分的人。例如,A 将某物租赁给 B 使用,B 却将该物非法转让给 C,则 B 与 C 之间的买卖合同就属于因无权处分而订立的合同。

因无权处分他人财产而签订的合同一般具有如下特点:

1. 无处分权人实施了处分他人财产的行为。这里所说的处分,是指法律意义上的处分,如财产的转让、财产的赠与、在财产上设定抵押权等行为。财产只能由有处分权的人进行处分,无处分权人对他人财产进行处分是对他人的财产的侵害。即使是对共有财产享有共有权的共有人,也只能依法处分其应有的部分,不能擅自处分共有财产。因为共有财产属于全体共有人所有,某个共有人未经其他共有人同意擅自处分共有财产，就构成无权处分行为。

2. 无处分权人处分他人财产而签订的合同必须经过权利人的事后追认或者在合同订立后取得对财产的处分权。这里的权利人，是指对财产享有处分权的人。所谓追认是指权利人事后同意该处分财产行为的意思表示。这种追认可以直接向买受人作出，也可以向处分人作出；可以用口头形式作出，也可以用书面形式作出。不管用何种形式，追认都必须用明显的方式作出，沉默和不作为都不视为追认。追认是一种单方的意思表示，其目的就是使无权处分而订立的合同发生法律效力。在权利人追认前，因无权处分而订立的合同处于效力待定状态，在得到追认以前，买受人可以撤销该合同；在追认以后，则合同将从订立合同时起就产生法律效力，任何一方当事人都可以请求对方履行合同义务。

根据本条的规定，如果无处分权人订立合同后取得处分权，该合同仍为有效合同。无权处分的本质是处分人在无权处分的情况下处分他人财产，从而侵害了他人的财产权。如果处分人在合同订立后取得了财产权利或者取得了对财产的处分权，就可以消除无权处分的状态，从而使合同产生效力。

第五十二条　有下列情形之一的，合同无效：

（一）一方以欺诈、胁迫的手段订立合同，损害国家利益；

（二）恶意串通，损害国家、集体或者第三人利益；

（三）以合法形式掩盖非法目的；

（四）损害社会公共利益；

（五）违反法律、行政法规的强制性规定。

【释义】　本条是关于无效合同的规定。

所谓无效合同，就是不具有法律约束力和不发生履行效力的合同。一般合同一旦依法成立,就具有法律拘束力,但是无效合同却由于违反法律、行政法规的强制性规定或者损害国家、社会公共利益,因此,即使其成立,也不具有法律拘束力。无效合同一般具有以下特征:

1. 无效合同具有违法性。一般来说本法所规定的无效合同都具违法性,它们大都违反了法律和行政法规的强制性规定,并损害了国家利益、社会公共利益,如合同当事人非法买卖毒品、枪支等。无效合同的违法性表明此类合同不符合国家的意志和立法的目的,所以,对此类合同国家就应当实行干预,使其不发生效力,而不管当事人是否主张合同的效力。

2. 无效合同是自始无效的。所谓自始无效,就是合同从订立时起,就没有法律约束力,以后也不会转化为有效合同。由于无效合同从本质上违反了法律规定,因此,国家不承认此类合同的效力。对于已经履行的,应当通过返还财产、赔偿损失等方式使当事人的财产恢复到合同订立前的状态。

本条规定,有下列情形之一的合同无效:

1. 一方以欺诈、胁迫的手段订立合同,损害国家利益

本项是对以欺诈、胁迫的手段订立的合同效力的规定。在经济生活中出现很多以此类合同的方式侵吞国有资产和侵害国家利益的情形,但是受害方当事人害怕承担责任或者对国家财产漠不关心,致使国有资产大量流失,若此类合同不纳入无效合同之中,则不足以保护国有资产。

所谓欺诈,就是故意隐瞒真实情况或者故意告知对方虚假的情况,欺骗对方,诱使对方作出错误的意思表示而与之订立合同。欺诈的种类很多,如出售假冒伪劣产品,提供虚假的商品说明书,在没有履行能力的情况下,对外签订合同骗取定

金或者货款等。欺诈具有以下构成要件:(1)欺诈一方当事人有欺诈的故意。即欺诈方明知告知对方的情况是虚假的,并且会使对方当事人陷于错误而仍为之。欺诈的故意既包括欺诈人有使自己因此获得利益的目的,也包括使第三人因此获得利益而使对方当事人受到损失。(2)要有欺诈另一方的行为。所谓欺诈行为,是指欺诈方将其欺诈故意表示于外部的行为,欺诈行为既可是积极的行为,也可是消极的行为。欺诈行为在实践中可分故意陈述虚假事实的欺诈和故意隐瞒真实情况使他人陷入错误的欺诈。故意告知虚假情况就是虚假陈述,如将劣质品说成优等品;故意隐瞒真实情况是指行为人负有义务向他方如实告知某种真实情况而故意不告知的。(3)受欺诈方签订合同是由于受欺诈的结果。只有当欺诈行为使他人陷于错误,而他人由于此错误在违背其真实意愿的情况下与之签订了合同,才能构成受欺诈的合同。

所谓胁迫,是指行为人以将要发生的损害或者以直接实施损害相威胁,使对方当事人产生恐惧而与之订立合同。因胁迫而订立的合同包括两种类型:一种情况是以将要发生的损害相威胁,而使他人产生恐惧。将要发生的损害可以是涉及生命、身体、财产、名誉、自由、健康等方面的,这种损害必须是相当严重的,足以使被胁迫者感到恐惧。如果一方所进行的将要造成的损害的威胁是根本不存在的、没有任何根据的,或者受胁迫方根本不会相信的,不构成胁迫。另一种情况是行为人实施不法行为,直接给对方当事人造成人为的损害和财产的损害,而迫使对方签订合同。这种直接损害可以是对肉体的直接损害,如殴打对方;也可以是对精神的直接损害,如散布谣言,诽谤对方。因胁迫而订立的合同要具有如下构成要件:(1)胁迫人具有胁迫的故意。即胁迫人明知自己的行为将会对受胁迫方从心理上造成恐惧而故意为之的心理状态,并且胁迫人希望通过胁迫行为使受胁迫者作出的意思表示与胁迫者的意愿一致。(2)胁迫者必须实施了胁迫行为。如胁迫者必须要有以将要有的损害行为或者直接对对方施加损害相威胁的行为。如果没有胁迫行为,只具有主观上的故意,不构成胁迫。胁迫在合同中常常表现为强制对方订立合同而实施的,也可以是在合同订立后,以胁迫手段迫使对方变更或者解除合同。(3)胁迫行为必须是非法的。胁迫人的胁迫行为是给对方施加一种强制和威胁,但这种威胁必须是没有法律依据的。如果一方有合法的理由对另一方施加压力,就不构成合同中的威胁。例如,一方向另一方提出如果对方不按时履行合同,就要提起诉讼,则因为提起诉讼是合法手段,不构成胁迫。(4)必须要有受胁迫者因胁迫行为而违背自己的真实意思与胁迫者订立的合同。如果受胁迫者虽受到了对方的威胁但不为之所动,没有与对方订立合同或者订立合同不是由于对方的胁迫,则也不构成胁迫。

2. 恶意串通,损害国家、集体或者第三人利益的合同

所谓恶意串通的合同,就是合同的双方当事人非法勾结,为牟取私利,而共同订立的损害国家、集体或者第三人利益的合同。例如,甲企业产品的质量低劣,销不出去,就向乙企业的采购人员或者其他订立合同的主管人员行贿,然后相互串通订立合同,将次品当成合格产品买入。在实践中比较常见的还有代理人与第三人勾结,订立合同,损害被代理人利益的行为。由于这种合同具有极大的破坏性,损害了国家、集体或者第三人的利益,为了维护国家、集体或者第三人的利益,维护正常的合同交易,本法依据民法通则第五十八条的规定,将此类合同纳入了无效合同之中。

3. 以合法形式掩盖非法目的而订立的合同

民法通则第五十八条第七项规定，以合法形式掩盖非法目的的民事行为无效。此类合同中，行为人为达到非法目的而以迂回的方法避开了法律或者行政法规的强制性规定，所以又称为伪装合同。例如，当事人通过虚假的买卖行为达到隐匿财产、逃避债务的目的就是一种比较典型的以合法形式掩盖非法目的的合同。由于这种合同被掩盖的目的违反法律、行政法规的强制性规定，并且会造成国家、集体或者第三人利益的损害，所以本法把此类合同也纳入了无效合同中。

4. 损害社会公共利益的合同

许多国家的法律都规定了违反公序良俗或者公共秩序的合同无效。公序良俗或者公共秩序对于维护国家、社会一般利益及社会道德具有极其重要的作用。我国虽然没有采用公序良俗或者公共秩序的提法，但是我国民法通则第五十八条第五项确立了社会公共利益的原则。第五十八条第五项规定，违反法律或者社会公共利益的民事行为无效。损害社会公共利益的合同实质上是违反了社会主义的公共道德，破坏了社会经济秩序和生活秩序。例如，与他人签订合同出租赌博场所。

5. 违反法律、行政法规的强制性规定的合同

从本条的规定可知，只有违反了这些法律、行政法规的强制性规定的合同才无效。这是因为法律、行政法规包含强制性规定和任意性规定。强制性规定排除了合同当事人的意思自由，即当事人在合同中不得合意排除法律、行政法规强制性规定的适用，如果当事人约定排除了强制性规定，则构成本项规定的情形；对任意性规定，当事人可以约定排除，如当事人可以约定商品的价格。法律、行政法规的强制性规定与法律、

行政法规的禁止性规定是不同的。法律、行政法规的强制性规定是指法律、行政法规中的规定人们不得为某些行为或者必须为某些行为,如法律规定当事人订立的合同必须经过有关部门的审批等都属于强制性规定;而法律、行政法规的禁止性规定只是指规定人们不得为某些行为的规定。由此可见,法律、行政法规的强制性规定应当包括法律、行政法规的禁止性规定。

应当特别注意的是,本项的规定只限于法律和行政法规,不能任意扩大范围。这里的法律是指全国人大及其常委会颁布的法律,如当事人订立的合同违反了刑事法律或者行政管理法律;行政法规是指由国务院颁布的法规,如我国税收征管、外汇管理的法规。实践中存在的将违反地方行政管理规定的合同都认定为无效是不妥当的。

第五十三条　合同中的下列免责条款无效:

(一)造成对方人身伤害的;

(二)因故意或者重大过失造成对方财产损失的。

【释义】　本条是关于合同中免责条款效力的规定。

合同中的免责条款就是指合同中的双方当事人在合同中约定的,为免除或者限制一方或者双方当事人未来责任的条款。在现代合同发展中免责条款大量出现,免责条款一般具有以下特征:

1. 免责条款具有约定性。免责条款是当事人双方协商同意的合同的组成部分。这是与法律规定的不可抗力致使不能履行或者履行不完全时免除责任是不同的。当事人可以依据意思自治的原则在合同中约定免责的内容或者范围,比如当事人可以约定“限制赔偿数额”、“免除某种事故发生的责任”等。

2. 免责条款的提出必须是以明示的方式作出,任何以默示的方式作出的免责都是无效的。

3. 合同中的免责条款具有免责性。免责条款的目的,就是排除或者限制当事人未来的民事责任。当然这种免责可以部分免责(限制),也可以是全部免责(排除)。

各国法律一般都规定,对于一方拟就的免责条款,应给予对方以充分注意的机会,比如免责条款印刷的方式和位置,要使对方充分注意到,或者给对方以充分的提示等。特别是在现代社会格式合同流行的情况下,对于格式合同中不合理、不公正的免责条款,出于保护弱者的考虑,法律一般都确认该条款无效。例如,消费者权益保护法明确规定,经营者不得以格式合同等方式排除或者限制消费者的权利。

对于免责条款的效力,法律视不同情况采取了不同的态度。一般来说,当事人经过充分协商确定的免责条款,只要是完全建立在当事人自愿的基础上,免责条款又不违反社会公共利益,法律是承认免责条款的效力的。但是对于严重违反诚实信用原则和社会公共利益的免责条款,法律是禁止的,否则不但将造成免责条款的滥用,而且还会严重损害一方当事人的利益,也不利于保护正常的合同交易。本条规定了以下两种免责条款无效:

1. 造成对方人身伤害的条款无效。对于人身的健康和生命安全,法律是给予特殊保护的,并且从整体社会利益的角度来考虑,如果允许免除一方当事人对另一方当事人人身伤害的责任,那么就无异于纵容当事人利用合同形式对另一方当事人的生命进行摧残,这与保护公民的人身权利的宪法原则是相违背的。在实践当中,这种免责条款一般都是与另一方当事人的真实意思相违背的。所以本条对于这类免责条款加以禁止。

2. 因故意或者重大过失给对方造成财产损失的免责条款。我国合同法确立免除故意或者重大过失造成合同一方当事人财产的条款无效,是因为这种条款严重违反了诚实信用原则,如果允许这类条款的存在,就意味着允许一方当事人可能利用这种条款欺骗对方当事人,损害对方当事人的合同权益,这是与合同法的立法目的完全相违背的。对于本项规定需要注意的有两点:(1)对于免除一方当事人因一般过失而给对方当事人造成财产损失责任的条款,可以认定为有效。(2)必须是免除因故意或者重大过失给对方当事人造成财产损失的条款无效。也就是说,对于故意或者重大过失行为必须限于财产损失,如果是免除人身伤害的条款不管是当事人是否有故意或者重大过失,只要是免除对人身伤害责任的条款依据本条第一项的规定都应当使之无效。

第五十四条 下列合同,当事人一方有权请求人民法院或者仲裁机构变更或者撤销:

(一)因重大误解订立的;

(二)在订立合同时显失公平的。

一方以欺诈、胁迫的手段或者乘人之危,使对方在违背真实意思的情况下订立的合同,受损害方有权请求人民法院或者仲裁机构变更或者撤销。

当事人请求变更的,人民法院或者仲裁机构不得撤销。

【释义】 本条是关于可撤销合同的规定。

所谓可撤销合同,就是因意思表示不真实,通过有撤销权的当事人行使撤销权,使已经生效的意思表示归于无效的合同。我国的民法通则第五十九条规定：下列民事行为，一方有权请求人民法院或者仲裁机构予以变更或者撤销：（1）行为人对行为内容有重大误解的；（2）显失公平的。被撤销的民事行为从行为开始时起无效。可撤销合同具有以下特点：

1. 可撤销的合同在未被撤销前，是有效的合同。

2. 可撤销的合同一般是意思表示不真实的合同。无论是在大陆法系还是在英美法系，大多规定意思表示不真实的合同，撤销权人可以请求撤销合同。

3. 可撤销合同的撤销要由撤销权人通过行使撤销权来实现。

可撤销合同与无效合同有相同之处，如合同都会因被确认无效或者被撤销后而使合同自始不具有效力，但是二者是两个不同的概念。可撤销合同主要是涉及意思不真实的合同，而无效合同主要是违反法律的强制性规定或社会公共利益的合同；可撤销合同在没有被撤销之前仍然是有效的，而无效合同是自始都不具有效力；可撤销合同中的撤销权是有时间限制的，本法第五十五条第一项规定，具有撤销权的当事人自知道或者应当知道撤销事由之日起 1 年内具有撤销权；可撤销合同中的撤销权人有选择的权利，他可以申请撤销合同，也可以让合同继续有效，可以申请变更合同，也可以申请撤销合同，而无效合同是当然的无效，当事人无权进行选择。

对于可撤销合同的规定必须注意以下三点：

1. 可撤销合同中，因重大误解而订立的合同、订立合同时显失公平的，当事人一方有权请求撤销合同，主要是误解方或者受害方有权请求撤销合同；一方以欺诈、胁迫手段或者乘人之危而订立的合同，则只有受损害方当事人才有权请求撤销合同。

2. 撤销权人有权向人民法院或者仲裁机构申请变更或者撤销。

3. 在可撤销合同中,具有撤销权的一方当事人并非一定要求撤销合同,他也可以要求对合同进行变更。

本条规定了三种可撤销的合同:

1. 因重大误解而订立的合同

所谓重大误解,是指误解者作出意思表示时,对涉及合同法律效果的重要事项存在认识上的显著缺陷,其后果是使误解者的利益受到较大的损失,或者达不到误解者订立合同的目的。误解直接影响到当事人所应享有的权利和承担的义务。同时在这种情况下,虽然同行为人原来的真实意思不相符合,但这种情况的出现,并不是由于行为人受到对方的欺诈、胁迫或者对方乘人之危而被迫订立的合同,而使自己的利益受损,而是由于行为人自己的大意,缺乏经验或者信息不通而造成的。因此,对于这种合同,不能与无效民事行为一样处理,而应由一方当事人请求变更或者撤销。

因重大误解而可撤销的合同一般具有以下几个要件:(1)误解一般是因受害方当事人自己的过失产生的。这类合同发生误解的原因多是当事人缺乏必要的知识、技能、信息或者经验而造成的。(2)必须是要对合同的内容构成重大的误解。也就是说,对于一般的误解而订立合同一般不构成此类合同,这种误解必须是重大的。所谓重大的确定,要分别误解者所误解的不同情况,考虑当事人的状况、活动性质、交易习惯等各方面的因素。在我国的司法实践中,对误解是否重大,主要从两个方面来考察:其一,对什么产生误解,如对标的物本质或性质的误解可以构成重大误解,对合同无关紧要的细节就不构成重大误解。其二,误解是否造成了对当事人的重大不利后果。如果当事人对合同的某种要素产生误解,并不因此而产生对当事人不利的履行后果,那么这种误解也不构成重大误解的合同。(3)这类合同要能直接影响到当事人所应享有的权利和承担的义务,合同一旦履行就会使误解方的利益受到损害。(4)重大误解与合同的订立或者合同条件存在因果关系。误解导致了合同的订立,没有这种误解,当事人将不订立合同或者虽订立合同但合同条件将发生重大改变。与合同订立和合同条件无因果关系的误解,不属于重大误解的合同。

根据我国已有的司法实践,重大误解一般包括以下几种情况:(1)对合同的性质产生误解。在此种情况下,当事人的权利义务将发生重大变化。如当事人误以为出租为出卖,这与当事人在订约时所追求的目的完全相反。(2)对对方当事人的误解。如把甲当事人误以为乙当事人而与之签订合同。特别是在信托、委托等以信用为基础的合同中对对方当事人的误解就完全属于重大误解的合同。(3)对标的物种类的误解。如把大豆误以为黄豆加以购买,这实际上是对当事人权利义务的指向对象即标的本身发生了误解。(4)对标的物的质量的误解直接涉及当事人订约的目的或者重大利益的。如误将仿冒品当成真品。除此之外,对标的物的数量、履行地点或者履行期限、履行方式发生误解,足以给当事人的利益造成重大损害的,也可认定为重大误解的合同。

2. 在订立合同时显失公平的

所谓显失公平的合同,就是一方当事人在紧迫或者缺乏经验的情况下订立的使当事人之间享有的权利和承担的义务严重不对等的合同。标的物的价值和价款过于悬殊、承担责任、风险承担显然不合理的合同,都可称为显失公平的合同。

显失公平的合同往往是当事人双方权利和义务很不对等，经济利益上严重失衡，违反了公平合理的原则，法律规定显失公平的合同应予撤销，不仅是公平原则的体现，而且切实保障了公平原则的实现；再是从法律上确认显失公平的合同可撤销，对保证交易的公正性和保护消费者的利益，防止一方当事人利用优势或利用对方没有经验而损害对方的利益都有重要的意义。

我国的司法实践一般认为，显失公平制度具有以下构成要件：(1)客观要件，即在客观上当事人之间的利益不平衡。根据显失公平的合同，一方当事人承担更多的义务而享受极少的权利或者在经济利益上遭受重大损失，而另一方则以较少的代价获得了极大的利益。这种不平衡违反了民法通则中的等价公平原则，也违反了当事人的自主自愿。(2)主观要件，即一方当事人故意利用其优势或者另一方当事人的草率、无经验等订立了合同。因此，在考察是否构成显失公平制度时，就必须把主观要件和客观要件结合起来考虑。

掌握显失公平制度还要搞清其与正常的商业风险的区别。在市场经济条件下，要求各种交易中给付和对价给付都达到完全的对等是不可能的，做生意都是有赔有赚，从事交易必然要承担风险，并且这种风险都是当事人自愿承担的，这种风险造成的不平衡如果是法律允许的限度范围之内，这种风险就是商业风险。显失公平制度并不是为免除当事人所应承担的正常商业风险，而是禁止限制一方当事人获得超过法律允许的利益；同时显失公平制度下，一方当事人一般是利用了另一方当事人的草率或者无经验等而订立的合同，而在正常的商业风险下，不存在这种情况。

3. 一方以欺诈、胁迫的手段或者乘人之危，使对方在违

背真实意思的情况下订立的合同

本法第五十二条已规定因欺诈、胁迫订立的合同无效的问题,这和本条对因欺诈、胁迫订立的合同最大的区别是是否损害了国家利益。损害国家利益的,涉及社会公共秩序,大陆法系一般规定为无效。如果未损害国家利益,受欺诈、胁迫的一方可以自主决定该合同有效或者撤销。适用可撤销合同制度,已经能够充分保护受损害方的利益,也能适应订立合同时各种复杂的情况。

第五十五条　有下列情形之一的,撤销权消灭:

(一)具有撤销权的当事人自知道或者应当知道撤销事由之日起一年内没有行使撤销权;

(二)具有撤销权的当事人知道撤销事由后明确表示或者以自己的行为放弃撤销权。

【释义】 本条是关于撤销权消灭的规定。

撤销权是一种权利,具有撤销权的当事人既可以行使撤销权,向人民法院或者仲裁机构请求撤销或者变更该合同,也可以放弃撤销权,不行使该权利。那么在什么情况下,当事人的撤销权消灭?本条规定在以下两种情形下,当事人的撤销权消灭:

1. 具有撤销权的当事人自知道或者应当知道撤销事由之日起1年内没有行使撤销权的

在可撤销合同中,具有撤销权的当事人有权撤销合同,但是当事人的这种撤销权并非是没有任何限制的,也就是说,撤销权人必须在规定的期间内行使撤销权。因为,可撤销的合同往往只涉及当事人一方意思表示不真实的问题,如果当事人自愿接受此种合同的后果,则法律就会让此种合同有效。

然而，如果撤销权人长期不行使其权利，不主张撤销合同，就会让合同长期处于不稳定的状态，这既不利于社会经济秩序的稳定，也不利于加快交易的发展；同时还可能使法院或者仲裁机构在判断是否准予撤销时，由于时间太长无法作出正确的判断。正是基于此种考虑，各国的立法往往都明确规定撤销权必须在规定的期限内行使，如果超过了此期限还不行使，撤销权人就会失去撤销合同的权利，该合同有效。民法通则虽然对可撤销的民事行为作出了规定，但是对撤销的期限并没有作出明确的规定。最高人民法院在《关于贯彻执行〈中华人民共和国民法通则〉若干问题的意见（试行）》第七十三条对此作了规定，可变更或者可撤销的民事行为，自行为成立时起超过一年当事人才请求变更或者撤销的，人民法院不予保护。本条在借鉴国外的规定和总结我国司法实践经验的基础上，对我国的可撤销合同的行使期限作了规定。

本条规定的撤销权人行使撤销权的期限为 1 年，也就是说，在这 1 年期限内，具有撤销权的当事人必须行使其撤销权；否则，该当事人就失去了撤销合同的权利，那么当事人就必须接受合同的约束，履行合同中规定的义务。对于何时起算该期限，本条规定，当事人自知道或者应当知道撤销事由之日起 1 年为可撤销合同的撤销期限，也就是从当事人知道或者应当知道撤销事由之日起开始计算撤销权的行使期间。

本规定中的“1 年”是除斥期间，而不是诉讼时效。也就是说，在此期间内，不存在期间的中断或者中止的问题，这“1 年”是一个不变的期间，具有撤销权的当事人不能要求延长该期间。

2. 具有撤销权的当事人知道撤销事由后明确表示或者以自己的行为放弃撤销权的

撤销权是具有撤销权的当事人的一种权利,因此当事人可以行使撤销权,也可以放弃撤销权。本条第二项对具有撤销权的当事人放弃撤销权的方式作出了规定,当事人可以以两种方式放弃撤销权:第一种是具有撤销权的当事人知道撤销事由后明确表示放弃撤销权。以明示的方式放弃撤销权的行为是很典型的对权利的处分的方式。放弃撤销权的明确表示可以是用口头的方法明确表示,也可以是用书面的方法明确表示。任何默示的方式都不构成对撤销权的放弃。第二种是具有撤销权的当事人以自己的行为放弃了撤销权。具有撤销权的当事人在放弃其具有的撤销权时,并不一定要向当事人明确表示,他也可以以自己的行为来放弃该撤销权,如该当事人在合同履行期限到来时,自动履行了合同中规定的义务或者向对方要求合同中规定的债权。还比如具有撤销权的当事人向法院起诉对方当事人违约而不是申请撤销合同等都是对撤销权放弃的行为。当事人以自己的行为表明了其愿意接受合同的约束,放弃了按法律应当享有的撤销权。

具有撤销权的当事人放弃撤销权后,造成的法律效果就是,该撤销权消灭,合同产生绝对的效力,该当事人不得再以相同的理由要求撤销该合同,而应按照合同的规定履行自己的义务,否则就构成违约。

第五十六条　无效的合同或者被撤销的合同自始没有法律约束力。合同部分无效,不影响其他部分效力的,其他部分仍然有效。

【释义】　本条是关于无效合同和被撤销合同效力的规定和对合同部分无效的规定。

无效的合同和被撤销的合同何时开始无效呢?本条明确

规定,合同被确认为无效或者被撤销后,将导致该合同自始无效。所谓的自始无效,就是指合同被确认无效后,将溯及既往,从合同成立之时就无效。本条的规定与民法通则的规定也是一致的,民法通则第五十八条规定:无效的民事行为,从行为开始时就没有法律约束力。由此可见,被确认无效的合同或者被撤销的合同自始无效,而不是从确认无效时起无效。特别是对无效合同来说,因其内容违反法律和公共利益,当事人即使事后追认,也不能使这些合同生效,更不能产生当事人所预期的法律效果。

根据我国法律的规定,民事行为无效包括部分无效和全部无效两种。民法通则第六十条规定:“民事行为部分无效,不影响其他部分的效力的,其他部分仍然有效。”同样无效的合同也可分部分无效的合同和全部无效的合同。本条对部分无效的合同作了规定。部分无效的合同就是指有些合同条款虽然违反法律规定,但并不影响其他条款效力的合同。如某一买卖合同标的物超过了国家限制性的规定,则超过的部分无效,但整个合同效力继续存在。合同的部分无效可以是量上的部分无效,也可以是质上的部分无效。所谓量上的部分无效是指合同有一部分是在法律许可的范围之内的,可以将范围之外的部分确认为无效。如买卖合同的标的数量超过了国家规定的数量,则超过部分无效,在法律范围内的部分仍然有效。所谓合同质上的部分无效是指合同的内容是由各种不同的条款组成的,而可以将其中的一个条款或者数个条款确认为无效。如当事人约定的法律适用条款违反了中国法律的规定,那么该法律适用条款无效,但其他条款仍然有效。

本条规定,合同部分无效,不影响其他部分效力的,其他部分仍然有效。该规定包含了以下两层意思:

1. 如果认定合同的某些条款无效,该部分内容与合同的其他内容相比较,应当是相对独立的,该部分与合同的其他部分具有可分性,也就是本条所说的,合同的无效部分不影响其他部分的效力。如果部分无效的条款与其他条款具有不可分性,或者当事人约定某合同条款为合同成立生效的必要条款,那么该合同的部分无效就会导致整个合同的无效,而不能确认该部分无效时,另一部分合同内容又保持其效力。

2. 如果合同的目的是违法的,或者根据交易习惯或者诚实信用和公平原则,剩余部分的合同内容的效力对当事人已没有任何意义或者不公平合理的,合同应全部确认为无效。

第五十七条　合同无效、被撤销或者终止的,不影响合同中独立存在的有关解决争议方法的条款的效力。

【释义】　本条是关于解决争议条款效力的规定。

本条的规定和涉外经济合同法的规定是一致的,涉外经济合同法第三十五条规定:合同约定的解决争议的条款,不因合同的解除或者终止而失去效力。

合同无效或者被撤销,虽不能产生当事人所预期的法律效果,但并不是不产生任何法律后果。根据本法第五十九条的规定,合同无效或者被撤销后,要使当事人负返还财产、赔偿损失的民事责任。同样,在合同终止的情况下,双方当事人之间也有民事责任的存在。对于如何划分这些民事责任,解决双方之间的民事争议,双方当事人在原合同中往往订有解决争议的条款存在,当事人希望用约定的解决争议的方法来解决双方之间的争议。这些条款的效力是独立于合同的效力的,合同的有效与否、变更与否或者终止与否都不影响解决争议条款的效力。

本条所说的有关解决争议方法的条款包括以下几种形式：

1. 仲裁条款

仲裁条款是仲裁协议的一种表现形式，是当事人在合同中约定的用仲裁方式解决双方争议的条款。我国对合同争议采取或仲或审制度，仲裁条款有排除诉讼管辖的效力。如果当事人在合同中订有仲裁条款，则当事人在发生争议时，不能向人民法院提出诉讼。仲裁法第十九条第一款规定，仲裁协议独立存在，合同的变更、解除、终止或者无效，不影响仲裁协议的效力。

2. 选择受诉法院的条款

我国民事诉讼法第二十五条规定，合同的双方当事人可以在书面合同中协议选择被告住所地、合同履行地、合同签订地、原告住所地、标的物所在地人民法院管辖，但不得违反本法对级别管辖和专属管辖的规定。当事人选择受诉人民法院的条款，不受其他条款的效力影响。

3. 选择检验、鉴定机构的条款

当事人可以在合同中约定，若对标的物质量或技术的品种发生争议，在提交仲裁或者诉讼前，应当将标的物送交双方认可的机构或科研单位检验或鉴定，以检验或鉴定作为解决争议的依据，这种约定出于双方自愿，不涉及合同的实体权利和义务，应当承认其效力。

4. 法律适用条款

由于本法是统一合同法，因此，对于具有涉外因素的合同，当事人就可以选择处理合同争议所适用的法律，当事人没有选择的，不影响合同的效力。当然，对于中国具有专属管辖权的合同（如中外合资经营合同等）、与我国的社会公共利益、主权、安全等密切相关的合同只能适用中国的法律。

第五十八条　合同无效或者被撤销后，因该合同取得的财产，应当予以返还；不能返还或者没有必要返还的，应当折价补偿。有过错的一方应当赔偿对方因此所受到的损失，双方都有过错的，应当各自承担相应的责任。

【释义】　本条是关于合同无效或者被撤销的法律后果的规定。

合同无效或者被撤销后，到底会产生哪些法律后果？民法通则第六十一条第一款规定：民事行为被确认为无效或者被撤销后，当事人因该行为取得的财产，应当返还给受损失的一方。有过错的一方应当赔偿对方因此所受到的损失，双方都有过错的，应当各自承担相应的责任。经济合同法第十六条规定：经济合同被确认无效后，当事人依据该合同所取得的财产，应返还给对方。有过错的一方应赔偿对方因此所受到的损失；如果双方都有过错，各自承担相应的责任。涉外经济合同法第十一条规定，当事人一方对合同无效负有责任的，应当对另一方因合同无效而遭受的损失负赔偿责任。本条在此基础上对合同无效或者合同被撤销后产生的法律后果作出规定。

本条规定，在合同无效或者被撤销的情形下，当事人仍应负如下几种民事责任：

1. 返还财产

返还财产是指合同当事人在合同被确认无效或者被撤销以后，对已交付给对方的财产享有返还请求权，而已接受该财产的当事人则有返还财产的义务。合同无效或者被撤销后，就意味着双方当事人之间没有任何合同关系存在，那么就应该让双方当事人的财产状况恢复到如同没有订立合同时的状态下的情形。而返还财产就是旨在使财产关系恢复到合同订立前的状况。所以不论接受财产的一方是否具有过错,都应当负有返还财产的义务。不过返还财产主要适用于已经作出履行的情况,如果当事人根本就没有开始履行,或者说财产尚未交付,就不应适用返还财产这一原则。

在无效合同或者被撤销的合同中,返还财产可分为两种情况:(1)单方返还财产。这种情况主要适用于在当事人一方故意违法的情况,即一方故意违法订立合同的行为,其应当将从非故意方取得的财产返还给对方,而非故意的一方已从故意方取得的财产应当上缴国家。例如,一方以欺诈的方法与对方订立了合同,那么欺诈方就应当单方返还另一方当事人的财产,而另一方从欺诈方获得的财产,应当上缴国家。除此之外,单方返还还包括以下一种情况,即合同的一方履行了合同,另一方还没有履行,则在合同被确认无效或者被撤销后,只存在单方返还的情形。(2)双方返还财产。这种情况主要是在合同被撤销的情况下,双方当事人对合同被撤销只是由于一方或者双方有过错,而并非合同违法,此时双方均应返还从对方所获得的财产。比如,在因重大误解而使合同被撤销的情况下,双方当事人都应返还财产。

对于返还财产这种民事责任,要注意以下几点:(1)返还财产的范围应以对方交付的财产数额为标准予以确定,即使当事人所取得的财产已经减少甚至不存在了,也仍然要承担返还责任。(2)如果当事人接受的财产是实物或者货币时,原则上应返还原物或者货币,不能以货币代替实物,或者以实物代替货币。(3)如果原物已经毁损灭失,不能返还原物的,如果原物是可替代的物,应以同一种类物返还。

2. 折价补偿

本条规定对于“不能返还或者没有返还的,应当折价补偿”。本条规定了以返还财产为恢复原状的原则 ,但是在有的情况下,财产是不能返还或者没有必要返还的,在此种情况下,为了达到恢复原状的目的,就应当折价补偿对方当事人。不能返还可分为法律上的不能返还和事实上的不能返还。法律上的不能返还,主要是受善意取得制度的限制。即当一方将受领的财产转让给第三人,而第三人取得该项财产时在主观上没有过错,不知道或者没有责任知道该当事人与另一方当事人的合同无效或者被撤销,善意第三人就可以不返还该原物,并且该原物也是不可替代的,此时,该当事人就不能返还财产,他就必须依该物在当时的市价折价补偿给另一方当事人。事实上的不能,主要是指标的物灭失造成不能返还原物,并且原物又是不可替代的。在这种情况下,取得该财产的当事人应当依据该原物当时的市价进行折价补偿。没有必要返还的,主要包括以下两种情况:(1)如果当事人接受财产是劳务或者利益,在性质上不能恢复原状的,以当时国家规定的价格计算,以钱款返还;没有国家规定的价格,以市场价格或同类劳务的报酬标准计算,以钱款返还。(2)如果一方取得的是使用知识产权而获得的利益,由于该知识产权是无形的,则该方当事人可以折价补偿对方当事人。

3. 赔偿损失

本条规定“有过错的一方应当赔偿对方因此所受到的损失,双方都有过错的,应当各自承担相应的责任”。在合同被确认无效或者被撤销后,一般都会产生损害赔偿的责任。在合同被确认无效或者被撤销后,凡是因合同的无效或者被撤销而给对方当事人造成的损失,主观上有故意或者过失的当事人都应当赔偿对方的财产损失。

第五十九条 当事人恶意串通，损害国家、集体或者第三人利益的，因此取得的财产收归国家所有或者返还集体、第三人。

【释义】 本条是关于恶意串通合同后果的规定。

本法第五十二条第二项规定，恶意串通，损害国家、集体或者第三人利益的合同是无效合同。恶意串通合同的法律后果是什么？民法通则第六十一条第二款规定：双方恶意串通，实施民事行为损害国家的、集体的或者第三人利益的，应当追缴双方取得的财产，收归国家、集体所有或者返还第三人。本条是依据民法通则的规定作出的。

恶意串通，是指合同当事人在订立合同过程中，为牟取不法利益合谋实施的违法行为。恶意串通的合同具有以下两个特征：

1. 当事人双方是出于故意。因恶意串通而成立的合同的当事人都是故意的，这种故意的本质在于通过损害他人的利益来获取自己的非法利益。当然，因恶意串通而成立的合同不以行为人已经或必然获得了非法利益为必要条件。这里需要注意的是，因恶意串通成立的合同，未必都是当事人的故意，例如，当事人的代理人与对方当事人或对方当事人的代理人串通危害被代理人的利益而订立合同，就不应认为是当事人的故意。代理人的故意足以构成恶意串通。

2. 恶意串通的合同是为牟取非法利益。当事人订立恶意串通的合同的目的在于取得非法利益。这种非法利益可以有不同的表现形式。例如，在招投标过程中，投标人之间串通，压低标价；在买卖中，双方抬高货物的价格以获取贿赂等。

恶意串通的合同一般都损害了国家、集体或者第三人的利益，是情节恶劣的违法行为。由于这种行为是双方相互勾结在一起，共同损害第三者的利益，因此，这种合同在被确认无效后，在处理上不是一方赔偿另一方的损失或者互相赔偿损失，而是由有关国家机关依法收缴双方所得的财产，收归国家所有或者返还集体、第三人。

第四章 合同的履行

本章共十七条,主要规定了合同当事人的权利义务以及合同中止履行的条件等。

第六十条 当事人应当按照约定全面履行自己的义务。

当事人应当遵循诚实信用原则,根据合同的性质、目的和交易习惯履行通知、协助、保密等义务。

【释义】 本条规定了诚信履行的原则。

诚实信用原则在合同法中居特殊地位,在合同履行中,诚信履行亦构成合同履行的基本原则。合同的当事人应当依照诚信原则行使债权,履行债务。合同的约定符合诚信原则的,当事人应当严格履行合同,不得擅自变更或者解除。

诚信履行原则,又导出履行的附随义务。当事人除应当按照合同约定履行自己的义务外,也要履行合同未作约定但依照诚信原则也应当履行的协助、告知、保密、防止损失扩大等义务。

第六十一条 合同生效后,当事人就质量、价款或者报酬、履行地点等内容没有约定或者约定不明确的,可以协议补充;不能达成补充协议的,按照合同有关条款或者交易习惯确定。

【释义】 本条规定了当事人就合同中质量等内容的补

充确定。

合同的标的、数量是合同的必备条款，需由当事人明确约定。当事人没有约定，或者约定不明确的，合同内容无法确定，合同不成立。

当事人约定了合同的标的、数量，不影响合同成立。对质量、价款、履行地点、履行方式、履行期限、履行费用未作出约定，或者约定不明确，当事人可以协议补充确定。不能达成补充协议的，可以通过合同的有关条款或者交易习惯确定。

第六十二条　当事人就有关合同内容约定不明确，依照本法第六十一条的规定仍不能确定的，适用下列规定：

（一）质量要求不明确的，按照国家标准、行业标准履行；没有国家标准、行业标准的，按照通常标准或者符合合同目的的特定标准履行。

（二）价款或者报酬不明确的，按照订立合同时履行地的市场价格履行；依法应当执行政府定价或者政府指导价的，按照规定履行。

（三）履行地点不明确，给付货币的，在接受货币一方所在地履行；交付不动产的，在不动产所在地履行；其他标的，在履行义务一方所在地履行。

（四）履行期限不明确的，债务人可以随时履行，债权人也可以随时要求履行，但应当给对方必要的准备时间。

（五）履行方式不明确的，按照有利于实现合同目的的方式履行。

（六）履行费用的负担不明确的，由履行义务一方负担。

【释义】　本条规定了对质量、价款、履行地点、履行方式、履行期限、履行费用的确定。

当事人在合同中对质量、价款、履行地点、履行方式、履行期限、履行费用未约定，或者约定不明确，既不能通过协商达成补充协议，又不能按照合同的有关条款或者交易习惯确定，可以适用下列规定：

1. 质量标准不明确的，有国家标准、行业标准的，按照国家标准、行业标准履行。没有国家标准、行业标准的，按照同类产品或者同类服务的市场通常质量标准或者符合合同目的特定标准履行。这里讲的通常标准，指的是同一价格的中等质量标准。

2. 价款不明确的，除依法必须执行政府定价、政府指导价的以外，按照同类产品、同类服务订立合同时履行地的市场价格履行。

3. 履行地点不明确的，如果是给付货币，在接受给付一方的所在地履行。交付不动产的，在不动产所在地履行。其他标的在履行义务一方的所在地履行。

4. 履行期限不明确的，债务人可以随时向债权人履行义务，债权人也可以随时请求债务人履行义务。不能即时履行的，应当给对方必要的准备时间。

5. 履行方式不明确的，按照标的物性质决定的方式或者有利于实现合同目的的方式履行。

6. 履行费用的负担不明确的，由履行义务一方负担履行费用。

第六十三条　执行政府定价或者政府指导价的，在合同约定的交付期限内政府价格调整时，按照交付时的价格计价。逾期交付标的物的，遇价格上涨时，按照原价格执行；价格下降时，按照新价格执行。逾期提取标的物或者逾期付款的，遇

价格上涨时，按照新价格执行；价格下降时，按照原价格执行。

【释义】 本条规定了执行政府定价、政府指导价的原则。

价格是决定价金的重要因素，我国实行宏观经济调控下主要由市场形成价格的机制，价格分为市场调节价和政府指导价、政府定价。市场调节价，是指由经营者自主制定，通过市场竞争形成的价格。政府指导价，是指由政府价格主管部门或者有关部门按照定价权限和范围规定基准价及其浮动幅度，指导经营者定价的价格。政府定价，是指由政府主管价格部门或者其他有关部门按照定价权限和范围制定的价格。买卖标的的价格通常按照市场调节价格由买卖当事人商定。禁止暴利行为。国家对买卖标的规定有政府指导价的，出卖人和买受人应当在指导价的幅度内商定买卖标的价格。国家对买卖标的规定了政府定价的，出卖人违反价格管理规定的，买受人可以请求其退还多收的价金。

合同执行政府定价、政府指导价的，如果合同约定的履行期间政府定价、政府指导价调整，则按标的物交付时的价格计价。出卖人逾期交付的，遇价格上涨时，按原价格执行；价格下降时，按新价格执行。买受人逾期受领或者逾期付款的，遇价格上涨时，按新价格执行；价格下降时，按原价格执行。

第六十四条　当事人约定由债务人向第三人履行债务的，债务人未向第三人履行债务或者履行债务不符合约定，应当向债权人承担违约责任。

【释义】 本条规定了向第三人履行的合同。

涉及第三人的合同，又称涉他合同，包括为第三人的合同和由第三人履行的合同。合同通常仅在双方当事人之间发生效力，不能为他人订立合同，但为了适应复杂多样的社会关系，近代各国立法例又允许合同涉及第三人，这就产生了涉他合同。

向第三人履行的合同，又称利他合同，或者为第三人合同，指双方当事人约定，由债务人向第三人履行债务，第三人直接取得请求权的合同。合同的第三人亦称受益人。向第三人履行的合同在生活中可多见。例如，投保人与保险人订立保险合同，可以约定保险人向作为第三人的被保险人、受益人履行，被保险人、受益人享有保险金请求权。

向第三人履行的合同，除应具备债权人与债务人合意等合同成立的一般要件外，还需具备两项特别要件。一是债务由债务人向第三人履行，而不是向债权人履行。二是不但债权人享有请求债务人向第三人履行的权利，第三人亦直接取得请求债务人履行的权利。第三人未取得请求权，则不是真正的向第三人履行的合同，多是合同履行地点为第三人处。例如，汇款人通过邮局向第三人汇款，收款人即直接取得请求邮局交付汇款的权利。向第三人履行的合同并不是以第三人表示接受利益为成立要件。

向第三人履行的合同，其结构是基本合同加第三人约款。例如，发货人用火车将货物发送第三人，发货人与铁路局订立的铁路运输合同为基本合同，铁路局将货物运至第三人为第三人约款。铁路局之所以将货物运至第三人，是由于发货人交付了运费，发货人与铁路局形成补偿关系。发货人使铁路局将货物运至第三人，多是因与第三人有对价关系。

债权人与债务人订立向第三人履行的合同，债权人可以事先征得第三人的同意，也可以不告知第三人。

债务人按照合同向第三人履行时，应当通知第三人。第三人受领的,应当做出接受的意思表示。第三人拒绝受领的,债务人应当将不受领的情况通知债权人,并协商解决办法,由此造成的损失由债权人承担。第三人受领迟延的,应当承担迟延受领责任。

债务人不向第三人履行合同的,债权人按照约定有权请求其向第三人履行,或者向第三人赔偿损失;第三人也有权请求债务人履行,或者赔偿损失。债务人瑕疵履行的,债权人有权请求其向第三人承担瑕疵履行责任,第三人也有权请求债务人承担瑕疵履行责任。

债务人基于对债权人的抗辩,可用以对抗第三人。例如债务人因债权人原因而产生的同时履行抗辩权、不安抗辩权,可以对抗第三人,不向其履行。

债权人与债务人订立向第三人履行的合同后,在第三人未表示受领前,利益乃尚未臻确定,故债权人与债务人可以变更或者解除合同。第三人表示受领后,利益业已确定,不容剥夺,债权人与债务人不得变更第三人的约款或者解除合同。

在向第三人履行中,第三人对债务人虽取得债权人的地位,可以行使一般债权,但由于其不是合同当事人,合同本身的权利,如解除权、撤销权,第三人不得行使。

第六十五条　当事人约定由第三人向债权人履行债务的,第三人不履行债务或者履行债务不符合约定,债务人应当向债权人承担违约责任。

【释义】　本条规定了由第三人履行的合同。

由第三人履行的合同,又称第三人负担的合同,指双方当事人约定债务由第三人履行的合同。例如,甲乙约定,甲欠乙的钱由丙偿付,即是由第三人履行的合同。丙之所以能向乙清偿,多是因甲丙之间另有对价关系。由丙直接向乙清偿债务,可省去多环履行的烦劳。

保证合同也可以发生由第三人履行的法律事实,但与由第三人履行的合同不同。保证合同是从合同,保证人需承担连带责任。由第三人履行的合同非从合同,第三人不是债务人,其只实施履行行为,不承担违约责任。

第三人负担的合同以第三人的履行行为为标的,故双方签订由第三人履行的合同,债务人事先应当征得第三人的同意。债务人未征询第三人意见而签订合同,事后征得第三人同意的,第三人也应向债权人履行。

由第三人履行的合同以债权人、债务人为合同双方当事人,第三人不是合同的当事人。第三人只负担向债权人履行,不承担合同责任。第三人同意履行后又反悔的,或者债务人事后征询第三人意见,第三人不同意向债权人履行的,或者第三人向债权人瑕疵履行的,违约责任均由债务人承担。第三人不履行的,债务人可以代第三人履行;债务人不代为履行,应当赔偿损失。第三人瑕疵履行的,瑕疵责任由债务人承担。

第六十六条　当事人互负债务,没有先后履行顺序的,应当同时履行。一方在对方履行之前有权拒绝其履行要求。一方在对方履行债务不符合约定时,有权拒绝其相应的履行要求。

【释义】　本条规定了同时履行抗辩权。

一、同时履行抗辩权的概念

同时履行抗辩权,是指在双务合同中应当同时履行的一方当事人有证据证明另一方当事人在同时履行的时间不能履行或者不能适当履行,到履行期时其享有不履行或者部分履行的权利。

二、同时履行抗辩权的发生条件

同时履行抗辩权的发生,需具备以下条件:

一是需基于同一双务合同。

二是该合同需由双方当事人同时履行。同时履行指双方当事人在同一时间同时相互对待给付。双务合同的当事人之间可以直接约定双方同时履行合同,或者不能确立谁先履行合同,双方当事人可以同时履行。同时履行的情形是不多的。

三是一方当事人有证据证明同时履行的对方当事人不能履行合同或者不能适当履行合同。

具备上述条件,发生同时履行抗辩权,即已到履行期的一方当事人享有不履行或者部分履行的权利。

三、同时履行抗辩权的适用

同时履行抗辩权可适用于以下情形:

1. 一方当事人有证据证明对方当事人在同时履行的时间不能履行义务,到同时履行的时间该当事人享有不履行合同的权利。例如,卖方在同时履行的日期根本无法供货,买方在同时履行的日期有权不付款。

2. 一方当事人有证据证明对方当事人在同时履行的时间只能部分履行,该当事人有权就其不能履行部分拒绝给付,只为相应给付。例如,1 万吨大米的买卖合同,卖方只有 8000 吨大米,尚缺 2000 吨,买方应当在同时履行日期支付 8000 吨大米的价金,有权不履行 2000 吨大米的价金。

四、同时履行抗辩权的效力

同时履行抗辩权属延期的抗辩权,只是暂时阻止对方当事人请求权的行使,非永久的抗辩权。对方当事人完全履行了合同义务,同时履行抗辩权消灭,当事人应当履行自己的义务。当事人行使同时履行抗辩权致使合同迟延履行的，迟延履行责任由对方当事人承担。

第六十七条 当事人互负债务，有先后履行顺序，先履行一方未履行的，后履行一方有权拒绝其履行要求。先履行一方履行债务不符合约定的，后履行一方有权拒绝其相应的履行要求。

【释义】 本条规定了后履行抗辩权。

一、后履行抗辩权的概念

后履行抗辩权，是指在双务合同中应当先履行的一方当事人未履行或者不适当履行，到履行期限的对方当事人享有不履行、部分履行的权利。

二、后履行抗辩权的发生条件

后履行抗辩权的发生，需具备以下条件：

一是需基于同一双务合同。双方当事人因同一合同互负债务，在履行上存在关联性，形成对价关系。单务合同无对价关系，不发生后履行抗辩权。如果当事人互负的债务不是基于同一双务合同，亦不发生后履行抗辩权。

二是该合同需由一方当事人先为履行。

在双务合同中，双方当事人的履行，多是有先后的。这种履行顺序的确立，或依法律规定，或按当事人约定，或按交易习惯。很多法律对双务合同的履行顺序作了规定。当事人在双务合同中也可以约定履行顺序，谁先履行，谁后履行。在法律未有规定、合同未有约定的情况下，双务合同的履行顺序可依交易习惯确立。例如，在饭馆用餐，先吃饭后交钱。旅店住宿，先住宿后结账。乘飞机、火车，先购票，后乘坐。

倘若依照法律规定、合同约定、交易习惯仍不能确定谁先履行合同,此时可采用担保等方法确立谁先履行。例如,在一项买卖合同中,谁也不愿先履行,卖方不愿先交货,怕买方收货不交钱。在这种情况下,当事人可以约定由银行协助双方履行,买方先将货款打入银行,由银行监管此款,卖方即行发货,买方验收后,银行将款项拨付卖方。合同按此顺序履行。

三是应当先履行的当事人不履行合同或者不适当履行合同。

具备上述条件,发生后履行抗辩权,即没有先履行义务但已到履行期的对方当事人享有不履行或者部分履行的权利。应当先履行合同的当事人不能行使后履行抗辩权。

三、后履行抗辩权的适用,后履行抗辩权可适用于以下情形:

(一)应当先履行的当事人不履行义务,已到履行期的应当后履行的对方当事人享有不履行合同的权利。例如,出租方不交付租赁物,承租方有权不付租金。

(二)应当先履行的当事人不适当履行合同造成根本违约,对方当事人享有不履行的权利。例如,供货方交付假冒商品,购买方有权不付货款。

(三)应当先履行的当事人不适当履行构成部分履行,对方当事人有权就未履行部分拒绝给付,只对其相应给付。例如,1 万吨大米的买卖合同,卖方只交付了 8000 吨大米,尚欠 2000 吨,买方应当支付 8000 吨大米的价金,有权不付 2000 吨大米的价金。

四、后履行抗辩权的效力

后履行抗辩权属延期的抗辩权,只是暂时阻止对方当事人请求权的行使,非永久的抗辩权。对方当事人完全履行了合同义务,后履行抗辩权消灭,当事人应当履行自己的义务。当事人行使后履行抗辩权致使合同迟延履行的,迟延履行责任应由对方当事人承担。

第六十八条 应当先履行债务的当事人,有确切证据证明对方有下列情形之一的,可以中止履行:

(一)经营状况严重恶化;

(二)转移财产、抽逃资金,以逃避债务;

(三)丧失商业信誉;

(四)有丧失或者可能丧失履行债务能力的其他情形。

当事人没有确切证据中止履行的,应当承担违约责任。

【释义】 本条规定了不安抗辩权。

一、不安抗辩权的概念

不安抗辩权,又称先履行抗辩权,指双务合同成立后,应当先履行的当事人有证据证明对方不能履行义务,或者有不能履行合同义务的可能时,在对方没有履行或者提供担保之前,有权中止履行合同义务。在双务合同中,应当先履行的当事人没有后履行抗辩权,故法律设立不安抗辩权,使其在对方无力履行的情况下享有拒绝履行合同义务的权利。

二、不安抗辩权的发生

不安抗辩权的发生,需基于双务合同,当事人之间具有对价关系。单务合同不发生不安抗辩权。

双务合同成立后,后履行的当事人且发生变化,这种变化导致其不能履行合同义务或者可能不能履行合同义务。后履行合同义务的当事人的情形发生变化,可能是财产上减少,也可能是其他变化。这种变化包括经营状况恶化,转移财产、抽逃资金以逃避债务,丧失商业信誉和其他丧失、可能丧失履行债务能力的情形。例如,某商业银行发贷前由于市场骤然变化使该企业产品难以销售,可能导致无力还贷,商业银行有权行使不安抗辩权，中止贷款。又如，某城市文化公司邀请一明星歌手演唱，约定先付演出费一千元，因歌手生病住院难以前往，文化公司即可以不向歌手支付约定的一万元的演出费。

具备上述情形，不安抗辩权发生，应当先履行合同义务的当事人可以中止合同的履行。

第六十九条　当事人依照本法第六十八条的规定中止履行的，应当及时通知对方。对方提供适当担保时，应当恢复履行。中止履行后，对方在合理期限内未恢复履行能力并且未提供适当担保的，中止履行的一方可以解除合同。

【释义】　本条规定了不安抗辩权的行使。

行使不安抗辩权，举证责任在先履行合同义务的当事人，其应当有证据证明对方不能履行合同或者有不能履行合同的可能性。

当事人行使不安抗辩权后，应当立即通知对方当事人。

不安抗辩权属延期抗辩权，当事人仅是中止合同的履行。倘若对方当事人提供了担保或者作了对待给付，不安抗辩权消灭，当事人应当履行合同。对方当事人的提供担保或者对待给付，履行不安抗辩权的再抗辩权。

应当先履行的当事人行使了不安抗辩权，对方当事人既未提供担保，也不能证明自己的履行能力，行使不安抗辩权的当事人有权解除合同。

当事人行使不安抗辩权错误的，应当承担违约责任。

第七十条　债权人分立、合并或者变更住所没有通知债务人，致使履行债务发生困难的，债务人可以中止履行或者将标的物提存。

【释义】 本条规定了债权人分立、合并或者变更住所没有通知债务人致使债务履行困难时的中止履行。

法人分立包括法人分立和分解。法人分立指法人分出一部分财产设立新法人,原法人不因分出财产而终止。法人分解是一个法人分成几个法人,原法人解体。法人合并包括法人合并和归并,法人合并是指几个法人合为一个法人,原法人均不存在。法人归并是指一个法人将其财产移交给另一个法人,被并入的法人终止。

债权人分立、合并或者变更住所没有通知债务人,以致债务人履行债务困难的,债务人可以中止履行。债务履行是给付有体物的,债务人也可以将标的物提存。

第七十一条 债权人可以拒绝债务人提前履行债务,但提前履行不损害债权人利益的除外。

债务人提前履行债务给债权人增加的费用,由债务人负担。

【释义】 本条规定了债权人对债务人提前履行债务的处理。

债务人应当按照合同约定的期间履行债务。提前履行属合同的变更。债务人提前履行债务损害债权人利益的,债权人可以拒绝债务人的履行。债务人提前履行债务不损害债权人利益的,债权人应当接受债务人的履行。

债务人提前履行债务给债权人增加负担的,费用由债务人承担。

第七十二条 债权人可以拒绝债务人部分履行债务,但部分履行不损害债权人利益的除外。

债务人部分履行债务给债权人增加的费用，由债务人负担。

【释义】 本条规定了债权人对债务人部分履行债务的处理。

债务人应当按照合同约定履行债务，仅部分履行，则构成违约。债务人先履行部分债务，再履行其余债务的，属合同的变更，由双方当事人协商确定。

债务人部分履行债务损害债权人利益的，债权人可以拒绝受领。债务人部分履行债务不损害债权利益的，债权人应当受领。

债务人部分履行给债权人增加负担的，费用由债务人承担。

第七十三条　因债务人怠于行使其到期债权，对债权人造成损害的，债权人可以向人民法院请求以自己的名义代位行使债务人的债权，但该债权专属于债务人自身的除外。

代位权的行使范围以债权人的债权为限。债权人行使代位权的必要费用，由债务人负担。

【释义】 本条规定了代位权。

代位权和撤销权共为合同的保全。保全，又称责任财产的保全，指债权人行使代位权和撤销权，防止债务人的责任财产不当减少，以确保无特别担保的一般债权得以清偿。从保全责任财产的角度，保全属于一般担保的手段。保全责任财产，最终使债权得以保障，从这个意义上来说，保全又为债权的保全。

担保分为一般担保和特别担保，债务人以其财产承担债务责任为一般担保，作为一般担保的债务人的财产亦称为责任财产,责任财产的增减与一般债权能否实现攸关。然债权人不能支配债务人的财产,倘若债务人任意处分财产,自由地减少责任财产,就会害及一般债权,故法律赋予债权人干预债务人责任财产的权利。当债务人消极地怠于行使权利听任责任财产减少害及债权时,债权人可以行使代位权,维持责任财产。当债务人积极地减少责任财产害及债权时,债权人可以行使撤销权,恢复责任财产。债权人通过行使代位权和撤销权,可以有效防止责任财产的不当减少,使债权得以保全。

代位权指债务人怠于行使权利,债权人为保全债权,以自己的名义向第三人行使债务人现有债权的权利。代位权虽有代位诉权、间接诉权之称,然其仍属债权人的实体权利。因代位权是债权人的权利,故代位权与代理权全然不同。

代位权发生的条件有四个:一是需债务人对第三人享有债权,倘若债务人没有对外的债权,就无所谓代位权。债务人对第三人的债权尚需是非专属于债务人本身的权利。二是需债务人怠于行使其债权,债务人应当收取债务,且能够收取,而不收取。债务人已经行使了权利,即使不尽如人意,债权人也不能行使代位权。三是债务人怠于行使自己的债权,已害及债权人的债权。债务人怠于行使权利若不害及债权人的债权,则不发生代位权。四是需债务人已陷于迟延履行。债务人的债务未到履行期和履行期间未届满的,债权人不能行使代位权。债务履行期间已届满,债务人陷于迟延履行,债权人方可行使代位权。但债权人专为保存债务人权利的行为,如中断时效,可以不受债务人迟延的限制。

具备上述条件,债权人即可行使债务人的权利,以自己的名义请求第三人向债务人清偿债务。

债权人行使代位权请求清偿的财产额,应以债务人的债权额和债权人所保全的债权为限，超越此范围，债权人不能行使。例如，债务人对第三人的债权为100万元，债权人对债务人的债权为200万元，债权人只能请求第三人向债务人清偿100万元，而不能请求偿还200万元。又如，债务人对第三人的债权为100万元，债权人对债务人的债权为60万元，债权人行使代位权的请求额只能是60万元，而不能再请求偿还其余的40万元。

债权人有数人，一人行使代位权能够保全其他债权人的债权的，其他债权人不能再就同一债权重复行使代位权。

债权人行使代位权，对第三人、债务人和债权人本人都会产生法律效力。

1. 对第三人的效力。债权人行使代位权，是代债务人的地位向第三人行使权利，因此第三人对债务人的抗辩，如不安抗辩、同时履行抗辩、后履行抗辩、时效届满的抗辩、虚假表示可撤销的抗辩等，同样可以对抗债权人。

2. 对债务人的效力。债权人行使代位权且通知债务人后，债务人的权利并未丧失，其仍可行使自己的权利，唯债务人处分权的行使应受限制，即在不损害债权人利益的情况下可以行使其权利。倘若妨害债权人行使代位权，如免除第三人的债务，债务人则不得行使，否则代位制度形同虚设。债权人行使代位权，提起代位诉讼，法院的判决对债务人及其他债权人是否发生效力？如果债务人作为具有独立请求权的第三人参加诉讼，法院的判决自然对其发生效力。如果债务人未参加诉讼，法院判决的效力亦及于债务人。例如，甲法院审理代位诉讼案，判决债权人败诉，债务人又向乙法院提起诉讼，乙法院如判决债务人败诉，则是一事二理，劳民伤财；若判决债务人胜诉，则造成两个法院的判决不一致，既影响法院的威严，又使得第三人无所适从。

3. 对债权人的效力。债权人行使代位权，为的是增加债务人的责任财产，充实债务人一般担保的实力，第三人偿还的财产为全体债权人的共同担保物，故行使代位权的债权人不能因此获得优先受偿债权，而与其他债权人处于同等地位受偿。债权人行使债务人的债权，基于法定的代位关系，故行使代位权的费用，债权人可请求债务人偿还。

第七十四条　因债务人放弃其到期债权或者无偿转让财产，对债权人造成损害的，债权人可以请求人民法院撤销债务人的行为。债务人以明显不合理的低价转让财产，对债权人造成损害，并且受让人知道该情形的，债权人也可以请求人民法院撤销债务人的行为。

撤销权的行使范围以债权人的债权为限。债权人行使撤销权的必要费用，由债务人负担。

【释义】　本条规定了撤销权。

撤销权亦称废罢诉权，指债务人、第三人有损害债权的行为，债权人享有撤销该行为的权利。

引起撤销权发生的要件是有损害债权的行为。债务人实施损害债权的行为主要指债务人以赠与、免除等无偿行为处分债权。无偿行为不问第三人的主观动机均得撤销。债务人、第三人若以有偿行为诈害债权，则以债务人实施行为时明知损害债权和第三人受益时明知其情形为限。即债务人与第三人恶意串通，货物价值与价款悬殊，显失公平，故意损害债权人的利益。倘若第三人受益时主观上无恶意，则不能撤销其善意取得的行为，以保护交易之安全。受益的第三人包括直接受益人和间接受益人，直接受益的第三人称为第一取得人,第一取得人又将该物转给他人受益,受益的他人为间接受益的第三人,间接受益人又称转得人,转得人可以是第二取得人、第三取得人以至更后的取得人。目前一些企业借分立为转移财产,留个“空壳子”对付债权人,亦是一种诈害债权行为。诈害债权的行为有时还发生于担保行为之中。例如,责任财产仅能或者已不够清偿现有债权,但债务人却又将责任财产抵押、出质给新的债权人,害及原有债权人;或者将责任财产抵押、出质于债权中的一人,害及其他债权人。诈害债权的行为应是法律行为,倘若是事实行为,如债务人毁损责任财产,则无从撤销。债务人、第三人实施上述行为减少责任财产,害及债权,使债权人不能得以清偿,即可发生撤销权。

债务人、第三人有诈害债权的行为,债权人可以行使撤销权。债权人行使撤销权,可以向债务人、第三人提出,也可以诉请法院撤销。债务人、第三人的行为被撤销的,其行为自始无效。

债务人若以无偿行为诈害债权,第三人无论主观上是否有过错,无论是直接受益人还是间接受益人,债权人均有权撤销其行为,恢复财产原状,保护债务人的责任财产。债务人以无偿行为诈害债权,直接受益的第三人又将取得的财物以公平价格售给他人时,债权人只能向债务人和第一取得人行使撤销权,不能追及有偿取得人,第一取得人应当将所得的价款返还债务人。

债务人与第三人以有偿行为诈害债权的,无论第三人是直接受益人还是间接受益人,债权人均有权撤销其行为,恢复财产之原状,保持债务人的责任财产。倘若债务人与直接受益的第三人以有偿行为诈害债权,第一取得人又将取得的财物以公平的价格转售他人,或者第一取得人虽又以廉价转售,但他人主观上没有过错，债权人只能向债务人和直接受益人行使撤销权，不能追及善意取得人，直接受益人应当将所得的价款返还债务人，以维持债务人的责任财产。

企业分立应当债权债务一并分立。债务人借企业分立转移责任财产，害及债权的，债权人可以行使撤销权，撤销其分立行为。

债务人通过担保方式害及债权的，债权人可以行使撤销权，撤销其抵押、出质行为。物的担保被撤销后，担保合同不影响主合同的存在，主合同依然有效。例如，甲向乙借款，将责任财产抵押于乙，害及原有债权，原有债权人可以行使撤销权，撤销抵押行为，然借款合同不因抵押合同被撤销而失效，出借人和其他债权人一样，都是无特别担保的债权人。

债权人行使撤销权恢复责任财产，是保全全体债权人的利益，故行使撤销权的范围，应以保全全体一般债权人的总债权额为限度。行使撤销权的债权人对保全的责任财产无优先受偿权。债权人行使撤销权的费用，应由债务人和有过错的第三人偿付。

撤销之诉的既判力，应当及于未行使撤销权的其他债权人。行使撤销权的债权人败诉的，其他债权人不得就同一行为再行诉讼，否则造成一事二理。

第七十五条　撤销权自债权人知道或者应当知道撤销事由之日起一年内行使。自债务人的行为发生之日起五年内没有行使撤销权的，该撤销权消灭。

【释义】　本条规定了撤销权的时效。

撤销权的时效历有除斥期间和诉讼时效两说。除斥期间是法律为形成权设定的行使期间。所谓形成权，是指因单方民事行为即能引起民事关系发生、变更终止的权利。除斥期间届满,形成权消灭。除斥期间与诉讼时效,都可以督促当事人行使权利,然二者却有质的不同,主要为:

第一,诉讼时效适用于请求权,请求权是请求他人为一定行为或者不为一定行为的权利。除斥期间适用于形成权。

第二,诉讼时效的适用范围无须事事由法律特别规定,只需符合法院受案范围的请求权,均可援用诉讼时效。除斥期间需由法律明确规定,法律未做特别规定的,当事人不能援用除斥期间。

第三,诉讼时效有中止、中断、延长的制度,除斥期间则无,是固定不变的,故除斥期间又有不变期间之称。

第四,诉讼时效届满,消灭的是胜诉权,当事人的请求权依然存在,只不过是被请求权人产生时效届满的抗辩权,可以据此对抗请求权人的请求。除斥期间届满,当事人消灭的是实体权利,该权利丧失,不能再行使。

主张撤销权时效是诉讼时效的观点认为,撤销权是请求权,即请求撤销合同的权利,不是形成权,债权人不可以自行撤销合同,故撤销权的时效应为诉讼时效。主张撤销权是除斥期间的观点认为,债务人、第三人有诈害行为的,债权人应当及时行使撤销权,因此撤销权时效,属除斥期间。本条规定撤销权的期间为1年和5年。债权人知道撤销原因的,自知道之日起,为1年。债权人不知道撤销原因的,自诈害行为发生之日起,为5年。期间届满,当事人撤销权消灭。

第七十六条　合同生效后,当事人不得因姓名、名称的变更或者法定代表人、负责人、承办人的变动而不履行合同义务。

【释义】 本条规定了当事人不得因姓名、名称、法定代表人的变更或者承办人的变动而不履行合同。

合同生效后,当事人应当按照诚信原则全面履行合同义务,不能因自己的姓名或者名称、法定代表人等的变更而不履行合同义务,也不得因承办人等的变动而不履行合同义务。

第五章　合同的变更和转让

本章共十四条，主要对合同变更、合同权利转让、合同义务转移、合同权利和义务一并转让以及当事人合并和分立的权利和义务等作出了规定。

第七十七条　当事人协商一致，可以变更合同。

法律、行政法规规定变更合同应当办理批准、登记等手续的，依照其规定。

【释义】　本条是关于当事人变更合同的规定。

合同的变更是指合同成立后，当事人在原合同的基础上对合同的内容进行修改或者补充。合同是双方当事人通过要约、承诺的方式，经协商一致达成的。合同成立后，当事人应当按照合同的约定履行合同。任何一方未经对方同意，都不得改变合同的内容。但是，当事人在订立合同时，有时不可能对涉及合同的所有问题都作出明确的规定；合同签订后，当事人在合同履行前或者履行过程中也会出现一些新的情况，需要对双方的权利义务关系重新进行调整和规定。因此，需要当事人对合同内容重新修改或者补充。由于合同是当事人协商一致的产物，所以，当事人在变更合同内容时，也应当本着协商的原则进行。当事人可以依据要约、承诺等有关合同成立的规定，确定是否就变更事项达成协议。如果双方当事人就变更事项达成了一致意见，变更后的内容就取代了原合同的内容,当事人就应当按照变更后的内容履行合同。一方当事人未经对方当事人同意任意改变合同的内容,变更后的内容不仅对另一方没有约束力,而且这种擅自改变合同的做法也是一种违约行为,当事人应当承担违约责任。

合同变更既可能是合同标的的变更,如买康佳牌彩电改为买长虹牌彩电,也可能是合同数量的增加或者减少,如本来计划租赁十间办公用房,后改为租五间。既可能是履行地点由北京改为上海,也可能是履行方式的改变,比如,原订出卖人送货后改为买受人自己提货。既可能是合同履行期的提前或者延期,也可能是违约责任的重新约定。当事人给付价款或者报酬的调整更是合同变更的主要原因。此外,合同担保条款以及解决争议方式的变化也会导致合同的变更。

合同变更需要当事人协商一致,但有的情况下,仅有当事人协商一致是不够的,当事人还应当履行法定的程序。比如,中外合作经营企业法第七条规定,中外合作者在合作期限内协商同意对合作企业合同作重大变更的,应当报审查批准机关批准;变更内容涉及法定工商登记项目、税务登记项目的,应当向工商行政管理机关、税务机关办理变更登记手续。外资企业法第十条规定,外资企业分立、合并或者其他重要事项变更,应当报审查批准机关批准,并向工商行政管理机关办理登记变更手续。

根据本条第二款的规定,法律、行政法规规定变更合同事项应当办理批准、登记手续的,依照其规定。因此,法律、行政法规对变更合同事项有具体要求的,当事人应当按照有关规定办理相应的手续。如果没有履行法定程序,即使当事人已协议变更了合同,变更的内容也不发生法律效力。

应当指出的是,本条规定的合同的变更的概念,不包括合同当事人的改变。虽然从广义上讲,合同主体的改变也是合同变更的一种原因,但是合同法对合同主体的变化,即债权人和债务人的改变,是通过本章债权转让和债务转让的制度调整的。所以,本条规定的合同变更仅指合同中权利和义务关系的变更,不包括合同主体的变更。

为了保证当事人的合法权益,防止和减少不必要的纠纷,我国经济合同法和涉外经济合同法对合同变更的形式作出过规定,明确当事人变更合同的协议及债权人发出的变更合同的通知应当采用书面形式。由于合同法的调整范围已不局限于原有的经济合同和涉外经济合同的范围,包括了一些基于自然人所发生的合同关系,所以,本条未对变更合同的形式作出明确的规定。但是,对当事人来说,变更合同主要内容的,还是以书面形式为宜,这样有利于明确双方的权利和义务,保证在发生纠纷时找到解决争议的依据。

第七十八条　当事人对合同变更的内容约定不明确的,推定为未变更。

【释义】 本条是关于合同变更的内容约定不明确的规定。

合同变更的过程,就是当事人协商一致的过程。因此,合同中关于要约、承诺的规定也适用于合同变更的情况。当事人在变更合同的过程中,可能出现对需要变更的内容达不成统一意见的情况。比如,甲方向乙方订购100台空调,交货期为5月30日。由于当年暑期提前到来,甲方提出要求交货期改为5月15日。但是乙方货源很紧张,经过双方反复协商,乙方仅答应根据当时的货源情况,尽量提前交货。由于双方当事人对具体的交货期没有明确作出变更的约定,所以,在这种情况下推定为合同未变更。乙方未在5月15日交货，其行为不构成违约。为了减少在合同变更时可能发生的纠纷，本条明确规定，当事人对于合同变更的内容约定不明确的，推定为未变更。当事人只需按照原有合同的规定履行即可，任何一方不得要求对方履行变更中约定不明确的内容。

第七十九条　债权人可以将合同的权利全部或者部分转让给第三人，但有下列情形之一的除外：

（一）根据合同性质不得转让；

（二）按照当事人约定不得转让；

（三）依照法律规定不得转让。

【释义】 本条是关于合同权利转让的规定。

合同权利的转让是指不改变合同权利的内容，由债权人将权利转让给第三人。债权人既可以将合同权利全部转让，也可以将合同权利部分转让。合同权利全部转让的，原合同关系消灭，产生一个新的合同关系，受让人取代原债权人的地位，成为新的债权人。合同权利部分转让的，受让人作为第三人加入到原合同关系中，与原债权人共同享有债权。

从鼓励交易，促进市场经济发展的目的看，法律应当允许债权人的转让行为。只要不违反法律和社会公德，债权人可以转让其权利。但是，为了维护社会公共利益和交易秩序，平衡合同双方当事人的权益，法律又应当对权利转让的范围进行一定的限制。为此，一些国家和地区的民法典都对不得转让的权利作出了规定，总的原则是当事人另有约定或者依据债权性质不得转让的合同权利不得转让。比如，日本民法典第466条规定，债权得让与之，但其性质不容许让与者，不在此限。我国台湾地区“民法典”第294条规定，债权人得将债权让与第三人。但下列债权不在此限:(1)依债权之性质不得让与者;(2)依当事人之特约不得转让者;(3)债权禁止扣押者。在吸取有关国家和地区的立法经验和总结我国实践经验的基础上,本条明确有以下情形之一的,债权人不得转让其权利:

1. 根据合同性质不得转让的权利

根据合同性质不得转让的权利,主要是指合同是基于特定当事人的身份关系订立的,合同权利转让给第三人,会使合同的内容发生变化,动摇合同订立的基础,违反了当事人订立合同的目的,使当事人的合法利益得不到应有的保护。当事人基于信任关系订立的委托合同、雇用合同及赠与合同等,都属于合同权利不得转让的合同。比如,赠与合同的赠与人明确表示将赠与的钱用于某贫困地区希望小学的建设,受赠人如果将受赠的权利转移给他人,用来建造别的项目,显然违反了赠与人订立合同的目的,损害了赠与人的合法权益。因此,对于根据合同性质不得转让的权利,债权人不得转让。

2. 按照当事人约定不得转让的权利

当事人在订立合同时可以对权利的转让作出特别的约定,禁止债权人将权利转让给第三人。这种约定只要是当事人真实意思的表示,同时不违反法律禁止性规定,那么对当事人就有法律的效力。债权人应当遵守该约定不得再将权利转让给他人,否则其行为构成违约。

但是,合同当事人的这种特别约定,不能对抗善意的第三人。如果债权人不遵守约定,将权利转让给了第三人,使第三人在不知实情的情况下接受了转让的权利,该转让行为就有效,第三人成为新的债权人。转让行为造成债务人利益损害的,原债权人应当承担违约责任。

3. 依照法律规定不得转让的权利

我国一些法律中对某些权利的转让作出了禁止性规定。对于这些规定，当事人应当严格遵守，不得违反法律的规定，擅自转让法律禁止转让的权利。

合同法第八十七条规定，债权人转让权利或者债务人转移义务，法律、行政法规规定应当办理批准、登记等手续的，依照其规定。如果债权人向批准或者登记机关提出权利转让请求时，批准或者登记机关经审查，未同意其转让的，该合同的权利就属于法律规定不得转让的权利，债权人不得违反法律的规定将权利进行转让。我国文物购销一直实行国家统一管理、收购和经营的政策，禁止私自倒卖文物的行为。为了保护国家的历史文化遗产，严格控制文物的出境，禁止公民个人私自将文物卖给外国人，文物保护法第二十五条规定，私人收藏的文物，严禁倒卖牟利，严禁私自卖给外国人。私人收藏的文物其所有权受国家的法律保护，其所有权的转移必须严格遵守国家法律的规定，转移的渠道要受法律的限制。因此，公民违反文物法的有关规定，将文物买卖合同中的权利转让给外国人的，其转让所有权的行为是无效的。

第八十条　债权人转让权利的，应当通知债务人。未经通知，该转让对债务人不发生效力。

债权人转让权利的通知不得撤销，但经受让人同意的除外。

【释义】　本条是关于债权人转让权利应当通知债务人的规定。

债权人转让权利是法律赋予其的一项权利，债权人可以在不违反法律和公共利益的基础上处分自己的权利。但是，由于债权人和债务人之间存在合同关系,债权人的转让权利的行为会给债务人的履行造成一定的影响。因此,在债权人的转让权利时给其增加相应的义务,更有利于保护债务人的合法利益。

关于债权人转让权利,不同国家的法律规定有所区别。有的国家的法律规定,债权人转让债权不必经债务人的同意,也无须通知债务人。这种制度设立的目的在于鼓励交易,加速经济的流转,因而给债权人充分行使其权利的自由,但另一方面也忽略了对债务人权利保护的程度,在债务人不知道债权人权利转让的情况下,可能会给债务人的履行增加负担,引起不必要的纠纷。同时,债权人可以任意转让权利的行为,也会使合同关系处于不稳定状态,容易造成社会经济秩序的混乱。法国、日本等国家的法律规定,债权人转让其债权可以不经债务人同意,但是必须将债权转让的事实及时通知债务人。这种制度考虑到了对债务人权利的保护,保证债务人能及时了解到权利转让的情况,避免了债务人在履行义务时可能造成的损失。同时,对债权人处分其权利的行为没有实质性的制约,也不会影响交易的正常运转。除了以上两种规定外,还有一种规定是要求债权人转让权利应当取得债务人的同意,如果转让方未经另一方的同意转让权利的,其转让行为不发生法律效力。这种制度确立的出发点,侧重于保护债务人的利益,通过限制合同权利的转让,达到稳定合同秩序的目的。但另一方面将债权人转让权利的效力交由债务人来确定,限制了债权人的权利,达不到鼓励交易、促进商品流通的目的。

考虑到合同双方当事人的利益的平衡,合同法在权利转让的问题上确立了权利转让只需通知债务人的原则。根据本条的规定,债权人转让权利的,应当通知债务人。通知到达债务人时转让行为生效。未经通知,该转让行为对债务人不发生效力。这样规定一方面尊重了债权人对其权利的行使,另一方面也防止债权人滥用权利损害债务人的利益。同时将权利转让生效的决定权交给债权人行使,也符合其权利本身的属性,有利于促进市场经济的发展。

债务人接到债权人权利转让的通知后,权利转让就生效,随之会引起合同权利和义务关系的一系列变化。原债权人被新的债权人替代或者新债权人的加入使原债权人已不能完全享有原债权。因此,债权人一旦发出转让权利的通知,就意味着合同的权利已归受让人所有或者和受让人分享,债权人不得再对转让的权利进行处置,因此,原债权人无权撤销转让权利的通知。只有在受让人同意的情况下,债权人才能撤销其转让权利的通知。

应当指出的是,本条关于权利转让的规定是对民法通则第九十一条的规定的进一步具体化。该条规定,合同一方将合同的权利、义务全部或者部分转让给第三人的,应当取得合同另一方的同意,并不得牟利。该条不仅包括合同权利转让的内容,还包括合同义务转让的情形,所以,规定一方转让时应当取得另一方的同意。本条仅指债权人转让权利的情形,所以,确定了债权人通知债务人为权利转让生效的条件。

第八十一条　债权人转让权利的,受让人取得与债权有关的从权利,但该从权利专属于债权人自身的除外。

【释义】　本条是关于转让权利时,主权利和从权利不能分离的规定。

从权利是指附随于主权利的权利。担保物权中的抵押权、质权、保证以及附属于主债权的利息等,都属于主权利的从权利。由于从权利是从主权利派生出来的，主权利无效从权利也无效，从权利随主权利的消灭而消灭，所以，从权利不得脱离主权利而单独存在。基于以上原因，不少国家和地区的法律都确定了合同主权利转让从权利也一并转让的制度。比如，德国民法典第401条规定，让与债权时，该债权的抵押权、船舶抵押权或质权，以及由一项像上述权利提供担保所产生的权利，均随同移转于新债权人。意大利民法典第1263条规定，根据转让的效力，债权的转让要将先取特权、人的担保和物的担保以及其他从权利都转让给受让人。我国台湾地区"民法典"第295条规定，让与债权时该债权之担保及其他从属之权利，随同移转于受让人。但与让与人有不可分离之关系者，不在此限。

根据本条规定，债权人转让主权利时应当将从权利一并转让，受让人在得到权利的同时，也取得与债权人有关的从权利。考虑到有的从权利的设置是针对债权人自身的，与债权人有不可分离的关系，本条在确立从权利随主权利转让原则的同时，规定专属于债权人自身的从权利不随主权利的转让而转让。

第八十二条　债务人接到债权转让通知后，债务人对让与人的抗辩，可以向受让人主张。

【释义】　本条是关于债务人在债权转让时的抗辩权的规定。

债权人转让合同权利，不需要经债务人同意。债务人接到权利转让通知后，转让行为就生效，权利的受让人成为新的债权人，享有和原债权人同样的权利，债务人向新的债权人履行合同义务。为了保障债权人转让权利的行为不损害债务人的利益，德国、意大利和我国台湾地区的法律都规定了债权人的变化不影响债务人所享有的权利，以保证债务人不会因为权利的转让致使应当行使的权利无法行使。

根据本条规定，债务人接到债权转让通知时，债务人对让与人的抗辩，可以向受让人主张。债务人接到权利转让通知后，可以行使抗辩权来保护自己的权利。抗辩权是指债权人行使债权时，债务人根据法定事由对抗债权人行使请求权的权利。由于债务人的抗辩权是其固有的一项权利，并不随权利的转让而消灭，所以，在权利转让的情况下，债务人可以向作为受让人的新债权人行使该权利。受让人不得以任何理由拒绝债务人权利的行使。

债务人行使的抗辩权包括：同时履行抗辩权、先诉抗辩权、合同撤销的抗辩权、债权已履行完毕的抗辩权、债权无效的抗辩权、诉讼时效已过的抗辩权等。债务人可以行使这些抗辩权对抗债权人的请求权。权利让与后，债务人还可能因某项事实产生新的抗辩权，比如，附解除条件的合同权利转让后，合同规定的解除条件成就时，债务人可以向受让人提出终止合同的抗辩。

第八十三条　债务人接到债权转让通知时，债务人对让与人享有债权，并且债务人的债权先于转让的债权到期或者同时到期的，债务人可以向受让人主张抵销。

【释义】　本条是关于权利转让时，债务人行使抵销权的规定。

债权人转让权利不需要经债务人同意，债务人接到债权转让通知时，转让行为就生效。如果债务人对债权人也享有债权，同时该债权已届清偿期，那么，在这种情况下，债务人可以依照法律的规定向受让人行使抵销权。

抵销是合同终止的情形之一,根据合同法第九十九条的规定,当事人互负到期债务,并且该债务的标的物的种类、品质相同的,除按照合同性质或者依照法律规定不得抵销的外,任何一方可以将自己的债务与对方的债务抵销。一些国家和地区的法律对债务人行使的抵销权作出了规定,但构成的条件有所不同。德国民法典规定,债务人也得对原债权人享有的债权向新债权人主张抵销。同时规定以下两种情况下债务人不得行使抵销权:一是债务人向原债权人取得债权的当时,已知债权让与的事由;二是债务人取得的债权在其知有让与后,而且取得的债权又在让与的债权之后才到期。我国台湾地区"民法典"规定,债务人主张抵销的条件是,债权之清偿期先于所让与之债权,或同时届至者,债务人得对于受让人,主张抵销。那么,债务人应当向谁主张抵销权呢?在这个问题上,德国等国家和地区的法律规定较为一致,即债务人应当向新的债权人行使抵销权。其理由是债权人转让权利后,已从原合同关系中退出,而受让人承受了原合同的权利和义务,成为合同新的债权人,因此,债务人应当向债权人行使抵销权。

我国合同法对于债务人行使抵销权的规定和我国台湾地区的规定类似。根据本条规定,债务人接到债权转让通知时,债务人对让与人享有债权的,在两种情况下可以行使抵销权:一是债务人的债权先于转让的债权到期。比如,债务人的债权是8月1日到期,而转让的债权是同年12月1日到期。那么,债务人就可以向受让人行使抵销权。二是债务人的债权和转让的债权同时到期,债务人也可以向让与人行使抵销权。债务人行使抵销权时,应当以通知的方式告知受让人,通知自到达受让人时生效。

第八十四条 债务人将合同的义务全部或者部分转移给第三人的,应当经债权人同意。

【释义】 本条是关于债务人转移合同义务的规定。

合同义务转移是指债务人经债权人同意,将合同的义务全部或者部分地转让给第三人。正如债权人可以全部或者部分转让权利一样,债务人也可以将合同的义务转移给第三人。转移合同义务也是法律赋予债务人的一项权利。但是,债权人和债务人的合同关系是产生在相互了解的基础上,在订立合同时,债权人一般要对债务人的资信情况和偿还能力进行了解,而对于取代债务人或者加入到债务人中的第三人的资信情况及履行债务的能力,债权人不可能完全清楚。所以,如果债务人不经债权人的同意就将债务转让给了第三人,那么,对于债权人来说显然是不公平的,不利于保障债权人合法利益的实现。

合同义务转移分为两种情况:一种情况是合同义务的全部转移,在这种情况下,新的债务人完全取代了旧的债务人,新的债务人负责全面地履行合同义务;另一种情况是合同义务的部分转移,即新的债务人加入到原债务中,和原债务人一起向债权人履行义务。债务人不论转移的是全部义务还是部分义务,都需要征得债权人同意。未经债权人同意,债务人转移合同义务的行为对债权人不发生效力。债权人有权拒绝第三人向其履行,同时有权要求债务人履行义务并承担不履行或者迟延履行合同的法律责任。转移义务要经过债权人的同意,这也是合同义务转移制度与合同权利转让制度最主要的区别。

应当指出的是,债务人转移义务有别于第三人替债务人履行债务。合同法第六十五条对第三人替债务人履行债务的问题作出了规定,明确当事人可以约定由第三人向债权人履行债务。第三人不履行或者履行债务不符合的,债务人应当向债权人承担违约责任。债务人转移义务和第三人替债务人履行债务的区别主要有以下几方面:(1)在债务人转移义务时,债务人应当征得债权人的同意。在第三人替代履行的情况下,债务人同意第三人代替其履行债务即可,不必经债权人的同意。(2)在债务人转移义务的情况下,债务人全部转移义务后就退出了原合同关系,第三人成为合同新的债务人。在债务人部分转移义务时,第三人加入到原合同关系中,和债务人共同履行义务。第三人替代履行时,第三人并未加入到合同关系中,债权人不能把第三人作为合同的主体,直接要求第三人履行义务。(3)在债务人转移义务后,第三人成为合同关系的当事人,如果债务人未能按照合同约定履行,债权人可以直接请求第三人履行义务,而不能再要求原债务人履行。在合同义务部分转移的情况下,债权人可以向债务人和第三人中的任何一方要求履行。在第三人替代履行的情况下,第三人履行有瑕疵的,债权人只能要求债务人承担违约责任,而不能要求第三人承担违约责任。

第八十五条　债务人转移义务的,新债务人可以主张原债务人对债权人的抗辩。

【释义】　本条是关于债务人转让义务时,新债务人抗辩权的规定。

债务人转移义务的,新的债务人取代了原债务人的地位,承担其履行义务的责任。原债务人从合同关系中退出后,其享有的抗辩权由新债务人承受。债务人的抗辩权不因债务的转移而消灭。新债务人享有的抗辩权包括：同时履行抗辩权、先诉抗辩权、合同撤销的抗辩权、债务已履行完毕的抗辩权、债权无效的抗辩权、诉讼时效已过的抗辩权等。比如，合同义务转移后，新的债务人按照合同约定履行了义务，但是债权人还是要求其履行，债务人就可以合同履行完毕为由向债权人提出抗辩。

第八十六条　债务人转移义务的，新债务人应当承担与主债务有关的从债务，但该从债务专属于原债务人自身的除外。

【释义】　本条是关于债务人转移义务，从债务不得与主债务分离的规定。

债务人转移义务的，其从债务随着主债务的转移而转移，新债务人应当承担与主债务有关的从债务。比如，为了实现债权而设定的抵押权、质权等权利以及主债务的利息等从债务，都随着主债务的转移而转移给新的债务人承担。但是，有的从债务是专属于债务人本身的，这些从债务不随主债务的转移而转移。

第八十七条　法律、行政法规规定转让权利或者转移义务应当办理批准、登记等手续的，依照其规定。

【释义】　本条是关于转让权利及转移义务转让应当依法办理批准、登记等手续的规定。

债权人转让权利、债务人转移义务是当事人对自己权利的处分，债权人通知对方或者债务人经对方的同意后，转让行为即生效力。但是对有些权利的转让和义务的转移，法律、行政法规规定要办理批准、登记等手续后才有效,债权人应当遵守法定的程序办理,以保障合同转让行为最终的法律效力。

债权人转让权利或者债务人转移义务需要办理批准、登记等手续的,主要是指涉及外商投资企业的一些合同,比如,中外合作经营合同、外资企业合同、中外合作勘探开发海洋石油合同等。由于这些合同不仅是当事人之间权利和义务的确定,而且其成立和实施涉及国家的利益,有些合同会对国家的经济发展产生一定的影响。为了保证合同的切实有效,需要国家审查这些合同的合法性和可行性,因此,这类合同的成立需要经过有关机关办理批准、登记手续,改变合同内容当然也不能仅有当事人的合意,应当遵守法律和行政法规的有关规定。

法律、行政法规规定权利转让或者义务转移应当办理批准、登记等手续的,当事人应当按照规定办理。如果有关部门未予办理批准或者登记等手续的,债权人转让权利或者转移义务的行为是无效的。但是,如果已批准或者登记的合同中明确规定,合同权利转让或者义务转移不需要去原批准机关办理相应的批准和登记等手续,当事人就不必再去办理。也就是说,合同成立时需要办理批准、登记等手续的,并不意味着权利转让或者义务转移时必然也要办理相应的手续。比如,我国一些进出口公司和外国公司签订的合同,合同的成立需要经有关部门的批准。为了简化手续,方便当事人,合同中又规定合同权利转让不必再经有关机关批准。在这种情况下,该合同的债权人转让权利时就可以依据合同的有关规定办理,不必再到有关部门去办理批准手续了。

第八十八条　当事人一方经对方同意,可以将自己在合

同中的权利和义务一并转让给第三人。

【释义】 本条是关于权利和义务一并转让的规定。

权利和义务一并转让又称为概括转让,是指合同一方当事人将其权利和义务一并转移给第三人,由第三人全部地承受这些权利和义务。权利和义务一并转让不同于权利转让和义务转让的是,它是合同一方当事人对合同权利和义务的全面处分,其转让的内容实际上包括权利的转让和义务的转移两部分内容。权利义务一并转让的后果,导致原合同关系的消灭,第三人取代了转让方的地位,产生出一种新的合同关系。

根据合同法有关权利转让和义务转移的规定,债权人转让权利应当通知债务人;债务人转移义务的必须经债权人的同意。权利和义务一并转让既包括了权利的转让,又包括义务的转移,所以,合同一方当事人在进行转让前应当取得对方的意见,使对方能根据受让方的具体情况来判断这种转让行为能否对自己的权利造成损害。只有经对方当事人同意,才能将合同的权利和义务一并转让。如果未经对方同意,一方当事人就擅自一并转让权利和义务的,那么其转让行为无效,对方有权就转让行为对自己造成的损害,追究转让方的违约责任。

权利和义务一并转让只出现在双务合同中。对于当事人只承担义务或者享受权利的单务合同不存在权利和义务一并转让的问题。比如,赠与合同的被赠与人只享有权利而不承担义务,这些合同的当事人不可能出现将权利和义务一并转让的情况。

第八十九条 权利和义务一并转让的,适用本法第七十

九条、第八十一条至第八十三条、第八十五条至第八十七条的规定。

【释义】 本条是关于权利和义务一并转让应当适用有关条款的规定。

合同关系的一方当事人将权利和义务一并转让时，除了应当征得另一方当事人的同意外，还应当遵守合同法有关转让权利和义务转移的其他规定。主要有以下几方面内容：

1. 不得转让法律禁止转让的权利。（第七十九条）

2. 转让合同权利和义务时，从权利和从债务一并转让，受让人取得与债权有关的从权利和从债务，但该从权利和从债务专属于让与人自身的除外。（第八十一条、第八十六条）

3. 转让合同权利和义务不影响债务人抗辩权的行使。（第八十二条、第八十五条）

4. 债务人对让与人享有债权的，可以依照有关规定向受让人主张抵销。（第八十三条）

5. 法律、行政法规规定应当办理批准、登记手续的，应当依照其规定办理。（第八十七条）

第九十条　当事人订立合同后合并的，由合并后的法人或者其他组织行使合同权利，履行合同义务。当事人订立合同后分立的，除债权人和债务人另有约定的以外，由分立的法人或者其他组织对合同的权利和义务享有连带债权，承担连带债务。

【释义】 本条是关于当事人订立合同后合并或者分立的规定。

当事人合并一般指两种情况：一种情况是指两个以上的法人或者其他组织合并成为一个新的法人或者其他组织，由新的法人或者其他组织承担被合并法人或者其他组织的权利和义务。另一种情况是指一个法人或者其他组织被撤销后，将其债权债务一并转让给另一个法人或者其他组织。当事人分立是指一个法人或者其他组织被分为两个以上的新法人或者其他组织，原法人或者其他组织的权利和义务由新的法人承担。当事人合并和分立虽然也是一种权利和义务的概括转让，但当事人合并或者分立引起的债权债务关系的转让一般不通过合同来约定，而是根据法律的规定进行，具有其自身的特点，所以，本条对当事人合并或者分立的情况作出了专门规定。

当事人分立和合并不仅是现实中经常出现的情况，也是容易出现纠纷的问题。在我国市场经济秩序还未完全建成的情况下，一些法人或者组织假借分立或者合并转移债务，逃避应当承担的法律责任，造成了社会和经济秩序的混乱。我国民法通则第四十四条针对企业法人分立和合并的情况规定，企业法人分立、合并，它的权利和义务由变更后的当事人承担或分别承担履行合同的义务和享受应有的权利。根据民法通则的精神，本条规定，当事人订立合同后合并的，由合并后的法人或者其他组织行使合同权利，履行合同义务。当事人订立合同后分立的，除债务人和债权人另有约定的以外，由分立后的法人或者其他组织对合同的权利和义务享有连带债权，承担连带债务。因此，当事人合并或者分立后，不仅原有的一切债权和债务，依法由合并后的法人或者其他组织承担，而且原有的财产所有权、经营权、知识产权等也移转给合并或者分立后的企业。

近些年来，随着经济改革的进一步深入，不少法人和其他组织根据市场要求和国家的政策，进行了重组和改建。一些法人、其他组织被兼并或者被撤销;另一些法人、其他组织分立为新的法人或者组织。无论法人、其他组织的这些改变是出于何种原因,其合并或者分立后的债权及债务都应当按照法律的规定来确定,这样才能有效地防止假借合并或者分立逃避债务,更好地保护债权人的合法权益。

此外,法律、行政法规规定当事人合并、分立需要办理有关手续的,当事人应当遵守该规定办理。根据民法通则第四十四条的规定,企业法人分立向登记机关办理登记并公告。所以,企业法人分立的,还应当到有关机构办理登记手续,并予以公告,使债权人能了解企业的变更情况。外资企业法第十条规定,外资企业分立、合并或者其他重要事项变更,应当报审查批准机关批准,并向工商行政管理机关办理变更登记手续。因此,外资企业出现分立或者合并情形的,还应当到工商行政管理机关办理变更登记手续。

第六章　合同的权利义务终止

本章共十六条，是关于合同的权利义务终止的规定。

合同是平等主体的自然人、法人、其他组织之间设立、变更、终止民事权利义务关系的协议。本章规定了什么情况下合同权利义务终止，解除合同的条件、程序及解除合同后责任的承担，抵销的条件、程序，提存的条件、程序，债务的免除，债权债务的混同，以及后合同义务等。

第九十一条　有下列情形之一的，合同的权利义务终止：

（一）债务已经按照约定履行；

（二）合同解除；

（三）债务相互抵销；

（四）债务人依法将标的物提存；

（五）债权人免除债务；

（六）债权债务同归于一人；

（七）法律规定或者当事人约定终止的其他情形。

【释义】　本条是关于合同的权利义务终止情形的规定。

合同是平等主体的公民、法人、其他组织之间设立、变更、终止债权债务关系的协议。合同的性质，决定合同是有期限的民事法律关系，不可能永恒存在，有着从设立到终止的过程。合同的权利义务终止，是指依法生效的合同，因具备法定情形和当事人约定的情形，合同债权、债务归于消灭，债权人不再享有合同权利,债务人也不必再履行合同义务。按照本条规定,有下列情形之一的,合同终止。

一、债务已经按照约定履行

合同是当事人为达到其利益要求而达成的合意,合同目的的实现,有赖于债务的履行。债务按照合同约定得到履行,一方面可使合同债权得到满足,另一方面也使得合同债务归于消灭,产生合同的权利义务终止的后果。

债务已经按照约定履行,指债务人按照约定的标的、质量、数量、价款或者报酬、履行期限、履行地点和方式全面履行。

以下情况也属于合同按照约定履行:

(一)当事人约定的第三人按照合同内容履行

合同是债权人与债务人之间的协议,其权利义务原则上不涉及合同之外的第三人,合同债务当然应当由债务人履行,但有时,为了实现当事人特定目的,便捷交易,法律允许合同债务由当事人约定的第三人履行,第三人履行债务,也产生债务消灭的后果。比如,债务人乙和债权人甲约定,由第三人丙偿还乙欠甲的10万元人民币的债务,丙将10万元人民币偿还给甲后,该合同的权利义务即终止。

(二)债权人同意以他种给付代替合同原定给付

合同的种类不同,债务的内容也不同,比如,货物买卖合同,债务的内容是交付货物或支付价款;承揽合同,债务的内容是提供劳务或者支付报酬。债务人应当按照合同约定的内容履行,但有时,实际履行债务在法律上或者事实上不可能,比如,债务履行时,法律规定该履行须经特许,债务人无法得到批准许可,或者标的物已灭失,无法交付;或者实际履行费用过高,如交付货物的运输费用大大提高,甚至超过合同标的的价格，实际履行极不经济；或者不适于强制履行，如以债务人的具有人身性质的特定行为为标的合同。在实际履行不可能的情况下，经债权人同意，可以采用代物履行的办法，达到债务消灭的目的。比如，债务人乙按照合同约定，应当向债权人甲交付100吨吉林产圆粒大米，由于乙收购遇到困难，不能交付，但乙有100吨天津圆粒大米，质量与合同约定的吉林大米基本相同，甲同意交付天津大米以代替吉林大米的交付，乙交付了天津大米，债务即消灭。有时代物履行可能会有差价，支付差价后，也产生债务消灭的后果。

(三)当事人之外的第三人接受履行

债务人应当向债权人履行债务，债权人受领后产生债务消灭的后果。但有时，当事人约定由债务人向第三人履行债务，债务人向第三人履行后，也产生债务消灭的后果。比如，债务人乙欠债权人甲1万元人民币，债权人甲又欠第三人丙的钱，债权人甲请求债务人乙直接将欠款付给丙，乙同意，并按照其欠甲款的数额将钱付给了丙，从而消灭了其对甲的债务。

债务履行后，是否以债权人接受作为合同的权利义务终止的条件？有三种情况：一是债务履行不适当，债权人提出了异议；二是债务已经按照约定履行，但债权人拒绝接受；三是债权人下落不明，或者死亡、丧失行为能力而未确定继承人或监护人无法履行。第一种情况，表明对合同的履行存在争议，在合同纠纷没有解决以前，合同的权利义务不能终止。在第二种和第三种情况下，债务人可以依照法律的规定，将标的物提存，达到终止合同的权利义务的目的。

合同中约定几项债务时，某项债务按照约定履行，产生债务消灭的效果，但并非终止合同。在双务合同中，只有当事人双方都按照约定履行,合同才能终止。任何一方履行有欠缺,都不能达到终止合同的目的。

二、合同解除

合同的解除,指合同有效成立后,当具备法律规定的合同解除条件时,因当事人一方或双方的意思表示而使合同关系归于消灭的行为。

合同解除具有以下特征:

(一)合同的解除适用于合法有效的合同。合同只有在生效以后,才存在解除,无效合同、可撤销合同不发生合同解除。

(二)合同解除必须具备法律规定的条件。合同一旦生效,即具有法律拘束力,非依法律规定,当事人不得随意解除合同。我国法律规定的合同解除条件主要有约定解除和法定解除。

(三)合同的解除必须有解除的行为。即符合法律规定的解除条件,合同不能自动解除,不论哪方当事人享有解除合同的权利,主张解除合同的一方,必须向对方提出解除合同的意思表示,才能达到合同解除的法律后果。

(四)合同解除使合同关系自始消灭或者向将来消灭。即合同的解除,要么视为当事人之间未发生合同关系,要么合同尚存的权利义务不再履行。

合同解除与附解除条件的合同,虽然在解除合同的条件成就时,都使合同消灭,但两者有区别,表现在:(1)附解除条件,是行为人以意思表示对自己的行为所加的限制性附款;合同的解除不是合同的附款,不仅基于当事人约定发生,也基于法律规定发生。(2)附解除条件的合同,条件成就时合同自然解除,不需要当事人再有什么意思表示;合同的解除,仅具备条件还不能使合同消灭,必须有解除合同的意思表示。(3)附解除条件的合同,条件成就时,合同对于将来失其效力;合同解除,合同不仅对于将来失其效力,有些具有溯及既往的效力。

三、债务相互抵销

债务相互抵销,指当事人互负到期债务,又互享债权,以自己的债权充抵对方的债权,使自己的债务与对方的债务在等额内消灭。比如,乙在合同约定的还款日期,应支付给甲10万元人民币货款,与此同时甲也欠乙10万元人民币,并已到清偿日期,此时,乙可以向甲表明,自己不偿还甲的10万元债务,甲也不必偿还欠乙的10万元债务。两相抵销,互不相欠。

债务相互抵销应当具备以下条件:

(一)必须是当事人双方互负债务,互享债权。抵销发生的基础在于当事人双方既互负债务,又互享债权,只有债务而无债权或者只有债权而无债务,均不发生抵销。

(二)当事人双方互负的债权债务,须均合法,其中一个债为不法时,不得主张抵销。

(三)按照合同的性质或者依照法律规定不得抵销的债权不得抵销。

抵销制度,一方面免除了当事人双方实际履行的行为,方便了当事人,节省了履行费用。另一方面当互负债务的当事人一方财产状况恶化,不能履行所负债务时,通过抵销,起到了债的担保的作用;特别是当一方当事人破产时,对方履行交付的财产将作为破产财产,而未收回的债权要在各债权人间平均分配,显然不利于对方当事人,而通过抵销,可以使对方当事人的债权迅速获得满足。我国破产法第三十三条规定:

“债权人对破产企业负有债务的，可以在破产清算前抵销。”

四、债务人依法将标的物提存

提存，是指由于债权人的原因，债务人无法向其交付合同标的物时，债务人将该标的物交给提存机关而消灭合同的制度。比如，债务人乙在合同约定的履行期限，准备向债权人甲交付货物，但却无法找到债权人，乙根据法律有关规定，将该货物交给提存机关，货物被提存后，债务即消灭。

债务的履行往往需要债权人的协助，如果债权人无正当理由而拒绝受领或者不能受领，债权人虽应负担受领迟延的责任，但债务人的债务却不能消灭，债务人仍得随时准备履行，这显然有失公平。我国于 20 世纪 50 年代曾有过提存制度，后中断。1981 年制定的经济合同法规定：“定作方超过 6 个月不领取定作物的，承揽方有权将定作物变卖，所得价款在扣除报酬、保管费用以后，用定作方的名义存入银行。”该规定虽然没有用提存这一概念，但实质却是承认了提存的法律制度。最高人民法院《关于贯彻执行〈中华人民共和国民法通则〉若干问题的意见（试行）》规定：“债权人无正当理由拒绝债务人履行义务，债务人将履行的标的物向有关部门提存的，应当认定债务已经履行。因提存所支出的费用，应当由债权人承担。提存期间，财产收益归债权人所有，风险责任由债权人承担。”明确承认提存是债的消灭的原因。合同法将提存作为合同权利义务终止的法定原因之一，规定了提存的条件、程序和法律效力。

五、债权人免除债务

债权人免除债务，指债权人放弃自己的债权。债权人可以免除债务的部分，也可以免除债务的全部。比如，债务人乙应当偿还债权人甲 2 万元人民币，甲表示乙可以少还或者不还，就是债权人免除债务。甲表示只需要偿还1万元，是债务的部分免除；表示2万元都不必偿还，是债务的全部免除。免除部分债务的，合同部分终止，免除全部债务的，合同全部终止。

六、债权债务同归于一人

债权和债务同归于一人，指由于某种事实的发生，使一项合同中，原本由一方当事人享有的债权，而由另一方当事人负担的债务，统归于一方当事人，使得该当事人既是合同的债权人，又是合同的债务人。比如，甲公司与乙公司签订了房屋租赁合同，在乙公司尚未支付租金时，甲乙二公司合并成立了一个新的公司，甲公司的债权和乙公司的债务都归属于新公司，原甲公司和乙公司之间的合同自然终止。

七、法律规定或者当事人约定终止的其他情形

除了前述合同的权利义务终止的情形，出现了法律规定的终止的其他情形的，合同的权利义务也可以终止。比如，民法通则第六十九条规定：代理人死亡、丧失民事行为能力，作为被代理人或者代理人的法人终止，委托代理终止。本法第四百一十一条规定：委托人或者受托人死亡、丧失民事行为能力或者破产的，委托合同终止。

当事人也可以约定合同的权利义务终止的情形，比如，当事人订立的附解除条件的合同，当解除条件成就时，债权债务关系消灭，合同的权利义务终止。当事人订立附终止期限的合同，期限届至时，合同的权利义务终止。比如，赠与人与受赠人约定，赠与人每月负担受赠人的生活费至其18周岁，受赠人18周岁前参加工作的，自参加工作之日，赠与合同终止。如果受赠人17周岁参加工作，则赠与人与受赠人之间的合同的权利义务终止。

合同的权利义务终止与被宣告无效的合同、被撤销的合同都使合同关系不复存在，但他们在性质上、法律后果上有明显的不同。

（一）合同权利义务终止与无效合同

合同权利义务终止与无效合同的主要区别是：（1）无效合同指合同不符合法律规定的合同有效条件，合同关系不应成立；而合同权利义务终止是消灭已经生效的合同。（2）无效合同是当然无效，即使当事人不对合同效力提出主张，人民法院或者仲裁机关也有权确认合同无效；而合同权利义务终止是出现了终止合同的法定的事由，当事人行使权利使合同关系消灭，国家不主动干预。（3）合同被宣告无效后，合同自始无效，产生恢复原状的法律后果；而合同权利义务终止主要是对将来失其效力，即合同不再履行，只有某些被解除的合同溯及既往。

（二）合同权利义务终止与合同被撤销

合同权利义务终止与合同被撤销都是通过当事人行使法定权利而使合同关系消灭，但两者有区别，表现在：（1）合同被撤销主要是因受欺诈、胁迫，或者因重大误解、显失公平而订立合同，撤销合同的原因在合同订立时就存在，法律直接规定可以撤销合同。合同权利义务终止的原因发生在合同成立以后，由法律规定或者当事人约定终止合同。（2）合同的撤销必须由撤销权人提出，由仲裁机构或者人民法院确认，而合同权利义务终止可以通过当事人协商或者一方当事人行使法定权利，不一定需要仲裁机构或者人民法院裁决。（3）合同被撤销发生溯及既往的效力；合同权利义务终止，有些并不发生溯及既往的效力。

第九十二条　合同的权利义务终止后，当事人应当遵循诚实信用原则，根据交易习惯履行通知、协助、保密等义务。

【释义】 本条是关于后合同义务的规定。

后合同义务，是指合同的权利义务终止后，当事人依照法律的规定，遵循诚实信用原则，根据交易习惯履行的义务。

后合同义务具有以下特点：

1. 后合同义务是合同的权利义务终止后产生的义务，合同成立前，当事人承担的是先合同义务；合同的权利义务未终止，当事人履行的是合同义务。

2. 后合同义务主要是法律规定的义务。如果当事人在合同中约定履行某项义务，该义务为合同义务，不履行该义务，承担违反合同的责任。后合同义务主要是法定义务，违反后合同义务承担损害赔偿责任。

3. 后合同义务是诚实信用原则派生的义务。诚实信用原则要求民事活动的当事人具有诚实、守信、善意的心理状况，不损人利己，不规避法律，在民事活动中维持双方的利益平衡，以及当事人利益与社会利益的平衡。合同的权利义务终止后，当事人应当履行哪些义务，并没有一定之规，依诚实信用原则应履行的义务，均应为后合同义务的范围。

4. 后合同义务的内容根据交易习惯确定。合同的内容不同，后合同义务也不同，法律不可能针对个案确定后合同义务的内容，但按照交易习惯，某类合同终止后，当事人通常的行为准则，应作为后合同义务。所谓交易习惯，一方面指一般的民商事活动应遵循的习惯，另一方面指当事人双方长期交易关系中形成的习惯。

遵循诚实信用原则，根据交易习惯，合同终止后的义务通常有以下几方面：

1. 通知的义务。合同权利义务终止后,一方当事人应当将有关情况及时通知另一方当事人。比如,债务人将标的物提存的,应当通知债权人标的物的提存地点和领取方式。

2. 协助的义务。合同的权利义务终止后,当事人应当协助对方处理与原合同有关的事务。比如,合同解除后,需要恢复原状的,对于恢复原状给予必要的协助;合同的权利义务终止后,对于需要保管的标的物协助保管。

3. 保密的义务。保密指保守国家秘密、商业秘密和合同约定不得泄露的事项。国家秘密,是指关系国家的安全和利益,依照法定程序确定,在一定时间内只限于一定范围的人员知悉的事项。国家秘密事关国家安全和利益,合同的权利义务终止后,合法接触、掌握、使用国家秘密的合同当事人,对于保密期内的国家秘密,无权向第三者泄露。泄露了国家秘密,要承担民事责任、行政责任甚至刑事责任。商业秘密,指不为公众所知悉,能为权利人带来经济利益,具有实用性,并经权利人采取保密措施的技术信息和经营信息。商业秘密一旦进入公共领域,就会失去其商业价值,损害合同当事人的经济利益和竞争优势。因此,合同的权利义务终止后,当事人负有保守商业秘密的义务。泄露了商业秘密要承担民事责任。除了国家秘密和商业秘密,当事人在合同中约定保密的特定事项,合同的权利义务终止后,当事人也不得泄露。

第九十三条　当事人协商一致,可以解除合同。

当事人可以约定一方解除合同的条件。解除合同的条件成就时,解除权人可以解除合同。

【释义】　本条是关于约定解除合同的规定。

根据合同自愿原则,当事人在法律规定范围内享有自愿解除合同的权利。当事人约定解除合同包括两种情况：

1. 协商解除

协商解除，是指合同生效后，未履行或未完全履行之前，当事人以解除合同为目的，经协商一致，订立一个解除原来合同的协议。比如，乙公司向甲公司订购了一批服装面料，准备生产时装，但由于乙公司的生产订单被取消，乙公司不再需要订购的面料，于是与甲公司协商一致解除合同。

协商解除是双方的法律行为，应当遵循合同订立的程序，即双方当事人应当对解除合同意思表示一致，协议未达成之前，原合同仍然有效。如果协商解除违反了法律规定的合同有效成立的条件，如损害了国家利益和社会公共利益，解除合同的协议不能发生法律效力，原有的合同仍要履行。

2. 约定解除权

约定解除权，是指当事人在合同中约定，合同履行过程中出现某种情况，当事人一方或者双方有解除合同的权利。比如甲乙双方签订了房屋租赁合同，出租人甲与承租人乙约定，未经出租人同意，承租人允许第三人在该出租房屋居住的，出租人有权解除合同。也可以约定，出租房屋的设施出现问题，出租人不予以维修的，承租人有权解除合同。解除权可以在订立合同约定，也可以在履行合同的过程中约定，可以约定一方享有解除合同的权利，也可以约定双方享有解除合同的权利，当解除合同的条件出现时，享有解除权的当事人可以行使解除权解除合同，而不必再与对方当事人协商。解除权的约定也是一种合同，行使约定的解除权应当以该合同为基础。

协商解除和约定解除权，虽然都是基于当事人双方的合意，但二者有区别，表现在：（1）协商解除是当事人双方根据已经发生的情况，达成解除原合同的协议；而约定解除权是约定将来发生某种情况时，一方或双方享有解除权。（2）协商解除不是约定解除权，而是解除现存的合同关系，并对解除合同后的责任分担、损失分配达成共识；而约定解除权本身不导致合同的解除，只有在约定的解除条件成就时，通过行使解除权方可使合同归于消灭。（3）协商解除主要是对双方当事人的权利义务关系重新安排、调整和分配；而约定解除权主要是对当事人提供补救，使其有可能通过行使解除权来维护自己的权益。

由于约定解除也是当事人之间订立的合同，因此，该约定应当符合合同生效的条件，不得违反法律，损害国家利益和社会公共利益，根据法律规定必须经过有关部门批准才能解除的合同，当事人不得按照约定擅自解除。

第九十四条　有下列情形之一的，当事人可以解除合同：

（一）因不可抗力致使不能实现合同目的；

（二）在履行期限届满之前，当事人一方明确表示或者以自己的行为表明不履行主要债务；

（三）当事人一方迟延履行主要债务，经催告后在合理期限内仍未履行；

（四）当事人一方迟延履行债务或者有其他违约行为致使不能实现合同目的；

（五）法律规定的其他情形。

【释义】　本条是关于法定解除合同的规定。

法定解除，是指合同生效后，没有履行或者未履行完毕前，当事人在法律规定的解除条件出现时，行使解除权而使合同关系消灭。

法定解除与约定解除既有区别又有联系。其区别表现在，法定解除是法律直接规定解除合同的条件，当条件具备时，解除权人可直接行使解除权，将合同解除；而约定解除是双方的法律行为，一方的行为不能导致合同解除。其联系表现在：约定解除可以对法定解除作补充，如约定违反合同中的任何一项规定，不论程度如何，均可解除合同。

本条规定的解除合同的条件有：

一、因不可抗力致使不能实现合同的目的的

何谓不可抗力，我国民法通则第一百五十三条规定：不可抗力是指不能预见、不能避免并不能克服的客观情况。

不能预见，是指行为人主观上对于某一客观情况的发生无法预测。对于某一客观情况的发生可否预见，因人的认知能力不同，科学技术的发展水平各异，预见能力必然有差别。因此，不可预见，应以一般人的预见能力作为判断标准。不能避免并不能克服，表明某一事件的发生具有客观必然性。不能避免，是指当事人尽了最大的努力，仍然不能避免事件的发生。不能克服，是指当事人在事件发生后，尽了最大的努力，仍然不能克服事件造成的损害后果。客观情况，是指独立于当事人行为之外的客观情况。

不能预见、不能避免并不能克服是对不可抗力范围的原则规定，至于哪些可作为影响合同履行的不可抗力事件，我国法律没有具体规定，各国法律规定不尽相同，一般说来，以下情况被认为属于不可抗力：(1)自然灾害。自然灾害包括地震、水灾等因自然界的力量引发的灾害。自然灾害的发生，常常使合同的履行成为不必要或者不可能，需要解除合同。比如，地震摧毁了购货一方的工厂，使其不再需要订购的货物，要求解除合同。需要注意的是，一般各国都承认自然灾害为不可抗力，但有的国家认为自然灾害不是不可抗力。因此，在处理涉外合同时，要特别注意各国法律的不同规定。(2)战争。战争的爆发可能影响到一国以至于更多国家的经济秩序，使合同履行成为不必要。(3)社会异常事件。主要指一些偶发的阻碍合同履行的事件。比如罢工、骚乱，一些国家认为属于不可抗力。(4)政府行为。主要指合同订立后，政府颁布新的政策、法律，采取行政措施导致合同不能履行，如发布禁令等，有些国家认为属于不可抗力。

不可抗力事件的发生，对履行合同的影响可能有大有小，有时只是暂时影响到合同的履行，可以通过延期履行实现合同的目的，对此不能行使法定解除权。只有不可抗力致使合同目的不能实现时，当事人才可以解除合同。

二、因预期违约

因预期违约解除合同，是指在合同履行期限届满之前，当事人一方明确表示或者以自己的行为表明不履行主要债务的，对方当事人可以解除合同。预期违约分为明示违约和默示违约。所谓明示违约，是指合同履行期到来之前，一方当事人明确肯定地向另一方当事人表示他将不履行合同。所谓默示违约，是指合同履行期限到来前，一方当事人有确凿的证据证明另一方当事人在履行期限到来时，将不履行或者不能履行合同，而其又不愿提供必要的履行担保。预期违约，降低了另一方享有的合同权利的价值，如果在一方当事人预期违约的情况下，仍然要求另一方当事人在履行期间届满才能主张补救，将给另一方造成损失。允许受害人解除合同，受害人对于自己尚未履行的合同可以不必履行，有利于保护受害人的合法权益。

三、因迟延履行

当事人一方迟延履行主要债务，经催告后在合理期限内仍未履行的，对方当事人可以解除合同。迟延履行，是指债务人无正当理由，在合同约定的履行期间届满，仍未履行合同债务；或者对于未约定履行期限的合同，债务人在债权人提出履行的催告后仍未履行。债务人迟延履行债务是违反合同约定的行为，但并非就可以因此解除合同。只有符合以下条件，才可以解除合同：

（一）迟延履行主要债务

所谓主要债务，应当依照合同的个案进行判断，一般说来，影响合同目的实现的债务，应为主要债务。如买卖合同，在履行期限内交付的标的物只占合同约定的很少一部分，不能满足债权人的要求，应认为迟延履行主要债务。有时，迟延履行的部分在合同中所占物质比例不大，但却至关重要，如购买机械设备，债务人交付了所有的设备，但迟迟不交付合同约定的有关设备的安装使用技术资料，使债权人不能利用该设备，也应认为是迟延履行主要债务。

（二）经催告后债务人仍然不履行债务

债务人迟延履行主要债务的，债权人应当定一合理期间，催告债务人履行。该合理期间根据债务履行的难易程度和所需要时间的长短确定，超过该合理期间债务人仍不履行的，表明债务人没有履行合同的诚意，或者根本不可能再履行合同，在此情况下，如果仍要债权人等待履行，不仅对债权人不公平，也会给其造成更大的损失，因此，债权人可以依法解除合同。

四、因迟延履行或者有其他违约行为不能实现合同目的

迟延履行不能实现合同目的，是指迟延的时间对于债权的实现至关重要，超过了合同约定的期限履行合同，合同目的就将落空。通常以下情况可以认为构成根本违约的迟延履

行:(1)当事人在合同中明确约定超过期限履行合同,债权人将不接受履行,而债务人履行迟延。(2)履行期限构成合同的必要因素,超过期限履行将严重影响订立合同所期望的经济利益。比如季节性、时效性较强的标的物,像中秋月饼,过了中秋节再交付,就没有了销路。(3)继续履行不能得到合同利益。

致使不能实现合同目的的其他违约行为,主要指违反的义务对合同目的的实现十分重要,如一方不履行这种义务,将剥夺另一方当事人根据合同有权期待的利益。该种违约行为主要包括:(1)完全不履行,即债务人拒绝履行合同的全部义务。(2)履行质量与约定严重不符,无法通过修理、替换、降价的方法予以补救。比如,约定交付的标的物是一级棉花,但交付的却是买方根本无法使用的等外品。(3)部分履行合同,但该部分的价值和金额与整个合同的价值和金额相比占极小部分,对于另一方当事人无意义,如约定交付100吨钢材,只交付了10吨;或者未履行的部分对于整个合同目的的实现至关重大,如成套设备买卖,未交付关键配件,使交付的设备无法运转。

五、法律规定的其他解除情形

除了上述四种法定解除情形,本法还规定了其他解除合同的情形。比如,因行使不安抗辩权而中止履行合同,对方在合理期限内未恢复履行能力,也未提供适当担保的,中止履行的一方可以请求解除合同。

法律规定解除的条件,并不是说具备这些条件,当事人必须解除合同,是否行使解除的权利,应由当事人决定;同时,法定解除条件,也是对任意解除合同的限制,为了鼓励交易,避免资源浪费,合理保护双方当事人的合法权益,非当事人要求，又必须解除的合同，不应解除而应继续履行。

第九十五条　法律规定或者当事人约定解除权行使期限，期限届满当事人不行使的，该权利消灭。

法律没有规定或者当事人没有约定解除权行使期限，经对方催告后在合理期限内不行使的，该权利消灭。

【释义】　本条是关于解除权行使期限的规定。

解除权的行使，是法律赋予当事人的保护自己合法权益的手段，但该权利的行使不能毫无限制。行使解除权会引起合同关系的重大变化，如果享有解除权的当事人长期不行使解除的权利，就会使合同关系处于不确定状态，影响当事人权利的享有和义务的履行。因此，解除权应当在一定期间行使。按照本条规定，行使解除权的期限分为两种情况：

1. 按照法律规定或者当事人约定的解除权的行使期限行使

法律规定或者当事人约定解除权行使期限的，期限届满当事人不行使的，该权利消灭。比如，如果当事人约定出现某种事由可以在一个月内行使解除权。那么在合同约定的事由发生一个月后，解除权消灭，当事人不能要求解除合同，而必须继续履行。

2. 在对方当事人催告后的合理期限内行使

法律没有规定或者当事人没有约定解除权行使期限的，非受不可抗力影响的当事人或者违约一方当事人为明确自己义务是否还需要履行，可以催告享有解除权的当事人行使解除权，享有解除权的当事人超过合理期限不行使解除权的，解除权消灭，合同关系仍然存在，当事人仍要按照合同约定履行义务。所谓催告后的合理期限，根据个案的不同情况确定，作为享有解除权的当事人应本着诚实信用原则，在收到催告后尽早通知对方是否解除合同。当事人对催告的合理期间有异议的，由人民法院或者仲裁机构确定。

第九十六条　当事人一方依照本法第九十三条第二款、第九十四条的规定主张解除合同的，应当通知对方。合同自通知到达对方时解除。对方有异议的，可以请求人民法院或者仲裁机构确认解除合同的效力。

法律、行政法规规定解除合同应当办理批准、登记等手续的，依照其规定。

【释义】　本条是关于解除合同程序的规定。

当事人一方依照本法第九十三条第二款、第九十四条规定解除合同，应当遵守下列程序规定：

1. 必须具备法定解除合同的条件

合同法第九十三条第二款和第九十四条对约定解除权和法定解除作了规定，按照这两条规定，具备以下条件，不必经对方当事人同意，只需向对方作出解除合同的意思表示，就可以解除合同：(1)当事人约定的解除合同的条件成就；(2)因不可抗力不能实现合同目的的；(3)在履行期限届满之前，另一方当事人明确表示或者以其行为表明不履行主要义务的；(4)另一方当事人迟延履行主要债务，经催告后在合理期限内仍未履行的；(5)另一方当事人迟延履行债务或者有其他违约行为致使不能实现合同目的的；(6)法律规定的其他解除情形。不具备上述条件，一方当事人不能解除合同。

2. 行使解除权应当通知对方当事人

当事人一方行使解除合同的权利，必然引起合同的权利义务的终止，为了防止一方当事人因不知道对方已行使合同解除权而仍为履行的行为，从而遭受损害，本条规定，当事人根据约定解除权和法定解除权主张解除合同的，应当通知对方。合同自通知到达对方时解除。对方当事人接到解除合同的通知后，认为不符合约定的或者法律规定的解除合同的条件，不同意解除合同的，可以请求人民法院或者仲裁机构确认能否解除合同。

3. 法律、行政法规规定解除合同应当办理批准、登记手续的，未办理有关手续，合同不能终止。比如，中外合资经营企业法规定：合营企业如发生严重亏损、一方不履行合同和章程规定的义务、不可抗力等，经合营各方协商同意，报审查批准机关批准，并向国家工商行政管理部门登记，可终止合同。如果没有履行法律规定的批准登记手续，中外合资经营合同没有终止。

第九十七条　合同解除后，尚未履行的，终止履行；已经履行的，根据履行情况和合同性质，当事人可以要求恢复原状、采取其他补救措施，并有权要求赔偿损失。

【释义】　本条是关于合同解除的效力的规定。

合同解除后债权债务如何处理？我国法学界有不同认识。一种观点认为，合同解除具有溯及既往的效力。既合同解除后与自始没有合同相同，已履行的部分恢复原状，未履行的部分不再履行。另一种观点认为，合同解除并未使合同关系消灭而只是阻止其发生作用，因此，合同解除原则上只能对将来发生效力，未履行的不再履行，已履行的部分，产生返还请求权。还有一种观点认为，合同解除一般溯及既往，但不能“一刀切”。因为如果不溯及既往，已经履行的部分只能基于不当得利之债提出返还请求权，而溯及既往可以基于所有权请求恢复原状,所有权的效力优于债权,当违约方有数个债权人的情况下,基于所有权请求返还财产更能保护非违约方的利益。不仅如此,因不当得利返还,往往以受领人的现存利益为限,而因恢复原状返还,即使受领人现有财产减少,也不能免除返还义务,对非违约方有利。但要求所有被解除的合同都溯及既往也不可能,某些合同从其性质和履行情况看,就不适于溯及既往。

英美法系认为,合同因违约而解除,违约一方在解除前应付的款项仍须支付,已付的款项不得收回。无辜一方付给违约一方的款项,可按一般原则收回,并可收回已支付的订金。合同解除后,双方未来的义务不再履行。合同因意外受挫而解除,在意外发生前应支付的款项,假如未付不必付,假如已付则可收回。假如应收或已收款项的一方,在意外发生之前根据或者为了履行合同支付或欠下费用,法庭在考虑所有情况后认为公平的话,可允许他保留对方已付的部分款项,或者追收应支付的部分款项,最高额不得超越他实际所支付或欠下的费用。

我国合同法从实际出发,借鉴境外经验,遵循经济活动高效的原则,对合同解除的效力作了比较灵活的规定,即合同解除后,尚未履行的,终止履行;已经履行的,根据履行情况和合同性质,当事人可以要求恢复原状、采取其他补救措施,并有权要求赔偿损失。

所谓根据履行情况,是指根据履行部分对债权的影响。如果债权人的利益不是必须通过恢复原状才能得到保护,不一定采用恢复原状。当然如果债务人已经履行的部分,对债权人根本无意义,可以请求恢复原状。

所谓根据合同性质,是指根据合同标的的属性。根据合同的属性不可能或者不容易恢复原状的，不必恢复原状。这类情况主要有：(1)以使用标的为内容的连续供应合同。比如水、电、气的供应合同，对以往的供应不可能恢复原状；租赁合同，一方在使用标的后，也无法就已使用的部分作出返还。(2)以行为为标的的合同。比如劳务合同，对于已经支付的劳务，很难用同样的劳动者和同质量的劳务返还。(3)涉及善意第三人利益的合同。比如，合同标的物的所有权已经转让给他人，如果返还将损害第三人利益；解除委托合同，如果允许将已办理的委托事务恢复原状，就意味着委托人与第三人发生的法律关系失效，将使第三人的利益失去保障。

所谓恢复原状，是指恢复到订约前的状态。恢复原状时，原物存在的，应当返还原物，原物不存在的，如果原物是种类物，可以用同一种类物返还。恢复原状还包括：(1)返还财产所产生的孳息；(2)支付一方在财产占有期间为维护该财产所花费的必要费用；(3)因返还财产所支出的必要费用。

其他补救措施，包括请求修理、更换、重作、减价等措施。

合同解除后还能否请求损害赔偿？境外法学界有不同的观点：一种意见认为，合同解除与损害赔偿不能并存。理由是，合同解除使合同关系回复到订约前的状态，与未发生合同关系一样，因违约而承担损害赔偿责任没有存在的基础。另一种意见认为，合同解除与债务不履行的损害赔偿可以并存。理由是，因债务不履行而产生的损害赔偿责任在合同解除前就存在，不因合同解除而丧失。还有的认为，合同解除与信赖利益的损害赔偿并存。理由是，合同因解除而消灭，不再有因债务不履行的损害赔偿责任，但非违约方却会遭受因相信合同存在而实际不存在所致的损害，对该种损害应当赔偿。

我国法律承认合同解除与损害赔偿并存。民法通则规定:“合同的变更或者解除,不影响当事人要求赔偿损失的权利。”本条规定,合同解除后,有权要求赔偿损失。这样规定的理由是:(1)合同解除不溯及既往的,如果只是使未履行的合同不再履行,不得请求赔偿损害,那么一方当事人因另一方当事人不履行合同或者不适当履行合同受到的损害就无法补救。(2)合同解除溯及既往的,如果只是恢复原状,那么非违约方订立合同所支出的费用,因相信合同能够履行而作准备所支出的人力、物力,以及为恢复原状而支出的费用就得不到补偿。(3)在协议解除合同的情况下,一方当事人因解除合同受了损失,如果获利的一方不赔偿对方当事人因解除合同受到的损害,不符合公平原则。水路货物运输合同实施细则规定:“货物发运前,承运人或托运人征得对方同意,可以解除合同。承运人提出解除合同的,应退还已收的运输费用,并付给托运人已发生的货物进港短途搬运费用;托运人提出解除合同的,应付给承运人已发生的港口费用和船舶待时费用。”(4)在因第三人的过错致使合同不能履行而解除的情况下,债权人不能直接向第三人主张权利,如果债务人不承担解除合同的赔偿责任,他要么不向第三人主张权利以弥补债权人的损失,要么自己独享主张权利后而取得的利益,使债权人的利益得不到保障。因此,合同解除后,确因一方的过错造成另一方损害的,有过错的一方应向受害方赔偿损害,不能因合同解除而免除其应负的赔偿责任。

解除合同后是否都承担损害赔偿责任,可以分别不同情况:(1)协议解除合同的,当事人在协议中免除了对方损害赔偿责任的,协议生效后,不得再请求赔偿。(2)因不可抗力解除合同,一般不承担损害赔偿责任。但在不可抗力发生后,应当采取补救措施减少损失扩大而没有采取的,应对扩大的损失承担赔偿责任。(3)一方当事人因他方根本违约或者经催告仍不履行义务而解除合同的,如果解除只向将来发生效力,违约方应当赔偿另一方因违反合同受到的损失;解除如果溯及既往,违约方应当支付受害方因订立合同、准备履行合同和因恢复原状而支出的费用。

第九十八条　合同的权利义务终止,不影响合同中结算和清理条款的效力。

【释义】 本条是关于合同终止后有关事宜的规定。

合同终止,合同条款也相应地失去其效力。但是如果该合同尚未结算清理完毕,合同中约定的结算清理条款仍然有效。

结算是经济活动中的货币给付行为,结算的方式主要有:(1)银行汇票结算。银行汇票是汇款人将款项交存银行,由银行签发给汇款人持往异地办理转账结算或支取现金的票据。(2)商业汇票结算。商业汇票是收款人或者付款人(或承兑申请人)签发,由承兑人承兑,并于到期日向收款人或被背书人支付款项的票据。(3)银行本票结算。银行本票是申请人将款项交存银行,由银行签发给其凭以办理转账结算或支取现金的票据。(4)支票结算。支票是银行的存款人签发给收款人办理结算或委托开户银行将款项支付给收款人的票据。(5)汇兑。汇兑是汇款人委托银行将款项汇给外地收款人的结算方式。(6)委托收款。委托收款是收款人委托银行向付款人收取款项的结算方式。如果当事人在合同中约定了结算方式,合同终止后,应当按照约定的方式结算。

清理指对债权债务进行清点、估价和处理。如果合同中约定了进行清理的主体——比如某会计师事务所、某财产评估机构,清理的范围——比如是固定资产、流动资金,还是库存产成品,以及清理的方法——比如按照政府定价还是市场价,应当按照合同约定进行清理。

第九十九条　当事人互负到期债务,该债务的标的物种类、品质相同的,任何一方可以将自己的债务与对方的债务抵销,但依照法律规定或者按照合同性质不得抵销的除外。

当事人主张抵销的,应当通知对方。通知自到达对方时生效。抵销不得附条件或者附期限。

【释义】　本条是关于法定抵销的规定。

抵销,是指当事人双方互负债务,各以其债权充抵债务的履行。

抵销因其产生的根据不同,可分为法定抵销和协议抵销。法定抵销,是指法律规定抵销的条件,具备条件时依当事人一方的意思表示即发生抵销的效力。

法定抵销应当具备以下条件:

1. 当事人双方互负债务互享债权

抵销发生的基础在于当事人双方既互负债务,又互享债权,只有债务而无债权或者只有债权而无债务,均不发生抵销。双方当事人互负债务互享债权,一般因两个法律关系而发生,但也不排除当事人双方基于多个法律关系而累计的对待债权债务。比如,甲欠乙建设工程款200万元,乙第一次向甲购货欠款150万元,第二次购货欠50万元。甲可以以乙两次共欠其的200万元货款债权,抵销其欠乙的200万元工程款。

2. 双方债务均已到期

抵销具有相互清偿的作用,因此只有履行期限届至时,才可以主张抵销；否则，等于强制债务人提前履行债务，牺牲其期限利益。但在特殊情况下，未届清偿期债权可以视为到期债权，依法抵销。比如，我国破产法规定：“破产宣告时未到期的债权，视为已到期的债权，但是应当减去未到期的利息。”

3. 债务的标的物种类、品质相同

种类相同，是指合同标的物本身的性质和特点一致。比如都是支付金钱，或者交付同样的种类物。品质相同，是指标的物的质量、规格、等级无差别，如都是一级天津大米。债务种类品质不相同，原则上不允许抵销。债务的标的物品质种类相同还表明，用以抵销的债务应当是物而非行为，因为行为具有特定的人身性质，不具有可比性，很难使双方债权在对等额内消灭。

当事人双方互负到期债务的，任何一方可以将自己的债务与对方的债务抵销，但下列情况除外：

1. 依照法律规定不得抵销的

法律规定不得抵销的债务，当事人不得通过协议抵销。比如，民事诉讼法规定：“被执行人未按执行通知履行法律文书确定的义务，人民法院有权扣留、提取被执行人应当履行义务部分的收入。但应当保留被执行人及其所扶养家属的生活必需费用。”根据这一规定，当事人不得将债务人的生活必需费用用以抵销债务。

2. 按照合同的性质不得抵销的

按照合同的性质不得抵销的情形主要有：（1）必须履行的债务不得抵销。如应当支付给下岗工人的生活保障金，不得用以抵销工人欠企业的债务。（2）具有特定人身性质或者依赖特定技能完成的债务不得抵销。如根据教学合同，乙校的张老师应去甲校讲授数学课一个月，而甲校的李老师也负有在乙校讲授一个月数学课的义务，讲课报酬相同。虽然是同种类债务，时间、报酬都相同，但由于张、李二人的讲授方法不可能相同，因此，双方的讲课债务不能抵销。

当事人主张抵销的，必须以意思表示为之，该意思表示以通知对方时发生效力，对方为无行为能力人或者限制行为能力人的，通知到达其法定代理人时发生效力。

抵销不得附条件或附期限。附条件的抵销只有在条件成就时才能实行，而条件有可能不成就。附期限的抵销在期限尚未到来时也不能实现。抵销附条件和附期限，使得抵销不确定，不符合设立抵销制度的目的，并可能损害一方当事人的权利。

在当事人双方债权债务互为相等的情况下，抵销产生合同关系消灭的法律后果，但如果债务的数额大于抵销额，抵销不能消灭合同关系，而只是在抵销范围内减少债权。比如，甲公司尚未偿还乙公司 20 万元人民币到期债务，乙公司向甲公司支付 20 万元货款的债务也已届清偿期，双方协商一致将债务互为抵销，双方的合同关系即归于消灭。如果乙公司应偿付甲公司 50 万元人民币货款，那么乙公司与甲公司的债权相互抵销后，仍负有偿还 30 万元人民币的债务，其与甲的购销合同不能消灭。

第一百条　当事人互负债务，标的物种类、品质不相同的，经双方协商一致，也可以抵销。

【释义】　本条是关于约定抵销的规定。

约定抵销，是指当事人双方协商一致，使自己的债务与对方的债务在对等额内消灭。

法定抵销与约定抵销都是将双方的债务在对等额内消灭。但两者有不同，主要表现在：

1. 抵销的根据不同

法定抵押是基于法律规定，只要具备法定条件，任何一方可将自己的债务与对方的债务抵销；约定抵销，双方必须协商一致，不能由单方决定抵销。

2. 对抵销的债务的要求不同

法定抵销要求标的物的种类、品质相同；约定抵销标的物的种类、品质可以不同。如可以约定以煤炭抵销运输费，以二级大米抵销一级大米。抵销的标的物的种类、品质尽管不同，但一般说来，他们的价值基本相当，比如以 1500 公斤特级苹果抵销 2000 公斤一级苹果。

3. 对抵销的债务的期限要求不同

法定抵销当事人双方互负的债务必须均已到期；约定抵销，双方互负的债务即使没有到期，只要双方当事人协商一致，愿意在履行期到来前将互负的债务抵销，也可以抵销。

4. 程序要求不同

法定抵销，当事人主张抵销的应当通知对方，通知未到达对方，抵销行为不生效；约定抵销，双方达成抵销协议时，发生抵销的法律效力，不必履行通知义务。

约定抵销使交易活动更加灵活，对当事人也更为便利，但当事人约定抵销必须坚持自愿、公平的原则，防止以欺诈、胁迫的手段或者乘人之危，使对方在违背真实意思的情况下作出同意抵销的表示。

第一百零一条　有下列情形之一，难以履行债务的，债务人可以将标的物提存：

（一）债权人无正当理由拒绝受领；

（二）债权人下落不明；

（三）债权人死亡未确定继承人或者丧失民事行为能力未确定监护人；

（四）法律规定的其他情形。

标的物不适于提存或者提存费用过高的，债务人依法可以拍卖或者变卖标的物，提存所得的价款。

【释义】 本条是关于提存条件的规定。

提存的概念和意义

提存，是指由于债权人的原因而无法向其交付合同标的物时，债务人将该标的物交给提存机关而消灭债务的制度。

债务人已经按照约定履行债务，应当产生债务消灭的法律效力，但债权人拒绝受领或者不能受领，债务不能消灭。让债务人无期限地等待履行，承担债权人不受领的后果，显失公平。为此，最高人民法院《关于贯彻执行〈中华人民共和国民法通则〉若干问题的意见（试行）》明确规定提存是债消灭的原因。该意见第一百零四条规定："债权人无正当理由拒绝债务人履行义务，债务人将履行的标的物向有关部门提存的，应当认定债务已经履行。因提存所支出的费用，应当由债权人承担。提存期间，财产收益归债权人所有，风险责任由债权人承担。"合同法将提存作为合同的权利义务终止的原因之一，对提存制度作了原则规定。

根据本条规定，有下列情形之一，难以履行债务的，债务人可以将标的物提存：

1. 债权人无正当理由拒绝受领

债权人无正当理由拒绝受领，是指在合同约定的履行期间，债务人提出履行债务的请求，债权人能够接受履行，却无理由地不予受领。构成拒绝受领的正当理由可以是:(1)债权人受到了不可抗力的影响。(2)债权人遇到了难以克服的意外情况,无法受领。如得了传染病入院治疗,又无可代为受领人。(3)债务人交付的标的物存在严重质量问题,甚至与合同约定根本不符。(4)债务人迟延交付致使不能实现合同目的。(5)合同被解除、被确认无效,等等。如果债权人拒绝受领提出了正当理由,债务人不能将标的物提存。以下情况不能认为是债权人拒绝受领:(1)债务履行期间债务人没有提出履行请求;(2)债务履行期限没有届至,债务人提前履行债务,债权人没有接受履行。

2. 债权人下落不明

所谓下落不明,是指债权人离开自己的住所或者变更住所,在合理期间经多方查找仍无下落。债权人下落不明,债务人无法给付,为消灭债权债务关系,债务人可以将标的物提存。

3. 债权人死亡或者丧失行为能力而未确定继承人或者监护人

民法通则规定:"公民从出生时起到死亡时止,具有民事权利能力,依法享有民事权利,承担民事义务。"同时规定,民事法律行为的行为人应当具有相应的民事行为能力。无民事行为能力人实施的民事行为无效。债权人死亡,不能接受履行。债权人丧失民事行为能力,也不能接受履行。宪法规定:"国家依照法律规定保护公民的私有财产的继承权。"民法通则规定,无民事行为能力人由法定代理人代理民事活动。无民事行为能力人的监护人是他的法定代理人。按照宪法和民法通则,债权人死亡,可以由其继承人享有债权;债权人丧失行为能力应当由其监护人代理行使债权,但是如果债权人的继承人和监护人没有确定，债务就不能因履行而消灭，为此，可以将标的物提存以终止合同。

4. 法律规定的其他情形

法律对提存问题有规定的，应当依照法律规定。比如，担保法第四十九条规定：抵押人转让抵押物所得的价款，应当向抵押权人提前清偿所担保的债权或者向与抵押权人约定的第三人提存。第七十条规定："质物有损坏或者价值明显减少的可能，足以危害质权人权利的，质权人可以要求出质人提供相应的担保。出质人不提供的，质权人拍卖或者变卖质物，并与出质人协议将拍卖或者变卖所得的价款用于提前清偿所担保的债权或者向与出质人约定的第三人提存。"

具备提存的情形之一的，必须是构成难以履行债务才应当提存。所谓难以履行，是指债权人不能受领给付的情形不是暂时的、无法解决的，而是不易克服的。以下情况不能认为是难以履行：(1)债权人不是拒绝受领而是迟延受领，并且迟延时间不长。(2)下落不明的债权人有财产代管人可以代为接受履行。(3)债权人的继承人、监护人很快可以确定。

提存的标的物应当是合同规定应当给付的标的物，主要是货币、有价证券、票据、提单、权利证书、物品。标的物不适于提存或者提存费用过高的，债务人依法可以拍卖或者变卖标的物，提存所得的价款。所谓标的物不适于提存，是指标的物不适于长期保管或者长期保管将损害价值的，如易腐烂、变质的物品，有危险性的物品等。提存费用过高，一般指提存费与所提存的标的的价额不成比例。标的物不适于提存或者提存费用过高有悖设立提存制度的目的，但不提存，债务人又达不到合同义务消灭的目的，为此，可以依照我国拍卖法等有关法律规定，拍卖或者变卖标的物，提存所得的价款。

第一百零二条 标的物提存后,除债权人下落不明的以外,债务人应当及时通知债权人或者债权人的继承人、监护人。

【释义】 本条是关于提存通知的规定。

标的物提存后,债务消灭,但债权人还未现实地获得其合同利益。为了便于债权人受领提存物,债务人应当将提存的事实及时通知债权人或者债权人的继承人、监护人。只有债权人下落不明,无法通知的,债务人才可以免除通知义务。通知应当告知提存的标的、提存的地点、领取提存物的时间和方法等有关提存的事项。提存通知的义务,是法律规定的后合同义务,债务人必须履行。

第一百零三条 标的物提存后,毁损、灭失的风险由债权人承担。提存期间,标的物的孳息归债权人所有。提存费用由债权人负担。

【释义】 本条是关于提存效力的规定。

标的物提存后,不论债权人是否提取,都产生债务消灭的法律后果。根据法律规定,标的物所有权自标的物交付时起转移。提存视为标的物的交付,因此,自提存之日起,提存物的所有权转移,债权人作为提存标的物的所有者,该标的物上的权利由其享有,义务和风险由其承担。标的物提存后,因不可抗力、标的物的自然变化、第三人的原因或者提存人保管不当,都可能引起标的物的毁坏、损失、甚至标的物不复存在。标的物毁损灭失的风险由债权人承担,一方面指由债权人承担因不可抗力、标的物自身性质而产生的毁损、灭失的后果;另一方面指由债权人负责对造成标的物毁损灭失责任的第三人或者提存保管人索赔。

标的物的孳息，是指由标的物产生的收益。法定孳息，是指依法律关系产生的收益，比如金钱所产生的利息，有价证券产生的股息、红利。债权人作为提存物的所有者，对提存物享有收益的权利，因此，提存期间，标的物的孳息归债权人所有。提存费用包括：公告费、邮费、保管费、评估鉴定费、拍卖变卖费、保险费以及为保管、处理、运输提存标的物所支出的其他费用，作为标的物的所有者，债权人应当支付提存费用，不支付提存费的，提存人有权留置价值相当的提存物。

第一百零四条　债权人可以随时领取提存物，但债权人对债务人负有到期债务的，在债权人未履行债务或者提供担保之前，提存部门根据债务人的要求应当拒绝其领取提存物。

债权人领取提存物的权利，自提存之日起五年内不行使而消灭，提存物扣除提存费用后归国家所有。

【释义】　本条是关于领取提存物的权利和期限的规定。

标的物提存后债务消灭，债权人取得提存物的所有权，他可以随时领取提存物。但是提存仅是消灭债务的措施，在双务合同中，只有合同当事人双方均履行了各自的义务，合同才能终止。有时，债务人虽然将标的物提存，按照合同履行了自己的债务，但与其互负到期债务的债权人并未履行对待给付的义务。为避免先行履行可能发生的风险，保证自己债权的实现，债务人可以对提存部门交付提存物的行为附条件，即只有在债权人履行了对债务人的对待债务，或者为履行提供相应的担保后，才能领取提存物。不符合所附条件的，提存部门应当拒绝债权人领取提存物。比如，甲乙二公司订立了购买电视机的合同，甲公司负有交付电视机的义务，乙公司负有支付价款的义务。债务履行期届满，乙公司迟延受领，也未支付货款，甲公司依法将标的物提存。为保证收回货款，甲公司提存时声明，只有乙公司支付了电视机价款或者提供了付款担保后，才能允许乙公司领取电视机。如果在乙公司没有支付价款也没有提供担保的情况下，提存部门将提存物交付给了乙公司，一旦乙公司领取提存物后不能支付甲公司的价款，提存部门要承担赔偿责任。提存人提存时，应当向提存部门明确告知提存受领人所承担的对待给付义务的内容，以及对所提供的担保的要求，比如是人的保证，还是抵押或者质押担保。这样做的目的，一方面，可以便于提存部门交付提存物前进行审查；另一方面，也是判定提存部门责任的根据。

关于哪个部门为提存部门，合同法没有明确规定。在境外，一般都有专门的提存所，附属于法院。此外，法院指定的银行、信托局、商会、仓库营业人也可以办理提存事务。我国1981 年颁布，1993 年修改的经济合同法第十九条规定："定作人超过领取期限六个月不领取定作物的，承揽方有权将定作物变卖，所得价款在扣除报酬、保管费用以后，用定作方的名义存入银行。"可以认为银行能够作为金钱债务的提存部门。

债权人虽然可以随时领取提存物，但该权利长期不行使，不仅使权利长期处于不稳定状态，也会给提存部门增加负担，同时也不符合物质有效利用的原则。因此，本条规定了领取提存物的时效期间，即债权人领取提存物的权利，自提存之日起 5 年内不行使而消灭。该时效期间是除斥期间，权利因时间的经过不复存在。提存物自提存之日起经过 5 年，扣除提存费用后归国家所有，债权人不能再对提存物主张权利。

第一百零五条　债权人免除债务人部分或者全部债务的，合同的权利义务部分或者全部终止。

【释义】 本条是关于免除债务的规定。

免除，指债权人抛弃债权，从而消灭合同关系及其他债的关系。

关于免除的性质有不同的学说，一种学说认为，免除是契约。理由是：(1)债的关系是债权人与债务人之间特定的法律关系，不能仅依一方当事人的意思表示成立。(2)债权人免除债务人的债务是一种恩惠，而恩惠不能滥施于人。(3)债权人免除债务可能有其他动机和目的，为防止债权人滥用免除权损害债务人利益，免除应经债务人同意。另一种学说认为，免除是债权人抛弃债权的单方行为。理由是：(1)免除使债务人享受利益，因此没有必要征得同意。(2)如果免除一定要债务人同意，债务人不同意的，等于限制了债权人对权利的处分。从本条规定看，我国合同法规定的免除是单方的法律行为。但合同法也并不排除债权人与债务人订立免除协议，免除债务人的义务。

免除具有以下特点：

1. 免除是无因行为。债权人免除债务，不论是为了赠与、和解，还是别的什么原因，这些原因是否成立，都不影响免除的效力。

2. 免除为无偿行为。免除债务表明债权人放弃债权，不再要求债务人履行义务，因此，债务人不必为免除为相应的对价。

3. 免除不需要特定的形式。免除债务不必有特定形式，口头、书面，明示、默示都无不可。如债权人以口头或者书面形式通知债务人不必再履行债务，是以明示方式免除债务。

而债权人不对债务人主张债权，超过诉讼时效期间，也产生债务免除的后果。

免除是处分债权的行为，作出免除意思表示的债权人必须具有完全民事行为能力，无民事行为能力或者限制民事行为能力人的免除行为除非由法定代理人代理或经法定代理人同意，否则不生法律效力。

免除可以附条件或者附期限。附生效条件的免除如债权人表示只要债务人在合同履行期归还本金，可以免除利息。附解除条件的免除，如赠与人表示赠与合同成立后，如果赠与人经济状况恶化，赠与合同不再履行。附生效期限的免除，如出租人通知承租人下月 1 日开始不必再支付房租。附终止期限的合同，如出卖人通知买受人，其售予买受人商品的八折优惠月底终止。

免除应当通知债务人或者债务人的代理人，向第三人为免除的意思表示不发生法律效力。免除为放弃债权的行为，向债务人或者债务人的代理人表示后，即产生债务消灭的法律后果，因此，债权人作出免除的意思表示不得撤回。

免除行为产生以下法律效果：

1. 免除使债务消灭。债权人免除部分债务的，债务部分消灭；免除全部债务的，债务全部消灭。债权人免除部分债务，如债务人乙欠债权人甲 100 万元货款，甲通知乙只要偿还 80 万元，免除了 20 万元债务。债权人免除部分债务的，免除的部分不必再履行，但尚未免除的部分仍要履行。债权人免除全部债务，如服装加工部向服装定作人表明不收取服装加工费。免除全部债务的，全部债务不必再履行，合同的权利义务因此终止。在债务被全部免除的情况下，有债权证书的，债务人可以请求返还。

2. 免除消灭债权和债权的从权利。免除了对方债务，也等于放弃了自己的债权，债权消灭，从属于债权的担保权利、利息权利、违约金请求权等也随之消灭。比如甲免除了乙的债务，为乙提供履行担保的丙的保证责任没有了存在基础，必然一同消灭。

债务的免除不得损害第三人利益。比如，在融资租赁合同中，出租人（也即买受人）免除出卖人的交付义务，承租人的利益将受到损害，因此，不得免除出卖人的义务。

第一百零六条　债权和债务同归于一人的，合同的权利义务终止，但涉及第三人利益的除外。

【释义】 本条是关于债权债务混同的规定。

混同，是指债权人和债务人同归于一人，致使合同关系及其他债的关系消灭的事实。广义的混同，是指不能并立的两种法律关系同归于一人而使其权利义务归于消灭的现象。包括：（1）所有权与他物权同归于一人；（2）债权与债务同归于一人；（3）主债务与保证债务同归于一人。狭义的混同，也即合同法上的混同，仅指债权与债务同归于一人的情况。

混同是一种事实，即因某些客观事实发生而产生的债权债务同归一人，不必由当事人为意思表示。

混同发生的原因主要有：

1. 概括承受

概括承受是发生混同的主要原因。主要有以下几个方面：（1）企业合并，合并前的两个企业之间的债权债务因同归于合并后的企业而消灭。（2）债权人继承债务人，如父亲向儿子借钱后死亡，儿子继承父亲的债权和债务。（3）债务人继承债权人，如儿子向父亲借钱后，父亲死亡，儿子继承了父亲的财产。(4)第三人继承债权人和债务人,如儿子甲向父亲乙借钱后,因意外事件二人同时死亡,由甲的儿子丙继承他们二人的财产。

2. 特定承受

特定承受主要包括:(1)债务人受让债权人的债权,比如债权人甲与债务人乙签订合同后,甲将合同权利转让给乙。(2)债权人承受债务人的债务,比如甲乙二人签订合同后,债务人乙的债务转移给债权人甲。

合同关系的存在,必须有债权人和债务人,当事人双方混同,合同失去存在基础,自然应当终止。合同终止债权消灭,债权的从权利如利息债权、违约金债权、担保债权同时消灭。但当债权是他人权利的标的时,为保护第三人的利益,债权不能因混同而消灭。比如甲与乙签订了房屋预售合同,甲交纳了一定比例的预付款后,取得了对预售的房屋的权利。随后甲将取得的预售房屋抵押给了丙。半年后,甲乙二公司合并,如果此时合同终止,甲不必取得对于预售房屋的所有权,就会损害抵押权人丙的利益,此种情况,甲乙二人的合同不能终止。

第七章 违约责任

本章共十六条,对承担违约责任的方式、预期违约制度、损失赔偿额的确定、违约金制度、违约金与定金的选择适用,不可抗力以及违约责任与侵权责任的竞合等内容作出了规定。

第一百零七条 当事人一方不履行合同义务或者履行合同义务不符合约定的,应当承担继续履行、采取补救措施或者赔偿损失等违约责任。

【释义】 本条规定了违约的基本形态和承担违约责任的种类。

违约,即违反合同。现实中违约形态表现多样,不少学者对此都有归纳,如有的将债务不履行分为拒绝给付、给付不能、不完全给付和迟延给付四种状态;有的则强调预期违约、根本违约、部分违约。这些归类都有一定道理,但又难免有所疏漏。本文从分类入手,阐述违约形态,以适用各种违约现象。违约行为从不同角度可做多种分类。

1. 根本违约和非根本违约

按照违约行为是否完全违背缔约目的,可分为根本违约和非根本违约。完全违背缔约目的的,为根本违约。部分违背缔约目的的,为非根本违约。同样一个违约行为,可能导致根本违约,也可能是非根本违约。例如,顾客买二米五布料,商店仅裁了二米三,短二分米的布。如果消费者买布的目的是做一套西装,二米三布料不够置装用,商店构成根本违约,如果消费者买布的目的是做一幅床单,虽短二分米,但不影响使用,商店则构成非根本违约。

2. 合同的不履行和不适当履行

按照合同是否履行与履行状况,违约行为可分为合同的不履行和不适当履行。合同的不履行,是指当事人不履行合同义务。合同的不履行包括拒不履行和履行不能,拒不履行指当事人能够履行合同却无正当理由而故意不履行,履行不能指因不可归责于债务人的事由致使合同的履行在事实上已经不可能。合同的不适当履行,又称不完全给付,是指当事人履行合同义务不符合约定的条件。不适当履行又分为一般瑕疵履行和加害履行,一般瑕疵履行又含迟延履行。

3. 一般瑕疵履行和加害履行

按照违约行为是否造成侵权损害,可分为一般瑕疵履行和加害履行。当事人履行合同有一般瑕疵的,为一般瑕疵履行。一般瑕疵履行有数量不足、质量不符、履行方法不当、履行地点不当、履行迟延等多种表现形式。当事人履行合同除有一般瑕疵外,还造成对方当事人的其他财产、人身损害的,为加害履行。加害履行的特征是违约与侵权行为竞合,例如,债务人给付的机电产品存在漏电缺陷,导致债权人中电死亡,即为加害履行。加害履行也是一种瑕疵履行,故将与其对应的其他瑕疵履行称为一般瑕疵履行。

4. 债务人履行迟延和债权人受领迟延

按照迟延履行的主体,可分为债务人履行迟延和债权人受领迟延。债务人超逾履行期履行的,为债务人履行迟延。债权人超逾履行期受领的,为债权人受领迟延。

违约行为的其他分类可见下面的条文解释。

违反合同义务，就要承担违约责任。民法通则第一百一十一条规定："当事人一方不履行合同义务或者履行合同义务不符合约定条件，另一方有权要求履行或者采取补救措施，并有权要求赔偿损失。"据此，承担违约责任的种类有继续履行、采取补救措施、停止违约行为、赔偿损失，此外，还有支付违约金及定金责任等形态。

第一百零八条　当事人一方明确表示或者以自己的行为表明不履行合同义务的，对方可以在履行期限届满之前要求其承担违约责任。

【释义】　本条规定了预期违约。

按照违约行为发生的时间，可分为预期违约和届期违约。违约行为发生于合同履行期届至之前的，为预期违约。预期违约又作先期违约，包括明示毁约和默示毁约。当事人在合同履行期到来之前无正当理由明确表示将不履行合同，或者以自己的行为表明将不履行合同，即构成预期违约。依照本条规定，可以在履行期之前请求其承担违约责任。

第一百零九条　当事人一方未支付价款或者报酬的，对方可以要求其支付价款或者报酬。

【释义】　本条规定了未支付价款或者报酬的违约责任。

当事人一方未支付价款或者报酬的，对方当事人可以请求其履行，支付价款或者报酬，并可以请求其承担其他适当的违约责任。

当事人一方迟延支付价款或者报酬的，除已支付价款或者报酬的外，还应当承担其他违约责任，如支付违约金、赔偿逾期利息。

第一百一十条 当事人一方不履行非金钱债务或者履行非金钱债务不符合约定的，对方可以要求履行，但有下列情形之一的除外：

（一）法律上或者事实上不能履行；

（二）债务的标的不适于强制履行或者履行费用过高；

（三）债权人在合理期限内未要求履行。

【释义】 本条规定了不履行非金钱债务或者履行非金钱债务不符合约定的违约责任。

当事人一方不履行非金钱债务或者履行得不适当，对方可以请求其履行，还可以请求其承担其他违约责任，如支付违约金、赔偿损失。

如果非金钱债务在法律上或者事实上不能履行，或者履行履行费过高，或者债权人在合理期限内未请求履行，则不宜继续履行的方式承担违约责任。

第一百一十一条 质量不符合约定的，应当按照当事人的约定承担违约责任。对违约责任没有约定或者约定不明确，依照本法第六十一条的规定仍不能确定的，受损害方根据标的的性质以及损失的大小，可以合理选择要求对方承担修理、更换、重作、退货、减少价款或者报酬等违约责任。

【释义】 本条规定了质量不符合约定的违约责任。

质量不符合约定的，当事人应当承担违约责任。违约责任有约定的，按约定承担。没有约定或者约定不明，又不能协商确定的，受损害当事人可以合理选择请求对方承担修理、更换、重作、退货、减少价款或者报酬、赔偿损失等违约责任。

第一百一十二条 当事人一方不履行合同义务或者履行合

同义务不符合约定的，在履行义务或者采取补救措施后，对方还有其他损失的，应当赔偿损失。

【释义】 本条规定了违约后的赔偿损失的责任。

违约人继续履行或者采取补救措施后，对方还有损失的，还应当赔偿损失。怎样赔偿损失，见下条解释。

第一百一十三条　当事人一方不履行合同义务或者履行合同义务不符合约定，给对方造成损失的，损失赔偿额应当相当于因违约所造成的损失，包括合同履行后可以获得的利益，但不得超过违反合同一方订立合同时预见到或者应当预见到的因违反合同可能造成的损失。

经营者对消费者提供商品或者服务有欺诈行为的，依照《中华人民共和国消费者权益保护法》的规定承担损害赔偿责任。

【释义】 本条规定了赔偿损失。

1. 赔偿损失的构成

赔偿损失在民法上包括违约的赔偿损失、侵权的赔偿损失及其他的赔偿损失。本条的赔偿损失指违约的赔偿损失，它是一方当事人违反合同给另一方当事人造成财产等损失的赔偿。

承担赔偿损失责任的构成要件有四：一是有违约行为，当事人不履行合同或者不适当履行合同。二是有损失后果，违约行为给另一方当事人造成了财产等损失。三是违约行为与财产等损失之间有因果关系，违约行为是财产等损失的原因，财产等损失是违约后果。四是违约人有过错，或者虽无过错，但法律规定应当赔偿。

赔偿损失的属性是补偿，弥补非违约人所遭受的损失。这种属性决定赔偿损失的适用前提是违约行为造成财产等损失的后果，如果违约行为未给非违约人造成损失，则不能用赔偿损失的方式追究违约人的民事责任。

2. 赔偿损失的范围

赔偿损失的范围可由法律直接规定，或由双方约定。在法律没有特别规定和当事人没有另行约定的情况下，应按完全赔偿原则，赔偿全部损失，包括直接损失和间接损失。直接损失指财产上的直接减少。间接损失又称所失利益，是指失去的可以预期取得的利益。可以获得的预期的利益，简称可得利益。可得的利益指利润，而不是营业额。例如，汽车修理厂与出租车司机约定10日修理好损坏的夏利车，汽车修理厂迟延3日交付，司机开出租车每日可获利润200元。3日的可得利益为600元，汽车修理厂违约，应赔偿600元的间接损失。

可得利益的求偿需坚持客观确定性，即预期取得的利益不仅主观上是可能的，客观上还需要确定的。因违约行为的发生，使此利益丧失，若无违约行为，这种利益按通常情形是必得的。例如，建筑公司承建一商厦迟延10日交付，商厦10日的营业利润额即为可得利益。

可得利益的求偿不能任意扩大。对此，1980年《联合国国际货物销售合同公约》第74条规定，赔偿损失“不得超过违反合同一方在订立合同时依照他当时已知道或理应知道的事实和情况，对违反合同预料到或理应预料到的可能损失。”我国原涉外经济合同法和原技术合同法也有相同规定。原涉外经济合同法第十九条规定：“当事人一方违反合同的赔偿责任，应当相当于另一方因此所受到的损失，但是不得超过违反合同一方订立合同时应当预见到的因违反合同可能造成的损失。”原技术合同法第十七条第二款规定：“当事人一方违反合同的赔偿责任，应当相当于另一方因此所受到的损失,但是不得超过违反合同一方订立合同时应当预见到的损失。”法律采取预见性限制赔偿范围的随意扩大。预见性有三个要件:一是预见的主体为违约人,而不是非违约人。二是预见的时间为订立合同之时,而不是违约之时。三是预见的内容为立约时应当预见的违约的损失,预见不到的损失,不在赔偿范围之列。例如,旅客言飞机误点使其耽误了一笔买卖,要求赔偿。该买卖是否耽搁,航空公司在售票时是无法预见的,故此间接损失不予赔偿。

3. 赔偿损失的方式

赔偿损失的方式有三:一是恢复原状,二是金钱赔偿,三是代物赔偿。

恢复原状,指回复到损害发生前的原状。例如,借用人损坏了借用的收录机,经修好后返还出借人,这里的修理即是恢复原状。又如,购买的羊绒因质量不合格而退货,退货就是恢复原状。恢复原状如果是给付金钱,需加付利息。例如,买方付款后卖方不交货,卖方除退款,还应加付货款的利息。

违约后的恢复原状,实践中多显有困难,故举出金钱赔偿,其简便易行,是赔偿损失的主要方式。金钱赔偿时遇违约人资金困难,没钱,若违约人有其他财产,可以折抵相应金额,代物赔偿,即以其他财产替代赔偿。

4. 赔偿损失的计算

金钱赔偿、折抵赔偿都涉及损失赔偿额的算定。损失赔偿额的计算,关键是确定标的物价格的计算标准,计算标准涉及标的物种类和计算的时间及地点。

合同标的物的价格,可分为市场价格和特别价格。一般标的物按市场价格确定其价格。特别标的物按特别价格确定。确定特别价格往往考虑精神因素,带有感情色彩。例如,著名医学教授、原南京军区总医院普外科中心副主任邹忠寿于 1996 年病逝。其妻将十张具有特殊意义的照片的底片，如邹忠寿获国家特别津贴后的全家照，送交南京某冲印社放大，冲印社将底片全部遗失。冲印社虽承认过错，却坚持按每张底片 2 元进行赔偿。南京市玄武区人民法院受理此案后，进行了公开审理。认为：被告系摄影冲印单位，理应妥善保管好顾客交付的底片，由于被告管理不善，遗失原告十张无法再现的具有历史纪念意义的底片，给原告造成一定的经济损失和精神创伤，理应赔偿。判决被告一次性赔偿原告人民币 5000 元。

计算标的物的价格，还要确定计算的时间及地点。不同的时间，不同的地点，价格往往不同。通常以违约行为发生的时间作为确定标的物价格的计算时间，以违约行为发生的地点作为确定标的物价格的计算地点。

如果法律规定或者当事人约定了赔偿损失的计算方法，则按该方法算定损失赔偿额。例如，海商法规定了赔偿责任限额的计算单位，可按此理赔。

5. 过错相抵

过错相抵，英美法称共同过失，日本称过失相杀，其在违约责任中，是指对违约损害的发生和扩大，受害人也有过错的，可以减轻或者免除违约人的赔偿责任。我国法律对过错相抵有所规定。例如，民用航空法第一百二十七条中规定，在旅客、行李运输过程中，经承运人证明，损失是由索赔人的过错造成或者促成的，应当根据造成或者促成此种损失的过错程度，相应免除或者减轻承运人的责任。在货物运输中，经承运人证明，损失是由索赔人的过错造成或者促成的，应当根据造成或者促成此种损失的过错程度，相应免除或者减轻承运人的责任。民法通则第一百一十四条规定，当事人一方因另一方违反合同受到损失的，应当及时采取措施防止损失的扩大;没有及时采取措施致使损失扩大的,无权就扩大的损失要求赔偿。一方当事人违约给另一方当事人造成了损失,另一方当事人有义务采取措施防止损失扩大,倘若没有及时采取措施,即构成过错,无权就扩大的损失要求赔偿,按照过错相抵,免除违约人对扩大损失的赔偿责任。

第一百一十四条　当事人可以约定一方违约时应当根据违约情况向对方支付一定数额的违约金,也可以约定因违约产生的损失赔偿额的计算方法。

约定的违约金低于造成的损失的,当事人可以请求人民法院或者仲裁机构予以增加;约定的违约金过分高于造成的损失的,当事人可以请求人民法院或者仲裁机构予以适当减少。

当事人就迟延履行约定违约金的,违约方支付违约金后,还应当履行债务。

【释义】　本条规定了违约金。

违约金是指按照当事人的约定或者法律直接规定,一方当事人违约的,应向另一方支付的金钱。违约金的标的物是金钱,但当事人也可以约定违约金的标的物为金钱以外的其他财产。违约金有法定违约金和约定违约金之分。由法律直接规定的违约金为法定违约金。

违约金是由当事人约定的,为约定违约金。约定违约金是一种合同关系,有的称违约金合同。违约金合同是诺成合同,与定金合同不同,不以预先给付为成立要件。约定违约金可以看做一种附条件合同,只有在违约行为发生的情况下,违约金合同生效;违约行为不发生,违约金合同不生效。

违约的种类繁多,违约金合同则有概括性和具体性之分。

概括性违约金合同,指当事人对违约行为不做具体区分,概括约定凡违约即支付违约金。具体性违约金合同,指当事人针对不同的违约行为所约定的违约金,如债务不履行违约金、债务部分履行违约金、债务迟延履行违约金等。

当事人约定了违约金的,一方违约时,应当按照该约定支付违约金。如果约定的违约金低于造成的损失的,当事人可以请求人民法院或者仲裁机构予以增加;约定的违约金过分高于造成的损失的,当事人可以请求人民法院或者仲裁机构予以适当减少。

如果当事人专门就迟延履行约定违约金的,该种违约金仅是违约方对其迟延履行所承担的违约责任,因此,违约方支付违约金后,还应当继续履行债务。

第一百一十五条　当事人可以依照《中华人民共和国担保法》约定一方向对方给付定金作为债权的担保。债务人履行债务后,定金应当抵作价款或者收回。给付定金的一方不履行约定的债务的,无权要求返还定金;收受定金的一方不履行约定的债务的,应当双倍返还定金。

【释义】　本条规定了定金责任。

定金是债的一种担保方式,是指合同当事人一方为了担保合同的履行而预先向对方支付一定数额的金钱。担保法第六章对定金制度作了较为详细的规定。该法第八十九条规定:"当事人可以约定一方向对方给付定金作为债权的担保。债务人履行债务后,定金应当抵作价款或者收回。给付定金的一方不履行约定的债务的,无权要求返还定金;收受定金的一方不履行约定的债务的,应当双倍返还定金。"根据本条的规定,当事人在订立合同时,可以依照担保法约定一方向对方给付定金作为债权的担保,并按照担保法第八十九条的规定履行定金罚则。

第一百一十六条　当事人既约定违约金,又约定定金的,一方违约时,对方可以选择适用违约金或者定金条款。

【释义】　本条规定了选择适用违约金与定金条款。

在合同当事人既约定了违约金,又约定了定金的情况下,如果一方违约,对方当事人可以选择适用违约金或者定金条款,即对方享有选择权,可以选择适用违约金条款,也可以选择适用定金条款,但二者不能并用。

现实中,有些当事人在合同中既约定违约金,也约定定金,在一方违约时,对方要求违约金与定金条款并用。一般说来,选择适用违约金条款或定金条款,就可以达到弥补因违约受到损失的目的。违约金相当于一方因对方违约所造成的实际损失,而且根据本法第一百一十四条的规定,约定的违约金低于造成的损失的,当事人可以请求人民法院或者仲裁机构予以增加;约定的违约金过分高于造成的损失的,当事人可以请求人民法院或者仲裁机构予以适当减少。这样,守约方根据违约金条款,就可以补偿自己因对方违约所造成的损失。当然,在定金条款对守约方有利时,守约方也可以适用定金条款,按照定金罚则弥补自己的损失。赋予守约方适用选择权,能够起到保障其合同利益,补救其违约损失的作用。但如果允许守约方并用违约金和定金条款,其一是对补偿守约方遭受的损失并无必要,其二是违约金与定金并用,其数额可能远远高于因违约所造成的损失,既加重了对违约方的惩罚,也可能使守约方获得的补偿高于其所受的损失,这与合同的公平原则相悖的。

因此,本条规定合同当事人选择适用违约金条款或定金条款，是必要的，也是合理的。

第一百一十七条　因不可抗力不能履行合同的，根据不可抗力的影响，部分或者全部免除责任，但法律另有规定的除外。当事人迟延履行后发生不可抗力的，不能免除责任。

本法所称不可抗力，是指不能预见、不能避免并不能克服的客观情况。

【释义】　本条规定了不可抗力。

不可抗力指当事人订立合同时不可预见，它的发生不可避免，人力对其不可克服的自然灾害、战争等客观情况。

不可抗力造成违约的，违约方没有过错，因此通常是免责的，但法律规定因不可抗力造成的违约也要承担责任的，违约方也要承担无过错的违约责任。例如，民用航空法第一百二十四条规定，因发生在民用航空器上或者在旅客上、下民用航空器过程中的事件，造成旅客人身伤亡的，承运人应当承担责任；但是，旅客的人身伤亡完全是由于旅客本人的健康状况造成的，承运人不承担责任。该事件包括因承运人过错而发生的事故，也含与承运人无关不可抗力，只要造成了旅客人身伤亡，承运人即使无过错，也要承担违约的民事责任。不可抗力与情事变更、意外事件不同，不可抗力虽然也可以引起合同的变更或者解除，但不可抗力以免除当事人的责任为己任，对不可抗力造成不能履行合同的损害，原则上实行免责原则，而情事变更、意外事件是以危险公平分担为目的，二者的法律后果不同。

第一百一十八条　当事人一方因不可抗力不能履行合同的，应当及时通知对方，以减轻可能给对方造成的损失，并应当在合理期限内提供证明。

【释义】 本条规定了因不可抗力不能履行合同的通知。

当事人一方因不可抗力不能履行合同的,应及时通知对方。必要时,应当提供不可抗力的证明。

第一百一十九条　当事人一方违约后,对方应当采取适当措施防止损失的扩大;没有采取适当措施致使损失扩大的,不得就扩大的损失要求赔偿。

当事人因防止损失扩大而支出的合理费用,由违约方承担。

【释义】 本条规定了防止损失的扩大。

这一条的目的在于防止损失的扩大。当事人一方违反合同的,另一方不能无动于衷,任凭损失的扩大,而应当采取积极措施,减少损失。当事人一方已经尽了最大努力,仍然不能履行或者不能完全履行合同的,应当及时向对方说明情况,尽量避免或者减少可能造成的损失。对方在接到通知后,如果能够采取有效措施防止损失的发生或者扩大,不能履行或者不能完全履行合同的一方对此发生或者扩大的损失不承担民事责任。当事人一方因另一方违反合同受到损失的,即使没有接到违反合同一方的通知,也应当及时采取措施防止损失的扩大;没有及时采取措施致使损失扩大的,无权就扩大的损失请求赔偿。当事人因防止损失扩大支出的合理费用,由违约方承担。

第一百二十条　当事人双方都违反合同的,应当各自承担相应的责任。

【释义】 本条规定了双方违约应承担的责任。

按照违约的人,可分为单方违约和双方违约。一当事人违约的,称为单方违约;双方当事人都违约的,称为双方违约。单方违约的,违约方承担违约责任。双方违约的,各自承担相应的违约责任。

第一百二十一条 当事人一方因第三人的原因造成违约的,应当向对方承担违约责任。当事人一方和第三人之间的纠纷,依照法律规定或者按照约定解决。

【释义】 本条规定了因第三人原因造成的违约。

违约是由第三人造成的,为因第三人原因造成的违约。因第三人原因造成一方当事人违约的,如第三人迟延交货造成一方当事人迟延履行的,该当事人应当承担违约责任。该当事人承担违约责任后,应当向第三人追偿。第三人原因构成意外事故致使一方当事人违约,且第三人无力赔偿的,损失由双方当事人分担。法律规定因第三人原因造成违约第三人直接承担责任的,第三人应当直接承担责任。例如,依照消费权益保护法,消费者因商品缺陷造成人身、财产损害的,可以向出售商品的销售者请求赔偿,也可以向制造商品的生产者请求赔偿,受损害的消费者直接请求生产者赔偿的,生产者应当赔偿。

第一百二十二条 因当事人一方的违约行为,侵害对方人身、财产权益的,受损害方有权选择依照本法要求其承担违约责任或者依照其他法律要求其承担侵权责任。

【释义】 本条规定了违约责任与侵权责任的竞合。

违约责任与侵权责任竞合是民法界议论的热点课题,如何解决责任竞合,多数意见是允许受害人单一选择请求权的主张,认为受害人要么请求侵害人承担违约的民事责任,要么承担侵权的民事责任,二者只能择一,不得行使两个请求权。

违约责任与侵权责任竞合,是说债务人的违法行为,既符合违约要件,又符合侵权要件,导致违约责任与侵权责任一并产生,又违约责任引发债权人索赔的请求权,侵权责任也引发债权人索赔的请求权,两个请求权有重叠之处,形成请求权的竞合。如果允许债权人不受限制地行使两个请求权,就会导致债务人因请求权的重叠而承担双重民事责任,造成不公。

按照本条的规定,违约责任与侵权责任竞合的,受损害人可以选择违约责任或者侵权责任请求对方承担。

第八章　其他规定

本章共七条，是对关于其他法律对合同另有规定应如何适用法律、对无名合同如何适用法律、合同条款发生争议或者词句不一致的解释、涉外合同法律适用、对合同监督处理、对合同争议处理方式以及对国际货物买卖和技术进出口合同争议提起诉讼或者申请仲裁的期限的规定。

第一百二十三条　其他法律对合同另有规定的，依照其规定。

【释义】　本条是关于其他法律对合同另有规定应如何适用法律的规定。

有些单行法律对某些合同作了较为具体的规定，如商标法、专利法、著作权法、担保法、保险法等法律规定了注册商标、专利权的转让、著作权的许可使用以及保证、保险等合同。实施中，这是讲的依照其规定，指的是优先单行法对有关合同的规定。如海上运输合同，首先适用海商法的有关规定；海商法没有规定的，可以适用合同法总则中运输合同一章的规定。

本条规定的“其他法律”，是指全国人民代表大会及其常务委员会审议通过的法律，不包括法规。

第一百二十四条　本法分则或者其他法律没有明文规定的合同，适用本法总则的规定，并可以参照本法分则或者其他法

律最相类似的规定。

【释义】 本条是关于无名合同如何适用法律的规定。

现实生活是丰富多彩的,各类无名合同很多。合同法只能将一些现实生活普遍发生并较为成熟的合同在合同法中加以规定。还有一些无名合同没有在合同法中规定,将来还可能出现一些新的合同,对这些无名合同如何用现有的法律进行约束和指导,是十分重要的。合同法总则的规定是所有合同所适用的共性的规定。因此,无名合同可以适用合同法总则的规定。合同法分则规定的有名合同,虽然是对某种合同的专门性规定,但其与某一类合同也有着共同之处或者相近之处。例如,买卖合同是典型的有偿合同,无名合同中也有许多有偿合同,这些有偿的无名合同可以参照买卖合同最相类似的规定。其他无名合同也是这样,可以参照合同法分则或者其他法律最相类似的规定。

本条所指的法律,是指经全国人民代表大会及其常务委员会审议通过的法律,不包括法规。

第一百二十五条　当事人对合同条款的理解有争议的,应当按照合同所使用的词句、合同的有关条款、合同的目的、交易习惯以及诚实信用原则,确定该条款的真实意思。

合同文本采用两种以上文字订立并约定具有同等效力的,对各文本使用的词句推定具有相同含义。各文本使用的词句不一致的,应当根据合同的目的予以解释。

【释义】 本条是关于合同条款发生争议或者词句不一致的解释的规定。

合同的条款应当是双方当事人意思表示一致达成的协议,但在实践中由于种种原因对某些条款的含义发生争议。对发生争议的条款应当本着什么原则进行解释才能符合当事人真实的意思表示，合同法对这个问题专门作了规定。

合同的条款用语言文字构成。解释合同必须先由词句的含义入手 。一些词句在不同的场合可能表达出不同的含义，所以应当探究当事人订立合同时的真实意思。

合同条款是合同整体的一部分，与其他条款有着密切的联系。因此，不仅要从词句的含义去解释，还要与合同中相关条款联系起来分析判断，而不是孤立地去看待某条款，才能较为准确地确定该条款的意思。

当事人签订合同都是为达到一定的目的，合同中的各条款都是为达到合同目的而制定的。合同目的包括了整个合同的真实意图。因此，对条款的解释还应当从符合合同目的原则剖析。依合同目的原则解释要求，当条款表达意见含混不清或相互矛盾时，作出与合同目的协调一致的解释。

按照交易习惯确立合同条款的含义是国际贸易中普遍承认的原则。《联合国国际货物销售合同公约》和《国际商事合同通则》对此都有规定。交易习惯也称为交易惯例，它是人们在长期实践的基础上形成的，是在某一地区、某一行业在经济交往中普遍采用的做法，成为这一地区、这一行业的当事人所公认并遵守的规则。因此，依照交易习惯解释合同条款，是十分必要的。

诚实信用原则是合同法的基本原则之一，诚实信用原则贯穿合同从订立到终止的整个过程。在解释合同条款时也应遵从诚实信用的原则。诚实信用原则要求实事求是地考虑各种因素，包括上述从有关条款、合同目的、交易习惯来认定争议条款或者发生歧义的词句的准确含义。并以公平的原则平衡当事人之间的利益冲突。

合同文本采用两种以上文字订立并约定具有同等效力的情况下，应当对文本使用的词句推定具有相同的含义。当各文本使用的词句在理解上不一致时,往往各条款都有该词句,此时按词句本身的含义或按相关的条款确定其含义已不可能,那么,应当按照订立合同的目的予以解释。

第一百二十六条　涉外合同的当事人可以选择处理合同争议所适用的法律,但法律另有规定的除外。涉外合同的当事人没有选择的,适用与合同有最密切联系的国家的法律。

在中华人民共和国境内履行的中外合资经营企业合同、中外合作经营企业合同、中外合作勘探开发自然资源合同,适用中华人民共和国法律。

【释义】 本条是关于涉外合同法律适用的规定。

涉外合同,是指具有涉外因素的合同。涉外因素主要指合同的主体和客体具有涉外因素。例如,合同当事人一方或者双方是外国人;合同的客体不在中国领域内。

涉外合同的当事人不仅可以商定双方的权利义务,也可以协商选择处理合同争议所适用的法律。但是法律另有规定的则不能选择适用法律。本条第二款规定的,在中华人民共和国境内履行的中外合资经营企业合同、中外合作经营企业合同、中外合作勘探开发自然资源合同,适用中华人民共和国法律。因此,这些合同的当事人不能选择其他国家或地区的法律。

合同的双方当事人没有选择所适用的法律的,可以适用与合同有最密切联系的国家的法律。与合同有最密切联系的法律,包括合同缔结地法、合同履行地法、标的物所在地法、当事人本国法、当事人住所地法、法院地法、仲裁地法等。这些原则的适用,应当根据合同的实际情况,具体确定哪一原则是与合同有最密切联系的法律。通行的做法,不动产的买卖、租赁、建设工程等合同,适用不动产所在地法律;国际货物或旅客运输合同,适用承运人所在地法律；银行贷款或担保合同，适用贷款或担保银行所在地法律；保险合同，适用保险人所在地法律；劳务合同，适用合同履行地法律。

第一百二十七条　工商行政管理部门和其他有关行政主管部门在各自的职权范围内，依照法律、行政法规的规定，对利用合同危害国家利益、社会公共利益的违法行为，负责监督处理；构成犯罪的，依法追究刑事责任。

【释义】　本条是关于合同监督处理的规定。

依本条规定，工商行政管理部门和其他有关行政主管部门对合同的监督处理，应当遵守下列条件：第一，在各自的职权范围内负责监督处理。工商行政管理部门和其他有关行政主管部门的职权范围，应当依照法律、行政法规规定的职权范围行使，国务院“三定”方案对有关部门的职权范围有确定的，按照国务院“三定”方案确定的职权范围行使。国务院根据需要授命有关行政机关对某项事务进行管理的，按国务院的命令或决定行使职权。第二，应当按照法律、行政法规规定负责监督处理。法律、行政法规一般对需要监督处理事项作出明确的规定，同时也对有关部门监督处理的具体权力作出规定。有关部门应当依法行政。第三，负责监督处理的是利用合同危害国家利益、社会公共利益的违法行为。

工商行政管理部门和其他有关行政主管部门在监督处理中，对利用合同危害国家利益、社会公共利益的违法行为构成犯罪的，应当交司法机关依法追究刑事责任。

第一百二十八条　当事人可以通过和解或者调解解决合同争议。

当事人不愿和解、调解或者和解、调解不成的，可以根据仲裁协议向仲裁机构申请仲裁。涉外合同的当事人可以根据仲裁协议向中国仲裁机构或者其他仲裁机构申请仲裁。当事人没有订立仲裁协议或者仲裁协议无效的，可以向人民法院起诉。当事人应当履行发生法律效力的判决、仲裁裁决、调解书；拒不履行的，对方可以请求人民法院执行。

【释义】 本条是关于合同争议处理方式的规定。

和解是指当事人自行协商解决因合同发生的争议。调解是指在第三人的主持下协调双方当事人的利益，使双方当事人在自愿的原则下解决争议的方式。和解、调解可以在诉讼外进行，也可以在诉讼中某个阶段进行。用和解和调解的方式能够便捷地解决争议，省时、省力，又不伤双方当事人的和气，因此，提倡解决合同争议首先利用和解和调解的方式。

和解和调解是在当事人自愿的原则下进行的，一方当事人不能强迫对方当事人接受自己的意志，第三人也不能强迫调解。当事人不愿和解、调解或者和解、调解不成功的，可以根据达成的仲裁协议申请仲裁。仲裁机构是依照法律规定成立的专门裁决合同争议的机构。仲裁机构作出的裁决具有法律约束力。仲裁机构不是司法机关，其裁决程序简便，处理争议较快。当事人发生合同纠纷，可以根据事先或者事后达成的仲裁协议向仲裁机构申请仲裁。涉外合同的当事人不仅可以约定向中国仲裁机构申请仲裁，也可以约定向境外的仲裁机构申请仲裁。

申请仲裁需要合同双方当事人订立仲裁协议，没有订立仲裁协议，一方当事人不能申请仲裁。当事人没有订立仲裁协议或者订立的仲裁协议无效，可以向人民法院起诉，通过诉讼解决合同争议。

人民法院的判决、裁定、调解书和仲裁机构的裁决书是发生法律效力的法律文书，当事人应当自动履行；拒不履行的，对方当事人可以申请人民法院强制执行。

第一百二十九条　因国际货物买卖合同和技术进出口合同争议提起诉讼或者申请仲裁的期限为四年，自当事人知道或者应当知道其权利受到侵害之日起计算。因其他合同争议提起诉讼或者申请仲裁的期限，依照有关法律的规定。

【释义】　本条是关于国际货物买卖和技术进出口合同争议提起诉讼或者申请仲裁的期限的规定。

由于国际货物买卖合同和技术进出口合同发生的争议一般都比较复杂、涉及的标的额也较大，为了更有效地保护当事人的合法权益，合同法对这类合同发生争议提起诉讼或者仲裁的期限规定为4年。相比国内同类案件提起诉讼或者申请仲裁的期限要长。提起诉讼或者申请仲裁期限的起算点，自当事人知道或者应当知道其权利受到侵害之日起计算。

本条规定的提起诉讼或者仲裁的4年期限，只适用于因国际货物买卖合同和技术进出口合同发生的争议。其他合同争议提起诉讼或者申请仲裁的期限，不适用本条规定，依照其他有关法律的规定。如我国民法通则规定一般诉讼时效期限为2年，特别时效期限为1年。我国仲裁法规定，法律对仲裁时效有规定的，适用该规定。法律对仲裁时效没有规定的，适用诉讼时效的规定。

分　则

第九章　买卖合同

本章共四十六条，对买卖合同标的物所有权的转移、标的物的交付和风险承担、买受人检验标的物的期间和效力、分期付款买卖、凭样品买卖、试用买卖等问题作了规定。

第一百三十条　买卖合同是出卖人转移标的物的所有权于买受人，买受人支付价款的合同。

【释义】　本条是关于买卖合同概念的规定。

买卖合同是出卖人转移买卖标的的所有权于买受人，买受人支付价款的合同。买卖关系的主体是出卖人和买受人。转移买卖标的物的一方为出卖人，也就是卖方；受领买卖标的，支付价金的一方是买受人，也就是买方。

1. 买卖合同的法律特征

(1)买卖合同是有名合同。买卖合同是合同法分则中明确规定的合同，因而属于有名合同。买卖合同是最基本的有名合同。

(2)买卖合同是卖方转移财产所有权，买方支付价款的合同。首先，买卖合同是卖方转移财产所有权的合同。卖方不仅要将标的物交付给买方，而且要将标的物的所有权转移给买方。转移所有权，这使买卖合同与一方也要交付标的物的其他合同，如租赁合同、借用合同、保管合同等区分开来。其次,买卖合同是买方应支付价款的合同,并且价款是取得标的物所有权的对价。这又使买卖合同与其他转移财产所有权的合同,如互易合同、赠与合同区别开来。

(3)买卖合同是双务合同。出卖人与买受人互为给付,双方都享有一定的权利,又都负有相应的义务。卖方负有交付标的物并转移其所有权于买方的义务,买方也同时负有向卖方支付价款的义务。一方的义务也正是对方的权利。因此,买卖合同是一种典型的双务合同。

(4)买卖合同是有偿合同。出卖人与买受人有对价关系,卖方取得价款是以转移标的物的所有权为代价的,买方取得标的物的所有权是以给付价款为代价的。买卖合同的任何一方从对方取得物质利益,都须向对方付出相应的物质利益。因此,买卖合同是典型的有偿合同。

(5)买卖合同多是诺成合同。一般当事人就买卖达成合意,买卖合同即成立,而不以标的物或者价款的现实交付为成立的要件。这在有的国家的法律中是明确规定的,如法国民法典规定,当事人就标的物及其价金相互同意时,即使标的物尚未交付、价金尚未支付,买卖亦可成立。但是,买卖合同当事人也可以在合同中作出这样的约定,标的物或者价款交付时,买卖合同始为成立。此时的买卖合同即为实践合同或者称要物合同。

(6)买卖合同为要式或者不要式合同,从法律对合同形式的要求区分,既可有要式合同,又可有不要式合同,如房屋买卖需采用书面形式,是要式合同;即时清结买卖为不要式合同,法律对合同的形式一般不作要求。

2. 买卖合同的构成要素

买卖的构成,需要有人、标的、行为三个要素。

人的要素指出卖人和买受人。

标的的要素指买卖标的物和价金。价金是与买卖标的物对价给付的金钱,价金的给付通常用支付一词。

行为的要素指移转买卖标的物和支付价金。出卖人应将买卖标的物转移给买受人,买受人向出卖人支付价金。买受人支付价金只能是金钱,不能是货物和其他给付。给付金钱之外的物,为互易合同,以劳务为对待给付,为雇用、承揽、委托等合同,而不是买卖。

3. 买卖合同的种类

买卖合同除可按合同一般标准分类外,依其特点,还可有多种分类。

(1)一般买卖和特种买卖

按照买卖有无特殊的方式,可分为一般买卖和特种买卖。试验买卖、分期付款买卖、凭样品买卖、买回买卖、拍卖、标卖等有特殊方式的买卖为特种买卖,除此之外无特殊方式的买卖为一般买卖。

(2)特定物买卖与种类物买卖

按照买卖标的物是特定物还是种类物,可分为特定物买卖和种类物买卖。买卖标的物是特定物的,为特定物买卖。买卖标的物是种类物的,为种类物买卖。种类物买卖有瑕疵的,可以更换种类物。

(3)批发买卖与零售买卖

按照销售的数量可分为批发买卖和零售买卖。批发买卖简称批发,指批量销售。批发可以是批发商将货物销售给另一批发商或者零售商,也可以是批发商或者零售商将货物批量销售给个人或者单位。零售买卖简称零售,指零散销售,是零售商将货物单个、少量销售给个人或者单位。

（4）即时买卖和非即时买卖

按照买卖能否即时清结，可分为即时买卖和非即时买卖。即时买卖指当事人在买卖合同成立时即将买卖标的物与价金对交，即时清结。非即时买卖指当事人在买卖合同成立时非即时清结，待日后履行。

非即时买卖又有预约买卖、赊欠买卖等多种划分。预约买卖指买卖成立时买受人先支付预付款，出卖人日后交付货物的买卖。这种买卖从出卖人角度称预售，从买受人角度称订购。预约买卖同买卖预约不同。预约买卖的买卖关系业已成立，而买卖预约仅是一种预约，买卖合同并未成立，买受人没有支付价金。赊欠买卖指买卖成立时出卖人先交付买卖标的物，买受人日后一次支付价金的买卖。赊欠买卖从出卖人角度称赊售，从买受人角度称赊购。

（5）一时买卖与连续交易买卖

根据当事人双方的买卖是否以一次完结为标准，可分为一时买卖与连续交易买卖。

一时买卖是指当事人双方仅进行一次交易即结束双方之间的买卖关系的买卖，即使双方之间有多次交易，每次交易也都是单独的，而无连续性。

连续交易买卖是指当事人双方于一定的期限内，卖方定期或者不定期地供给买方某种物品，买方按照一定标准支付价款的买卖，双方之间的每次交易都是有关联的。

（6）自由买卖与竞价买卖

按照是否采用竞争的方法进行买卖，可分为自由买卖和竞价买卖。未采用竞争方法买卖的，为自由买卖。采用竞争方法买卖的，为竞价买卖，如拍卖。

4. 买卖合同的适用范围

买卖合同在各国债法或者合同法中都是作为一种最重要的合同加以规定的。但是,对于买卖合同所调整的范围,却有不同的立法态度。基本说来有以下两种情况:

一是以英美法系国家的买卖法为代表,把买卖合同的调整范围限于货物买卖。卖方的基本义务是向买方转移货物的所有权,买方的基本义务是支付相应的价款。如《美国统一商法典》买卖篇的第2-102条规定,该买卖篇原则上适用涉及货物的交易。第2-105条对"货物"的基本定义是,指除作为支付价款之手段的金钱、投资证券和通过法律程序追索金钱或者其他动产的权利以外的所有在特定于买卖合同项下时可以移动的物品(包括特别制造的货物)。英国1873年的货物买卖法的规定与《美国统一商法典》对货物的定义相似。由此可见,这些立法对于买卖标的物的界定甚至将不动产也排除出来。1980年的《联合国国际货物销售合同公约》第2条采用排除法,将个人消费品、拍卖、国家强制买卖、股票、投资证券、流通票据以及货币的买卖、船舶、气垫船、飞机买卖和电力买卖以外的动产买卖定义为"国际货物买卖"。由此,有的学者就将这些作为动产的货物买卖称为一般买卖,将一般买卖之外的诸如不动产买卖、无体物的买卖、权利买卖包括证券的买卖等归为特殊买卖。

二是以大陆法系的一些国家和地区为代表,将买卖的标的不只限于货物的所有权,还包括其他的财产权利。例如,日本民法典第555条的规定,买卖,因当事人相约,一方移转某财产权于相对人,相对人对之支付价金,而发生效力。以及我国台湾地区"民法典"第345条的规定,称买卖者,谓当事人约定一方移转财产权于他方,他方支付价金之契约。我国台湾地区的权威学者也在著述中表明,买卖以财产权转移为目的,包括物及权利。

关于财产权利和无体物等能否成为买卖合同的标的，我国法学界也存在不同的观点。狭义上的观点认为，我国民法理论对于买卖合同的标的物，一般不称财产而称物品，因此，以权利为标的物的合同（如专利权转让合同）和以无体物为标的物的合同（如供电合同）不属于买卖合同的范围。广义上的观点认为，买卖合同的标的物应当既有财物，也有法律允许转让的权利，如知识产权。

因此，在这里必须明确，合同法在买卖合同这一章对这个问题采取的是什么态度。主张广义买卖合同观点的一个重要理由是在现代社会中，像不动产买卖以及大量的多种形式的权利买卖已经是社会商品交易的重要环节，积极发挥这些商品的巨大价值，对于促进经济的繁荣发展具有重大的意义。这样的认识无疑是正确的。然而，正是由于我国改革的不断深化，社会经济日新月异的发展，使得诸如股票、债券、专利权、商标专用权等这些特殊商品的转让或者说买卖，不但发展迅速，而且逐渐形成一系列特殊的规则。有关货物买卖或者说一般买卖的规定能够适用于各种各样的权利的转让或者买卖的，只能是一些较为原则的规定，具体地，则需要有针对性地专门制定一些更有操作性的规则。

可以这样来看这个问题，关键的不是一定要明确权利交易、无体物的交易以及不动产的交易是否属于买卖，着眼点应当是我们要采取一个合理的立法方式，把这些应当通过法律调整的关系纳入一个有效的法律体系之中，使应当发挥的价值得到充分的发挥，应当规范的法律关系得到合理的规范。关于知识产权，我国制定的商标法、专利法、著作权法等法律规定了注册商标、专利权的转让、著作权的许可使用等合同。这些法律对有关合同的规定都很具体，其内容没有必要在合同法中再作规定，有关权利的转让问题可以由这些专门法去规定。其他领域如果经济生活中迫切需要，也可以考虑制定专门法律调整规范这类问题。国外市场经济发达的国家也都有很多针对这些专门领域的权利交易而制定的特别法。合同法起草过程中，曾在征求意见稿的买卖合同一章中专门写了一节房屋买卖合同，经过论证认为，这里同样存在大量的专门的、技术性较强的问题，制定专门法律效果较好，因此，在合同法草案中就删去了这一节。但是，有一点必须指出，即专门法律对有偿合同有规定的，适用其规定，没有规定的，可以适用合同法总则的规定，参照买卖合同的有关规定。

关于有指令性任务的工矿产品的购销问题。立法过程中有的意见提出，目前我国实行指令性计划管理的生产资料已减少到几种产品。并且，对于有指令性任务的工矿产品，购销企业双方以及购销价格都是由国家主管部门确定的，不允许当事人对此自由协商。因此，合同法不应当涵盖这方面的内容。有的意见认为，国家指令性任务书虽不属于合同法调整的范围，但有关法人、其他组织之间根据国家指令性任务书就标的物质量、履行期限等订立的合同，可以适用合同法。我们倾向于后一种意见。

第一百三十一条　买卖合同的内容除依照本法第十二条的规定以外，还可以包括包装方式、检验标准和方法、结算方式、合同使用的文字及其效力等条款。

【释义】　本条是关于买卖合同条款的规定。

本法第十二条规定，合同的内容由当事人约定，一般包括以下条款：(1) 当事人的名称或者姓名和住所；(2) 标的；(3) 数量；(4) 质量；(5) 价款或者报酬；(6) 履行期限、地点和方式；(7) 违约责任；(8) 解决争议的方法。在本书前面关于合同订立一章中，对合同条款与合同成立的关系问题，已经作了详细的阐明,这里不再赘述。

本条规定的含义是,在买卖合同中,当事人可以根据具体合同的实际情况,在本法第十二条规定的条款之外,再约定包装方式、检验标准、检验方法、结算方式、合同使用的文字及其效力等条款。该条只是起到一种提示性的作用,一般对于买卖合同的成立及效力,买卖合同当事人的具体权利义务等并无实质性的影响。

标的物的包装,有两种含义:一种是指盛标的物的容器,通常称为包装用品或者包装物;另一种是指包装标的物的操作过程。因此,包装方式既可以指包装物的材料,又可以指包装的操作方式。包装又分为运输包装和销售包装两类。运输包装在我国一般有国家标准或者行业标准。

标的物的检验是指买受人收到出卖人交付的标的物时,对其等级、质量、重量、包装、规格等情况的查验、测试或者鉴定。

合同的结算是当事人之间因履行合同发生款项往来而进行的清算和了结。主要有两种方式:一是现金结算;二是转账结算。目前我国法人之间款项往来的结算,按照国家现金管理的规定,必须是通过银行转账结算。至于现金结算,无论是法人之间的现金结算,或者是法人与个体工商户、农村承包经营户之间的合同,只能是在符合国家现金管理的有关规定的限额内才能使用。随着我国经济体制改革的深化,合同的结算方式也有所增多,合同当事人可以本着自愿的原则,根据实际情况加以选择。

合同使用的文字及其效力条款主要涉及涉外合同。原涉外经济合同法第十二条所规定的合同一般应当具备的条款中,第十项即是“合同使用的文字及其效力”。涉外合同常用中外文两种文字书写,且两种文本具有同样的效力。鉴于文字一字多义的情况普遍,且两种文本的表述方法也容易发生理解中的争议。若合同在中国履行，最好明确规定“两种文本在解释上有争议时，以中文文本为准”；在外国履行的合同可考虑接受以外文文本为准。这样既公平合理，又可减少争议。

第一百三十二条　出卖的标的物，应当属于出卖人所有或者出卖人有权处分。

法律、行政法规禁止或者限制转让的标的物，依照其规定。

【释义】　本条是关于买卖合同标的物的规定。

标的是指法律行为所要达到的目的。包括交付财产、提供劳务、完成工作等。有时指物，在买卖合中买或者卖的某物就是标的，在这种情况下，标的就可以称为标的物。买卖合同的标的物附着所有权，所以标的物的买卖即是所有权买卖。

买卖合同的标的物应当是出卖人所有或者有权处分的物。一般情况下，出卖人于出卖时即为标的物的所有人，但在买卖合同成立时出卖人也可能尚未取得标的物的所有权。实际上这样的事例是大量的，例如现实生活中的连环买卖，即一方是前一合同的买受人，又是后一合同的出卖人，该方在订立后一买卖合同时，可能还未成为标的物的所有人。但无论如何，出卖人在交付时标的物应当属于出卖人所有或者出卖人有权处分；否则，适用有关无权处分的规定。合同法在总则中规定，无处分权的人处分他人财产，经权利人追认或者无处分权的人订立合同后取得处分权的，该合同有效。《国际商事合同通则》第 3.3 条也规定，合同订立时一方当事人无权处置与该合同相关联之财产的事实本身不影响合同的效力。在合同订立后未经权利人追认或者无处分权的人也未取得处分权时如何保护善意第三人则是另一个问题。这个问题是指在这种情况下，购买了标的物的善意第三人能否合法地保有标的物的所有权。有的学者认为，出卖人对买卖标的无权处分，却在交易市场出卖他人的物，善意第三人是应当受保护的，其原理是为保障交易安全。买卖人在交易市场购物，无须调查该物的所有权。只有该物属于追赃物，物的所有权人方有权可请求买受人返还，但也应向买受人支付买受人买受该物的价款。

买卖标的可以是现实存在的物，也可以是将来产生的物，如《美国统一商法典》第 2 - 105 条就规定，货物可以包括尚未出生的动物幼仔、生长中的农作物。

法律禁止流通的物不得作为买卖标的物，如淫秽书刊。法律限制流通的物，只能在限定的领域流通，如枪支的买卖。国家对枪支的买卖实行特别许可制度，未经许可，任何单位和个人不得买卖枪支。购买民用枪支，须持公安部门核发的民用枪支配购证件。出售民用枪支，应当核对配购证件，按照配购证件载明的品种、型号、数量配售。

第一百三十三条　标的物的所有权自标的物交付时起转移，但法律另有规定或者当事人另有约定的除外。

【释义】　本条是关于买卖合同标的物所有权转移时间的规定。

本条的规定，是买卖合同一章中最重要的条款之一。

标的物所有权转移，是指买卖合同的标的物自出卖人转移归买受人享有。因为买卖合同是指转移标的物所有权的合同，买受人的目的是支付价款以取得标的物的所有权，出卖人的目的是让与标的物的所有权以取得价款。所以，标的物的所有权转移是买卖合同的基本问题，关系着当事人切身利益的实现。一旦标的物的所有权转移于买方后买方拒付价款或者遭遇破产，卖方就将受到重大的损失。除非卖方保留了标的物的所有权，或者在标的物上设定了某种担保权益。否则，一旦买方在付款前破产，卖方就只能以普通债权人的身份参与破产财产的分配，其所得可能会大大少于应收的价款。因此，讨论买卖合同标的物所有权转移，主要就是弄清标的物所有权转移的时间。

一、当事人有约定的，依照其约定

所有权转移时间的条文，不是合同法的强制性规定，这从本条的规定中也可以看得很清楚。因此，合同当事人可以依照合同自愿的原则，在合同中约定标的物所有权转移的时间。当事人对此作了约定的，除非有关法律针对特殊领域的所有权转移问题有专门的规定之外，在合同履行中以及发生争议时的处理中就要依照当事人的约定。各国对此问题也同样允许当事人自由作出约定。例如，按照《英国货物买卖法》第 17 条的规定，在特定物或者已经特定化的货物买卖中，货物的所有权应当在双方当事人意图转移的时候转移于买方，即所有权何时转移于买方完全取决于双方当事人的意旨。《美国统一商法典》第2-401 条也规定，货物所有权可按当事人明确同意的方式和条件从卖方转移于买方。大陆法系各地民法或者商法也都确定了允许买卖双方约定货物所有权转移时间的原则。我国民法通则第七十二条第二款规定，按照合同或者其他方式取得财产的，财产所有权从财产交付时起转移，法律另有规定或者当事人另有约定的除外。也就是说，当事人的约定也是允许的。本条的规定承继了民法通则的这一规定，对此问题的态度应当是不言自明的。当事人对标的物所有权转移时间的另外约定，可以是约定特定标的物的所有权自合同成立时起转移，或者约定标的物的所有权在买受人支付标的物的价款后转移，等等。“法律另有规定”，在我国目前主要指的是有关法律规定一些特定的标的物的所有权在办理完法定手续后，才能转移，如不动产产权过户登记等。

二、当事人没有约定的，法律要确定一个一般性的原则

这也是法律应当承担的功能。在当事人没有约定，有关法律也没有特别规定的时候，就要适用这个一般性的原则。本条的主旨也即在此。

我国在制定民法通则以前，理论界有一种观点认为，标的物所有权的转移要区分特定物和种类物。对于特定物，其所有权自合同成立时起转移，对于种类物则自交付时起转移。理由是对于特定物，如果合同订立后出卖人对该物仍有处分权，可能发生出卖人另行出卖等损害买受人利益和破坏社会经济秩序的情况。而种类物为可替代之物，买受人不必担心标的物取得问题。后来起草民法通则时认为，尽管规定特定物的所有权自合同成立时起转移，具有稳定买卖关系和保障买受人取得标的物所有权的作用，但是买受人在标的物交付之前并不能取得标的物的实际占有，不仅不能实际利用标的物，反而在承担与所有权有关的义务和责任，加重了其承担。规定特定物自合同成立时起所有权转移买受人并不一定能起到保护买受人债权的作用。因此，我国民法通则第七十二条规定，除法律另有规定或者当事人另有约定外，财产所有权的转移时间为交付之时。

本条对买卖合同中标的物所有权转移时间的规定承继了民法通则确立的原则，因为自民法通则实施以来，这一原则在合同实践中并不存在问题。合同法如此处理，也是保持法律稳定性、连续性的需要。

关于标的物所有权转移的时间，在境外立法中存在不同的处理方式，比较有特色的有以下几种：

（一）英国货物买卖法的规定

在英国的货物买卖法中，货物所有权的问题与货物的风险

承担、对货物的保险利益以及发生违约时可能采取的救济方法等有着密切的联系,因而是十分重要的问题。它区别于特定物的买卖与非特定物的买卖这两种不同情况,对所有权转移的问题加以规范。

1. 特定物的买卖。前面提过,特定物或者已经特定化的货物买卖中,货物的所有权应当在双方当事人意图转移的时候转移于买方。如果双方当事人在合同中对此没有作出明确的规定,则法院可根据合同的条款、双方当事人的行为以及当时的具体情况来确定订约双方的意图。一般来说,法院应依据的规则是:(1)凡属于无保留条件的特定物买卖,如果该特定物已处于可交付的状态,则货物所有权在合同订立时即转移于买方,至于付款时间或者交付标的物的时间是否在其之后,则是无关紧要的。(2)如果卖方还要对货物作出某种行为,才能使之处于可交付的状态,或者该物定物已处于可交付状态,但卖方仍须对货物进行称重、丈量、检验或者其他行为,才能确定价款,则要等到以上这些行为完成并在买方得到有关通知时,货物所有权才转移于买方。

2. 非特定物的买卖。非特定的货物通常是指仅凭说明进行交易的货物。按照《英国货物买卖法》的规定,凡属于说明买卖未经指定或者未经特定化的货物,在将货物特定化之前,其所有权不转移于买受人。所谓特定化就是把处于可交货状态的货物无条件地划拨于合同项下的行为。一般地说,如果按照合同的约定,卖方以把货物运交买方为目的而将货物交给了承运人,而又没有保留对货物的处分权,则可以认为卖方已经无条件地把货物划拨于合同项下并将货物的所有权转移给买方。

(二)美国统一商法典的规定

美国在此问题上不区分特定物与种类物的买卖。统一商法典确立的一个基本原则是，在把货物确定在合同项下以前，货物的所有权不转移于买方。除当事人另有约定外，货物所有权应当于卖方完成其履行交货义务时转移于买方，而不管卖方是否通过保留货物所有权凭证（如提单）来保留其对货物的权利。因为按照统一商法典的规定，卖方保留货物所有权的凭证，一般只起到担保权益的作用，即以此作为买方支付货款的担保，但这并不影响货物所有权按照该法典的规定转移于买方。可见，美国确立的所有权转移的原则是以标的物的交付为标准的。

按照统一商法典的规定，货物所有权转移于买方的时间主要应当区别以下两种不同的情况：

1. 货物需要卖方运交买方。当合同要求或者授权卖方将货物发送给买方，但并未要求卖方将货物运送至目的地时，所有权在交付发运的时间和地点转移至买方。当合同约定在目的地交货时，所有权在卖方于目的地提示交付时转移于买方。

2. 不需要移动货物即可交付的。有时卖方可能已经把货物交给第三人保管，如已把货物存入仓库而让买方到指定的仓库提货。在这种情况下，如果卖方应当交付所有权凭证，则货物的所有权就在卖方交付凭证时转移于买方。如果合同订立时货物已特定化，且无须交付所有权凭证，则货物的所有权就在合同订立时转移于买方。

（三）德国民法典的规定

德国法认为，所有权的转移是属于物权法的范畴，而买卖合同则属于债法的范畴，买卖合同本身并不起到转移标的物所有权的效力。依照德国法，所有权的转移必须符合下列要求：如让与动产的所有权，必须由所有人将物交付于受让人，并就所有权的移转由双方成立合意。在卖方有义务交付物权凭证的场合，卖方可以通过交付物权凭证（如提单）而把标的物所有权转移于买方。如受让人已占有此动产者,仅须让与所有权的合意,即生效力。但是,不动产物权依法律行为而取得、设定、丧失或者变更的,非经登记不生效力。

(四)国际条约

对买卖合同影响最大的《联合国国际货物销售合同公约》第4条规定,该公约不涉及买卖合同对所售货物所有权可能产生的影响。也就是说,公约对所有权转移的时间、地点和条件,以及买卖合同对第三人货物所有权产生的影响等问题,一概没有作出规定。这主要是因为各国关于所有权转移问题的法律分歧较大,不容易实现统一。所以,在拟订公约的过程中,各国代表都不同意对所有权转移的问题作任何具体规定。

(五)国际贸易惯例

在国际贸易惯例中,只有国际法协会制定的关于CIF合同的《1932年华沙—牛津规则》对所有权转移的时间与条件作了规定。该规则至今仍然沿用。其他国际贸易惯例,包括国际商会制定的《国际贸易术语解释通则》都没有涉及所有权转移的问题。根据《1932年华沙—牛津规则》第6条规定,除卖方依据法律对货物享有留置权、保留权或者中止交货权外,货物所有权的转移时间,就是卖方将有关单据交到买方掌握的时刻。这里的单据指的主要就是提单。虽然该规则只是针对CIF合同的特点制定的,但一般认为这项原则也可以适用于卖方有提供提单义务的其他合同,其中包括C&F合同与卖方有义务提供提单的FOB合同。

由以上介绍可以看到,国际上关于买卖合同标的物所有权转移这个重大问题的规定存在很大的差别。各国的规定都受本国社会经济状况以及法律背景的影响。我国合同法对此问题在参考借鉴其他国家规定的同时,根据我国的情况作出规定。

第一百三十四条　当事人可以在买卖合同中约定买受人未履行支付价款或者其他义务的，标的物的所有权属于出卖人。

【释义】　本条是关于买卖合同中标的物所有权保留条款的规定。

本法前条规定，标的物的所有权自标的物交付时起转移，但当事人另有约定的，则应当依照当事人的约定确定所有权转移的时间。本条的规定即体现了当事人另外约定的一种情形。因此，本条实际上是一个提示性的条款，当事人可以根据实际情况运用这样的约定确定相互的权利义务关系，而这种约定是当事人根据合同自愿原则确定合同内容的表现，是受法律保护的。

买卖合同中的所有权保留条款，是标的物所有权转移问题中的重要内容。各地法律都允许当事人通过约定这样的条款来明确标的物所有权转移的时间，而且在合同实务中，尤其是在国际贸易中，这种条款也是很多见的。所有权保留条款是有利于出卖人的条款。它的主要功能是可以使出卖人躲避不能取得标的物价款的风险。在买受人未履行支付价款或者其他出卖人认为重要的义务以前，出卖人仍然享有标的物的所有权。这样就可以免去在出卖人已交付标的物而买受人不履行其主要义务时，因所有权已转移可能给自己造成的损害。

在英国，无论是特定物的买卖还是种类物的买卖，即使在货物已经特定化之后，卖方都可以保留对货物的处分权，主要是指所有权。在卖方所要求的条件得到满足以前，主要是货物的价款支付以前，货物的所有权仍不转移于买方。根据《英国货物买卖法》第19条的规定，可以在合同条款中作出保留对货物处分权的约定。例如，可以在合同中约定，在买方支付货款之前，所有权不转移于买方。在这种情况下，无论货物是交付了买方还是交给了货物承运人以便运交买方,货物的所有权都不随之而转移于买方,直至合同约定的付款条件得到满足为止。除了合同的这种明确约定以外,根据该条,在有些情况下,也可以根据当事人对货物提单的处理方式推定卖方保留了对货物的处分权。如卖方可以通过提单抬头的写法表示卖方保留对货物的处分权。如果货物已经装船,而提单的抬头载明该项货物须凭卖方或者卖方代理人的指示交货时,则在卖方将提单背书交给买方或者其代理人以前,应当认为卖方保留了对货物的处分权。因为提单是货物所有权的凭证,只要卖方掌握着提单,他仍可以通过处分提单来处置该提单项下的货物。在国际贸易中,除非当事人另有约定,卖方通常都是在买方支付货款时,才把提单交给买方。而美国在关于提单的这个问题上的处理办法则有别于英国。按照《美国统一商法典》的规定,卖方保留货物所有权的凭证,一般只起到担保权益的作用,即以此作为买方支付货款的担保,它这并不影响货物所有权按照该法典的规定转移于买方。美国的规定也是有其道理的。因为,货物买卖合同订立以后,无论是卖方还是买方都应当受合同义务的约束,卖方交付货物的对价一般只是买方支付价款。所以在货物发运以后,即使卖方仍保留着货物所有权的凭证,如提单,他对货物的处分权也应当是有限的。比如,他不能毫无理由地指示承运人把货物转运给第三人。卖方保留提单只应当是作为买方支付货款的担保,只要买方支付了价款,卖方就有义务按照合同履行交付提单的义务。合同法本条的规定应当说只是确立了一个原则,像这样的有关具体问题没有涉及。但在今后合同法的实际应用中则可能遇到各种复杂的情况,仍然需要针对实际情况,并借鉴境外有益的规定确定我们的处理原则。

第一百三十五条　出卖人应当履行向买受人交付标的物或者交付提取标的物的单证，并转移标的物所有权的义务。

【释义】　本条是关于出卖人基本义务的规定。

买卖合同的买受人的目的就是取得标的物的所有权，所以交付标的物的并转移标的物所有权是出卖人最基本的义务。这在各国或者地区的民法中都是一致的，如德国、我国台湾地区“民法典”对出卖人义务的规定首先就是物的出卖人负有向买受人交付其物，并使其取得该物所有权的义务。《联合国国际货物销售合同公约》第30条也规定：“卖方必须按照合同和本公约的规定，交付货物，移交一切与货物有关的单据并转移货物所有权。”

交付是指标的物占有的转移。民法理论将标的物的交付分为现实的交付和拟制的交付两种。

现实的交付即指出卖人将标的物的占有直接转移于买受人，使标的物处于买受人的实际控制之下。如将出卖的商品直接交给买受人，将出卖房屋的钥匙交给买受人等。都是现实交付。拟制的交付是指出卖人将对标的物占有的权利转移于买受人，以替代现实的交付。本条规定的出卖人应当履行向买受人交付“提取标的物的单证”的义务，就是一种拟制交付。这种拟制交付可以称为指示交付，它是指在标的物由第三人占有时，出卖人将对于第三人的请求提取标的物的权利让与买受人，以代替标的物的实际交付。最常见的指示交付是将仓单、提单交给买受人。交付必须是依出卖人的意思而作出的，如未经出卖人的同意，买受人自行将标的物或者提取标的物单证从出卖人处取走，则不构成交付，而是非法侵占的行为。

买卖合同中买受人的目的是取得标的物的所有权，不言而喻，将标的物的所有权转移给买受人，同样是出卖人的基本义务。标的物所有权的转移方法,依法律的规定而定。动产一般以占有为权利的公示方法,因此,除法律另有特别规定或者当事人另有约定以外,动产所有权依交付而转移。不动产和法律有特别规定的动产,如车辆、船舶、航空器等,以登记为权利公示的方法,因此,其所有权的转移须办理所有权人的变更登记。无论合同是否作出约定,出卖人都应当协助买受人办理所有权的变更登记手续,并将有关的产权证明文书交付买受人。在前面提到的在买卖合同成立时出卖人尚未取得标的物所有权的情况下,出卖人就应当在合同订立后取得该标的物的所有权,以将其转移给买受人。

第一百三十六条　出卖人应当按照约定或者交易习惯向买受人交付提取标的物单证以外的有关单证和资料。

【释义】　本条是关于出卖人交付有关单证和资料义务的规定。

前条规定,出卖人应当交付标的物或者交付提取标的物单证。提取标的物的单证,主要是提单、仓单,是对标的物占有的权利的体现,可以由出卖人交付给买受人作为拟制的交付以代替实际的交付。这种拟制的交付不需要合同作出专门的约定。

除了标的物的仓单、提单这些用于提取标的物的单证外,现实生活中关于买卖的标的物,尤其是国际贸易中的货物,还有其他一些单证和资料,比如商业发票、产品合格证、质量保证书、使用说明书、产品检疫书、产地证明、保修单、装箱单等。对于这些单证和资料,如果买卖合同中明确约定了出卖人交付的义务或者是按照交易的习惯,出卖人应当交付,则出卖人就有义务在履行交付标的物的义务以外,向买受人交付这些单证和资料。《联合国国际货物销售合同公约》第34条规定:“如果卖方有义务移交与货物有关的单据,他必须按照合同所规定的时间、地点和方式移交这些单据。”我国民法理论关于买卖合同出卖人的交付义务中,也有这方面的内容。

第一百三十七条 出卖具有知识产权的计算机软件等标的物的,除法律另有规定或者当事人另有约定的以外,该标的物的知识产权不属于买受人。

【释义】 本条是关于具有知识产权的标的物买卖中知识产权归属的规定。

在买卖合同中,有些标的物本身可能是一定知识产权的载体,如计算机软件等。本条规定的意旨在于说明作为知识产权的载体的买卖与知识产权买卖的不同。知识产权的买卖是权利买卖的一种。涉及权利主体转变的合同法律关系,在有关法律中一般称为权利的转让。如我国专利法第十条规定,专利权可以转让。专利权的转让,是指专利权人作为转让方,将其发明创造专利的所有权或者持有权转移给受让方,受让方支付约定的价款。除了这种权利转让的合同,我国有关法律还规定了一种权利客体的许可使用合同。如专利法第十二条规定了专利实施许可合同,它是指专利权人作为许可方许可被许可方在约定的范围内实施其所有或者持有的专利技术,被许可方按照约定支付使用费的合同。这种合同与专利权转让合同的区别在于,后者是以专利所有权的转移为目的的,而前者是以转让技术使用权为目的的,所以也可理解为专利技术使用权的转让合同,转让人并不因专利技术使用权的转让而丧失专利所有权。

在权利买卖中,当事人所追求的合同目的与一般的货物买卖是不同的。尽管从根本上说,一般货物买卖也是权利,即货物所有权的转移,但是,货物的所有权是建立在现实的、可见的实物之上,其所有权是一个法律上的抽象概念,当事人所追求的是物的实用性。而权利的买卖或者转让则不同,当事人所追求的是权利本身所体现的利益。作为买卖对象的权利,尽管也有一定的载体,但买卖当事人看重的显然不是该载体本身,而是通过它表现的一定技术以及对这一技术享有支配的权利而能带来的利益。因此,如果一个买卖合同的标的物本身体现着一定的知识产权,除非当事人明确表明,或者法律有相关规定(如著作权法规定美术作品的展览权随作品原件转移),买卖可以影响知识产权,那么,该标的物所体现的知识产权就不转移于买受人。

第一百三十八条　出卖人应当按照约定的期限交付标的物。约定交付期间的,出卖人可以在该交付期间内的任何时间交付。

【释义】 本条是关于买卖合同交付期间的规定。

这里可以区分两种情况:

1. 合同约定在某确定时间交付。除非对交付的时间有精确要求的合同外,一般落实到日即是合理的。出卖人约定的时间履行标的物交付义务。迟于此时间,即为迟延交付。早于此时间,即为提前履行,严格意义上也是一种违约。按照本法总则的规定,买受人可以拒绝出卖人提前履行债务,但提前履行不损害买受人利益的除外。出卖人提前履行债务给债权人增加的费用,由出卖人承担。

2. 现实生活中大量的合同是约定了一个交付的期间。交付期间指的是一个时间段。具体的合同纷繁复杂,这一时间段是某几年、某几月或者某几天都有可能。这种情况下,依照本条规定,出卖人就可以在该交付期间内的任何时间交付,这也是符合当事人意图的。

本条的规定，借鉴了《联合国国际货物销售合同公约》第33条的规定，即卖方必须按以下规定的日期交付货物：(1)如果合同规定有日期，或从合同可以确定日期，应在该日期交货；(2)如果合同规定有一段时间，或从合同可以确定一段时间，除非情况表明应由买方选定一个日期外，应在该段时间内任何时候交货；或者(3)在其他情况下，应在订立合同后一段合理时间内交货。

第一百三十九条 当事人没有约定标的物的交付期限或者约定不明确的，适用本法第六十一条、第六十二条第四项的规定。

【释义】 本条是关于买卖合同未约定标的物交付期限或者约定不明确如何处理的规定。

从条文本身的内容以及合同法的体例安排和立法技术上看，这部法律中的第六十一条和第六十二条是两个十分重要的条文，对于合同内容的确定和合同的履行具有重要的意义。本法分则各章中经常要引用总则的这两条以确定各有关合同的约定不明时解决的规则。

按照本法第六十一条的规定，合同生效后，当事人就标的物的交付期限没有约定或者约定不明确时，当事人可以协商达成补充协议；不能达成补充协议的，按照合同有关条款或者交易习惯确定。如果这样仍然不能确定，按照本法第六十二条的规定，出卖人就可以随时履行，买受人也可以随时要求出卖人履行，但应当给对方必要的准备时间。为了使买受人有一个合理的准备接收标的物的时间，如准备仓库等，出卖人应当在交付之前通知买受人。即使法律对此不作规定，这也是出卖人按照诚实信用的合同原则应当履行的义务，因为通知一下对出卖人来说并不是多大的负担,却可以使买受人免受可能的损害。至于这段准备时间应当多长,则应当根据具体的情况合理的确定,难以一概而论。

第一百四十条　标的物在订立合同之前已为买受人占有的,合同生效的时间为交付时间。

【释义】　本条是关于买卖合同订立之前买受人已占有标的物的情况下,如何确定交付时间的规定。

在前面的释义中,介绍了交付的含义以及现实交付与拟制交付的区分,提到了交付提取标的物的单证,就是一种拟制交付,可以称为指示交付。本条规定则涉及了拟制交付的另一种形式,可以称为简易交付。它指的就是买卖合同订立之前买受人已经实际占有标的物的情况下,合同一生效就视为标的物已交付。例如,甲出租给乙一部照相机,乙使用过程中产生了买下照相机的念头,经与甲协商,甲同意出卖。尽管甲把照相机交给乙的行为是在买卖合同订立以前作出的,但那与买卖合同无关。因此,该行为也就不能作为买卖合同中交付的行为。但又不应要求乙先将照相机返还给甲,甲再依照买卖合同把它交付给乙。实际生活中人们也不会这样去做,法律当然也不会作出有悖常理的规定。从有利于节省交易费用,有利于双方当事人出发,规定买卖合同生效的时间即为标的物交付时间的规定是适宜的。由于本法规定除法律另有规定或者当事人另有约定外,标的物的所有权自交付时起转移。因此,对于本条所规定的情形,合同标的物的所有权也就从合同生效之时起,从出卖人转移至买受人。

第一百四十一条　出卖人应当按照约定的地点交付标的物。

当事人没有约定交付地点或者约定不明确，依照本法第六十一条的规定仍不能确定的，适用下列规定：

（一）标的物需要运输的，出卖人应当将标的物交付给第一承运人以运交给买受人；

（二）标的物不需要运输，出卖人和买受人订立合同时知道标的物在某一地点的，出卖人应当在该地点交付标的物；不知道标的物在某一地点的，应当在出卖人订立合同时的营业地交付标的物。

【释义】　本条是关于标的物交付地点的规定。

买卖合同对标的物的交付地点有约定的，出卖人就应当按照约定履行交付的义务。本条所要解决的问题主要是合同对交付地点没有约定或者约定不明确时法律应当确定怎样的规则。

与交付期限没有约定或者约定不明确的情形一样，合同如果没有约定交付地点或者约定得不明确的，首先仍然要适用本法第六十一条的规定，即合同生效后，当事人可以协商达成补充协议，不能达成补充协议的，按照合同有关条款或者交易习惯确定。

与确定交付期限不同的是，如果这样仍然不能确定交付地点，不是适用本法第六十二条的规定，即第六十二条第三项所规定的，履行地点不明确，给付货币的，在接受货币一方所在地履行；交付不动产的，在不动产所在地履行；其他标的，在履行义务一方所在地履行。本条的规定，是在按照本法第六十一条不能解决问题的情况下，提出了适用于买卖合同的特别规则。这些特别的规则与第六十二条第三项的规定是不同的，对于买卖合同，首先要适用本条的规则。但不是说本条与第六十二条第三项是根本上冲突的，如本条也有在债务人所在地履行的内容。并且，对于本条所未规定的情形，由于第六十二条第三项属于本法总则的内容,所以仍要适用总则这项条款的规定,如"交付不动产的,在不动产所在地履行"这一规定也适用于买卖合同。

本条规则的确立,在承继我国有关法律中较好的规定,如民法通则第八十八条的有关规定的同时,综合参考了大陆法系和英美法系的有关规定,特别是《联合国国际货物销售合同公约》的规定。本条的规定与该公约第31条的所规定的含义基本上是相同的。本法买卖合同一章中有相当一部分规定是从借鉴货物销售合同公约而来的,这主要是考虑到该公约的许多规定反映了市场经济条件下贸易活动的特点和要求,符合我国经济体制改革和经济发展的需要。并且,我国于1981年9月30日在公约上签字并于1986年12月11日批准该公约。该公约虽然调整的是国际货物买卖关系,但从世界范围来看,实行市场经济的国家对于规范国内贸易的法律与规范国际贸易的法律基本上是一致的,只是针对国际贸易中特有的应区别对待的问题作出专门的规定。这也是符合我国这部统一合同法的立法精神的。

我国过去的法学理论中,对买卖合同标的物交付地点的问题,存在这样的一种处理办法,即以当事人约定的一些交付的方式来确定交付地点。这些交付方式主要是自提方式、送货方式、代办托运方式等。合同法起草过程中,考虑到当事人约定的这些交付方式,有些本身就已经说明了标的物交付的地点。因此就摒弃了这种解决的办法,并且认为此时合同对交付地点的约定是明确的,或者说依照本法第六十一条的规定,属于通过对合同其他条款的解释可以确定的情形。

本条所确定的规则可以从以下三个层次把握:

1. 如果买卖合同标的物需要运输,无论运输以及运输工具是出卖人安排的,还是买受人安排的,出卖人的交付义务就是将标的物交付给第一承运人。即使在一批货物需要经过两个以上的承运人才能运到买方的情况下,出卖人也只需把货物交给第一承运人。这时即认为出卖人已履行了交付义务。因此,出卖人交付的地点也就是应当将标的物交付给第一承运人的地点。

这里需要注意的一点是,在有的国际货物买卖中,合同虽然也涉及了货物的运输问题,但当事人采用了某种贸易术语,而该术语本身就涵盖了交货的地点,此时就不属于本条规定的情况了。例如,当事人在合同中约定交货的条件是"FOB 上海",即使货物需要从郑州用火车运到上海再由上海海运到西雅图,出卖人的义务也是把货物交付到上海的指定船舶上,而不是把货物交到郑州开往上海的火车上就算完成了交付。

2. 如果标的物不需要运输,即合同中没有涉及运输的事宜,这时如果出卖人和买受人订立合同时知道标的物在某一地点的,出卖人应当在该地点交付标的物。双方当事人知道标的物在某一地点,一般在以下情况中较为常见:买卖合同的标的物是特定物;标的物是从某批特定存货中提取的货物,例如指定存放在某地的小麦仓库中提取若干吨小麦作为交付的货物;尚待加工生产或者制造的未经特定化的货物,如买卖的定货将在某地某家工厂加工制造。

3. 在不属于以上两种情况的其他情况下,出卖人的义务是在其订立合同时的营业地把标的物交付买受人处置。出卖人应当采取一切必要的行动,让买受人能够取得标的物,如做好交付前的准备工作,将标的物适当包装,刷上必要的标志,并向买受人发出通知让其提货等。

第一百四十二条　标的物毁损、灭失的风险,在标的物交付之前由出卖人承担,交付之后由买受人承担,但法律另有规定

或者当事人另有约定的除外。

【释义】 本条是关于标的物毁损、灭失风险承担的基本原则的规定。

本条也是买卖合同一章最重要的条文之一。风险承担是指买卖的标的物在合同生效后因不可归责于当事人双方的事由，如地震、火灾、飓风等致使发生毁损、灭失时，该损失由哪方当事人承担。风险承担的关键是风险转移的问题，也就是说如何确定风险转移的时间。转移的时间确定了，风险由谁来承担也就清楚了。由于它涉及买卖双方当事人最根本的利益，所以从来都是买卖合同法中要解决的一个最重要的问题。

首先，标的物风险转移的时间可以由双方当事人在合同中作出约定。当事人在这方面行使合同自愿的权利，法律是没有理由干预的。这在各国法律规定中都是一致的，《联合国国际货物销售合同公约》规定，当事人可以在合同中使用某种国际贸易术语，如 FOB、CIF 等或者以其他办法来约定货物损失的风险从卖方转移到买方的时间及条件。我国原涉外经济合同第十三条也规定，合同应当视需要约定当事人对履行标的承担风险的界限；必要时应当约定对标的的保险范围。尽管该条文中使用了“应当”的用语，但允许当事人对此问题作出约定是明确的。在大宗贸易尤其在国际贸易中，当事人往往都会通过各种方式，很多通过采用国际贸易术语的方式在合同就确定了风险转移的时间。如约定以 FOB、CFR 或者 CIF 条件成交时，货物的风险都是在装运港装船越过船舷时起，由卖方转移于买方。

然而，法律必须要确定一个规则，以解决合同当事人对此问题未作约定或者约定不明确时，标的物的风险从何时起转移。发达国家法律一般对此都有具体规定，但各国的规定不尽一致，主要可以分为两种情况：

一种是所谓的“物主承担风险原则”或者“所有权原则”，英国法和法国法属于此类。这种原则是说标的物的风险转移的时间应当与所有权的转移时间相一致，即所有权转移给买受人时，风险也随之移转给买受人。

另一种是所谓的“交付原则”，即不把风险转移问题与所有权转移问题联系在一起，而是以标的物的交付时间来确定风险转移的时间。美国、德国以及《联合国国际货物销售合同公约》等都是采取这种原则。

合同法起草过程中参考比较了这两种原则，最终确定采纳后一种作为我国处理这一问题的办法。理由是风险转移是一个很现实的问题，而所有权的转移则是抽象的，因而以所有权的转移来确定风险转移的做法不可取。标的物的交付是一个事实问题，易于判断，清楚明了，以它为标准有利于明确风险的转移。因此，本条规定，标的物毁损、灭失的风险，交付前由出卖人承担，交付后由买受人承担。这里要注意一个问题。我国民法通则和本法都规定，除法律另有规定或者当事人另有约定以外，买卖标的物的所有权自交付时起转移，而本条又规定标的物的风险自交付时起转移。但不能认为这种情况下区分风险承担的所有权原则与交付原则没有意义。因为，本法所规定的所有权自交付时起转移是在法律没有另外规定或者当事人没有相关约定的情况下才发生效力的。比如，如果当事人约定自合同成立或者自标的物价款支付完毕时起所有权转移，那么所有权的转移就依当事人的约定，而对于标的物风险，如果当事人没有专门约定，则要自交付时起转移。对于法律规定须办理一定手续标的物所有权才能转移的情况，与此道理相同。

本条确立的规则属于合同法的一般性规则，如果特别法另有专门的规定，则应当适用该特别法的规定。

第一百四十三条　因买受人的原因致使标的物不能按照约定的期限交付的,买受人应当自违反约定之日起承担标的物毁损、灭失的风险。

【释义】 本条是关于标的物因买受人过错致使交付迟延的情况下,风险转移的规定。

依照前条,标的物的风险自交付时起,由出卖人转移至买受人。在合同履行中发生交付迟延的情况下,就要考虑按此规则处理是否会导致对当事人各方的不公平。如果有,就需要作出相应的补充规定。在标的物迟延交付是由买受人过错造成的情况下,如果仍然坚持标的物的风险自交付时起转移,则显然对出卖人是不公平的。因为他已经为标的物的交付做好了准备,标的物已处于可交付的状态,而买受人则违反了及时接收标的物的合同义务。因此,本条作出这样的规定,是合情合理的。《联合国国际货物销售合同公约》第69条也规定,在相关情况下,买方从货物交付给他处置但他不收取货物,从违反合同时起,承担货物的风险。

第一百四十四条　出卖人出卖交由承运人运输的在途标的物,除当事人另有约定的以外,毁损、灭失的风险自合同成立时起由买受人承担。

【释义】 本条是关于路货买卖中的标的物风险转移的规定。

路货买卖是指标的物已在运输途中,出卖人寻找买主,出卖在途中的标的物。它可以是出卖人先把标的物装上开往某个目的地的运输工具(一般是船舶)上,然后再寻找适应的买主订立买卖合同,也可以是按一个买卖合同买受人未实际收取标的物前,再把处于运输途中的标的物转卖给另一方。一般路货买卖以后一种形式为多,往往是在 CIF 条件下买方取得卖方交付的有关货物单证后转卖货物。《联合国国际货物销售合同公约》第 68 条对路货买卖的风险承担问题作了规定,对于在运输途中销售的货物,从订立合同时起,风险就转移为买方承担。但是,如果情况表明有此需要,从货物交付给签发载有运输合同单据的承运人时起,风险就由买方承担。尽管如此,如果卖方在订立合同时已知道或者理应知道货物已经遗失或者损坏,而他又不将这一事实告知买方,则这种遗失或者损坏应由卖方负责。

出卖在运输途中的货物,一般在合同订立时,出卖人就应当将有关货物所有权的凭证或者提取货物的单证等交付买方,货物也就处在了买方的支配之下。因此,一般说来,从订立合同时起转移货物的风险承担也是合理的。但实际问题是,以合同订立之时来划分路货买卖的风险承担有时是比较困难的。因为在订立买卖合同时,货物已经装在运输工具上处于运输的途中,在收集不到确切证据的情况下,买卖双方都难以搞清风险的发生到底是发生在运输途中的哪一段,是在合同订立之前还是在之后。所以公约作出了这样的规定,即如果情况表明有此需要,从货物交付给签发载有运输合同单据的承运人时起,风险就由买方承担。这就把风险转移的时间提到了货物交付承运人之时,也就是说从货物交付运输之时起,货物风险就由买受人承担了。之所以这么处理是因为在路货买卖中一般出卖人要转移货物有关单证给买受人,而货物的保险单一般也是同时转让的,当货物发生风险时,买受人就可以凭保险单向保险公司索赔。这样就不会因此规定造成对买受人的不公平。所以,在适用“如果情况表明有此需要”的条件时,就要综合考虑上述的情况,即是否难以确定风险发生的时间,以及买受人是否享有保险利益等。

但在这种情况下，如果出卖人在订立合同时已知道或者应当知道货物已经灭失或者损坏，而他又隐瞒这一事实不告知买方，则这种灭失或者损坏应由出卖人负责。这是很合理的。

第一百四十五条　当事人没有约定交付地点或者约定不明确，依照本法第一百四十一条第二款第一项的规定标的物需要运输的，出卖人将标的物交付给第一承运人后，标的物毁损、灭失的风险由买受人承担。

【释义】　本条是关于出卖人依法将标的物交付给第一承运人即为履行交付义务的情况下，标的物风险转移的规定。

本条规定是要解决标的物在运输中的风险由谁承担的问题。本法第一百四十一条第二款第一项规定，当事人未约定交付地点或者约定不明确，依照本法第六十一条的规定又不能确定时，如果是标的物需要运输的，出卖人应当将标的物交付给第一承运人以运交给买受人。这项规定实际上确定了在这种情况下，出卖人将标的物交付给第一承运人就是履行了合同的交付义务。而本法规定标的物的风险，交付前由出卖人承担，交付后由买受人承担。所以规定在这种情况下出卖人将标的物交付给第一承运人后，标的物的风险由买受人承担就是符合逻辑的。

大量的买卖合同，尤其是国际贸易都涉及货物的运输，而在运输过程中又容易发生各种风险导致标的物的毁损、灭失。所以确定货物运输中的风险由谁承担是一个非常重要并且十分现实的问题。规定其风险由买方承担的理由是买方所处的地位使他能在目的地及时检验货物，在发现货物受损时便于采取必要的措施，包括减轻损失，及时向有责任的承运人请求赔偿以及向保险人索赔等。某些国际贸易惯例也确定了这样的原则，如采取 FOB、CIF 和 CFR 条件订立买卖合同时，都是由买方承担货物在运输过程中的风险。

第一百四十六条　出卖人按照约定或者依照本法第一百四十一条第二款第二项的规定将标的物置于交付地点，买受人违反约定没有收取的，标的物毁损、灭失的风险自违反约定之日起由买受人承担。

【释义】　本条是关于买受人不履行接收标的物义务情况下，标的物毁损、灭失风险承担的规定。

本法第一百四十一条第二款第二项规定，当事人未约定交付地点或者约定不明确，依照本法第六十一条的规定仍不能确定的，如果标的物不需要运输，出卖人和买受人订立合同时知道标的物在某一地点，那么出卖人应当在该地点交付标的物；不知道标的物在某一地点的，应当在出卖人订立合同时的营业地交付标的物。总之，这种情况就是出卖人有义务在某一地点将标的物交付给买受人。在合同约定的交付期限届至时，如果标的物已经特定于合同项下而且出卖人已经完成了必要的交付准备工作，让买受人能够取得标的物，如将标的物适当包装，刷上必要的标志，并向买受人发出通知让其提货等，则标的物就处在了可以交付买受人处置的状态。如果这时买受人违反合同的约定没有接收标的物，那么按照该条的规定，买受人就从违反约定之日起承担标的物毁损、灭失的风险。

第一百四十七条　出卖人按照约定未交付有关标的物的单证和资料的，不影响标的物毁损、灭失风险的转移。

【释义】　本条是关于出卖人交付有关标的物的单证和资料的义务与标的物毁损、灭失风险承担的关系的规定。

本条适用的范围主要是买卖合同涉及标的物运输的情况。

本章规定，当事人可以在买卖合同中约定保留标的物所有权的条款。该条款可以约定买受人未履行支付价款或者其他义务的，标的物的所有权属于出卖人。在涉及标的物运输的买卖合同中，出卖人不向买受人移交有关标的物的单证，其性质可以由当事人在合同中约定，当事人可以约定这就是出卖人保留标的物所有权的表示。在合同对此没有约定时，各国解决的办法不尽一致。如英国法律可能就认为这表明卖方保留了所有权，而《美国统一商法典》则认为这对卖方只是作为买方支付价款的担保，但并不影响标的物所有权的转移。然而，按照前面的释义中所述，合同法确立的标的物风险转移的原则，除当事人另有约定以外，是以标的物的交付作为标准，而不与标的物的所有权相联系。因此，无论出卖人不交付标的物的单证是否意味着所有权的保留，都不影响标的物的风险从交付时起由出卖人转移给买受人。本条借鉴《联合国国际货物销售合同公约》第 67 条的规定，即“卖方有权保留控制货物处置权的单据，并不影响风险的转移”。

第一百四十八条　因标的物质量不符合质量要求，致使不能实现合同目的的，买受人可以拒绝接受标的物或者解除合同。买受人拒绝接受标的物或者解除合同的，标的物毁损、灭失的风险由出卖人承担。

【释义】　本条是关于出卖人根本违约的情况下，风险承担的规定。

本条是参考《美国统一商法典》作出的规定，法典规定了出卖人违约与买受人风险承担的关系。首先，如果出卖人所交付的货物不符合约定，足以使买受人有权拒收货物时，则在出卖人消除了货物的缺陷，或者在买受人接受货物以前，货物的风险仍由出卖人承担。这里的"接受"指的是买受人对货物的认可。其次，如果买受人有正当理由拒绝对货物的接受，则他可以在保险合同所不包括的限度内，认为出卖人自始就承担了货物的风险。

第一百四十九条　标的物毁损、灭失的风险由买受人承担的，不影响因出卖人履行债务不符合约定，买受人要求其承担违约责任的权利。

【释义】　本条是关于买受人承担风险与出卖人违约责任关系的规定。

本条是参考《联合国国际货物销售合同公约》作出的规定。它表明在出卖人违约的情况下，买受人虽然按照本法的规定承担了标的物风险，但并不影响因出卖人的违约行为，买受人请求其承担违约责任的权利，如请求损害赔偿。

在标的物质量不符合质量要求，致使不能实现合同目的的情况下，可以适用前条的规定。

第一百五十条　出卖人就交付的标的物，负有保证第三人不得向买受人主张任何权利的义务，但法律另有规定的除外。

【释义】　本条是关于出卖人权利担保义务的规定。

买卖合同中出卖人对标的物的权利担保指的是出卖人应当保证对标的物享有合法的权利，没有侵犯任何第三人的权利，并且任何第三人都不会就该标的物向买受人主张任何权利。买卖合同根本上就是标的物所有权的转让，因此，出卖人的这项义务也就是其一项最基本的义务。本条所规定的义务是买卖合同中出卖人的一项法定义务，即使合同中对其未作约定，出卖人也必须履行。我国台湾地区"民法典"第 349 条也规定，出卖人应担保第三人就买卖之标的物对于买受人不得主张任何权利。英国货物买卖法第 12 条规定,除另有规定外,在任何买卖合同中,卖方有一项默示的义务(即无论合同是否约定,都应当承担的义务),保证他享有出售该项货物的权利。并且保证他所出售的货物不存在任何订约时未曾告知买方的担保权益,从而使买方能安稳地占有货物,不受他所不知道的第三人的干扰。

具体来说,出卖人的保证义务包括:(1)出卖人对出卖的标的物享有合法的权利,他须对标的物具有所有权或者处分权。出卖人作为代理人替货主出售货物,即是出卖人具有处分权的情形。而出卖人将其合法占有或者非法占有的他人财产作为出卖的标的物,或者出卖自己只有部分权利的标的物,如与他人共有的财产等都是对此项义务的违反。(2)出卖人应当保证标的物上不存在他人可以主张的权利,如抵押权、租赁权等。(3)出卖人应当保证标的物没有侵犯他人的知识产权。确定出卖人的这项义务比较复杂,需要结合有关知识产权的法律作出判断。《联合国国际货物销售合同公约》对此有比较具体的规定。本条规定的“法律另有规定的除外”,主要考虑的也是这方面的情况。

出卖人未能履行权利担保的义务,使得合同订立后标的物上的权利缺陷没有去除,属于出卖人不履行债务的一种情况,买受人可以依照本法总则第七章违约责任的规定,请求出卖人承担违约责任。即使在标的物的部分权利属于他人的情况下,也可以认为出卖人的行为构成了根本违约,即严重影响了买受人订立合同所期望的经济利益,买受人可以单方解除合同。如果买受人不想解除合同,则可以请求出卖人减少标的物的价款。

如果有关专门立法对有权利缺陷标的物的买卖作出特别规定,则首先要依照其规定。如我国担保法第四十九条规定,抵押期间，抵押人转让已办理登记的抵押物的，应当通知抵押权人并告知受让人转让物已经抵押的情况；抵押人未通知抵押权人或者未告知受让人的，转让行为无效。因此，在这种情况下，有关抵押物的买卖合同就应当按照无效处理，当事人应当依照本法有关合同无效的条文确定其权利义务关系。

另外需要说明的一个问题是，本章规定的权利担保义务的这些条文的目的只是明确在买卖合同中当事人的权利义务关系，而不解决买卖合同对货物所有权所产生的影响问题。因此，如果出卖人将其根本没有所有权或者处分权的财产拿来出售，而买方并不知情出钱购买之后，一旦财产的真正所有人向买方提出索回财产时，该善意（即不知情）的买受人能否在法律上得到保护，能否取得财产的所有权而不返还给原所有人，这个问题属于物权法调整的范畴。本法在这里不作回答，本章的这些条文只是规定对于标的物的权利状况出卖人对买受人应承担什么义务，买受人对出卖人享有什么权利。顺便说一句，我国目前尚未制定物权法，而且现有的法律中也未明确对善意买受人的保护问题，实践中处理这一问题也不很统一。因此，亟须制定物权法对此明确规范。

第一百五十一条　买受人订立合同时知道或者应当知道第三人对买卖的标的物享有权利的，出卖人不承担本法第一百五十条规定的义务。

【释义】　本条是关于出卖人权利担保义务免除的规定。

依照前条规定，买卖合同的出卖人对于买受人应当承担权利担保义务。但是，在订立合同时，如果买受人已知或者应知标的物在权利上存在缺陷，除合同没有约定相反的意思，就应当认为买受人抛弃了对出卖人的担保权。因为买受人在订立合同时明知这种情况就等于表示愿意购买有权利缺陷的标的物。这同买受人明知货物有质量上的瑕疵而仍愿意购买的道理是一样的。我国台湾地区"民法典"第351条也规定,买受人于契约成立时知有权利之瑕疵者,出卖人不承担保之责,但契约另有订定者不在此限。契约另有订定,可以表现为在合同中约定出卖人负有在合同订立后除去权利缺陷的义务,则在这种情况下出卖人的权利担保义务就不得免除。《联合国国际货物销售合同公约》第41条也规定,卖方所交付的货物必须是第三方不能提出任何权利或者请求的货物,但买方同意在受制于这种权利或者请求的条件下,收取这项货物的除外。

另外,如果就买受人是否知情发生争议,出卖人如果主张买受人在订立合同时明知标的物的权利缺陷,则对此举证的责任在出卖人,而非买受人。

第一百五十二条　买受人有确切证据证明第三人可能就标的物主张权利的,可以中止支付相应的价款,但出卖人提供适当担保的除外。

【释义】 本条是关于买受人就标的物的权利缺陷行使中止支付价款权的规定。

本条赋予买受人中止支付价款权的目的在于对买受人提供一种积极的保护,使其免受可能丧失标的物权利的损害。但买受人行使这一权利时,应当依照本条的规定,首先要有"确切的证据",其次只能中止支付与受影响的标的物"相应"的价款。

大陆法系的一些民法典也有类似的规定。如日本民法典第576条规定,有就买卖标的主张权利者,致买受人有丧失其买受权利之全部或一部之虞时,买受人可以按其危险程度,拒绝支付价金的全部或一部。但是,出卖人已提供相当担保时,不在此限。我国台湾地区“民法典”第368条规定，买受人有正当理由恐第三人主张权利致失其因买卖契约所得权利之全部或一部者，得拒绝支付价金之全部或一部，但出卖人已提出相当担保者不在此限。可以看出，在给买受人此项权利的同时，为了不过分损害出卖人的利益，这些法律和本条都规定，出卖人可以提出以提供担保的办法使买受人支付价款。这种担保应当是与买受人有理由证明的可能损害相适应的。

第一百五十三条　出卖人应当按照约定的质量要求交付标的物。出卖人提供有关标的物质量说明的，交付的标的物应当符合该说明的质量要求。

【释义】 本条是关于标的物应当符合约定质量的规定。

质量要求是买卖合同的重要条款。出卖人交付的标的物应当符合约定的质量要求；否则，买受人可以依照本法第七章的规定请求出卖人承担违约责任。《联合国国际货物销售合同公约》第35条也规定了类似的内容。即“卖方交付的货物必须与合同所规定的数量、质量和规格相符，并须按照合同所规定的方式装箱或包装”。

出卖人提供的有关标的物质量的说明，严格说来，也是当事人对标的物质量要求的一种约定。这些都属于买卖合同对标的物的明示约定。《美国统一商法典》第2－313条的有关规定，很有参考作用。即明示担保可以通过以下三种方式表现：(1)如果卖方对买方就有关货物在事实方面作出了确认或者许诺，并作为交易基础的组成部分，就构成一项明示担保，即保证他所出售的货物与他所作的确认或者许诺相符。这种对事实所作的确认或者许诺可以用货物的标签、商品说明及目录等方式表示，也可以记载在合同内。例如，如果卖方在出售服装的标签上写明“100%纯棉”，这就是一项对事实的确认，就是一项明示的担保。(2)卖方对货物所作的任何说明，只要是作为交易基础的一部分，就构成一项明示担保，卖方所交的货物必须与该项说明相符。(3)作为交易基础的组成部分的样品、模型，也是一种明示担保，卖方所交的货物应当与样品或者模型一致。本法为使凭样品买卖的合同中当事人的权利义务更加明确，在本章中单独设立一条样品买卖的条文。以上所介绍的美国法律的这些有关规定，可以帮助了解本条的意旨。

第一百五十四条　当事人对标的物的质量要求没有约定或者约定不明确，依照本法第六十一条的规定仍不能确定的，适用本法第六十二条第一项的规定。

【释义】 本条是关于买卖合同标的物法定质量担保义务的规定。

本条也是买卖合同一章中最重要的条文之一。它解决的中心问题是买卖双方如果在合同中对标的物的质量要求问题没有约定或者约定不明确时怎么办。与合同的其他条款一样，首先要依照本法第六十一条的规定予以确定。确定不了的，接着适用本法第六十二条的有关一般性规定。即“质量要求不明确的，按照国家标准、行业标准履行；没有国家标准、行业标准的，按照通常标准或者符合合同目的的特定标准履行”。这是买卖合同法中必须解决的问题，大陆法系有关的制度称为瑕疵担保制度，英美法系则称为默示担保制度。

大陆法系要求出卖人保证他所出售的标的物没有质量瑕疵。所谓质量瑕疵，是指标的物存在不符合规定或者通用质量规格的缺陷，或者影响使用效果等方面的情况。如德国民法典和我国台湾地区“民法典”都规定，物之出卖人对于买受人应担保其物之危险移转于买受人时无灭失或减少其价值之瑕疵，亦无灭失或减少其通常效用或契约预定效用之瑕疵，但减少之程度无关紧要者不得视为瑕疵。出卖人并应担保其物于危险移转时具有其所保证之品质。

英美法默示担保制度以《美国统一商法典》的规定为典型。默示担保的含义在于，它不是由双方当事人在合同中规定的，而是法律认为应当包括在合同之内的，只要买卖合同双方在合同中没有作出相反的约定，则法律上所规定的默示担保就可以依法适用于他们之间的合同。《联合国国际货物销售合同公约》对出卖人的质量担保义务作了明确的规定，其内容与英美法上默示担保制度相似，公约第35条规定，除双方当事人业已另有协议外，货物除非符合以下规定，否则即为与合同不符：(1)货物适用于同一规格货物通常使用的目的；(2)货物适用于订立合同时曾明示或默示地通知卖方的任何特定目的，除非情况表明买方并不依赖卖方的技能和判断力，或者这种依赖对他是不合理的；(3)货物的质量与卖方向买方提供的货物样品或样式相同；(4)货物按照同类货物通用的方式装箱或包装，如果没有此种通用方式，则按照足以保全和保护货物的方式装箱包装。以上四项义务，是在合同当事人没有其他约定的情况下，由公约加于卖方身上的义务。这些要求反映了买方在正常交易中对所购买的货物所抱有的合理期望。因此，只要双方当事人在合同中没有作出与此相反的约定，公约的这些规定就适用于他们之间的合同。

本条借鉴了以上两种制度的合理规定，主要是以英美法的默示担保制度作为参考。大陆法系的瑕疵担保责任是不同于违约责任的一种法定责任，其理论认为，违约责任属于过错责任，当事人承担违约责任的前提是他对违约行为有过错。而瑕疵担保责任是无过错责任，只要出卖人不履行瑕疵担保义务，无论其是否有过错，该责任都要承担。而合同法关于总则违约责任的规定即是采取的无过错原则，不考虑违约方的主观状态，只要有违约行为，就应当承担违约责任。因此，就没有必要在违约责任之外再设立瑕疵担保责任。但大陆法有关出卖人瑕疵担保义务的一些规定还是合理的，可以借鉴。英美法的默示担保制度与起草合同法买卖合同一章的思路则基本上是一致的。合同双方当事人明确约定的标的物质量要求，出卖人提供的标的物必须符合，否则构成违约。如果当事人没有约定的，由法律规定出卖人应当履行的义务，这些规定就视为当事人约定的义务，出卖人不履行该义务，同样是违约。这样既使问题简单化，便于实际操作，又与本法总则的规定相协调，在逻辑关系上是合理的。

本条规定的出卖人法定质量担保义务是，有国家标准、行业标准的，要符合该标准，没有的，要使标的物的质量符合同种物的通常标准或者为了实现合同目的该物质量应当达到的特定标准。应当讲，这是一种比较原则的表述。然而，由于实际生活中买卖合同的情况纷繁复杂，涉及的标的物以及合同标的额千差万别，试图在法律中作出具体明确的规定不仅很难做到并反而不利于调整具体的合同关系。对本条的理解，可以参考上述国际公约的有关规定，而它在实践中的适用则要结合所遇到的个案进行具体的分析，以确定“通常标准”或者“特定标准”的内容，即在具体问题的处理过程中体现出法律规定的原则和精神。

第一百五十五条　出卖人交付的标的物不符合质量要求的，买受人可以依照本法第一百一十一条的规定要求承担违约责任。

【释义】　本条是关于标的物质量不符合要求时，买受人权利的规定。

本条所规定的出卖人交付的标的物不符合质量要求，既包括标的物的质量要求由合同当事人明确约定的情形，也包括在前条中通过法律规定的情形。

本法第一百一十一条规定，质量不符合约定的，应当按照当事人的约定承担违约责任。对违约责任没有约定或者约定不明确，依照本法第六十一条的规定仍不能确定的，受损害方根据标的的性质以及损失的大小，可以合理选择请求修理、更换、重做、退货、减少价款或者报酬。质量不符合约定，造成其他损失的，可以请求赔偿损失。买卖合同中买受人对出卖人的质量违约行为，就可以通过这些规定要求其承担违约责任。

第一百五十六条　出卖人应当按照约定的包装方式交付标的物。对包装方式没有约定或者约定不明确，依照本法第六十一条的规定仍不能确定的，应当按照通用的方式包装，没有通用方式的，应当采取足以保护标的物的包装方式。

【释义】 本条是关于标的物包装方式的规定。

标的物的包装方式既可以指包装物的材料，又可以指包装的操作方式，它对于标的物品质的保护具有重要作用，尤其对一些易腐、易碎、易潮以及如化学物品等更是这样。对有些标的物来说，质量标准的一部分可能就通过包装本身来表现。因此，本章特设一条予以规定。出卖人交付的标的物，应当符合合同约定的包装方式。没有约定或者约定不明确的，照例要依照本法第六十一条解决，仍然解决不了的，本法第六十二条没有针对此项规定一般性的规则，而要适用本条的规定。本条的规定借鉴的是《联合国国际货物销售合同公约》第 35 条的有关内容。即卖方交付的货物必须与合同所规定的数量、质量和规格相符，并须按照合同所规定的方式装箱或包装。除双方当事人业已另有协议外,货物除非符合以下规定,否则即为与合同不符:……货物按照同类货物通用的方式装箱或包装,如果没有此种通用方式,则按照足以保全和保护货物的方式装箱包装。至于何为“足以保护标的物的包装方式”,则需根据具体的买卖合同标的物作出判断。

第一百五十七条　买受人收到标的物时应当在约定的检验期间内检验。没有约定检验期间的,应当及时检验。

【释义】　本条是关于买受人对标的物的检验义务的规定。

买卖合同的履行过程中,在出卖人交付标的物后,接着的一个重要问题就是买受人对标的物的检验。检验的目的是查明出卖人交付的标的物是否与合同的约定相符,因此它密切关系着买受人的合同利益,各国法律都赋予买受人检验标的物的权利。例如,《美国统一商法典》对此规定得较为全面。该法典第 2 - 513 条规定,除当事人另有约定外,买方在支付货款和接受标的物以前,有权对货物进行检验。检验的时间、地点和方法按照合同约定办理。如合同未作约定,在卖方负责把货物运到目的地的情况下,应在目的地进行检验。在其他情况下,应当在合理的时间、地点,以合理的方式进行检验。如检验表明货物与合同约定相符合,检验的费用由买方承担,反之由卖方承担。如果合同约定采用交货付款或者交单付款等付款条件,则买方就得在检验之前付款。在国际贸易中,大都采用交单付款方式。买方通常都是在卖方移交提单时支付货款,等货物运达目的地后再进行检验。在这种情况下,买方虽已按合同约定支付了货款,但并不构成对货物的接受,也不影响买方检验的权利以及对卖方违约采取各种法律补救措施的权利。

同时,对标的物的及时检验,可以尽快地确定标的物的质量状况,明确责任,及时解决纠纷,有利于加速商品的流转。否则,就会使合同当事人之间的法律关系长期处于不稳定的状态,不利于维护健康正常的交易秩序。所以,本条要求买受人收到标的物后应当及时进行检验。

为使买受人能够正常地对标的物进行检验,出卖人有提供技术资料的义务。经济合同法以及有关法规中对此作过规定。如经济合同法第十七条规定,供方必须对产品的质量和包装质量负责,提供据以验收的必要技术资料或实样。工矿产品购销合同条例更进行了具体化:供方应对提供的产品的质量负责。供方交货时,应将产品合格证(或质量保证书)和双方商定的必要的技术资料随同产品或运单交需方据以验收。需方在验收中,如果发现没有合格证(或质量保证书)和必要的技术资料,在托收承付期内有权拒付这部分产品的货款,并应将产品妥为保管,立即向供方索要,供方应及时补送给需方。超过合同规定交货期限补交的,即作为逾期交货处理。

第一百五十八条　当事人约定检验期间的,买受人应当在检验期间内将标的物的数量或者质量不符合约定的情形通知出卖人。买受人怠于通知的,视为标的物的数量或者质量符合约定。

当事人没有约定检验期间的,买受人应当在发现或者应当发现标的物的数量或者质量不符合约定的合理期间内通知出卖人。买受人在合理期间内未通知或者自标的物收到之日起两年内未通知出卖人的,视为标的物的数量或者质量符合约定,但对标的物有质量保证期的,适用质量保证期,不适用该两年的规定。

出卖人知道或者应当知道提供的标的物不符合约定的，买受人不受前两款规定的通知时间的限制。

【释义】 本条是关于买受人检验标的物的异议通知的规定。

买受人通过对标的物的检验，如果发现标的物的数量、品种、型号、规格、花色和质量不符合同规定，应当一面对标的物妥为保管，一面向出卖人发出异议通知。

关于提出异议的时间以及不在规定的时间提出异议的法律后果，起草合同法的过程中，参考借鉴了国外的有关规定，同时也对我国法律法规中一些有益的规定进行了合理的吸收修改。其中涉及的主要是工矿产品购销合同条例第十五条的规定，即需方在向供方提出书面异议时，按以下规定办理：第一，产品的外观和品种、型号、规格、花色不符合同规定，属供方送货或代运的，需方应在货到后10天内（另有规定或当事人另行商定期限者除外）提出书面异议；需方自提的，应在提货时或者双方商定的期限内提出异议。第二，产品内在质量不符合同规定的，不论供方送货、代运或需方自提，需方应在合同规定由供方对质量负责的条件和期限内检验或试验，提出书面异议；某些产品，国家规定有检验或试验期限的，按国家规定办理。第三，对某些必须安装运转后才能发现内在质量缺陷的产品，除另有规定或当事人另行商定提出异议的期限外，一般从运转之日起六个月以内提出异议。第四，在书面异议中，应说明合同号、运单号、车（船）号，发货和到货日期；说明不符合同规定的产品名称、型号、规格、花色、标志、牌号、批号、合格证（或质量保证书）号、数量、包装、检验方法、检验情况和检验证明；提出不符合同规定的产品的处理意见，以及当事人双方商定的必须说明的事项。修改的过程中，开始也是考虑像条例那样区分质量不符合约定的各种情形以及不同种类的标的物来确定时间。后来认为，一方面针对不同情况简单地规定出“10 天”或者“6 个月”这样的期间以适用于实践中的具体合同不尽科学合理。另一方面概括出实际生活中各种各样的质量违约的情形也没有把握。因此，最后采取了本条的规定方式。

当事人如果约定检验期间，买受人就应当在检验期间内将标的物的数量或者质量不符合约定的情形通知出卖人。买受人怠于通知的，视为标的物的数量或者质量符合约定。

对于没有约定检验期间的情况，法律不去对质量违约的情形进行分类并相应地规定出买受人提出异议的期间，而是规定了买受人收取标的物开始检验之后发现或者应当发现标的物的质量或者数量不符合约定之日起的合理期间。这个时间段，法律不可能也不应当具体地规定出来，而是要针对不同的买卖合同，不同的标的物，不同的质量违约情形进行个案的分析确定。

买受人如果在发现或者应当发现标的物的质量或者数量不符合约定时起的合理期间内没有向出卖人发出异议通知，依照法律规定，就视为标的物的质量或者数量符合约定，即从法律上认为买受人认可了标的物。法定异议通知时间的这个法律后果同工矿产品购销合同条例的规定是一样的。此外，本条还规定了一个最长的异议通知时间。前面所讲的是买受人在发现或者应当发现标的物的质量或者数量不符合约定时起的合理期间内通知，“买受人发现或者应当发现”可能是在收到标的物的当时，也可能是在之后的几天，甚至可能是之后的几年。而在市场经济条件下为便捷和加快商品的流转要求当事人之间的法律关系不应当长时间地处于不稳定的状态。正是从这种考虑出发，本条规定，买受人自标的物收到之日起两年内未通知出卖人的，视为标的物的质量或者数量符合约定。也就是说，在两年内，无论买受人是否发现或者应当发现标的物不符合约定，只要未向出卖人提出异议，就都视为他认可接受了标的物。两年的时间基本上是可以适用于绝大多数的买卖合同的。如果合同对标的物的质量保证期作了约定，如某啤酒在标识中注明保质期 180 天，就应当认为，这构成了当事人对最长的异议通知时间的约定。这时就不适用本条“两年”法定期间的规定。

最后，本条规定，“出卖人知道或者应当知道提供的标的物不符合约定的，买受人不受前两款规定的通知时间的限制。”本条规定的目的是促进和加速商品交易，但客观上是有利于出卖人的。出卖人故意提供不符合约定的标的物属于一种欺诈的行为，对于从事欺诈的人，不应当让他享有这种法律规定上的利益。这就是该规定的出发点。

第一百五十九条　买受人应当按照约定的数额支付价款。对价款没有约定或者约定不明确的，适用本法第六十一条、第六十二条第二项的规定。

【释义】　本条是关于买受人支付价款义务的一般规定。

支付价款是买卖合同中买受人的基本义务，是出卖人交付标的物并转移其所有权的对流条件。这在各国法律规定上都是一致的。买卖合同对标的物的价款作出约定的，买受人应当依照约定履行义务，这是没有疑问的。有时合同可能并未直接约定价款的数目，而是约定了一个如何计算价款的方法，如果该方法清晰明确，同样属于对价款有约定的情形。

买卖合同当事人未就价款作出约定或者约定不明确，并不导致合同不成立。但需要法律规定出解决的原则。合同中未约定价款的情况在实践中也是时有发生的。比如，买方以电报向卖方订购某种型号的机床若干台，要求立即装运，但没有提价格或计价方法。卖方收到电报后,即按其要求将机床装运给买方。像这样的情况如果认定合同未成立,对买卖双方来说就失去了一次交易的机会,扩展到整个市场交易行为,无疑阻碍了商品流转。同时也违背了交易主体的意愿。所以,就要让这样的合同成立,然后,就价款的问题协议补充。不能达成补充协议的,按照合同有关条款或者交易习惯确定。比如标的物的型号、质量等状况就是决定价格多少的重要参照。如果此时仍然不能确定价款怎么办?国外法律在处理上存在一定的差异。如德国规定如果未约定价款则依市场价格确定,市场价格为清偿时清偿地的市场价格。英美等国的法律也规定应当按照交货时的合理价格来确定。而《联合国国际货物销售合同公约》第 54 条则规定,如果合同已有效地订立,但没有明示或暗示地规定价格或规定如何确定价格,在没有任何相反表示的情况下,双方当事人应视为已默示地引用"订立合同时"此种货物在有关贸易的类似情况下销售的通常价格。合同法本条的规定是借鉴公约的规定作出的,即本法第六十二条第二项的规定:价款不明确的,除依法由政府定价的以外,按照订立合同时履行地的市场价格履行。由法律确定价款是为了弥补当事人的订立合同时考虑的不足,而依订立合同时的市场价格确定是合理地反映当事人的心理状态办法。

第一百六十条　买受人应当按照约定的地点支付价款。对支付地点没有约定或者约定不明确,依照本法第六十一条的规定仍不能确定的,买受人应当在出卖人的营业地支付,但约定支付价款以交付标的物或者交付提取标的物单证为条件的,在交付标的物或者交付提取标的物单证的所在地支付。

【释义】　本条是关于买受人支付价款地点的规定。

本条也是借鉴国际货物销售合同公约的规定作出的。该公约第57条规定,如果买方没有义务在任何其他特定地点支付价款,他必须在以下地点向卖方支付价款:(1)卖方的营业地;或者(2)如凭移交货物或单据支付价款,则为移交货物或单据的地点。买卖合同中支付价款的地点问题不容忽视,尤其是在国际货物买卖中更是如此,因为往往涉及外汇付款的问题。如果双方约定了支付价款的地点,买受人应当依约履行。如果未约定或者约定不明确,按照本条规定仍然是首先适用本法第六十一条。仍不能确定的,买受人应当在出卖人的营业地支付。我国民法通则第八十八条也规定,履行地点不明确,给付货币的,在接受给付一方的所在地履行。如果按照合同的约定,支付价款以移交货物或单据为条件,则买受人应当在交付标的物或者提取标的物单证的所在地支付价款。除公约有此规定外,日本民法典第574条也规定,应于买卖标的物交付同时支付价金时,可于其交付处所支付价金。

在国际货物买卖中,如采用CIF、CFR、FOB等条件成交时,通常都是凭卖方提交装运单据支付货款。无论采用信用证还是跟单托收的付款方式,都是以卖方提交装运单据作为买方付款的必要条件。所以,交单的地点就是付款的地点。按照国际贸易的通行做法,采用不同的货款支付方式,交单的地点也是不同的。例如,采用跟单托收的支付方式,卖方应当通过托收银行在买方的营业地点向买方交单并凭单收取货款。而采用信用证付款,则卖方是向设在出口地,一般为卖方营业地的议付银行提交有关的单据,并由议付银行凭单付款。

第一百六十一条　买受人应当按照约定的时间支付价款。对支付时间没有约定或者约定不明确,依照本法第六十一条的

规定仍不能确定的，买受人应当在收到标的物或者提取标的物单证的同时支付。

【释义】 本条是关于买受人支付价款时间的规定。

本条也借鉴了《联合国国际货物销售合同公约》的有关规定。该公约第 58 条规定，(1)如果买方没有义务在任何其他特定时间支付价款，他必须于卖方按照合同和本公约规定将货物或控制货物处置权的单据交给买方处置时支付价款。卖方可以支付价款作为移交货物或单据的条件。(2)如果合同涉及货物的运输，卖方可以在支付价款后方可把货物或控制货物处置权的单据移交给买方作为发运货物的条件。(3)买方在未有机会检验货物前，无义务支付价款，除非这种机会与双方当事人议定的交货或支付程序相抵触。当事人对付款时间没有约定，买受人应当在收取标的物同时付款，这也同我国民间"一手交钱，一手交货"的习惯相符合。此外，日本民法典第 373 条也有相似的规定，就买卖标的物的交付定有期限时，推定为就价金交付亦定有同一期限。

第一百六十二条　出卖人多交标的物的，买受人可以接收或者拒绝接收多交的部分。买受人接收多交部分的，按照合同的价格支付价款；买受人拒绝接收多交部分的，应当及时通知出卖人。

【释义】 本条是关于出卖人多交标的物如何处理的规定。

出卖人多交标的物，在实际生活中并不鲜见。出卖人往往是出于让买受人多买的目的。依照本条规定，在这种情况下，买受人可以接收多交的部分，对于这部分多交的标的物，应当按照双方订立合同时约定的标的物价格计算价款，而不是按照交付时的价格。买受人也有权拒绝接收多交的部分。

本条规定借鉴了国际货物销售公约第 52 条的规定,即如果卖方交付的货物数量大于合同规定的数量,买方可以收取也可以拒绝收取多交部分的货物。如果买方收取多交部分货物的全部或一部分,他必须按合同价格付款。另外,我国工矿产品购销合同条例关于出卖人多交标的物的情况的规定也是很好的。该条例第十条规定,供方交付的产品多于合同规定的数量,需方不同意接收的,在托收承付期内,可以拒付多交部分的货款和运杂费。购销双方在同一地点(同城)的,需方可以拒收多交的部分;购销双方不在同一地点(异地)的,需方应把产品接收下来,并负责保管,将详细情况和处理意见在货到后十天内(另有规定或当事人另行商定期限者除外)通知供方处理。

第一百六十三条　标的物在交付前产生的孳息,归出卖人所有,交付之后产生的孳息,归买受人所有。

【释义】 本条是关于买卖合同标的物孳息的规定。

孳息是“原物”的对称。指由物或者权利而产生的收益。分为“天然孳息”和“法定孳息”。天然孳息指物依自然规律产生的收益。如土地生长的稻麦、树木的果实、牲畜的幼畜、挤出的牛乳、剪下的羊毛等。法定孳息指依民事法律关系产生的收益。如有利息的借贷或租赁,出借人有权收取利息,出租人有权收取租金等。买卖合同中标的物涉及的孳息,一般为天然孳息。但如果买卖的不是一般的货物,则也有可能涉及法定孳息,如买卖正被出租的房屋即是。

孳息之产生与原物占有人的照料大有关系,故很多国家有关买卖合同法律都规定孳息收益人的确定与标的物的交付相联系。如大陆法系的日本民法典第 575 条规定:“未交付的买卖标的物产生孳息时,孳息属于出卖人。”德国民法典第 446 条规定:“自交付买卖标的物时起,物的收益归属于买受人。”本条亦采用此原则而规定。

第一百六十四条 因标的物的主物不符合约定而解除合同的,解除合同的效力及于从物。因标的物的从物不符合约定被解除的,解除的效力不及于主物。

【释义】 本条是关于因标的物主物不符合约定而解除合同的规定。

主物是“从物”的对称,是指独立存在,与同属于一人的它物合并使用而起主要经济效用的物。如自划游船对于船桨、保险箱对于钥匙都为主物。反之从物就是“主物”的对称,是指独立存在,与同属于一人的他物合并使用而起辅助经济效用的物。一般地,从物的归属依主物的归属而定。本条的规定借鉴的是德国民法典和我国台湾地区“民法典”的有关规定,即“因主物有瑕疵而解除契约者,其效力及于从物。从物有瑕疵者,买受人仅得就从物之部分为解除。”其理由很简单,即从物附随于主物。

第一百六十五条 标的物为数物,其中一物不符合约定的,买受人可以就该物解除,但该物与他物分离使标的物的价值显受损害的,当事人可以就数物解除合同。

【释义】 本条是关于标的物为数物中的一物时,不符合约定而解除合同的规定。

本条是参考德国民法典和我国台湾地区“民法典”的有关规定作出的,即为买卖标的之数物中一物有瑕疵者,买受人仅得就有瑕疵之物为解除。其以总价金将数物同时卖出者,买受人并得请求减少与瑕疵物相当之价额。当事人之任何一方如因有瑕疵之物与他物分离而显受损害者,得解除全部契约。

例如,买卖大米50袋,价款500元。面粉50袋,价款500元。如果买受人发现面粉质量不符合约定,可以就面粉部分解除合同,而只买受大米。如果大米与面粉是以总价款1000元购买的,买受人只能请求减少与面粉相当的价款,而不能解除全部合同。如果质量不符合约定的物不宜与他物分离,否则将明显受到损害,那么,合同当事人的任何一方,包括买受人和出卖人,都可以要求解除全部合同。例如,买卖标的物是古对联一副,其中一联不符合约定的标准,显然只就该一联解除,就失去了悬挂的价值。这种情况下,就应当允许整个解除。

第一百六十六条　出卖人分批交付标的物的,出卖人对其中一批标的物不交付或者交付不符合约定,致使该批标的物不能实现合同目的的,买受人可以就该批标的物解除。

出卖人不交付其中一批标的物或者交付不符合约定,致使今后其他各批标的物的交付不能实现合同目的的,买受人可以就该批以及今后其他各批标的物解除。

买受人如果就其中一批标的物解除,该批标的物与其他各批标的物相互依存的,可以就已经交付和未交付的各批标的物解除。

【释义】　本条是对分批交付标的物的情况下解除合同的规定。

本条借鉴了《联合国国际货物销售合同公约》的有关规定。对于分批交付标的物的情况,如果出现出卖人不履行的情况,买受人要解除合同,应当受本条规定调整。它表现为以下三个层次。

第一,一般情况下,出卖人不履行某一批标的物的交付,买受人可以针对该批标的物不履行的情况要求出卖人承担违约责任。如果出卖人对该批的不履行构成了根本违约,即本条所规定的"出卖人对其中一批标的物不交付或者交付不符合约定,致使该批标的物不能实现合同目的",买受人可以就该批标的物主张对整个合同的部分解除。

第二,出卖人对某批标的物的根本违约,如果将导致对该批之后各批的根本违约,买受人就有权解除合同中该批以及其后的这部分。法律并未说明属于这类情形的具体情况,因为合同实践是复杂的,法律只能作出一个原则性的规定。但是,某批的根本违约将致使今后各批的根本违约的情况必须是十分明显的,才能适用这一规定。

第三,某批标的物与整个合同的其他各批标的物可能是相互依存的,或者说是不可分的,否则整个合同的履行将不可能或者没有意义。在这种情况下,买受人如果依法可以对该批标的物解除,那么他就可以直接解除整个合同。

第一百六十七条　分期付款的买受人未支付到期价款的金额达到全部价款的五分之一的,出卖人可以要求买受人支付全部价款或者解除合同。

出卖人解除合同的,可以向买受人要求支付该标的物的使用费。

【释义】　本条是关于分期付款买卖的规定。

分期付款买卖,是指买受人将应付的总价款,在一定期间内分次向出卖人支付的买卖合同。分期付款买卖也是一种特殊买卖,其根本特征在于买受人在接受标的物后不是一次性支付价款,而是将价款分成若干份,分不同日期支付。分期付款买卖在某种意义上也属于一种赊购,但买受人在接受标的物之后,不是在一定期限内一次性地支付价款,而是在一定期限内分批次地支付。分期付款买卖中,当事人双方可以自由约定付款的期限和次数,也可以约定买受人在接受标的物前先支付或者先分期支付若干价款,但在出卖人交付标的物后买受人至少应当再分两次向出卖人支付价款,否则就不属于分期付款的买卖。分期付款买卖可于买卖标的物价金较高,买受人筹款一次支付有困难时适用。由于价金是陆续支付,会使买受人在心理上、履行上不感到有过重的负担,因此分期付款买卖能促进昂贵品的消费,如购买商品房、汽车多采用分期付款方式。

一、法律对分期付款出卖人避免风险的特别约定的限制

分期付款买卖使买受人未支付全部价金即取得买卖标的物,出卖人未得到全部价金即需移转买卖标的物,出卖人存在不能取得全部价金的风险。因此,在分期付款买卖合同中出卖人为躲避风险,往往提出一些有利于自己的合同条款。一般来说这也是合理的,也是合同自愿原则的体现。然而,分期付款的买受人往往是弱者,其利益容易受到损害。因此,法律为了防止出卖人提出的这些条款过于苛刻,就应当规定出一定的限制,以保证当事人双方利益的平衡。

出卖人在分期付款买卖中采取的躲避风险的各种措施中,最重要的就是解除合同或者请求支付全部价款的特约。

设定期限利益丧失约款,为保证及时收取价款,出卖人可以在合同中提出这样的条款,即买受人不按期支付价金,出卖人有权请求买受人一并支付未到期的价金。这种条款可以称为期限利益丧失条款。由于分期付款买卖中的期限利益属于买受人,为防止因特别约定致使买受人一有迟延付款的行为即丧失期限利益的不公平现象,一些国家或者地区的法律往往对因买受人迟延付款而丧失期限利益的特别约定加以限制,买受人如不按

期付款达到一定程度的违约时,出卖人才能请求其加速支付未到期价金。例如,我国台湾地区“民法典”第389条规定,分期付款之买卖,如约定买受人有迟延时,出卖人得即请求支付全部价金者,除买受人有连续两期给付之迟延,而其迟付之价额,已达全部价金五分之一外,出卖人仍不得请求支付全部价金。本条借鉴这些有益的制度,规定分期付款的出卖人只有在买受人未支付到期价款的金额达到全部价款的五分之一的,才可以请求买受人支付到期以及未到期的全部价款或者解除合同。

法律对出卖人请求支付全部价款的特别约定的上述限制,属于法律强制性规定。当事人在合同中不得限制、排除或者违反这些限制,否则是无效的。但需指出的是,并非只要当事人的约定与上述规定不一致就导致无效。法律作出这样的规定,目的在于保护买受人的利益,如果当事人在合同中的约定对保护买受人的利益更加有利,则是不违反法律规定的。例如,当事人的特别约定是,出卖人只有在买受人连续三次未支付价款,并且未支付到期价款的金额达到全部价款的四分之一的,才可以请求买受人支付到期以及未到期的全部价款或者解除合同,那么,这样的约定就是有效的。

除了上面讲的设立期限利益丧失的特别约定以外,出卖人在分期付款买卖中还可以提出设立一些其他的特别约定,以逃避其风险。其中比较重要的就是所有权转移的特别约定。本章规定,标的物的所有权自标的物交付时起转移,但法律另有规定或者当事人另有约定的除外。当事人可以在买卖合同中约定保留标的物所有权的条款。该条款可以约定买受人未履行支付价款或者其他义务的,标的物的所有权属于出卖人。分期付款买卖的出卖人为保证自己能按期收取价款,可以约定买卖标的物虽交付买受人,但出卖人保留其所有权,买受人全部支付价金或者在买受人支付若干期价款或者已经支付的价款达到全部价款的一定比例后,买卖标的物的所有权方能移转买受人。这种特别约定属于当事人自由行使合同自愿权利的范围。各国法律对此一般少有限制。

二、有关合同解除的特别规定

本法在总则中规定了对于所有合同均适用的关于合同解除的制度。包括当事人可以在合同中约定解除合同的条件,解除合同的条件成就时,合同解除。当事人也可以事后经协商一致解除合同。当事人一方迟延履行主要债务,经催告后在合理期限内仍未履行的,对方可以解除合同。当事人一方迟延履行债务或者有其他违约行为致使严重影响订立合同所期望的经济利益的,对方可以不经催告解除合同。这些是合同解除的一般性规则,合同法分则如果针对具体合同规定了一些特殊性的规则,那么就是适用特殊优于一般的原则。本条有关分期付款买卖合同解除的规定就是对总则有关规定的具体化。

首先,合同当事人可以在合同订立前或者订立后,协商设立合同解除的条件。而根据本条的规定,上面讲到的对期限利益丧失特别约定的限制,同样适用于合同的协议解除,合同的有关约定不得低于法律规定的对保护买受人有利的标准。

其次,达到法定的条件时,合同一方当事人有权单方解除合同。总则规定的这些条件中,违约行为"严重影响订立合同所期望的经济利益",乃是一个核心和关键。但总则这一规定只是一般性的原则表述,至于如何才是严重影响订立合同所期望的经济利益,不同种类的合同以及具体的各案都应当有不同的适用。按照本条的规定,在分期付款买卖合同中,买受人未支付到期价款的金额已经达到全部价款的五分之一,即法律规定的具体适用"严重影响订立合同所期望的经济利益"的标准。也就是说，只有达到了这样的条件，分期付款买卖的出卖人才有权行使合同的单方解除权。

前面讲到了分期付款买卖的出卖人避免风险的问题。在合同解除后，当事人双方应当将从对方取得的财产返还给对方，有过错的一方并应当赔偿对方因此而受到的损失。因此，有时出卖人也会考虑提出对解除合同后损害赔偿进行特别约定的方式来追求自己的最大利益。因为分期付款买卖的标的物是已经交付了买受人的，所以在因买受人一方的原因而由出卖人解除合同时，买受人在占有标的物期间的利益也是出卖人的损失。出卖人有可能就提出自己在因买受人的过错而解除合同时有权抵扣已收取的价款或者请求买受人支付一定金额赔偿的条款。如果这种约定过于苛刻，就会对买受人不利。为了维持当事人之间利益的均衡，法律应当限制合同的有关约定显失公平。除合同法总则中有关显失公平制度和诚实信用原则以及违约金过高可以请求适当减少的规定可以起到这方面作用外，本条第二款规定，出卖人解除合同的，可以向买受人请求支付该标的物的使用费。也就是说，一般情况下，出卖人因买受人的原因解除合同时，出卖人向买受人请求支付或者抵扣的金额，不得超过相当于该标的物的使用费的金额。如果标的物有毁损，那么出卖人当然还可以请求相应的损害赔偿。

第一百六十八条　凭样品买卖的当事人应当封存样品，并可以对样品质量予以说明。出卖人交付的标的物应当与样品及其说明的质量相同。

【释义】　本条是关于凭样品买卖基本权利义务的规定。

凭样品买卖又称货样买卖，是按货物样品确定买卖标的物的买卖，出卖人交付的货物应当与当事人保留的样品具有相同的品质。凭样品买卖是一种特殊买卖,其特殊性表现在以货物样品来确定标的物。订货交易多采用凭样品买卖方式。

凭样品买卖是以样品来确定标的物的品质,换句话说,标的物的品质与货样相同是当事人关于标的物品质的约定,而不是以出卖人交付的货物符合样品的品质为买卖生效的条件。凭样品买卖要求有样品存在,而且样品应当在订立合同时就存在。并且,当事人在买卖合同中应当约定以样品来确定标的物的品质,或者写明“凭样品买卖”等表明凭样品买卖的意思。如果出卖人先向买受人提示样品,而后双方订立合同时未明确表明进行的是凭样品买卖,则双方不成立凭样品买卖。所以,按照商店中摆列商品购物不属于货样买卖。

凭样品买卖的特点,是加强出卖人的责任,视为出卖人担保交付的买卖标的物与货样有同一品质。为了检验买卖标的物是否与货样品质相同,通常采取封存货样的办法,以待验证。同时,出卖人应当对样品质量予以说明。出卖人交付的标的物应当与样品及其说明的质量相同是凭样品买卖合同中出卖人应当承担的基本义务。如果出卖未履行这项义务,买受人不但可以要求其承担违约责任,并且可以认为出卖人的违约行为对买受人来说是“严重影响订立合同所期望的经济利益”,从而符合合同法总则所规定的合同解除的条件,买受人可以单方解除合同。

第一百六十九条　凭样品买卖的买受人不知道样品有隐蔽瑕疵的,即使交付的标的物与样品相同,出卖人交付的标的物的质量仍然应当符合同种物的通常标准。

【释义】　本条是关于凭样品买卖特殊责任的规定。

瑕疵分为质量瑕疵和权利瑕疵。这里指的是质量瑕疵,即标的物存在不符合规定或者通用质量要求的缺陷,或者影响使用效果等方面的情况。本法第一百五十四条规定,当事人对标的物的质量要求没有约定或者约定不明确,依照本法第六十一条的规定仍不能确定的,适用本法第六十二条第一项的规定。而按照第六十二条第一项的规定,质量要求不明确的,有国家标准、行业标准的,按照该标准履行,没有的,要按照通常标准或者符合合同目的特定标准履行。这些规定即是要求在不能明确标的物质量要求的情况下,出卖人应当担保标的物没有质量瑕疵。

在凭样品买卖中,“出卖人交付的标的物应当与样品的质量相同”。那么是否在样品存在隐蔽瑕疵的情况下,也可以适用前条的这一规定呢?本条的规定就是为了保护买受人的利益,针对前条的规定作出的特别规定。既然是隐蔽瑕疵,就是为买受人所不知道的。因此,按照本条的规定,买受人不知道样品存在隐蔽瑕疵的,即使交付的标的物与样品相同,本法第一百五十四条规定的义务仍然适用于出卖人,而不论出卖人是否知道样品存在隐蔽瑕疵。如果出卖人明知该瑕疵而故意隐瞒,则甚至可以构成对买受人的欺诈。

第一百七十条 试用买卖的当事人可以约定标的物的试用期间。对试用期间没有约定或者约定不明确,依照本法第六十一条的规定仍不能确定的,由出卖人确定。

【释义】 本条是关于试用买卖试用期间的规定。

试用买卖是一种附条件的买卖,指当事人双方约定由买受人试用或者检验标的物,以买受人认可标的物为条件的买卖合同。如我国台湾地区“民法典”第 384 条规定,试用买卖,为以买受人之承认标的物为停止条件,而订立之契约。试用买卖为买卖的一种。因此,对于试用买卖除法律另有规定外,应当适用一般买卖的有关规定。但试用买卖为一种特殊的买卖,与一般

买卖相比,自然具有其特殊性:

1. 试用买卖约定由买受人试用或者检验标的物

对于一般买卖,出卖人并无义务让买受人试用标的物。而在试用买卖合同中,出卖人有义务在买卖合同成立前将标的物交付给买受人试用或者检验。如将标的物交给买受试用或者试穿等。出卖人许可买受人试用或者检验标的物,是成立试用买卖合同的一个基本条件,出卖人不按约定让买受人试用或者检验标的物的,买受人可以请求出卖人交付标的物由其试用或者检验,也可以解除合同。

2. 试用买卖以买受人认可标的物为生效条件的买卖

试用买卖合同经当事人双方意思表示一致而成立。但该种合同对买卖权利义务关系的发生附有买受人认可标的物的生效条件,也就是说,买卖合同在买受人认可标的物时才生效。若买受人经试用或者检验对标的物不认可,则买卖合同不发生法律效力。可见,买受人认可标的物,为条件成就,买卖合同生效;买受人不认可标的物,则为条件不成就,买卖合同不生效。买受人的认可,完全取决于自己的意愿,而不受其他条件的限制。如果当事人在合同中约定标的物非经试用或者检验符合一定的标准或者要求,买卖合同不生效,那么这种合同就只是一般意义上的附条件买卖合同,而非本法所规定的试用买卖合同。

试用买卖中,买受人的认可是条件成就,买卖合同生效;买受人拒绝,则条件不成就,买卖合同不发生效力。买受人认可的,须向出卖人作出同意接受标的物的意思表示。其方式可以是口头的,也可以是书面的。买受人对标的物的认可,应当在约定的时间内作出,如德国民法典第 496 条规定,对试用买卖或检验买卖的标的物的认可,仅得在约定期限内为之;无约定期限者,应在出卖人对买受人规定的相当期限届至前表示之。

标的物的试用期间是试用买卖合同中的重要条款,而试用买卖合同同样适用一般合同的自愿原则,合同当事人当然可以对标的物的试用期间进行约定。如果当事人在试用买卖合同中对试用期间没有约定或者约定不明确,那么首先应当依照本法总则第六十一条的规定予以确定。也就是说,当事人双方可以协议补充;双方不能达成补充协议的,按照试用买卖合同中的有关条款进行确定;仍然无法确定的,按照交易习惯确定。如果此时还不能确定,就由出卖人来确定试用的期间。

第一百七十一条　试用买卖的买受人在试用期内可以购买标的物,也可以拒绝购买。试用期间届满,买受人对是否购买标的物未作表示的,视为购买。

【释义】 本条是关于试用买卖中买受人认可标的物的规定。

规定试用买卖的买受人在试用期内可以购买标的物,也可以拒绝购买,是为了明确试用买卖合同中买受人的基本权利。买受人对标的物的认可,完全取决于自己的意愿,而不受其他条件的限制。

从各国有关法律规定来看,在有些情形下,买受人虽未作出明确的认可表示,也视为认可。这些情形主要有:

1. 买受人在认可期限内未作表示

如德国法规定,标的物为试用或检验的目的交付于买受人者,如买受人未为表示,视为认可。我国台湾地区"民法典"规定,标的物因试用已交付于买受人,而买受人不交还其物或者于约定期限或者出卖人所定之相当期限内,不为拒绝之表示者,视为承认。买受人对标的物是否认可,应当及时作出表示,以免当事人之间的法律关系过久地处于不稳定的状态。因此,合同法也规定,试用期间届满,买受人对是否购买标的物未作表示的,视为购买。例如,出卖人规定电视机试看三天,三天后买受人既未通知出卖人接受标的物,也未通知拒绝认可标的物,并且未将电视机退还出卖人,则视为买受人认可标的物。

出卖人试用标的物,可以是在认可期限内一直占有标的物,也可以是在出卖人占有的情况下试用或者检验。对于这种出卖人未将标的物转移于买受人占有的情形,买受人经试用或者检验后未在约定的期限或者出卖人规定的期限内作出拒绝认可的表示时,是否也视为接受,存在不同的意见。一种意见,不论标的物是否交给买受人占有,只要买受人未在期限内作出意思表示,即视为认可。另一种意见,标的物未交给买受人占有情况下,买受人试用或者检验后未在期限内作出表示的,应当视为拒绝。其理由是,标的物未交给买受人占有情况下,买受人试用后拒绝认可标的物的,不发生返还标的物的问题。而认可标的物的,则发生出卖人应当交付标的物的问题。因此,这种情况下,在对买受人试用后未在期限内作出表示的情形进行法律推定时,如果视为买受人以默示的方式拒绝认可标的物,是比较经济而适当的办法。

2. 买受人无保留地支付一部分或者全部的价金,或者对标的物从事试用以外的行为

例如,我国台湾地区“民法典”第 387 条规定,买受人已支付价金之全部或一部,或就标的物为非试用所必要之行为者,视为承认。试用买卖自买受人试用或者检验标的物后表示认可时,条件才成就,合同才发生法律效力。因此,买受人于其认可后才支付价金。买受人在试用或者检验后虽未表示认可或者拒绝,但无保留地支付了一部分或者全部的价金,则可以认为买受人以支付价金的形式来表示对标的物认可的意思。在此情形

下，应当推定买受人认可标的物。买受人虽未支付价金，但对标的物从事试用或者检验以外的行为时，也应当视为认可。因为在试用期间，买受人对标的物并无处置的权利，如果其从事试用以外的行为，例如将标的物出租或者出卖等，则其显然将标的物视为自己之物，当然可以视为其对标的物表示了认可。这种情形没有在本条中直接规定，但应当认为是符合本条意旨的。

第一百七十二条　招标投标买卖的当事人的权利和义务以及招标投标程序等，依照有关法律、行政法规的规定。

【释义】　本条是关于招标投标买卖的规定。

招标投标买卖指招标人公布买卖标的物的出卖条件，投标人参加投标竞买，招标人选定中标人的买卖方式。招标投标买卖法律关系的主体包括出卖人，又可称为招标人和竞买人，又可称为投标人和买受人，又可称为中标人。招标投标除可作为一种特种买卖形式外，还适用于承揽、建设工程、运输、服务等合同的订立。

招标投标买卖的程序，可分为招标、投标、开标、评标、定标。招标时，招标人发出招标公告。本法第十五条规定，招标公告为要约邀请。投标人投标为要约。投标应当表明竞买金额，投标后，招标人应当按照公告说明的时间、地点和程序开标。开标后，招标人组织评标，按评标结果定标，确定中标人，定标为承诺。与同为竞争买卖的拍卖不同的是，拍卖以最高应价者确为买定人，而招标投标买卖的中标人不一定是出价最高者，招标人综合衡量投标人条件选择中标人，或许使出价较低者中标。招标人定标，招标投标买卖成立。

招标投标买卖在现代社会中是一种重要的买卖形式，尤其在大宗定货和政府采购中能够发挥有益的作用。招标投标买卖当事人的权利和义务以及招标投标程序等，应当依法加以具体规范。考虑到有关部门正在起草与招标投标有关法律的情况，本条作出了这样的规定。

第一百七十三条　拍卖的当事人的权利和义务以及拍卖程序等，依照有关法律、行政法规的规定。

【释义】 本条是关于拍卖的规定。

1. 拍卖的概念

拍卖是拍卖人以公开竞价的方式，将拍卖标的出售给最高应价人的买卖方式。拍卖按其性质可分为公法拍卖和私法拍卖。公法拍卖指司法拍卖，私法拍卖指民事拍卖。这两种拍卖的程序、责任均有不同。司法拍卖指人民法院的拍卖，又称强制拍卖，是人民法院按照强制执行程序进行的拍卖。私法拍卖是民法上的拍卖，又称任意拍卖，指公民、法人的拍卖。人民法院委托他人拍卖罚没物品，亦属私法拍卖。

私法拍卖又有自行拍卖和委托拍卖之分。公民、法人自己拍卖自己的财产，为自行拍卖。拍卖是买卖的一种方式，公民、法人可以运用这种方式出卖所经营的财产。政府从事民事拍卖，也是自行拍卖。公民、法人、政府和法院委托他人拍卖，为委托拍卖。

私法拍卖实行公开、公平、公正、诚实信用的原则。

合同法中的拍卖，即指私法拍卖，包括拍卖当事人、拍卖标的、拍卖程序、拍卖责任等内容。

2. 拍卖标的

拍卖的财产称拍卖标的，包括拍卖的物品和财产权利。拍卖标的是有体物的，称拍卖物。禁止流通物不得作为拍卖物。依照法律或者依照国务院规定需经审批才能转让的财产，在拍卖前,应当办理审批手续。

国家行政机关依法没收的物品,充抵税款、罚款的物品,公安机关保存的超过招领期限的遗失物品和其他确认为无主物的物品,人民法院依法没收的物品,充抵罚金、罚款的物品以及无法返还的追回物品,适合拍卖的,也可以作为拍卖物。

1996 年 7 月 5 日第八届全国人民代表大会常务委员会第十二次会议通过了《中华人民共和国拍卖法》,该法已于 1997 年 1 月 1 日起施行。拍卖法对于作为拍卖中介人的拍卖企业进行委托拍卖行为作了具体的规定,但未调整公民、法人自己拍卖自己的财产的自行拍卖行为。因此,合同法作出规定,拍卖的当事人的权利义务以及拍卖程序等,依照有关法律、行政法规的规定。依照这一规定,自行拍卖的当事人的权利义务以及拍卖程序等,可以依照拍卖法的规定予以确定。

第一百七十四条 法律对其他有偿合同有规定的,依照其规定;没有规定的,参照买卖合同的有关规定。

【释义】 本条是关于买卖合同准用于有偿合同的规定。

以当事人享有合同权利是否需偿付代价为标准,可以把合同分为有偿合同和无偿合同。当事人享有合同权利时必须向对方支付一定代价的合同,称为有偿合同。大多数合同都是有偿合同。如买卖合同、租赁合同等。当事人享有合同权利而不必向对方偿付代价的合同,称为无偿合同。赠与合同是典型的无偿合同,在此合同中,受赠人取得赠与物无须向赠与人支付任何代价。

有些合同从性质上说就是有偿合同,如果一方当事人只享有合同权利而不支付代价,就不称其为该种合同。如买卖合同、租赁合同即如此。反之,如赠与合同就只能是无偿合同,这亦由其性质而定。有些合同,则既可以是有偿合同,又可以是无偿合同,全在于合同当事人之间是否有偿付代价的约定。如委托合同、保管合同、公民之间的借贷合同等。

在有偿合同之中,以买卖合同为最重要。因此,本法买卖合同一章条文结构也最完整详细。而这其中的一些规定,属于有偿合同共通性的规则。从立法技术上的避免重复繁杂的要求出发,有关条款就不再规定于其他各有偿合同的相关章节之中,而按照本条的规定,直接可以参照适用关于买卖合同的相应内容。本法对买卖合同以外的各有偿合同的规定,是具有直接针对性的专门规定,即使与买卖合同的相关规定不同,也要适用这些专门规定。只有对其没有规定的内容,才可以考虑参照适用买卖合同的有关规定。

第一百七十五条　当事人约定易货交易,转移标的物的所有权的,参照买卖合同的有关规定。

【释义】 本条是关于互易合同的规定。

互易合同是互易人相互交换标的物,转移标的物所有权的合同。互易人包括自然人、法人。互易合同的当事人可以是双方,也可以是三方以上的当事人,如三角互换。互易合同的当事人互为互易人。互易人各自享有取得对方互易标的物的权利,负有将本人的标的物转移交付对方的义务。因此,互易是双务、有偿合同。

互易合同与买卖合同最为相似,都是转移合同标的物所有权的合同。不同之处在于买卖合同是买卖标的物与价金的交换,买受人需向出卖人支付价金,而互易合同是标的物的交换,无须价金的支付。实际生活中存在附补足金的互易。不等价的互易可附补足金。不等价互易的互易人互易后,尚有差额,差方可以金钱补足,此为附补足金互易。附补足金互易实为互易与买卖的混合合同,补足金不够部分应当按买卖合同进行。

以物易物是早期商品交换的合同形态,货币产生后,买卖合同渐居统治地位,互易合同衰败。而当今社会仍有易货交易,所以一般各国立法都给互易合同留有一席之地,但只是简略地规定互易概念,其余如互易人的权利义务等,则参照买卖合同的相关规定。

第十章　供用电、水、气、热力合同

本章共九条，对供用电合同的概念、内容和履行地点、供用电双方的权利义务、违约责任以及供用水、气、热力合同参照适用等内容作出了规定。

第一百七十六条　供用电合同是供电人向用电人供电，用电人支付电费的合同。

【释义】　本条是关于供用电合同概念的规定。

供用电合同是供电人与用电人订立的，由供电人供应电力、用电人使用该电力并支付电费的协议。

供用电合同是一种常见的民事合同。合同的标的，是一种特殊的商品"电"，由于其具有客观物质性并能为人们所使用，因而属于民法上"物"的一种。供电人将自己所有的电力供应给用电人使用，用电人支付一定数额的价款，双方当事人之间的关系实际上是一种买卖关系。因此，供用电合同本质上属于一种特殊类型的买卖合同。

供用电合同具有以下法律特征：

1. 合同的主体是供电人和用电人。供电人，是指供电企业或者依法取得供电营业资格的非法人单位。其他任何单位和个人都不得作为供电人。受供电企业委托供电的营业网点、营业所不具有权利能力，不能以自己的名义签订合同，因而不是供电人。用电人的范围非常广泛，自然人、法人以及其他组织等，都有资格成为供用电合同的用电人，订立供用电合同。

2. 合同的标的是一种无形物质——电力，虽然客观存在，却看不见，只有在连续使用的过程中才能表现出来。

3. 供用电合同属于持续供给合同。由于电力的供应与使用是连续的，因而合同的履行方式处于一种持续状态。供电人在发电、供电系统正常的情况下，应当连续向用电人供电，不得中断；用电人在合同约定的时间内，享有连续用电的权利。

4. 供用电合同一般按照格式条款订立。电力事业是具有社会公益性的公用事业，关系整个社会的公共安全，电力这种特殊商品本身又具有网络性和天然垄断性，这就使供电企业对电力的供应及电网的管理具有一定的垄断性。供电企业为了与不特定的多个用电人订立合同而预先拟定格式条款，双方当事人按照格式条款订立合同。用电人对该格式条款仅有同意或不同意的权利，而不能更改其内容。对供用电方式有特殊要求的用电人，可采用非格式条款订立合同。

5. 电力的价格实行统一定价原则。电力法第三十五条规定："电价实行统一政策，统一定价原则，分级管理。"供电企业向用电人供应的电价，由电网经营企业提出方案，报国家有关物价行政主管部门核准。任何单位不得超越电价管理权限制定电价。供电企业应当按照国家核准的电价和用电计量装置的记录，向用电人收取电费。供电企业不得擅自变更电价。这样，就有效地避免了供电企业利用其对电力供应的垄断地位，向用电人收取过高的电价，保护处于弱者地位的用电人的合法权益。

6. 供用电合同为诺成、双务、有偿合同。供用电合同自双方当事人达成协议时起成立生效，而不以电力的实际供应为合同的生效要件，因而供用电合同属于诺成性合同。供用电双方都享有一定权利，负担一定义务，双方的权利义务具有对应性，所以供用电合同为双务合同。用电人使用电力须支付电费，供电人取得电费须供应电力，因此供用电合同为有偿合同。

在社会主义市场经济条件下，供用电双方签订供用电合同，明确双方的权利义务关系，按照合同的约定并根据市场规律供应与使用电力，是十分必要的。

供用电合同属于一种持续供给合同。由于电力供应的连续性，合同的履行方式呈持续状态。供电人在发、供电系统正常的情况下，负有连续向用电人供电的义务；用电人在合同约定的时间内，享有连续用电的权利。

电力事业是一项关系国计民生的公用事业，供用电合同作为一种民事合同，我国已有的法律对这种合同作出了规定。1981 年颁布的经济合同法对供用电合同的主要条款、违约责任等内容作出规定，但由于当时我国电力事业发展水平不高，电力短缺、供不应求的现象严重，电力属于国家计划产品，供用电合同在某些方面体现了计划经济的特点。1995 年的电力法对供用电合同作了较为详尽的规定。近几年，随着我国电力工业的发展，电力供应的紧张状况趋于缓和，部分地区已由原来的卖方市场转为买方市场。过去是用户害怕供电不足，现在是供电企业希望与用户订立合同，担心用户不按约定用足电量。同时，供用电开始市场化，供电企业须向电厂购买电力，再提供给用户。随着电力短缺状况的逐步改善，合同关系也发生了一定变化。本章从这一现实出发，本着合同自由原则，把供用电双方作为平等的民事主体，着重从当事人合同关系的角度，对供用电合同的有关内容、供用电双方的权利义务及违约责任等作出规定，以适应社会主义市场经济发展的需要。

第一百七十七条 供用电合同的内容包括供电的方式、质量、时间,用电容量、地址、性质,计量方式,电价、电费的结算方式,供用电设施的维护责任等条款。

【释义】 本条是关于供用电合同内容的规定。

供用电合同是供电人与用电人就电力的供应与使用以及电费的支付订立的协议。根据本条的规定,供用电合同包括以下内容:

1. 供电的方式、质量和时间。供电方式,是指供电人以何种方式向用电人供电,包括主供电源、备用电源、保安电源的供电方式以及委托转供电等内容。供电企业对申请用电的用户提供的供电方式,应从供用电的安全、经济、合理和便于管理出发,依据国家的有关规定、电网的规划、用电需求以及当地供电条件等因素,进行技术经济比较,与用户协商确定。供电质量,是指供电频率、电压和供电可靠性三项指标。频率(周波)质量,是以频率允许偏差来衡量;电压质量,是以电压的闪变、偏离额定值的幅度和电压正弦波畸变程度衡量;供电可靠性,是以供电企业对用户停电的时间及次数来衡量。用电时间,是指用电人有权使用电力的起止时间。双方应在合同中具体规定用电时间。规定用电时间的目的在于保证合理用电和安全用电,避免同一时间用电人集中用电,造成高峰时间供电设施因负荷过大而发生断电、停电事故,同时也可以防止低谷负荷过低而造成电力浪费。近几年,随着我国电力事业的迅速发展,电力供应的紧张状况已趋于缓和,对用电时间的限制将逐步放宽。

2. 用电容量、地址和性质。用电容量,是指供电人认定的用电人受电设备的总容量,以千瓦(千伏安)表示。用电地址,是指用电人使用电力的地址。用电性质包括用电人行业分类和用电分类。行业用电分类根据 GB4754 – 84《国民经济行业分类和代码》的规定，分为农业、工业、建筑业等七大类和城乡居民生活用电。用电分类按照电价表中的分类方法，包括大工业用电、非普工业用电、农业生产用电、商业用电、居民生活用电、非居民照明用电、趸售用电和其他用电。

3. 计量方式和电价、电费的结算方式。计量方式，是指供电人如何计算用电人使用的电量。供电企业应在用户每一个受电点内按不同电价类别，分别安装用电计量装置。用电计量装置是一种记录用户使用电力电量多少的专用度量衡器，它的记录作为向用电人计算电费的依据。用电计量方式采用高压侧计量或低压侧计量。电价即电网销售电价，是指供电企业向用电人供应电力的价格。电价实行国家统一定价，由电网经营企业提出方案，报国家有关物价部门核准。电费是电力资源实现商品交换的货币形式。供电企业应当按照国家核准的电价和用电计量装置的记录，向用电人计收电费；用户应当按照国家核准的电价和用电计量装置的记录，按时交纳电费。为防止电费的拖欠，双方当事人可以在合同中约定电价、电费的结算方式。双方可采取下列结算方式：(1)收取电费保证金；(2)采取预付电费制；(3)有账务往来的，可商定价款互抵协议；(4)提倡采用商业承兑汇票或银行承兑汇票的结算方式；(5)由供、用、银行三方商签每月电费有期划拨协议；(6)其他有效方式。

4. 供用电设施的维护责任。在供用电合同中，双方应当协商确认供电设施运行管理责任的分界点，分界点电源侧供电设施属于供电人，由供电人负责运行维护管理，分界点负荷侧供电设施属于用电人，由用电人负责运行维护管理。供电人、用电人分管的供电设施，除另有约定外，未经对方同意，不得操作或更动。

供用电合同是双方法律行为，除前四项合同应当具备的条款外，当事人还可以在协商一致的情况下在合同中约定其他认为需要的事项，如合同的有效期限、违约责任等条款。本法对于合同内容的要求是提倡性和指导性的，而不是强制性的。如果供用电合同没有完全具备法律规定的内容，不影响合同的效力。根据本法第六十一条的规定，供用电合同生效后，当事人就合同的某些内容没有约定或者约定不明确的，可以协议补充；不能达成补充协议的，按照合同有关条款或者交易习惯确定。如果仍不能确定，当事人应当按照本法第六十二条对没有约定或约定不明确的有关规定办理。

第一百七十八条　供用电合同的履行地点，按照当事人约定；当事人没有约定或者约定不明确的，供电设施的产权分界处为履行地点。

【释义】　本条是关于供用电合同履行地点的规定。

合同的履行地点，是合同的主要条款之一，是指当事人双方行使其权利、履行其义务的地点。履行地点往往是确定验收地点的依据，是确定运输费用由谁负担、风险由谁承受的依据，也是确定标的物所有权是否转移的依据。本条中的“供用电合同的履行地点”，具体是指供电人将电力的所有权转移于用电人的转移点。根据合同自由的原则，供用电双方可以在供用电合同中约定该履行地点，供用电合同约定了履行地点的，供电人应当按照该约定履行供电义务。

如果供用电双方对履行地点没有约定或者约定不明确，供电设施的产权分界处为履行地点。根据本法第六十一条的规定，当事人对合同的履行地点没有约定或者约定不明确的，可以协议补充；不能达成补充协议的，按照合同有关条款或者交易习惯确定。如果仍不能确定的，应当适用本法第六十二条第三项的规定,即给付货币的,在接受货币一方所在地履行;交付不动产的,在不动产所在地履行;其他标的,在履行义务一方所在地履行。但是,由于电力系统具有网络性,供电人与用电人由网络相联结,电力的生产、供应与使用同时完成,且具有连续性,这就使供用电合同的履行地点具有一定的特殊性,很难适用本法第六十二条的规定。长期以来,特别是近十年来,在电力供应与使用过程中,由于用电人参与电力设施的投资建设,电力设施投资多元化已呈发展趋势,供用电双方根据这一特殊性,在实践中形成并确定了以供电设施的产权分界处作为合同的履行地点。据此,本条规定:"当事人没有约定或者约定不明确的,供电设施的产权分界处为履行地点。"供电设施的产权分界处是划分供电设施所有权归属的分界点,分界点电源侧的供电设施归供电人所有,分界点负荷侧的供电设施归用电人所有。在用电人为单位时,供电设施的产权分界处通常为该单位变电设备的第一个磁瓶或开关;在用电人为散用户时,供电设施的产权分界处通常为进户墙的第一个接收点。上述供电设施的产权分界处为供用电合同的履行地点。

以供电设施的产权分界处作为供用电合同的履行地点,对于履行供用电合同、确定供电设施的维护管理责任,具有重要的作用。供用电双方应当根据供电设施的产权归属,承担供电设施的安装、维护、检修和管理责任。

第一百七十九条　供电人应当按照国家规定的供电质量标准和约定安全供电。供电人未按照国家规定的供电质量标准和约定安全供电,造成用电人损失的,应当承担损害赔偿责任。

【释义】　本条是关于供电人的安全供电义务及其违约责任的规定。

本条强调供电人应当正确地履行供用电合同约定的义务，按照国家规定的供电质量标准和合同的约定安全供电。《供电营业规则》对供电质量标准作了规定：（1）在电力系统正常状况下，供电频率的允许偏差为：电网装机容量在300万千瓦及以上的，为正负0.2赫兹；电网装机容量在300万千瓦以下的，为正负0.5赫兹。在电力系统非正常状况下，供电频率允许偏差不应超过正负1赫兹。（2）在电力系统正常状况下，供电企业供到用户受电端的供电电压允许偏差为：35千伏及以上电压供电的，电压正、负偏差的绝对值之和不超过额定值的10%；10千伏及以下三相供电的，为额定值的正负7%；220伏单相供电的，为额定值的正7%、负10%。在电力系统非正常状况下，用户受电端的电压最大允许偏差不应超过额定值的正负10%。用户用电功率因数达不到规定标准时，其受电端的电压偏差不受此限制。上述供电质量标准是衡量供电质量和安全的重要指标，供电人只有按照国家规定的供电质量标准供电，才能保证供电的安全，维护用电人的合法权益。这里的“安全供电”，是指按照国家有关安全供电的规章制度供应电力，电压要稳定，频率要达到标准，输电线路要安全畅通等。

除按照国家规定的标准外，供电人还应当按照合同的约定供电。合同是当事人的意思表示的合意，合同依法成立后，就在当事人之间产生一定的法律拘束力，当事人应当按照合同的约定行使权利和履行义务，即合同必须遵守的原则。本法第八条规定：“依法成立的合同，对当事人具有法律约束力。当事人应当按照约定履行自己的义务，不得擅自变更或者解除合同。”在供用电合同中，按照约定供电，具体是指按照供用电合同约定的数量、质量、时间和方式等要求供电。

本条对供电人的违约责任作出了规定：供电人未按照国家

规定的供电质量标准和约定安全供电,造成用电人损失的,应当承担损害赔偿责任。只要违反合同,就应承担责任,这一规定的精神和合同法总则违约责任一章的一般规定是一致的。本法第一百零七条规定:“当事人一方不履行合同义务或者履行合同义务不符合约定的,应当承担继续履行、采取补救措施或者赔偿损失等违约责任。”违约方承担违约责任,仅以其不履行合同或者履行合同不符合约定为要件。电力法也有类似的规定,该法第五十九条规定:“电力企业或者用户违反供用电合同,给对方造成损失的,应当依法承担赔偿责任。”据此,只要供电人没有按照国家规定的供电质量标准和约定安全供电,并造成用电人损失,就应当承担损害赔偿责任。

这里的“承担损害赔偿责任”,是指供电人就其违约行为赔偿给用电人所造成的损失,损失包括直接损失,也包括合同履行后可以获得的利益,但不得超过供电人订立合同时预见到或者应当预见到的因违反合同可能造成的损失。

第一百八十条　供电人因供电设施计划检修、临时检修、依法限电或者用电人违法用电等原因,需要中断供电时,应当按照国家有关规定事先通知用电人。未事先通知用电人中断供电,造成用电人损失的,应当承担损害赔偿责任。

【释义】 本条是关于供电人因故中断供电时的通知义务的规定。

供用电合同是一种持续供给合同,供电人在发电、供电系统正常的情况下,应当连续向用电人供电,不得中断,否则应当承担违约责任。这是供电人连续供电的义务。但是在某些法定情形下,供电人可以中断供电,根据本条和电力法第二十九条的规定,这些情形包括供电设施检修、依法限电或者用户违法用电等。“供电设施检修”，包括供电设施计划检修和临时检修；“依法限电”，是指依照有关法律、行政法规对一个地区中的一部分地区、部分用户、用电大户的部分用电设施中断供电，使其用电总量减少的一种措施行为；“用户违法用电”，包括违章用电、窃电、超计划用电、不安全用电以及其他违反法律、行政法规用电的行为。供电人在上述情形下中断供电，不承担违约责任，但前提是应当按照国家有关规定事先通知用电人。因供电设施计划检修停电，供电企业应当提前7天通知用户或者进行公告；因供电设施临时检修停电，供电企业应当提前24小时通知重要用户；因发电、供电系统发生故障需要停电、限电时，供电企业应当按照事先确定的限电序位进行停电或者限电。但限电序位应事前公告用户。引起停电或者限电的原因消除后，供电企业应当尽快恢复供电。

如果因供电设施检修、依法限电或者用户违法用电等原因中断供电，供电企业没有按照国家有关规定事先通知用户，比如遇到计划检修时，没有提前7天通知用户或者进行公告，依法限电时，没有按照事先确定的限电序位进行限电，因此给用电人造成损失的，应当承担损害赔偿责任。

第一百八十一条　因自然灾害等原因断电，供电人应当按照国家有关规定及时抢修。未及时抢修，造成用电人损失的，应当承担损害赔偿责任。

【释义】　本条是关于因自然灾害等原因断电时供电人的抢修义务的规定。

本条中的“自然灾害等原因”，主要是指不可抗力的原因。我国法律规定不可抗力为合同的免责事由。民法通则第一百零七条规定，因不可抗力不能履行合同或者造成他人损害的，不承担民事责任,法律另有规定的除外。本法第一百一十七条规定:“因不可抗力不能履行合同的,根据不可抗力的影响,部分或者全部免除责任,但法律另有规定的除外。”不可抗力,是指不能预见、不能避免并且不能克服的客观情况。不可抗力独立于人的行为之外、不受当事人的意志所支配。不可抗力包括某些自然现象(如地震、台风、洪水)和某些社会现象(如战争)。本条所指的自然灾害等原因,主要包括:(1)自然因素造成的事故损害,如风、雪、霜、雾、空气污染等造成的断电。(2)一些不能预见、又不可避免的外力破坏,如鸟害。

虽然不可抗力是合同的免责事由,但在不可抗力发生以后,当事人仍应以诚实善意的态度去努力克服,最大限度地减少因不可抗力所造成的损失。这是合同诚实信用原则的要求。因此,因自然灾害等原因断电后,供电人应当按照国家有关规定及时抢修,尽早恢复供电,减少用电人因断电所造成的损失。如果供电人没有及时抢修,给用电人造成损失,供电人应当就没有及时抢修而给用电人造成的损失部分承担赔偿责任。

供电人是否尽到了及时抢修的义务,应以国家的有关规定为标准。

第一百八十二条　用电人应当按照国家有关规定和当事人的约定及时交付电费。用电人逾期不交付电费的,应当按照约定支付违约金。经催告用电人在合理期限内仍不交付电费和违约金的,供电人可以按照国家规定的程序中止供电。

【释义】 本条是关于用电人交付电费的义务和逾期交付电费的违约责任的规定。

供用电合同是供电人向用电人供给电力,用电人支付电费的合同。供用电合同实际上是一种特殊买卖合同,即用电人向供电人购买电力以供使用，同时向供电人支付该电力的价款，双方买卖的标的物是电力。在供用电合同中，支付价款是用电人的主要义务。电力的价款即电费，是电力资源实现其商品价值的货币形式，是供电人出卖电力的对价，用电人只有按照国家有关规定和双方当事人的约定履行交付电费的义务，才能实现电力的商品价值，完成一次电力资源的买卖过程。

用电人按照国家有关规定交付电费，主要是按照有关电力供应与使用的法律法规的规定履行交费的义务。电力法第三十三条第三款规定，用户应当按照国家核准的电价和用电计量装置的记录，按时交纳电费；对供电企业查电人员和抄表收费人员依法履行职责，应当提供方便。电力供应与使用条例第二十七条第二款规定，用户应当按照国家批准的电价，并按照规定的期限、方式或者合同约定的办法，交付电费。用电人按照约定交付电费，主要是按照约定的电费结算方式、交付期限等履行交费的义务。

用电人在合同约定的期限内未交付电费，应当承担迟延支付的违约责任。如果供用电双方就迟延交付电费约定了违约金，则用电人应当按照约定支付违约金。违约金作为一种违约责任形式，是指当事人在合同中约定的、在一方违约时生效的独立于履行行为之外的金钱给付，约定违约金主要在于补偿一方当事人因对方违约所造成的损失。有关电力供应与使用的行政法规和规章对迟延支付的违约金作出了规定。电力供应与使用条例第三十九条规定，用户逾期未交付电费的，供电企业可以从逾期之日起，每日按照电费总额的千分之一至千分之三加收违约金，具体比例由供用电双方在供用电合同中约定。供电营业规则第九十八条规定，用户在供电企业规定的期限内未交清电费时，应承担电费滞纳的违约责任。电费违约金从逾期之日起计算至交纳日止。每日电费违约金按下列规定计算：

1. 居民用户每日按欠费总额的千分之一计算；

2. 其他用户：

（1）当年欠费部分，每日按欠费总额的千分之二计算；

（2）跨年度欠费部分，每日按欠费总额的千分之三计算。

目前，供用电合同多采用格式条款订立，供用电双方一般按照上述规定约定迟延支付的违约金。

随着电力供应的逐步市场化和利用非格式条款订立供用电合同的现象的大量增加，双方当事人可能没有预先约定违约金，在这种情况下，用电人逾期不交付电费的，应当支付电费的逾期利息，以补偿供电人因不能按期收回电费所受的损失。逾期利息从逾期之日起计算至交纳日止。此逾期利息应只具有补偿性。

经催告，用电人在合理期限内仍不交付电费和违约金的，供电人可以中止供电。供用电合同是一种持续供给合同，供电人按照约定向用电人持续供应电力，用电人按期支付电费，因而属于双务合同。如果供电人供应了电力，用电人不交付电费，供电人为保护自己的合法利益，就可以拒绝继续供电。但中止供电前，供电人负有催告义务，并应给用电人一个合理期限以作准备，这是合同诚实信用原则的要求。该期限的具体时间，视具体情形而定。此外，供电人中止供电，应当严格按照国家规定的程序办理。用电人交付电费和违约金后，供电人应当及时恢复供电。

第一百八十三条　用电人应当按照国家有关规定和当事人的约定安全用电。用电人未按照国家有关规定和当事人的约定安全用电，造成供电人损失的，应当承担损害赔偿责任。

【释义】　本条是关于用电人安全用电的义务及其违约责任的规定。

供用电合同一经成立,就对当事人产生法律效力,用电人应当按照国家有关规定和合同的约定安全用电。这是因为,虽然供用电合同是供用电双方就电力的供应与使用订立的买卖合同,但它与一般买卖合同不同,一般买卖合同在标的物交付后,买受人取得该标的物的所有权,可以对其任意处分,出卖人无权干涉,国家也没有必要对该物的使用作出规定。电力的供应与使用则不同,由于电力系统具有网络性,电力的生产、供应和使用由网络联结,相互影响,并且同时完成,任何一个用户能否安全、合理地使用电力,都将关系到电力的运行安全,关系到千千万万用户的用电安全,关系到整个社会的公共安全,任何一种违章、违约用电行为,都可能造成人身和财产的重大损害。因此,不仅双方当事人有必要在供用电合同中对如何安全、合理地使用电力作出约定,而且应当按照国家的有关规定安全用电。

用电人未按照国家有关规定和当事人的约定安全用电,主要是指用电人危害供用电安全、扰乱正常供用电秩序的行为,即违章用电行为。所谓违章用电,是指用电人在用电过程中实施的违反有关法律法规中关于安全用电的强制性规定的行为。有关法律法规对违章用电作了禁止性规定。电力法第三十二条规定,用户用电不得危害供电、用电安全和扰乱供电、用电秩序。根据电力供应与使用条例的规定,违章用电行为包括:(1)擅自改变用电类别;(2)擅自超过合同约定的容量用电;(3)擅自超过计划分配的用电指标;(4)擅自使用已经在供电企业办理暂停使用手续的电力设备,或者擅自启用已经被供电企业查封的电力设备;(5)擅自迁移、更动或者擅自操作供电企业的用电计量装置、电力负荷控制装置、供电设施以及约定由供电企业调度的用户受电设备;(6)未经供电企业许可,擅自引入、供出电源或者将自备电源擅自并网。

用电人违章用电，应当承担一定的法律责任，有关电力供应与使用的法律法规对违章用电的法律责任作出了规定。电力法第六十五条规定，危害供电、用电安全或者扰乱供电、用电秩序的，由电力管理部门责令改正，给予警告；情节严重或者拒绝改正的，可以中止供电，可以并处五万元以下的罚款。《电力供应与使用条例》第四十条规定，违章用电的，供电企业可以根据违章事实和造成的后果追缴电费，并按照国务院电力管理部门的规定加收电费和国家规定的其他费用；情节严重的，可以按照国家规定的程序停止供电。以上规定，多是从行政管理的角度出发，给予行政处罚。从合同关系考虑，违章用电属于违约用电行为，用电人违章用电，应当承担违约责任，包括采取补救措施、支付违约金、供电人中止供电等，造成供电人损失的，应当给予赔偿。

第一百八十四条　供用水、供用气、供用热力合同，参照供用电合同的有关规定。

【释义】　本条是关于供用水、气、热力合同参照适用供用电合同的规定。

供用水、供用气、供用热力合同，与供用电合同一样，都是一种常见的民事合同。合同的标的，即水、气、热力，既是国民经济中的重要能源，也是一种特殊的商品。其合同都是供应人向使用人供应水、气或者热力，使用人支付价款的合同，双方当事人的关系都是一种买卖关系。因此，供用水、供用气、供用热力合同在本质上都属于特殊类型的买卖合同。它们与供用电合同具有以下共同点：

1. 供应方是特殊主体，只能是依法取得特定营业资格的供应企业，其他任何单位和个人都不得作为供应方。如供应水合同的供应方只能是自来水公司。

2. 属于持续供给合同。由于电、水、气、热力的供应与使用均是连续的，因此合同的履行方式都处于一种持续状态。供应方在正常情况下，应当连续向使用方供应，不得中断；使用方在合同约定的期限内，享有连续使用的权利。

3. 合同一般按照格式条款订立。供用电、水、气、热力都是具有社会公益性的公用事业，关系到千千万万个使用者的日常生活。供应方为了适应大量交易的需要，预先拟定格式条款，双方当事人按照格式条款订立合同，这样既有利于降低交易成本，又有利于供应方集中精力提高供应质量。但同时也存在如何限制供应方利用其垄断地位产生的不公平问题。对供用方式有特殊要求的使用方，也可以采用非格式条款订立合同。

4. 对用户的责任都有特殊要求。由于电、水、气、热力系统都具有网络性，其生产、供应与使用都由网络联结，相互影响，任何一个用户的使用，都可能关系到整个系统的运行，关系到其他用户的利益，如一个用户的暖气管道发生泄漏，可能影响相邻用户的正常供暖。因此，要求用户按照有关规定和约定安全、合理地使用供应的电、水、气、热力，并承担相应的法律责任。

鉴于供用水、气、热力合同与供用电合同有许多共同点，因此本条规定：供用水、供用气、供用热力合同，参照供用电合同的有关规定。例如，供用水合同中供水方的责任，就可以参照本法第一百七十九条的规定，供水方应当按照国家规定的供水质量标准和约定供水。如果供应的水没有达到国家规定的质量标准，给用户的健康造成损害的，供水方应当承担损害赔偿责任。同时，供用水、供用气、供用热力合同，又各有其特性，与供用电合同并不完全相同，因此，本条规定的是“参照供用电合同的有关规定”，而不是完全适用，如何体现供用水、气、热力合同的特殊性，还有待于相关立法的不断完善。

第十一章 赠与合同

本章共十一条,对赠与合同的概念、赠与合同的成立、当事人的权利义务、瑕疵担保责任、赠与的任意撤销和法定撤销、违约责任等作了规定。

第一百八十五条　赠与合同是赠与人将自己的财产无偿给予受赠人,受赠人表示接受赠与的合同。

【释义】 本条是关于赠与合同概念的规定。

赠与合同,是指赠与人将自己的财产无偿给予受赠人,受赠人愿意接受赠与的合同。我们可以从赠与合同的概念中看出如下内涵:

1. 赠与是一种合意,是双方的法律行为。赠与合同虽为单务、无偿合同,也需有当事人双方一致的意思表示才能成立。如果一方有赠与意愿,而另一方无意接受该赠与的,赠与合同不能成立。在现实生活中,也会出现一方出于某种考虑而不愿接受对方赠与的情形,如遇此情况,赠与合同即不成立。

2. 赠与合同是转移财产所有权的合同。赠与合同是以赠与人将自己的财产给予受赠人为内容的合同,是赠与人转移财产所有权于受赠人的合同。这是赠与合同与借用合同的主要区别。

3. 赠与合同为无偿合同。所谓"无偿合同",是指仅由当事人一方为给付,另一方不必向对方偿付相应代价的合同。在赠与合同中，仅由赠与人无偿地将自己的财产给予受赠人，而受赠人取得赠与的财产，不需向赠与人偿付相应的代价。这是赠与合同与买卖等有偿合同的主要区别。

4. 赠与合同是单务合同。所谓“单务合同”，是指仅由当事人一方负债务，另一方不负债务，或者虽负有债务，但无对价关系的合同。在一般情况下，赠与合同仅由赠与人负有将自己的财产给予受赠人的义务，而受赠人并不负有义务。在附义务的赠与中，赠与人负有将其财产给付受赠人的义务，受赠人按照合同约定负担某种义务，但受赠人所负担的义务并非赠与人所负义务的对价，其间的义务并不是相互对应的，因此赠与合同为单务合同。

5. 赠与合同为诺成合同。赠与合同是实践合同还是诺成合同，与赠与合同自何时成立直接相关。赠与合同是否以交付标的物为成立要件，境外立法例上有不同规定，我国法学界也有不同认识。所谓“实践合同”，又称“要物合同”，是指除当事人间的意思表示一致以外，还需交付标的物才能成立的合同。它以当事人的合意和交付标的物为成立要件。所谓“诺成合同”，又称“非要物合同”，是指当事人之间意思表示一致，即能成立的合同。它以当事人的合意为成立要件。

苏联和东欧一些国家将赠与合同作为实践合同；德国、日本及我国台湾地区则在其立法中将赠与合同规定为诺成合同。在我国法学界，有的学者主张赠与合同为实践合同；有的主张赠与合同为诺成合同。

在合同法赠与合同一章的起草和修改过程中，对应当将赠与合同规定为实践合同还是诺成合同，赠与合同自何时成立也有不同的看法。有的意见认为赠与应为实践合同，自标的物交付时成立。否则当事人之间达成赠与之合意，如果赠与方不履行赠与义务，即要受到强制执行，则对赠与人实在不公平。同时也会使赠与人在表达赠与意愿时心存顾虑，从而打消赠与的念头，这反而使受赠方减少了更多的受赠机会。有的意见认为赠与应为诺成合同，自双方当事人意思表示一致时合同即告成立。如果赠与人在未交付赠与物之前都可以不履行交付义务，赠与的意思表示对赠与人没有任何拘束力，则与诚实信用原则背道而驰。在受赠人基于对赠与人的信赖，为接受赠与物所作出的物质上、经济上的准备，也不能得到补偿，这对受赠人也是极不公平的。还有的意见认为，可以将口头的赠与合同规定为自财产交付时合同生效；同时将书面的赠与合同规定为合同订立后即生效，因为当事人既已订立书面合同，表明其意思表示已较慎重，当事人应当依约履行赠与义务。

合同法的规定表明赠与合同为诺成合同，当事人意思表示一致时即成立，而无论其是以口头形式还是书面形式订立的，也无论赠与的财产是否交付。同时考虑到赠与合同中，难免有赠与人因一时冲动而为之的情况，因此合同法还对赠与合同任意撤销的适用问题作了规定（详见后述）。

6. 赠与合同为不要式合同。赠与合同是要式合同还是不要式合同，与赠与合同是否成立也有关联。所谓“要式合同”，是指法律要求必须采用一定的形式的合同。所谓“不要式合同”，是指法律没有要求必须具备特定的形式的合同。不要式合同不排斥合同采用书面、公证等形式，只是合同的形式不影响合同的成立。依照合同法的规定，赠与合同为不要式合同。赠与合同既可采用口头形式，又可采用书面形式或者在合同订立后办理公证证明。无论采用何种形式，也无论是否经过公证，都不影响赠与合同的成立。

在赠与合同是否为不要式合同，是否必须经过公证证明的问题上，不同国家和地区的规定有所不一。如德国、法国和意大利要求赠与合同需经过公证程序方为有效。德国规定，为使以赠与的方式为给付的契约有效，其约定应有公证证书。欠缺前项规定的方式者，得以履行约定的给付，补充之。法国规定，一切生前赠与行为，应以通常契约的方式，在公证人前作成，并应将契约原本留存公证人处，否则赠与契约无效。意大利规定，赠与应当以公证的方式作出，否则无效。而日本及我国台湾地区允许赠与采用书面或者非书面形式，也未要求赠与合同必须经过公证证明。

第一百八十六条　赠与人在赠与财产的权利转移之前可以撤销赠与。

具有救灾、扶贫等社会公益、道德义务性质的赠与合同或者经过公证的赠与合同，不适用前款规定。

【释义】 本条是关于赠与的任意撤销及其限制的规定。

赠与的任意撤销，是指赠与合同成立后，赠与财产的权利转移之前，赠与人可以根据自己的意思不再为赠与行为。法律规定赠与的任意撤销，源于赠与是无偿行为。即便赠与合同已经成立，也还可以允许赠与人因自身的某种事由撤销赠与，这也是赠与合同与其他有偿合同的显著区别。尤其是有的赠与合同的订立，是因一时情感因素而欠于考虑，如果绝对不允许赠与人撤销，则对赠与人太过苛刻，也有失公允。

然而，对于任意性不加限制，则等同于赠与合同无任何约束力，既对受赠人不公平，也违背诚实信用原则，对社会道德也是一种冲击。因此对赠与的撤销应有如下限制：

1. 赠与的财产已转移其权利的，赠与人不得任意撤销赠与。如果赠与的财产一部分已交付并已转移其权利，任意撤销赠与仅限于未交付并未转移其权利的部分,以维护赠与合同当事人双方权利义务关系的稳定。

2. 赠与合同订立后经公证证明的,赠与人不得任意撤销。换句话说,可以任意撤销的赠与合同限于未经公证的赠与合同。而赠与合同订立后,当事人交由公证部门公证,表明其赠与意愿的表达已十分慎重,因此经过公证证明的赠与合同,赠与人不得任意撤销。

3. 具有社会公益、道德义务性质的赠与合同,不论当事人以何种形式订立,不论是否经过公证,也不问赠与的财产是否已转移其权利,赠与人均不得任意撤销。具有社会公益性质的赠与,主要是指为了救灾、扶贫、助学等目的或为了资助公共设施建设、环境保护等公共事业所为的赠与。此类赠与的公益性质,决定了赠与人不得任意撤销赠与。履行道德义务的赠与,由于当事人之间有着道义上的因素,如果允许赠与人任意撤销,则与道义不符。因此,此类的赠与也不得由赠与人任意撤销。

在此,我们可以回顾一下合同法草案四次审议稿的规定:"赠与人在交付赠与财产之前可以撤销赠与。赠与具有救灾、扶贫等社会公益、道德义务性质的或者采用书面形式订立的赠与合同,不适用前款规定。"

对合同法草案作出的修改,主要考虑了两个问题。一是将"交付"改为"权利转移"。"交付"仅指实物的实际交付,并归受赠占有。当然,赠与物的所有权一般情况下是在赠与物交付时一并转移的,但也有法律另有规定或当事人另有约定的情况存在。而权利转移,则可能有两种情况:第一种情况是,赠与的财产尚未实际交付,但其所有权已移转于受赠人;第二种情况是,赠与的财产已为受赠人占有,但其所有权尚未转移。而"权利转移"较之"交付"的涵盖性要宽,且更为确切,因此对草案作了这一修改。二是将“采用书面形式订立”改为“经过公证”。采用书面形式订立的赠与合同,也难免有因一时情感因素而有欠考虑的情况,而经过公证的赠与合同,不能再说不慎重。为了平衡赠与合同双方的利益,作了上述修改。

第一百八十七条　赠与的财产依法需要办理登记等手续的,应当办理有关手续。

【释义】　本条是关于赠与特殊的财产需要办理有关法律手续的规定。

法律对赠与财产需办理特别手续有规定的,应当依照其规定。这主要是针对特殊的赠与物,如不动产而专门作出的规定。例如,依照《中华人民共和国房地产管理法》的规定,赠与房产的,应当向房产管理部门申请房产权属变更登记。至于登记与否对赠与合同成立有否影响,则要根据有关法律的规定来确定。如果法律规定的登记程序只是“备案”性质,那么,虽未履行登记手续,赠与合同亦应成立;如果法律规定的进行登记是合同生效的要件,那么即使未经登记,也不影响合同的成立,只是合同不生效力;如果法律规定的登记是合同成立的必备条件,那么,如使合同成立则必须履行登记手续,否则合同不成立。

第一百八十八条　具有救灾、扶贫等社会公益、道德义务性质的赠与合同或者经过公证的赠与合同,赠与人不交付赠与的财产的,受赠人可以要求交付。

【释义】　本条是关于赠与人不交付赠与财产的责任的规定。

将赠与的财产按照赠与合同约定交付受赠人并转移其所有权,是赠与人的义务。

赠与人不交付赠与财产是否构成违约行为,并承担违约责任,应当依照赠与目的和赠与合同是否经过公证来区分。依照合同法的规定,一般的赠与合同,赠与人在转移赠与财产的权利之前可以撤销赠与。因而对这类赠与合同,赠与人不给付赠与财产的,受赠人也就不能请求赠与人给付赠与的财产,赠与人不承担违约责任。

具有救灾、扶贫等社会公益、道德义务性质的赠与合同或者经过公证的赠与合同,因其不得任意撤销,在赠与人迟延履行或者不履行给付赠与财产的义务时,即为违约行为,应当承担违约责任,受赠人可以请求赠与人给付赠与的财产,赠与人仍不为给付的,受赠人可以向人民法院起诉,要求其履行赠与义务。

人所共知,在 1998 年抗洪救灾募捐活动中,社会各界认捐数亿元人民币的款物,其中有通过电话口头认捐的,更有以盖有公章的认捐书形式表示捐赠的。认捐后是否必须兑现,成为当时社会上议论的焦点话题之一。一说认为,捐赠属于赠与行为,而赠与合同的性质是实践性合同,只有捐赠方将钱物交付后,该合同才有法律意义。在款物交付之前,认捐方反悔的,最多面对道德谴责,而不承担法律责任。另一说认为,在公开场合认捐,对某些企业来说,是扩大其知名度的一种手段。在召开新闻发布会、举牌子、打字幕之前,认捐单位与受赠单位多订有捐赠协议或由认捐单位出具认捐函,其意思表示不可谓不慎重。捐赠方认捐后不兑现,有的是有能力履行却故意拖延;有的是其经营状况本来就不好,还欠着很多债,为的是借此宣传自己。对订有捐赠协议、出具了认捐书或者向社会公示表示捐赠的,如果不实际捐赠,既是对社会公众的欺骗,从法律上讲也违背了诚实信用原则。对此,法律上应明确规定捐赠方必须履行捐赠义务,拒不履行的,可以请求人民法院强制其履行。

合同法关于赠与具有救灾、扶贫等社会公益性质，赠与人不交付赠与财产的，受赠人可以要求交付的规定，从法律上规范了这类捐赠行为。

由于赠与合同为单务合同，仅由赠与人单方承担义务，当赠与人不履行交付赠与财产的义务时，其责任也应当有所限制，而不像一般双务合同那样，在履行给付义务时还应当支付迟延利息或者赔偿其他损失。合同法规定的赠与人不交付赠与的财产的，受赠人可以请求交付，即不包括迟延利息和其他损害赔偿，而仅限于赠与财产本身。这一规定也与其他一些国家和我国台湾地区的规定相吻合。如德国规定，赠与人不负支付迟延利息的义务。我国台湾地区规定，赠与人不履行道德义务的赠与时，受赠人得请求交付赠与物或其价金。但不得请求利息或者其他不履行之损害赔偿。

第一百八十九条　因赠与人故意或者重大过失致使赠与的财产毁损、灭失的，赠与人应当承担损害赔偿责任。

【释义】　本条是关于赠与人故意或者重大过失导致赠与财产毁损灭失应承担的责任的规定。

因赠与人故意或者重大过失致使赠与的财产毁损、灭失的，赠与人应当承担何种责任，该条规定表明，在因赠与人故意或者重大过失导致赠与的财产失去功效或者不复存在，而致使履行不能时，赠与人可以免除交付赠与财产的义务，但应当承担给赠与人带来的其他损失的赔偿责任。

第一百九十条　赠与可以附义务。

赠与附义务的，受赠人应当按照约定履行义务。

【释义】　本条是关于附义务的赠与的规定。

（一）附义务的赠与的概念及其特征

附义务的赠与，也称附负担的赠与，是指以受赠人对赠与人或者第三人为一定给付为条件的赠与，也即使受赠人接受赠与后负担一定义务的赠与。附义务的赠与不同于一般的赠与，而属一种特殊的赠与。其特征在于：

1. 一般的赠与，受赠人仅享有取得赠与财产的权利，不承担任何义务。而附义务的赠与，赠与人对其赠与附加一定的条件，使受赠人承担一定的义务。

2. 附义务的赠与，其所附义务有一定限度，通常低于赠与财产的价值。

3. 一般情况下，在赠与人履行了赠与义务后，才发生受赠人义务的履行问题，但当事人另有约定的也无不可。

4. 赠与所附义务，可以约定向赠与人履行，也可以约定向第三人履行，还可以约定向不特定的多数人履行。

5. 履行赠与所负的义务，依照当事人的约定，可以是作为，也可以是不作为。

6. 赠与所附义务，是赠与合同的组成部分，而不是另外的独立合同。

（二）附义务的赠与的效力

1. 受赠人应当按照合同约定履行义务。赠与人向受赠人给付赠与财产后，受赠人应依约履行其义务。受赠人不履行的，赠与人有权要求受赠人履行义务或者撤销赠与。赠与人撤销赠与的，受赠人应将取得的赠与财产返还赠与人。

对于受赠人应依约履行赠与所负义务，一些国家和我国台湾地区均有规定。如德国规定，为有附负担的赠与的人，如已给付，得请求履行其负担。受赠人不履行负担者，以应将赠与物用于履行负担为限，赠与人得依关于返还不当得利的规定，请求依双方契约规定的解除权的要件，返还赠与物。再如我国台湾地区规定，赠与附有负担者，如赠与人已为给付，而受赠人不履行其负担时，赠与人得请求受赠人履行其负担，或撤销赠与。

2. 受赠人仅在赠与财产的价值限度内有履行其义务的责任。赠与本为无偿合同，其目的在于使受赠人获益。所附义务如果超出赠与财产的价值，则使受赠人蒙受不利，也与赠与的本旨不相符合。因而如果赠与的财产不足以抵偿其所附义务的，受赠人仅就赠与财产的价值限度内，有履行其义务的责任。换句话说，如果赠与所附义务超过赠与财产的价值，受赠人对超过赠与财产价值部分的义务没有履行的责任。

对于受赠人履行义务的限度，德国、我国台湾地区也有规定。德国规定，因权利的瑕疵或赠与物的瑕疵，致赠与的价值明显不足抵充因履行负担所需的费用者，在因瑕疵而生的不足额获得补偿前，受赠人得拒绝履行负担。受赠人不知有瑕疵而履行负担者，以受赠人因履行负担而支出的费用超过有瑕疵的赠与物的价值为限，受赠人得向赠与人请求偿还其费用。我国台湾地区规定，附有负担之赠与，其赠与不足偿其负担者，受赠人仅于赠与之价值限度内，有履行其负担之责任。

3. 在附义务的赠与中，赠与的财产如有瑕疵，赠与人在赠与所附义务的限度内，应当承担与出卖人相同的瑕疵担保责任（详见后述）。

第一百九十一条　赠与的财产有瑕疵的，赠与人不承担责任。附义务的赠与，赠与的财产有瑕疵的，赠与人在附义务的限度内承担与出卖人相同的责任。

赠与人故意不告知瑕疵或者保证无瑕疵，造成受赠人损失的，应当承担损害赔偿责任。

【释义】 本条是关于赠与人对赠与财产的瑕疵担保责任的规定。

由于赠与合同为无偿合同,赠与是为了受赠人的利益而为的行为,因而赠与人对赠与财产的瑕疵担保责任,与有偿合同有所不同。该条的内涵有三个方面:

(一)赠与的财产有瑕疵的,赠与人原则上不承担责任。

(二)在附义务的赠与中,赠与的财产如有瑕疵,赠与人需在受赠人所附义务的限度内承担与出卖人相同的责任。就一般的赠与而言,赠与人原则上不承担瑕疵担保责任。但对于附义务的赠与,受赠人虽受有利益,但又需履行约定的义务。如赠与的财产有瑕疵,必然导致受赠人所受利益有所减损,这便与合同约定的权利与义务不相对应,使受赠人遭受损失。为保护受赠人的利益,并求公允,应由赠与人承担瑕疵担保责任。就受赠人履行的义务而言,有如买卖合同中买受人的地位,因此,赠与人应在受赠人所附义务的限度内,承担与买卖合同中的出卖人同一的瑕疵担保责任。

(三)赠与人故意不告知瑕疵或者保证无瑕疵,并且造成受赠人损失的,应当承担损害赔偿责任。赠与人故意不告知赠与的财产有瑕疵的,是有主观上的恶意,也有违诚实信用原则。因赠与财产的瑕疵给受赠人造成其他财产损失或者人身伤害的,应负损害赔偿责任。如果赠与人故意不告知瑕疵,但没有给受赠人造成损失,则不承担赔偿责任。赠与人保证赠与物无瑕疵,给受赠人造成损失的,也应承担损害赔偿责任。

对赠与人的瑕疵担保责任,国外及我国台湾地区都有规定,但又有所差别。如日本规定,赠与人对赠与标的物或权利瑕疵或欠缺,不负责任。但赠与人知有瑕疵或欠缺而不告知受赠人者,不在此限。对附负担之赠与,赠与人于该负担限度内,负担出卖人相同之担保责任。德国规定，赠与人故意隐瞒权利瑕疵或者赠与物的瑕疵，对受赠人因瑕疵所生损害负赔偿责任。我国台湾地区规定，赠与之物或权利如有瑕疵，赠与人不负担保责任。但赠与人故意不告知其瑕疵，或保证其无瑕疵者，对于受赠人因瑕疵所生之损害，负赔偿之义务。附有负担之赠与，其赠与之物或权利如有瑕疵，赠与人于受赠人负担之限度内，负与出卖人同一之担保责任。由此可见，日本、德国和我国台湾地区对赠与人故意不告知赠与物之瑕疵，给受赠人带来损害的，都规定应承担赔偿责任。而对于赠与人保证无瑕疵，给受赠人造成损失的损害赔偿责任，我国台湾地区作了规定，日本和德国未作规定。

第一百九十二条　受赠人有下列情形之一的，赠与人可以撤销赠与：

（一）严重侵害赠与人或者赠与人的近亲属；

（二）对赠与人有扶养义务而不履行；

（三）不履行赠与合同约定的义务。

赠与人的撤销权，自知道或者应当知道撤销原因之日起一年内行使。

【释义】　本条是关于赠与人的法定撤销情形及撤销权行使期间的规定。

赠与合同的法定撤销，是指赠与合同成立后，在具备法律规定的情形时，撤销权人可以撤销赠与。赠与的法定撤销与任意撤销的不同之处在于：第一，撤销赠与须依法律规定的事由；第二，只要具备法定事由，不论赠与合同以何种形式订立以至经过公证证明，不论赠与的财产是否已交付，也不论赠与是否属于社会公益和道德义务性质，享有撤销权的人均可以撤销赠与。

赠与本是使受赠人取得利益的行为,如果受赠人对赠与人有加害行为或者其他忘恩负义行为的,法律应赋予赠与人有撤销赠与的权利。赠与合同的法定撤销情形,均为受赠人的违法行为或者违反赠与合同约定的行为。赠与人依法撤销赠与的权利,是法律对赠与人加以保护的重要内容。

依该条规定,赠与人可以撤销赠与的三项法定情形有如下含义:

1. 受赠人严重侵害赠与人或者赠与人的近亲属。其要点:一是受赠人实施的是严重侵害行为,而不是轻微的、一般的侵害行为。二是受赠人侵害的是赠与人本人或其近亲属,包括配偶、直系亲属(父母、子女、祖父母、外祖父母、孙子女、外孙子女等)、兄弟姐妹。如果侵害的是其他亲友则不在此列。

至于受赠人的侵害行为是否必须出于故意,是否须达到构成犯罪的程度,一些国家和我国台湾地区的立法则有所不同。如德国规定,受赠人对于赠与人或其亲近属有重大侵害行为或重大忘恩负义的行为时,赠与人得撤销其赠与。而我国台湾地区则规定,受赠人对于赠与人或其最近亲属,有故意侵害之行为,依刑法有处罚之明文者;以及对于赠与人有扶养义务而不履行者,赠与人得撤销其赠与。由此可见,对撤销赠与的法定事由,德国的撤销条件较为宽松,并未特别指出是故意行为,也没有强调达到犯罪的程度,赠与人即可撤销赠与。而我国台湾地区的条件则较为严格,既明确为故意行为,又需构成犯罪。按照我国合同法的规定,受赠人只要严重侵害了赠与人或者赠与人的近亲属,赠与人即可撤销赠与,而不限于故意和犯罪行为。

2. 受赠人对赠与人有扶养义务而不履行。其要点在于:一是受赠人对赠与人有扶养义务。二是受赠人对赠与人有扶养能力,而不履行对赠与人的扶养义务。如果受赠人没有扶养能力或者丧失了扶养能力的,不产生赠与人撤销赠与的权利。

3. 受赠人不履行赠与合同约定的义务。其要点在于:一是赠与合同约定了受赠人负有一定的义务。二是赠与人已将赠与的财产交付于受赠人。三是受赠人不履行赠与合同约定的义务。在附义务的赠与中,受赠人应当依约定履行其所负义务。在赠与人向受赠人交付了赠与的财产后,受赠人如不依约履行其义务,赠与人可以撤销赠与。

为了尽早确定赠与关系的去留,撤销权人应当依法及时行使撤销权。赠与人行使撤销权的期间为一年,自知道或者应当知道撤销原因之日起计算。这一期间属于除斥期间,即法律对某种权利所预定的行使期间,不存在中止、中断和延长的问题。撤销权人如在法律规定的期间内不行使撤销权的,其撤销权即归于消灭。

第一百九十三条　因受赠人的违法行为致使赠与人死亡或者丧失民事行为能力的,赠与人的继承人或者法定代理人可以撤销赠与。

赠与人的继承人或者法定代理人的撤销权,自知道或者应当知道撤销原因之日起六个月内行使。

【释义】 本条是关于赠与人的继承人或者法定代理人的法定撤销情形及撤销权行使期间的规定。

赠与的撤销权本应属于赠与人,但因受赠人的违法行为致赠与人死亡或使其丧失民事行为能力时,赠与人的撤销权事实上已无法行使。而由赠与人的继承人或法定代理人行使撤销权,才能实现赠与人撤销赠与的权利与意愿。同时,也只有在赠与人不能行使其撤销权时,赠与人的继承人或法定代理人才有撤销赠与的权利。因而赠与人的继承人或法定代理人撤销赠与必须基于赠与人因受赠人的违法行为而致死亡或者丧失民事行为能力这一法定情形。

对赠与人的继承人行使撤销权的事由,其他立法例的规定也有所不一。德国的规定是,赠与人的继承人仅在受赠人因故意和不法行为致赠与人死亡时,始有权撤销赠与。意大利的规定是,如果受赠人因故意杀害赠与人而被判刑或者故意阻止赠与人撤销赠与,则赠与人的继承人可以提起撤销赠与之诉。我国台湾地区的规定是,受赠人因故意不法行为,致赠与人死亡或妨碍其为赠与之撤销者,赠与之继承人,得撤销其赠与。可以看出,德国在赠与人的继承人撤销赠与的情形中并无"受赠人妨碍、阻止赠与人撤销赠与"这一事由。

赠与人的继承人或法定代理人行使撤销权的期间为六个月,自知道或者应当知道撤销原因之日起计算。

第一百九十四条　撤销权人撤销赠与的,可以向受赠人要求返还赠与的财产。

【释义】 本条是关于撤销权的行使效力的规定。

赠与的法定撤销权应为形成权,一经撤销权人行使即发生效力,使赠与关系解除。在赠与的财产未交付时,赠与人可以拒绝赠与;在赠与的财产交付后撤销赠与的,赠与人或其继承人、法定代理人可以要求受赠人返还赠与的财产。

第一百九十五条　赠与人的经济状况显著恶化,严重影响其生产经营或者家庭生活的,可以不再履行赠与义务。

【释义】 本条是关于赠与人可以不再履行赠与义务的法定情形的规定。

这一规定表明,在赠与合同订立后或者赠与人已经部分履行赠与义务后,赠与人的经济状况显著恶化,严重影响其生产经营或者家庭生活的,赠与人可以不再履行赠与合同约定的赠与义务或者不再履行赠与合同约定的但尚未履行的部分赠与义务。赠与人不再履行赠与义务,应当符合本条规定的法定条件:一是经济状况显著恶化,是发生在赠与合同成立之后,而不是成立之前。如果自身的经济状况本已十分不好,仍向他人表示赠与意思,实际上其赠与的意思表示多无诚意,赠与合同也无履行基础。二是经济状况显著恶化,致使严重影响企业的生产经济,或者使个人的家庭生活发生困难,不能维持自己的正常生计,不能履行扶养义务等。符合上述条件的,不论赠与合同以何种方式订立,不论赠与的目的性质如何,赠与人可以不再履行尚未履行的赠与义务。

与此相关,现实生活中出现的突出问题是,在救灾、扶贫等社会公益活动中,某些企业在公开场合明确表示或以认捐书的形式认捐后,又以企业经营状况不好为由,拒绝兑现认捐的款物。对此,有关企业是否可以不再履行赠与义务?如果该企业在认捐之后其经济状况才发生显著恶化,并严重影响其生产经营的,可以不再履行赠与义务,否则应当继续履行其赠与义务。而对于那些本无经济能力捐赠,甚至濒临破产的企业,纯粹为了商业目的宣传自身形象,认捐后又称企业经济状况不好不能履行赠与义务的,笔者认为,不能简单地适用“可以不再履行赠与义务”的规定,如果给受赠人造成损失,应当承担损害赔偿责任,赔偿给受赠方造成的损失。

在起草赠与人可以不再履行赠与义务的法定情形的条款时,曾就赠与人的经济状况显著恶化,严重影响其生产经营或者家庭生活的,是否可以请求受赠人适当返还赠与的财产的问题,进行过研究讨论。对此问题,在其他立法例上也不尽相同,如德国规定,赠与人因考虑其所负的其他义务,如不损害与自己身份相当的生计或法律规定负担的扶养义务,即无能力履行约定者,得拒绝履行以赠与方式给予的约定。还规定,以赠与人在履行赠与后不能维持与自己身份相当的生计,或者对其亲属、配偶或前配偶不能履行法定扶养义务为限,赠与人得依关于返还不当得利的规定,向受赠人请求返还赠与物。可见德国既允许赠与人拒绝履行赠与合同约定的义务,又赋予赠与人在履行赠与义务后向受赠人请求返还赠与物的权利。而我国台湾地区则规定,赠与人于赠与约定后,其经济状况显有变更,如因赠与致其生计有重大之影响或妨碍其扶养义务之履行者,得拒绝赠与之履行。可以看出其规定并无请求返还赠与物之内容。

合同法草案曾规定,赠与人的经济状况显著恶化,严重影响其生产经营或者家庭生活的,可以拒绝履行赠与义务或者请求适当返还赠与的财产。对这一规定,有的部门、单位的同志认为,不宜作出赠与人可以请求返还赠与财产的规定。理由是:(1)财产赠出后,时过境迁,如赠与的财产已消耗,再行返还已属困难。尤其是出于救灾、扶贫、助学等公益目的的捐赠,如果款物已用于捐赠项目,比如救灾物资已经分发,助学的款物已盖成"希望小学",再行返还已不现实。(2)如果返还赠与物,将导致受赠人的生活、生产经营发生困难,对受赠人也是不公平的。(3)财产赠出后再请求返还,不利于当事人之间关系的稳定。合同法采纳了上述意见,删去了"赠与人可以适当请求返还赠与的财产"的内容。

第十二章 借 款 合 同

本章共十六条,主要调整金融机构与自然人、法人和其他组织以及自然人之间的借款合同关系。对借款合同的概念、合同的形式及内容、合同的担保、贷款人和借款人双方的权利和义务以及当事人违反合同的责任等内容作出规定。

第一百九十六条 借款合同是借款人向贷款人借款,到期返还借款并支付利息的合同。

【释义】 本条是关于借款合同定义的规定。

借款合同,是指贷款人向借款人提供借款,借款人到期返还借款,并向贷款人支付利息的合同。

借款合同和传统民法借贷合同的概念有所区别。根据传统民法理论,借贷合同一般分为使用借贷和消费借贷,其中使用借贷是指无偿地将物品或者金钱借给一方使用的合同,又可称为借用合同。消费借贷是指有偿地将物品或者金钱交给一方使用的合同。借款合同是沿用了我国经济合同法的概念,仅指消费借贷中的借钱的内容,但又和经济合同法中借款合同的范围不一样,它扩大了经济合同法中借款合同的调整范围,包括了自然人之间的借款合同。

目前借款合同主要调整两部分内容:一部分是金融机构与自然人、法人和其他组织的借款合同关系;另一部分是指自然人之间的借款合同关系。其中以金融机构与自然人、法人和其他组织之间的合同关系为主。

金融机构与自然人、法人和其他组织的借款合同是诺成合同。当事人意思表示一致达成书面协议,合同就成立。自然人之间的借款合同是实践合同,贷款人提供贷款时合同生效。

第一百九十七条　借款合同采用书面形式,但自然人之间借款另有约定的除外。

借款合同的内容包括借款种类、币种、用途、数额、利率、期限和还款方式等条款。

【释义】 本条是关于借款合同形式和内容的规定。

借款是一项重要的民事活动,采用何种形式订立合同,对于明确双方当事人的权利和义务,减少纠纷的发生有着很重要的作用。

对于金融机构的借款,我国法律、行政法规都规定应当采用书面形式,其目的是明确金融机构与借款人的权利和义务,保障金融机构信贷资金的安全。订立借款合同已成为金融机构贷款业务的必经程序。本条明确除自然人之间借款合同可以约定合同形式外,金融机构与借款人的借款采用书面形式。金融机构应当依据该规定与借款人订立书面借款合同。自然人之间借款既可以采用书面形式也可以采用口头形式,当事人可以根据合同是否有偿等具体情况选择订立合同的形式。

借款合同的内容主要包括以下几方面:

1. 种类。主要是指金融机构作为贷款人的情况下,针对不同种类的借款实行不同的政策。根据借款人的所有制性质、产业属性、借款的用途以及资金的来源和运用确定借款的种类。比如,根据借款的期限可以划分为长期借款和短期借款;从贷款用途上可以划分为工业借款、农业借款等。

2. 币种。主要是指借款是人民币还是某种外币。

3. 用途。主要是指借款使用的目的。根据我国现行的金融政策，向金融机构的借款应当专款专用，以保证借款在金融机构的监督下及时收回。

4. 数额。是指借款数量的多少。应当包括借款的总金额以及在分批支付借款时，每一次支付借款的金额。

5. 利率。是指借款人和贷款人约定的应当收的利息的数额与所借出资金的比率。

6. 期限。是指借款人在合同中约定能使用借款的时间。当事人一般根据借款人的生产经营周期、还款能力和贷款人的资金供给能力等，约定借款期限。根据中国人民银行 1996 年颁布的《贷款通则》的规定，自营贷款期限最长一般不超过 10 年，超过 10 年的应当报中国人民银行备案。票据贴现期限最长不得超过 6 个月，贴现期限为从贴现之日起到票据到期日止。公民之间借款的期限由当事人自行约定。

7. 还款方式。是指贷款人和借款人约定以什么结算方式偿还借款给贷款人。以上所列举的合同内容仅是一些具有借款合同特点的条款，除了以上七项内容外，借款合同的当事人还可以对其他需要约定的内容作出约定。

第一百九十八条　订立借款合同，贷款人可以要求借款人提供担保。担保依照《中华人民共和国担保法》的规定。

【释义】　本条是关于借款担保的有关规定。

担保是随着商品经济发展而产生的一项重要的民事法律制度。1986 年我国民法通则就对担保的原则作出了规定。1995 年，在总结我国担保制度实践经验和借鉴国外通行做法的基础上制定了担保法。根据《中华人民共和国担保法》的规定，在借款合同中贷款人可以要求借款人采取以下担保方式：

1. 保证。保证是指保证人与贷款人约定，当借款人不履行债务时，保证人按照约定履行债务、承担责任的行为。保证的方式主要有两种：一是连带责任保证，即贷款人和保证人约定，借款人在借款期限届满没有履行债务的，贷款人可以要求借款人履行债务，也可以要求保证人在其保证范围内承担保证责任。二是一般保证，即贷款人和保证人约定，在借款人经审判或者仲裁，并就借款人财产强制执行仍不能履行债务时，保证人承担保证责任。

2. 抵押。是指借款人或者第三人不转移法律规定的财产的占有，将该财产作为债权的担保。在借款人不履行债务时，贷款人有权依法将该财产折价或者以拍卖、变卖该财产的价款优先受偿。抵押物的范围应当是依法可以转让的财产，抵押合同应当办理登记，抵押合同自登记之日起生效。

3. 质押。包括动产质押和权利质押。动产质押是指借款人或者第三人将其动产移交贷款人占有，以该财产作为债权的担保，借款人不履行债务时，贷款人有权以该动产折价或者以拍卖、变卖的价款优先受偿。权利质押，是指转让所有权以外的财产权作为质押的担保方式。以下权利可以设定质押：汇票、支票、本票、债券、存款单、仓单、提单；依法可以转让的股份、股票；依法可以转让的商标专用权、专利权、著作权中的财产权等权利。

贷款人将借款支付给借款人后，其风险都是由贷款人承担。为了保证债权的实现，减少借款的风险，近些年来，我国金融机构在信贷业务中越来越多地采用担保的方式。根据商业银行法的有关规定，商业银行贷款，借款人应当提供担保。商业银行应当对保证人的偿还能力进行全面审查，确定保证人是否真实地提供保证；对抵押物、质物的权属和价值进行认定、核实，查明其产权证明并对实现抵押权、质权的可能性进行严格审查。只有经商业银行审查、评估，确认借款人资信良好，确能偿还贷款的，才可以不提供担保。因此，金融机构借款的，当事人应当按照有关规定确定担保的方式。自然人之间借款的，当事人可以依据实际情况对担保问题作出约定。

第一百九十九条　订立借款合同，借款人应当按照贷款人的要求提供与借款有关的业务活动和财务状况的真实情况。

【释义】　本条是关于借款人应当提供真实情况义务的规定。

订立借款合同时，借款人应当按照贷款人的要求提供有关业务活动和财务状况的真实情况。贷款人提供的情况主要有两方面：一是与借款人资格有关的基本情况。比如，作为法人、其他组织和个体工商户的借款人是否经工商行政管理机关核准登记；借款人是自然人的，是否具有完全民事行为能力等。金融机构作为贷款人时，还需要借款人提供有关产品和生产经营方面的材料，以便于贷款人确定借款人生产的产品是否具有市场、生产经营是否有效益，能否做到不挪用所借资金等。二是借款人财务状况的真实情况。借款人可以按照贷款人的要求，如实提供所有的开户行、账号及存贷款余额情况，使贷款人全面充分地了解借款人实际账面资金的运作情况，以便贷款人能判断借款人偿还借款的能力。借款人还应当提供财政部门或会计师事务所核准的上年度财务报告，使贷款人了解即期的生产经营情况和财务状况，从而在总体上把握借款人的经营和资信状况，保障借款的安全。

第二百条　借款的利息不得预先在本金中扣除。利息预先在本金中扣除的，应当按照实际借款数额返还借款并计算利息。

【释义】　本条是关于借款利息不得预先扣除的规定。

借款的数额和利息是借款合同需要规定的主要内容，当事人在订立借款合同时一般要对借款数额和利息的多少及支付期限作出明确的约定。一般来说，借款利息是在借款期限届满时或者合同履行期间按照约定分批偿付给贷款人。但是，现实中有的贷款人为了确保利息的收回，在提供借款时就将利息从本金中扣除，造成借款人借到的本金实质上为扣除利息后的数额。比如，借款人向贷款人借款 200 万元，到期应当向贷款人支付的利息为 5 万元，贷款人在提供借款时就直接将利息扣除，仅向借款人支付 195 万元借款，但实际上还是将 200 万元视为本金，并按 200 万元收取利息。这种做法一方面使贷款人的利息提前收回，减少了借款的风险；另一方面却损害了借款人的合法利益，使借款人实际上得到的借款少于合同约定的借款数额，影响其资金的正常使用，加重了借款人的负担，也容易引起借款合同双方当事人的纠纷。为了解决借款实践中经常出现的问题，体现合同公平的原则，防止贷款人利用优势地位确定不平等的合同内容，本条明确规定，贷款人在提供借款时不得预先将利息从本金中扣除。如果贷款人违反法律规定，仍在提供借款时将利息从本金中扣除的，那么，借款人只需按照实际借款数额返还借款并计算利息。比如，上面例子中的借款人实际只得到了 195 万元的借款，那么，其借款数额即为 195 万元，借款人只需在借款期限届满时，向贷款人返还本金 195 万元并支付按照 195 万元本金计算的利息。

第二百零一条　贷款人未按照约定的日期、数额提供借款，

造成借款人损失的，应当赔偿损失。

借款人未按照约定的日期、数额收取借款的，应当按照约定的日期、数额支付利息。

【释义】 本条是关于贷款人未按照约定提供借款及借款人未按照约定支取借款责任的规定。借款合同签订后，贷款人和借款人都应当按照约定履行合同。对于贷款人来说，按照约定的日期、数额向借款人提供借款，是其主要的义务。但是，贷款人由于资金周转或者其他原因，可能不能按照约定的日期提供借款，或者不能按照约定的数额提供借款。贷款人的这种违约行为会损害借款人的合法利益，影响借款人对借款的使用。因为贷款人按照约定的期限提供借款的，借款人就能将所得的资金按照计划投入正常的生产或者经营中，保证资金得到正常运转。贷款人不能在约定的期间内提供借款的，就会打乱借款人的资金使用计划，直接影响到借款人的生产或者其他经营活动，甚至会出现因借款人资金不到位侵犯第三人的合法权益，引发三角债或者其他纠纷的发生，影响整个资金的良性周转和循环。另外，贷款人的这种违约行为也容易影响贷款人按期收回借款。由于借款人的借款期间往往就是其生产、经营活动对资金的正常需求时间，如果贷款人事先就违约，使借款人在约定的日期得不到借款，那么，借款人就容易出现在得到借款后拖延还款的情况，这样贷款人在合同约定的借款期间届满后就收不回借款。因此，贷款人的这种不按照合同约定的期间提供借款的行为，不仅损害了借款人的利益，而且也增加了自己经营的风险。根据本条规定，贷款人未按照约定的日期、数额提供借款，造成借款人损失的，贷款人应当赔偿借款人的损失。

贷款人应当按照约定提供借款，而对于借款人来说，则应当按照约定的日期和数额收取借款。借款人在订立借款合同后，生产经营可能会发生一些变化，或者借款人从其他渠道得到了所需的资金，因而借款人在合同约定的收取借款的日期，出现不需要或者暂时不需要借款或者合同约定的借款数额的情况。对于贷款人来说，其主要是通过收取利息来营利的，所以，贷款人对自己的资金使用状况都有统一的安排和完整的计划，借款人如果未按约定的日期、数额收回借款的，必然会影响贷款人资金的正常周转，损害贷款人的合法利益。对于贷款人来说，所受到的损失就是利息的损失，因此，本条明确规定借款人未按照约定收取借款的，仍需按照合同约定的借款日期和数额向贷款人支付利息。这样不论借款人是否按照约定的日期及数额收取借款，都必须按照合同约定向贷款人支付利息。

本条是针对金融机构作为借款人的情况作出的规定。由于自然人之间借款是以贷款人交付借款时，合同才生效，所以，自然人之间借款的，不适用本条的规定。

第二百零二条　贷款人按照约定可以检查、监督借款的使用情况。借款人应当按照约定向贷款人定期提供有关财务会计报表等资料。

【释义】　本条是关于借款人应当协助贷款人监督的规定。

根据本法第一百九十九条的规定，借款人应当按照贷款人的要求提供与借款有关的业务活动和财务状况的真实情况。此规定是要求借款人订立合同时履行的义务，其目的在于使贷款人能根据借款人的真实情况决定是否签订合同以及如何确定借款合同的内容。但是，现实中，借款人的财务状况不可能总处于订立合同时的状态，其经营状况会随着市场供求等因素不断变化，而这种变化又会直接影响到其财务状况的好坏。所以，为了保证贷款人按照合同约定收回借款，借款合同成立后，贷款人也需要在能够对借款的使用情况行使一定的监督权。金融机构还需要对所提供的借款进行跟踪检查，以防止借款人出现违反合同的行为。因此，本条规定，贷款人和借款人可以在合同中约定，贷款人有权检查、监督贷款的使用情况。这样贷款人就能及时了解借款人的生产经营情况，确定其借款的使用是否盈利，偿还借款的能力是否受到影响，以保证借款的合理使用和良性循环。此外，贷款人还可以协助借款人发现借款使用中存在的问题，提高借款的使用效益。

除了贷款人可以依照合同约定主动对借款人进行检查、监督外，借款人还应当按照约定向贷款人定期提供有关的财务会计报表等资料。这些资料包括有关财务及盈利计划，会计、统计报表等内容。这些资料能真实地反映借款人现阶段的生产经营及财务资信状况，有助于贷款人正确、全面地作出判断，以保护自己的合法权益。

第二百零三条　借款人未按照约定的借款用途使用借款的，贷款人可以停止发放借款、提前收回借款或者解除合同。

【释义】 本条是关于借款人未按照约定的借款用途使用借款的责任的规定。

借款用途是借款人使用借款的目的。虽然从表面上看，贷款人借款的最终目的是收取利息和本金，借款人的使用借款的用途似乎和贷款人的利益并无直接的关系，但是，借款用途一直作为借款合同当事人需要约定的重要内容，特别是金融机构作为贷款人的情况下，借款用途更是合同中不可缺少的条款。

借款用途之所以是借款合同的主要内容，是因为借款用途与借款人能否按期偿还借款有很直接的关系。借款人擅自改变借款用途，就会使原先当事人共同预期的收益变得不确定，增加了贷款人的借款风险，最终导致借款难以收回。金融机构作为贷款人的，有些借款还是依据国家的宏观经济政策、国家的信贷政策和产业政策发放的，其借款用途和国家的经济政策有着直接的关系。如果不按借款用途使用借款，还会造成资金的使用不符合国家政策的情况。

我国法律、行政法规中一直将借款用途作为金融机构借款合同的主要内容作出规定。商业银行法规定，贷款人贷款应当对借款人的借款用途等情况进行严格审查。借款合同中应当对借款用途作出约定。借款合同条例规定，借款人必须按照借款合同规定的用途使用借款，不得挪作他用，不得使用借款进行违法活动，必须按期还本付息。借款人不按合同规定的用途使用借款，贷款人有权收回部分或全部贷款，对违约使用的部分，按银行规定的利率加收罚息。情节严重的，在一定时期内，银行可以停止发放新贷款。贷款通则规定，对于不按借款合同规定用途使用贷款的，贷款人可以对其部分或者全部贷款加收利息；情节严重的，由贷款人停止支付借款人尚未使用的贷款，并提前收回部分或者全部贷款。本条再次明确借款人应当按照约定的用途使用借款，同时规定了借款人的违约责任。借款人违反了合同约定的借款用途使用借款的，贷款人首先可以停止发放未放发部分的借款，同时可以提前收回借款，此外，贷款人还有权解除合同。

自然人之间借款的，对借款用途作出规定的，借款人也应当按照约定的用途使用借款。因改变借款用途对贷款人造成损害的，贷款人可以采取相应的措施来保护自己的权利。

第二百零四条　办理贷款业务的金融机构贷款的利率，应当按照中国人民银行规定的贷款利率的上下限确定。

【释义】 本条是关于金融机构借款利率确定的规定。

借款利率,是指借款人和贷款人约定的应当收取的利息的数额与所借出资金的比率。借款人应当按照合同约定的利率向贷款人支付利息和本金。

我国目前正处于计划经济向市场经济发展的转轨期间,总的来看,各方面对资金的需求大于资金的供求。为了稳定国家的金融秩序,防止贷款利率的任意提高,国家有必要对金融机构的借款利率作出规定,保证借款人在国家规定的利率限度内借款,减少借款人的生产成本,促进国民经济健康有序地向前发展。国家的利率政策是中央银行货币政策的主要组成部分,其制订和调整都对国民经济产生重大影响,中央银行也是通过对金融机构贷款利率的管理达到对国家金融秩序进行调整的目的。

中国人民银行根据市场经济的发展及资金供求关系,一般在一定时期内对金融机构的贷款利率作出规定。目前根据中国人民银行的有关规定,国务院批准和国务院授权中国人民银行制定的各种利率为法定利率,其他任何单位和个人均无权变动。法定利率的公布、实施由中国人民银行总行负责。金融机构在中国人民银行总行规定的浮动幅度内,以法定利率为基础自行确定的利率为浮动利率。金融机构确定浮动利率后,须报辖区中国人民银行备案。金融机构可以对逾期贷款和被挤占挪用的贷款在原利率的基础上加收利息。加收利息的幅度、范围和条件,由中国人民银行总行确定。

第二百零五条　借款人应当按照约定的期限支付利息。对支付利息的期限没有约定或者约定不明确,依照本法第六十一条的规定仍不能确定,借款期间不满一年的,应当在返还借款时

一并支付;借款期间一年以上的,应当在每届满一年时支付,剩余期间不满一年的,应当在返还借款时一并支付。

【释义】 本条是关于借款人支付利息期限的规定。

向贷款人支付利息是借款人的主要义务,借款人不仅应当按照约定的数额支付利息,而且还应当在约定的期限向贷款人支付。支付利息期限的方式有多种,当事人既可以约定在借款期限届满时和本金一并支付,也可以约定在借款期间内分批向贷款人支付。我国金融机构对于借款期限一年以上的借款曾经实行过按年结息的办法,但是根据中国人民银行的有关规定,目前我国金融机构对借款期限一年以上的贷款统一实行按季度结息的做法,结息日为每季度末月的 20 日。

如果当事人对支付利息的期限没有约定,或者虽然约定了,却约定得不明确,那么,借款人按照什么期限向贷款人支付利息呢?一些国家的法律对此问题有所规定。比如,意大利民法典第 608 条规定,消费借贷约定有利息者,除另有约定外,利息应在每年终了时支付,如消费借贷在一年终了前返还者,应在返还时支付利息。我国合同法的规定和意大利民法典的规定有所不同,根据本条的规定,在当事人对支付利息的期限没有约定或者约定不明确的,首先应当依据本法第六十一条的规定来确定,即当事人可以就支付利息的期限进行协议补充;不能达成协议的,则依据合同其他条款或者双方当事人之间的交易习惯来确定。如果依据以上原则仍不能确定支付利息的期限,那么,借款人按照以下规定的期限向贷款人支付利息:(1)借款合同在一年以内的,在返还借款时一并支付,即利息在借款合同期限届满时和本金一并支付。(2)借款在一年以上的,在每届满一年时支付,剩余期间不满一年的,在返还借款时一并支付。比如,甲向乙借款 100 万,借款期间为两年半,未约定支付利息的期限。那么,甲应当分三批向乙支付利息，第一次支付利息的时间为借款期间一年届满时。第二次支付利息的时间为借款期间二年届满时。由于合同的履行期间剩下的时间不足一年，所以，第三次支付利息的时间为合同期间届满时和本金一起支付。

第二百零六条　借款人应当按照约定的期限返还借款。对借款期限没有约定或者约定不明确，依照本法第六十一条的规定仍不能确定的，借款人可以随时返还；贷款人可以催告借款人在合理期限内返还。

【释义】　本条是关于还款期限的规定。

按照合同约定的期限返还借款是借款人的一项主要义务。但是在当事人对借款期限没有约定或者约定不明确的情况下，借款人何时返还借款，实践中容易发生纠纷。因此，在当事人未约定返还期限的情况下，如何确定他们的权利和义务成为一些国家和地区法律着重解决的问题。德国、意大利、日本和我国台湾地区对此问题都作出了相应的规定，总的原则是借款人可以随时返还，同时又给贷款人一项权利，可以定一个相应的期限，催告借款人返还。比如，德国民法典第609条规定，消费借贷未定返还期限者，依债权人或债务人终止契约通知中所定的期限。消费借贷超过300马克者，预告终止契约的通知期限为3个月，少于300马克者，期限为一个月。未约定支付利息者，债务人不得先期通知而返还之。日本民法典第591条规定，当事人未定返还时期时，贷与人可以定相应期间，催告返还。借用人可以随时返还。我国台湾地区“民法典”第478条规定，借用人应于约定期限内，返还与借用物种类、品质、数量相同之物。未定返还期限者，借用人得随时返还，贷与人亦得定一个月以上相应期限返还，贷与人亦得定一个月之相应期限，催告返还。

根据本条的规定，当事人未约定还款期限的，首先应当依据本法第六十一条的规定来确定，即当事人可以就还款期限一事进行协商，达成补充协议。对于不能达成补充协议的，可以按照合同有关条款或者当事人之间的交易习惯来确定。如果按照以上规定依然不能确定的，那么，借款人可以随时返还借款。贷款人也有权向借款人发出催告，要求其在合理的期限内返还借款。本条对贷款人催告借款人还款的“合理期间”未作出明确的规定，主要是考虑到金融机构和一般自然人作为贷款人时，对借款的返还期限的要求是不同的，规定统一的还款期限不能适应不同的情况。因此，该合理期间由贷款人根据具体情况来确定。在发生纠纷时，司法机关亦可以根据具体的情况来判定该期间是否合理。

第二百零七条　借款人未按照约定的期限返还借款的，应当按照约定或者国家有关规定支付逾期利息。

【释义】　本条是关于借款人未按照约定的期限返还借款责任的规定。

借款人的主要义务就是还款付息，未按期返还借款的，是一种严重违约行为，会给债权人的合法权益造成严重损害。特别是金融机构作为贷款人的情况下，其出借资金的主要来源是存款，金融机构就是通过收回借款的本息来保证资金的正常周转的。如果借款人不按期返还借款，就会使贷款人无法保证存款的按期支付，造成存贷收支不平衡的局面，引发“三角债”等多种纠纷，影响国家经济的良性循环。因此，借款人应当对其违约行为承担相应的法律责任。明确逾期借款的借款人的法律责任，不仅是我国合同法需要作出的规定，也是国外以及国际金融机构在借款合同中着重解决的问题。一些国家及国际金融机构都在其借款合同中明确规定，逾期还款的，贷款人可以加收利息。原《借款合同条例》中规定，借款人未按期返还借款的，贷款方有权限期追回贷款，并按银行规定加收罚息。1995年中国人民银行下发了《关于调整贷款利率后有关利息办法的通知》，对有关逾期贷款问题作出了规定，从1995年7月1日起，所有贷款在逾期期间按日利率万分之四至万分之六计收利息。《贷款通则》中明确规定，贷款人对不能按借款合同的约定期限归还的贷款，应当按规定加罚利息。目前在实践中，金融机构就是按照中国人民银行的有关规定办理的，即对于逾期借款，金融机构在利率万分之四至万分之六的幅度内计收利息。

考虑到我国现阶段金融机构对逾期借款主要是通过加收利息的办法来追究借款人的违约责任的，本条规定借款人逾期返还借款的，应当按照约定或者国家规定支付逾期利息。根据该规定，当事人可以在合同中对逾期利息的问题作出约定，这种约定既可以是自然人之间对是否收取逾期利息或者逾期利率为多少的约定，也可以是金融机构与借款人在国家规定的幅度内对逾期利率的确定。如果金融机构借款时，没有对逾期利率作出约定的，那么，金融机构按照国家有关规定的利率向借款人收取逾期利息。

第二百零八条 借款人提前偿还借款的，除当事人另有约定的以外，应当按照实际借款的期间计算利息。

【释义】 本条是关于借款人提前偿还借款的规定。

在借款合同中，一般对偿还借款的期间都有明确的规定，借款人应当按照约定履行合同。但是有的情况下，因生产经营状况或者其他情况发生了变化，借款人在合同履行期间不需要所借的资金，出现借款人提前偿还借款的情况。

合同法起草时,针对提前还款是否经贷款人同意及利息如何计算这两个问题,出现了两种不同的意见:一种意见认为,我国目前借款人的偿还能力较差,许多借款人到期不能偿还借款,而借款的提前返还有利于将资金用于短缺的项目中,对于贷款人并无损害,也有利于国家的经济建设。所以,法律上应当作出鼓励借款人提前还款的规定,不应当再给提前还款的借款人增加过重的负担,提前还款可以不经贷款人的同意,利息按照实际借款的期间计算即可。另一种意见认为,提前还款实质上也是一种不按照合同履行的行为。金融机构对每一笔借款的发放都有一定的安排,如果提前还款不需要经贷款人的同意并按照实际借款的期间计算利息,会打乱贷款人的资金安排计划,使本来应当收取的利息得不到收取。特别是在借款利率下调的情况下,会造成借款人利用提前还款的办法来逃避合同约定的利率,使贷款人合法利益受到损失。因此,提前还款应当经贷款人的同意,同时按原借款期限计算利息。考虑到提前还款实际上是借款人提前履行合同的行为,而根据本法第七十一条的规定,债权人可以拒绝债务人提前履行债务,但提前履行不损害债权人利益的除外。所以,借款人提前还款仍按实际借款期间计算利息,会使贷款人收不到该收的利息,合法利益受到损害。在这种情况下,贷款人是有权拒绝借款人提前履行合同的行为。因此,如果规定提前还款可以不经贷款人的同意并按实际借款期间计算利息,是与本法第七十四条规定的原则相违背的。而且,为了保证能够盈利,贷款人对每一笔贷款的收回和再发放都有时间上的安排。如果借款人可以不经贷款人同意就提前还款,让贷款人自己承担因资金闲置而造成的利息上的损失,对贷款人来说是不公平的。但是,如果提前还款一律规定按原合同的期间计算利息,让借款人承担其不应承担的责任,也会使借款人丧失提前还款的积极性。

借款合同条例对提前还款的问题作出过规定,明确提前还款的,应当按银行规定减收利息,但条例没有明确提前还款是否需要经过贷款人的同意。贷款通则中规定,提前归还贷款的,应当与贷款人协商。但没有明确利息如何计算。根据本条规定,对于提前还款应当按照以下原则确定双方的权利和义务:首先,当事人在合同中对提前还款有约定的,按照约定确定是否经贷款人同意及利息如何计算等问题。其次,当事人在合同中对提前还款没有约定的,提前还款不损害贷款人利益的,可以不经贷款人同意,利息按照实际借款期间计算;提前还款损害贷款人利益的,贷款人有权拒绝借款人提前还款的要求。贷款人同意提前还款的,等于贷款人同意变更合同的履行期,因此,借款人应当按照变更后的期间向贷款人支付利息。

第二百零九条　借款人可以在还款期限届满之前向贷款人申请展期。贷款人同意的,可以展期。

【释义】 本条是关于借款展期的规定。

借款展期,是指借款人在合同约定的借款期限不能偿还借款,在征得贷款人同意的情况下,延长原借款的期限,使借款人能够继续使用借款。借款展期实际上是对原合同的履行期限的变更,因此,应当以贷款人同意为前提。

借款人申请展期的,应当在借款到期之前向贷款人提出申请。贷款人根据借款人的申请,对借款人不能按期偿还借款的情况进行调查和了解,以便更改原有的资金计划,对资金的使用重新进行安排。在借款人有保证人提供担保的情况下,贷款人如果要求保证人继续承担保证责任,还应当征得保证人的同意。因为根据担保法第二十四条的规定,保证期间,债权人与债务人协议变更主合同的,应当取得保证人书面同意,未经保证人书面同意的,保证人不再承担保证责任。由于借款展期使原合同的履行期间延长,因此只有经保证人同意,保证人才对展期后的借款承担保证责任。贷款人如果为了减少借款的风险,要求保证人继续承担保证责任的,就应当取得保证人的同意;否则,保证人对延期后的债务不再承担保证责任。

根据中国人民银行的有关规定,目前我国在商业银行借款中,展期应当按照以下规定办理:短期借款的展期的期限累计不得超过原借款期限;中期借款展期的期限累计不得超过原借款期限的一半;长期借款展期的期限累计不得超过3年。国家另有规定的除外。借款人未申请展期或申请展期未得到批准,其贷款从到期日次日起,转入逾期贷款账户。金融机构借款时,应当按照以上规定确定展期后的合同期限。

第二百一十条　自然人之间的借款合同,自贷款人提供借款时生效。

【释义】 本条是关于自然人之间的借款合同的形式和生效的规定。

借款合同以调整金融机构与自然人、法人和其他组织的借款关系为主,同时,也对自然人之间的借款合同作出了规定。自然人之间借款的情况在实践中经常出现。比如,某人因家中出现困难向同事借钱;某人因为要筹办一个公司向亲戚朋友筹备资金等,都属于自然人借款的情形。应当指出的是,本条仅规定了自然人之间的借款合同关系,而未使用传统民法理论中民间借贷的概念,这表明非金融机构之间以及非金融机构和自然人之间的借款关系合同法不作调整。

自然人之间的借款合同与金融机构作为主体的借款合同有

所区别。其中最主要的一点就是自然人之间的借款合同是实践合同,该合同仅有双方当事人的合意不能成立,必须要有实际的交付行为,即合同是在贷款人提供借款时生效。因此,无论当事人的合同采取的是口头形式还是书面形式,合同都是在贷款人实际交付贷款时生效。这样规定主要是因为金融机构为主体的借款合同一般标的数额较大、订立合同的手续复杂、严格,需要遵守有关法律、行政法规及规章的规定。同时,这类合同往往需要设定担保,作为主合同的借款合同不是诺成即成立,那么,作为从合同的担保合同也无法成立。因此,金融机构借款时,贷款人与借款人达成书面协议,借款合同即为成立。自然人之间借款一般都属于互助性质的,无息的情况居多,当事人在借款活动中关注的是借款这一事实能否被证明,因而对合同的形式并不注意。大多数情况是一手交钱,另外再写一个借据,形式上比较简单。即使当事人采用了书面形式,贷款人不支付借款的,也不宜要求其必须支付,否则会给贷款人增加过重的责任。所以,本条规定,自然人之间借款的,自贷款人交付借款时生效,有利于确定当事人的权利和义务,减少纠纷的发生。

第二百一十一条　自然人之间的借款合同对支付利息没有约定或者约定不明确的,视为不支付利息。

自然人之间的借款合同约定支付利息的,借款的利率不得违反国家有关限制借款利率的规定。

【释义】　本条是关于自然人之间借款利息的规定。

目前,我国金融机构借款的,借款人都需要根据借款的期限等情况,向贷款人支付利息。根据本法第二百零四条的规定,金融机构借款的利率应当按照中国人民银行规定的贷款利率的上下限确定。自然人之间借款的则不一定都要支付利息,当事人可以约定支付利息,也可以约定不支付利息。当事人对利息没有约定或者约定不明确的,视为无息借款,借款人可以不向贷款人支付利息。

自然人之间借款利率的确定应当符合国家有关利率限制的规定。对自然人借款利率作限制性的规定,其目的主要在于防止贷款人高利放贷的行为。高利放贷不仅为我国法律所禁止,不少国家的法律对此也有相应的规定。比如,意大利民法典第608 条规定,除当事人有相反的意思表示外,借方应当偿付利息给贷方。如果约定的是高利贷,则约定无效且无须支付利息。目前我国法律中还没有关于高利借款的限制性规定。1991 年最高人民法院公布的《关于人民法院审理借贷案件的若干问题》中对民间借贷的问题作出了规定,明确民间借贷可以适当高于银行的利率,各地人民法院可根据本地区的实际情况具体掌握,但最高不得超过银行同类贷款利率的 4 倍(包含利率本数)。超过此限度的,超出部分的利息不予保护。近些年来,我国在司法实践中对高利借贷行为的认定也是依据该规定处理的,因此,在没有新规定的情况下,自然人之间借款的利率的确定不得违反最高人民法院的有关规定。

第十三章 租赁合同

本章共二十五条,主要对租赁合同的概念、租赁合同的主要条款、租赁合同的期限、租赁合同的形式、出租人交付租赁物、对租赁物的维修以及对租赁物的质量和权利的瑕疵担保义务、承租人妥善保管租赁物、按时交纳租金的义务等问题作出了规定。

第二百一十二条 租赁合同是出租人将租赁物交付承租人使用、收益,承租人支付租金的合同。

【释义】 本条是关于租赁合同的概念的规定。

本条规定,租赁合同是出租人将租赁物交付承租人使用、收益,承租人支付租金的合同。从这条规定中可以看出,租赁合同有以下特征:

1. 租赁合同是转移财产使用权的合同

租赁合同是一方当事人(出租人)将租赁物有限期地交给另一方当事人(承租人)使用,承租人按照约定使用该租赁物并获得收益。在租赁的有效期内,承租人可以对租赁物占有、使用、收益,而不能任意处分租赁物。当租赁合同期满,承租人要将租赁物返还出租人。因此,租赁合同只是将租赁物的使用权转让给承租人,而租赁物的所有权或处分权仍属于出租人。租赁合同的这一特征区别于买卖合同和赠与合同。买卖合同是出卖人转移标的物的所有权于买受人的合同。赠与合同是赠与人将自己的财产给予受赠人。这两类合同都是以转移财产的所有权为基本特征的。

2. 承租人取得租赁物的使用权是以支付租金为代价

承租人使用租赁物是为了满足自己的生产或生活需要的，出租人出租租赁物是为了使租赁物的价值得以实现，取得一定的收益。承租人要取得使用权不是无偿的，是要向出租人支付租金的。支付租金是租赁合同的本质特征。这一特征区别于借用合同，借用合同中虽然借用人取得了借用物的使用权，但是借用是无偿的，不需付出任何代价。同时这一特征也区别于借款合同，虽然两者都是有偿的，但借款合同支付的是利息。利息不同于租金，租金双方当事人可以约定，利息在很多情况下是法定的，当事人是不能约定的，即使是自然人之间的借款利息也有一个上限要求，不能放高利贷；租金可以不按租期的时间长短来计算，利息往往是根据借款时间的长短来计算。

3. 租赁合同的标的物是有体物、非消耗物

租赁物必须是有形的财产，这是租赁合同的特征之一。租赁可以是动产，如汽车、机械设备、计算机等，也可以是不动产，如房屋。但无论是动产还是不动产，它们都是有形的，都是能以一定的物质形式表现出来的。无形的财产不能作为租赁的标的物。这是与租赁合同中承租人占有、使用租赁物的特征紧密联系的。非消耗物是指能够多次使用而不改变其形态和基本价值的物。一次性使用的物品或很快就消耗掉的物品不能作为租赁物，如洗涤用品、粮食等，因为这些物品一经使用，就已丧失其自身的价值，甚至物本身已经消失了，根本不可能再要求出租人返还。因此，消耗物不能作为租赁合同的标的物。

4. 租赁合同是双务有偿的合同

在租赁合同中，出租人和承租人均享有权利和承担义务，出租人须将租赁物交付承租人，并保证租赁物符合约定的使用状

态。承租人负有妥善保管租赁物并按约定按期向出租人支付租金。任何一方当事人在享有权利的同时都是以履行一定义务为代价的。因此，租赁合同是双务有偿的合同。它区别于赠与合同，赠与合同在通常情况下一般是单务合同，赠与人向受赠人赠与财物并不以对方承担一定义务为条件。

5. 租赁合同具有临时性

租赁合同是出租人将其财产的使用收益在一定期限内转让给承租人，因为不是所有权的转移，因此，承租人不可能对租赁物永久地使用，物的使用价值也是有一定期限的。各国法律一般都对租赁期限的最长时间有所限制。我国合同法规定，租赁期限最长不能超过 20 年。租赁合同根据租赁的不同可分为动产租赁和不动产租赁，不动产租赁在我国主要指房屋租赁。根据租赁合同是否约定期限可分为定期租赁和不定期租赁。定期租赁关系到租金的交付日期、租赁物的返还的日期、合同终止的时间等问题。不定期租赁赋予合同当事人随时解除合同的权利。

租赁合同是在人们的经济生活和日常生活中经常使用的一种合同。它可以在自然人、法人之间调剂余缺，充分发挥物的使用功能，最大限度地使用其价值。通过租赁，承租人与出租人双方的利益可以同时得到满足，因此，租赁是现实经济生活中较为重要的一种经济形式。

目前在我国的经济生活中，有些交易行为，如土地使用权的出让和转让、农村的土地承包经营权、土地使用权的租赁、企业承包租赁经营等形式，是否用本法关于租赁合同的规定加以调整，在起草合同法的过程中有不同意见。有的人认为，上述几种经营形式从实质上讲是租赁，应该由租赁合同调整；也有人认为要根据不同情况来分析，土地使用权的出让和转让，农村土地承包经营权更多的是对土地的使用权的取得，土地使用权的使用年限最高可达到70年，土地承包经营权30年不变，它是一种用益物权，各国一般都将这种土地使用权通过物权法来调整。本章规定不适用于土地使用权的出让、转让和农村土地承包经营权。对于国有土地使用权的出租问题，目前我国法律还没有具体规定，只是在少数地区进行试点，它是为了便于各级政府进一步盘活存量用地的一项措施，它还有待于在试行中不断总结经验。

对于企业的租赁经营合同与本章规定的租赁合同是不同的，表现在：一是企业租赁的当事人一方是企业的所有人或管理人，另一方则是本企业的职工，他们之间本来就有一个内部管理的关系；二是合同订立是以公开招标的形式进行的，有时还须由有关部门批准；三是租赁的标的是整个企业，而不是某一特定的财产，是人财物、产供销、资金、技术、经营等多种因素的综合体，承租人获得的不仅是对财产的使用权，而是一种经营权；四是承租人须以自己的财产向企业提供担保；五是按照合同的要求，合同终止时，企业的价值须大于租赁时的价值。从上述特征中可以看出，本章规定的租赁合同不适用于企业的租赁经营活动。

第二百一十三条　租赁合同的内容包括租赁物的名称、数量、用途、租赁期限、租金及其支付期限和方式、租赁物维修等条款。

【释义】　本条是关于租赁合同的主要内容的规定。

租赁合同的内容，是指在租赁合同中应当约定哪些条款。由于租赁合同的标的物不同或者租赁期限、租赁方式不同，合同的内容可能也不同，但一些主要条款都是应该具备的。本条的规定是一个指导性条款，是指在一般情况下，租赁合同应当具备的主要条款，包括如下事项：

1. 有关租赁物的条款

租赁物是租赁合同的标的物。租赁合同的当事人订立租赁合同的目的就是要使用租赁物或从他人使用租赁物中获取一定的利益,因此,租赁物是租赁合同的主要条款。有关租赁物的条款涉及这样几个方面:

(1)租赁物的名称。租赁物应以明确的语言加以确定,如汽车,是小轿车还是货车,要约定清楚。对租赁物本身的要求,租赁物应是有体物,非消耗物;应是流通物而不是禁止流通物,禁止流通物不能作为租赁物。如枪支是禁止制造、买卖、销售的,也是不能出租的。租赁物可以是种类物,也可以是特定物,对于种类物,一旦承租人对其选择完毕就已特定化。例如,承租人要租赁一辆汽车,他在出租人处指定了一辆车号为 B93468 白色桑塔纳轿车,这时此辆轿车已特定化,出租人只能将该轿车向承租人交付。租赁物约定明确关系到租赁物的交付、合同期限届满承租人返还租赁物、第三人对租赁物主张权利等问题。

(2)租赁物的数量。明确数量,出租人才能准确地履行交付租赁物的义务,它也是租赁期限届满时,承租人返还租赁物时的依据。

(3)租赁物的用途。租赁物的用途关系到承租人如何使用该租赁物,因为承租人负有按照约定使用租赁物的义务,租赁物的用途就必须约定清楚,否则当租赁物损坏时,出租人就难以行使其请求权。租赁物的用途应当根据租赁物本身的性质特征来确定。例如,用于载货的汽车不能用于载人,用于制造精密器件的车床不能用于制造一般的器件。约定租赁物的用途也可以明确承租人对租赁物使用过程中的消耗的责任归属问题。

2. 有关租赁期限的条款

租赁期限关系承租人使用租赁物的时间的长短、支付租金的时间、交还租赁物的时间等。如合同当事人对支付租金的期限没有约定时,可根据租赁期限来确定支付租金的期限。租赁期限的长短由当事人自行约定,但不能超过本章规定的最高期限。

租赁期限可以年、月、日、小时计算,要根据承租人的需要来确定。如果当事人对租赁期限没有约定或者约定不明确的,可按照合同法的有关规定来确定。

3. 有关租金的条款

出租人出租租赁物的目的就是收取租金,租金同租赁物一样是租赁合同中必不可少的条款,支付租金是承租人的主要义务,收取租金是出租人的主要权利。租金的多少、租金支付的方式;是人民币支付还是以外汇支付;是现金支付还是支票支付;是直接支付还是邮寄支付;是按月支付还是按年支付;是一次性支付,还是分次支付;是预先支付还是事后支付,这些问题都应当在订立合同时约定明确,以避免事后发生争议。同时,这些约定也是合同当事人履行义务和行使权利的依据。

4. 有关租赁物维修的条款

承租人租赁的目的在于使用收益,这就要求租赁物的状态必须符合使用的目的;同时,在使用租赁物时必然会有正常的消耗,这就有一个对租赁物的维修问题。对租赁物的维修义务应当由出租人承担,这是出租人在租赁合同中的主要义务。但并不排除在有些租赁合同中承租人负有维修义务。一般有几种情况:一是有些租赁合同,法律就规定承租人负有维修义务。例如,海商法规定,光船租赁由承租人负责维修、保养。有时为了能够对租赁物及时、更好地进行维护,保持其正常的使用功能,合同双方可以约定,维修义务由承租人负责。二是根据商业习惯,租赁物的维修义务由承租人负责。例如,在汽车租赁中,一般都是由承租人负责汽车的维修。三是根据民间习俗，如在我国西南地区的房屋租赁中就有“大修为主，小修为客”的说法和习惯。

除了上述条款外，当事人还可以根据需要订立某些条款，如违约责任、解决争议的方式以及解除合同的条件等都是合同中的重要的条款。

第二百一十四条　租赁期限不得超过二十年。超过二十年的，超过部分无效。

租赁期间届满，当事人可以续订租赁合同，但约定的租赁期限自续订之日起不得超过二十年。

【释义】　本条是关于租赁期限的最高限制的规定。

租赁是转让租赁物的使用权，是承租人为使用租赁物而满足自己生活或经营的需要的。承租人并不想长期占用租赁物，因为这种使用权是以支付租金为代价的，当承租人达到使用收益的目的后，需要将租赁物返还出租人。这里就有个租赁期限的问题。租赁期限的长短由当事人根据其使用租赁物的目的和租赁物的性质自主决定。应当说租赁期太长并不利于当事人权利的实现。因为客观情况总是在不断变化的，特别是不动产，其价格可能会因一个国家的经济形势变化而大起大落。

很多国家和地区的法律都对租赁合同的最长期限作出限制。例如，日本民法规定，租赁契约的存续期间不得超过 20 年，如果所订租赁契约比这个期间长的，要缩短为 20 年。意大利民法典规定，租赁不得超过 30 年，如果约定期间超过 30 年或者永久的，则将被减至 30 年。德国也规定 30 年。我国台湾地区“民法典”规定，租赁契约之期限不得逾 20 年，逾 20 年者，缩短为 20 年。我国合同法借鉴了这些规定，考虑到我国正处在一个市场经济的建立过程中，经济发展很快，变化也很快，为了更有效地保护租赁合同双方当事人的权益，对租赁期限的最高期限有所限制是有必要的。因此，本法作出了租赁合同的期限最长不得超过20年的规定。

通常情况下，当事人在确定租赁期限长短时，总是要根据租赁物的性质和承租人的使用目的来确定的。在动产租赁中，租赁期限是比较短的，一般都是临时使用。例如，租赁汽车，按照国家有关规定，汽车的使用寿命是10年，双方当事人不可能约定一个租赁期为20年的租赁合同。租赁期限较长的是不动产租赁即房屋租赁。在房屋租赁中，用于承租人居住需要和用于商业性租赁是不一样的。一般来讲，用于居住租赁的承租人希望租期长一些，使这种租赁关系相对稳定一些。商业租赁中，在订立合同时房屋的租价比较低的情况下，承租人就希望将租赁期限订得长一些，租金固定下来；在房屋的租价偏高的时候，出租人就希望租期订得长一些，这样就能保证其得到更多的租金。当双方当事人不能自己寻找一个公平的交点时，法律总是要在利益双方中找出平衡点的。这也是规定最高租赁期限的一个目的。

20年实际上并不是一个绝对的最高限，因为如果租赁合同双方当事人在20年期满时，仍然希望保持租赁关系，可以采取两个办法：一是并不终止原租赁合同，承租人仍然使用租赁物，出租人也不提出任何异议。这时法律规定视为原租赁合同继续有效，但租赁期限为不定期，即双方当事人又形成了一个不定期租赁的关系，如果一方当事人想解除合同随时都可以为之，这种情况被称为合同的“法定更新”。二是双方当事人根据原合同确定的内容再续签一个租赁合同，如果需要较长的租期，当事人仍然可以再订一个租期为20年的合同，这种情况被称为“约定更新”。

第二百一十五条　租赁期限六个月以上的，应当采用书面形式。当事人未采用书面形式的，视为不定期租赁。

【释义】　本条是关于租赁合同形式的规定。

关于合同形式本法总则部分已作出规定，即当事人订立合同有书面形式、口头形式和其他形式。法律并不特别要求合同当事人采用何种形式订立合同是有效的，但是法律、行政法规规定采用书面形式的，应当采用书面形式。这里的法律不仅指有关的专门的法律，而且也包括合同法分则中规定的对特定合同的特定的书面要求。关于租赁合同应当采用什么形式订立，租赁合同的基本特征是规定本条内容的依据。

如前所述，租赁合同是转让租赁物使用权的合同，出租人转让租赁物的使用权就负有将租赁物交付承租人使用的义务，同时承租人负有在租赁期间届满时返还租赁物的义务，返还的租赁物要符合原状。承租人在使用租赁物时应当按照约定使用，如果对租赁物造成损害要视不同情况承担相应的责任，这些权利义务关系应当明确、具体。在租赁合同中，采用口头形式订立合同有其一定的便利性，如在一些临时使用租赁物的交易中，一名天津的游客到北京临时租一辆自行车游玩，租一架照相机照相，在公园里租游船等，这种临时性使用时间很短，涉及的租金也较少，就不必非要采用书面形式订立合同。但是租赁合同毕竟是出租人所有的或可支配的财产交付于承租人手中，承租人对其占有使用，对出租人来说有丧失租赁物的风险，如果没有采用书面形式订立合同，一旦发生争议，口说无凭，当事人的权利很难得到保护。法国民法典虽然对采用何种形式订立租赁合同没有特别规定，但它规定：但口头合同在租赁物未交付之前，另一方否认租赁关系存在时，不问其租金如何低微，亦不问他方主张已交付定金，租赁的事实不能得到证明。为了既便利交易又保证交易安全，本条对租赁合同的形式作了几个层次的规定：

第一，租赁期限不满6个月的租赁合同，即可以采用口头形式也可以采用书面形式。这是因为租赁期限较短的合同一般来说租赁物价值不大(当然不排除大型的机械设备)，租赁物使用后变化也不大，租金也较少，租赁关系结束的快，证据不易失散。一旦发生纠纷容易分清责任，因此，不必要求当事人非以书面形式订立合同。但对于房屋租赁合同即使租赁期限不满6个月，因房屋的价值较高，租金多，按照我国城市房地产管理法规定，房屋租赁，出租人和承租人应当签订书面租赁合同，并向房产管理部门登记备案。

第二，租赁期限在6个月以上的应当采用书面形式。书面形式可以是在本法第十一条规定的任何书面形式。

以租赁期限长短来划分是否应当采用书面形式是考虑到租期长短与合同当事人双方的利益有直接关系，因为租期长的合同往往是租赁物价值较高，租金较多，对租赁物的使用消耗也多一些，如果以书面形式将双方的权利义务规定清楚，在将来发生争议时就有据可查，易于解决纠纷，保护当事人的合法权益。

第三，租赁期限6个月以上的，当事人没有采用书面形式，双方又对租赁期限有争议的，如果双方已经履行合同的主要义务，合同还是有效的。如果没有履行主要义务，当事人对其他问题没有争议，只是对租赁期限有争议的，依本条规定，视为不定期租赁，其租赁合同还是有效的，不定期租赁合同双方当事人随时可以解除合同。

第二百一十六条　出租人应当按照约定将租赁物交付承租

人,并在租赁期间保持租赁物符合约定的用途。

【释义】 本条是关于出租人交付租赁物的义务和对租赁物的瑕疵担保责任。

本条规定的是出租人的两项义务:一是交付义务;二是对租赁物的瑕疵担保责任。这两项义务是出租人的重要义务。其他义务如维修义务、出卖租赁物的通知义务等是这两个义务派生出来的。

1. 出租人的交付义务

本条规定,出租人应当按照约定将租赁物交付承租人。所谓交付是将租赁物的转移占有至承租人。因为承租人要取得租赁物的使用权就必须对该租赁物占有,占有是能够使用的前提。因此,承租人有权要求出租人按照约定向其交付租赁物。所谓按照约定交付租赁物,包括按照约定的租赁物的名称、数量、交付方式、时间和地点向承租人交付租赁物。如果租赁物分主物和从物时,在交付主物的同时应将从物一并交付承租人。例如,交付的租赁物为汽车时,在交付汽车的同时应将汽车钥匙一并交给承租人。交付的地点可以是承租人所在地,也可以是出租人所在地。这由合同的履行地点来决定,如一建筑企业租赁塔吊,出租人可将塔吊送到建筑工地,也可以由承租人到出租人处将塔吊拉走。出租人交付的租赁物必须符合合同约定的使用目的。

2. 出租人对租赁物的瑕疵担保责任

瑕疵担保责任是买卖合同中的一个重要的法定责任,它是指出卖人就出卖的标的物的瑕疵应承担的责任。包括物的瑕疵担保和权利的瑕疵担保。租赁合同同买卖合同一样都是一种有偿合同,其合同标的都是特定的物,有一定的共性。因此,在租赁合同中租赁物的要求也同样适用物的瑕疵担保责任和权利的瑕疵担保责任。由于租赁合同转移的是租赁物的使用权,而承租人租赁财产是为了使用和收益,因此,在租赁合同中的物的瑕疵担保责任主要是物的效用的瑕疵担保,即出租人应保证租赁物具备应有的使用价值。例如,电脑能够正常地设定程序、进行文字编辑和处理以及上网使用;电冰箱能够正常地制冷起到储藏作用等。一般来讲,承租人订立合同时,知道租赁物有瑕疵的,出租人不负瑕疵担保责任,承租人无权要求出租人进行维修,减少租金或解除合同。但在特殊情况下,即使承租人知道租赁物有瑕疵,出租人也要负有瑕疵担保责任。即本法第二百三十三条的规定,租赁物危及承租人的安全或者健康的,即使承租人订立合同时明知该租赁物质量不合格,承租人仍然可以随时解除合同。

本条规定出租人对租赁物的瑕疵担保责任在合同履行的两个阶段都有要求:一是在租赁物交付时保证交付的租赁物符合约定的用途,具有品质完整的使用价值,使承租人能够正常使用。二是在租赁期间内保持租赁物符合约定的用途。在租赁期间如果租赁物本身出现问题,承租人请求出租人进行维修时,出租人应对其进行及时的维修,以保证承租人的正常使用。出租人如不能及时予以维修,承租人可以自行维修,维修的费用应由出租人负担。因维修租赁物影响承租人使用时,承租人有权请求减少租金或延长租期。

第二百一十七条　承租人应当按照约定的方法使用租赁物。对租赁物的使用方法没有约定或者约定不明确,依照本法第六十一条的规定仍不能确定的,应当按照租赁物的性质使用。

【释义】　本条是关于承租人按约定使用租赁物的义务的规定。

承租人按约定使用租赁物是承租人的一项义务。承租人租赁该物并占有它的目的就是使用它。使用租赁物是承租人在租赁合同中的一项基本权利,但由于承租人对租赁物只是获得使用权和收益权,而并没有所有权,最终还是要将租赁物返还给出租人的,这样承租人就有一个保证租赁物自始至终符合其本身的品质和效用。同时任何物都是经过使用有正常消耗的,不断折旧,最后丧失其价值。只是不同的物因使用方法的不同其折旧率也不同,因此,承租人使用租赁物应当按照约定的方法使用。各地民法对承租人的该项义务都有所规定。例如,法国民法规定,承租人应依照租赁契约规定的目的使用租赁物;在契约无规定时,依照当时情况所推定的目的使用之;如承租人使用租赁物于非约定的目的,或者使用的方法可能对于出租人发生损害时,出租人得斟酌情形,请求解除契约。我国台湾地区“民法典”规定,承租人应依约定方法为租赁物之使用、收益,无约定方法者,应以依租赁物之性质而定之方法为之。承租人违反前项规定为租赁物之使用、收益,经出租人阻止而继续为之者,出租人得终止契约。

承租人履行此项义务的条件是:

1. 租赁物已由出租人按约定交付承租人,承租人对租赁物已实际占有,因此取得了对该租赁物的使用权。

2. 出租人交付的租赁物符合约定中的质量、数量、用途的要求,没有瑕疵。如出租人交付的租赁物本身质量就有问题,即使承租人按照约定使用也会损坏该租赁物,就不能要求承租人对此负责。

3. 双方当事人能够约定租赁物的使用方法或者根据租赁物的性质可以确定其使用方法。如果难以确定其使用方法,很难要求承租人履行此项义务。

按约定的方法使用租赁物要求:约定租赁物用途的,必须按约定的用途使用租赁物。如合同约定租赁房屋为居住的,承租人就应自己和亲属居住,而不能将该房屋用于商业性使用,如开饭店、开商店。约定租赁物使用方法的,如租赁车床加工机器零件,就要按约定的使用方法进行。如果合同中没有约定使用方法,也没有约定租赁物的用途时,承租人不能擅自任意使用,应当同出租人对此再进行协商,如果仍然协商不成,按交易习惯仍不能确定的,就应当按照租赁物的性质使用。所谓租赁物的性质是指租赁物本身的属性,如汽车是用来交通运输的,就不能作为居住场所;挖掘机是用来挖土的,就不能作为交通工具进行客运。

承租人如果违反了按约定使用租赁物的义务就要承担相应的违约责任。如租赁物受到损害,就要对出租人赔偿损失,有约定违约金的还要支付违约金,出租人还有权解除合同。

第二百一十八条　承租人按照约定的方法或者租赁物的性质使用租赁物,致使租赁物受到损耗的,不承担损害赔偿责任。

【释义】　本条是关于前条承租人义务的延伸规定。

前条规定承租人应当按照约定的方法或者租赁物的性质使用租赁物,这就要求当事人在订立租赁合同时或者在合同成立后尽量将租赁物的使用方法明确下来,以规范承租人对租赁物的使用。如果承租人按照约定的方法或者租赁物的性质正常使用租赁物,租赁物因使用受到的损耗是一种合理的情况,因为任何物品随着它的使用,其价值都会逐渐变小,只要使用就会有一定的磨损和损耗。例如,一台彩电的显像管的寿命是1万小时,就意味着只要一开电视,随着时间的运行,彩电的显像管的寿命就会逐渐缩短,直到全部丧失。出租人在出租他的物品时,应当知道其正常损耗的情况，在合同中订立了使用方法，就意味着出租人认可了这种正常的损耗，并且实际上，出租人已把这种折旧的价值打入了租金中，因此，只要承租人按照约定的方法使用租赁物，对租赁物的正常损耗、价值的减少是不承担责任的。

第二百一十九条　承租人未按照约定的方法或者租赁物的性质使用租赁物，致使租赁物受到损失的，出租人可以解除合同并要求赔偿损失。

【释义】 本条是关于承租人没有履行按约定方法使用租赁物的义务的法律后果的规定。

本条是与前条相反的规定，前条是承租人按照约定或者租赁物的性质使用租赁物致使租赁物受到正常损耗的，承租人不承担责任。本条所要解决的问题是，承租人违反约定的方法使用租赁物，使租赁物受到损失的承租人的责任。承租人没有按照约定或者租赁物的性质使用租赁物，使租赁物减少了价值，是一种损失，而不是损耗。损耗是合法的、正常的；损失是非正常的，是由于违约行为造成的。例如，承租人租赁了某一机械设备，按合同约定，该设备在使用了 6 个小时后，必须关机休息 2 小时，但承租人为了赶工程进度，或者为了谋取不正当的利益，在使用该设备时连续使用了 10 个小时，最后该机械设备因使用过度而损坏。这就是一种因违约行为造成的损失，而不是损耗。因为如果按照合同的约定使用 6 小时，该机械设备是不会发生损害后果的。本条规定的承租人的行为是一种违反义务的行为，由于其违约的行为造成的损害，承租人应当承担损害赔偿责任。对此各国民法都是这样规定的。如德国民法典规定，承租人以违背约定的方法使用租赁物，并且不顾出租人的劝阻继续为此种使用者，出租人得提出停止租赁之诉。各国民法都赋予了出租人解除合同的权利。因为承租人不按约定的方法使用租赁物,是一种根本违约的行为,因为该项义务是承租人的一项基本义务,使用租赁物又是承租人的一项基本权利,权利与义务是相对应的,当事人享有什么权利同时就相应承担一定的义务。

本条规定了出租人对承租人的违约行为的救济手段,即可以解除合同并请求赔偿损失。这里规定的是出租人可以行使解除权,赋予出租人自主决定的权利。如果出租人还愿意使该租赁合同继续下去,并且承租人的违约行为对租赁物造成的损失并不大,可以采取措施予以挽回,那么出租人可以先阻止承租人的违约行为,承租人予以及时改正的,又对损失进行了及时补救的,出租人也可以不解除合同。但已经造成的损失,承租人应当赔偿。如果承租人经出租人劝阻仍我行我素、不加改正的,出租人可以单方解除合同,对承租人给出租人造成的损失,出租人可以请求其损害赔偿。

第二百二十条　出租人应当履行租赁物的维修义务,但当事人另有约定的除外。

【释义】　本条是关于出租人的维修义务的规定。

出租人的维修义务是出租人对物的瑕疵担保责任中派生的义务。维修义务是指在租赁物出现不符合约定的使用状态时,出租人须对该租赁物进行修理和维护,以保证承租人能够正常使用该租赁物。维修义务也包括对租赁物的正常保养。

承租人使用租赁物就是要使租赁物发挥其效用,以满足自己的需要,这就要求租赁物本身应保持一个良好的状态,具备它本身的性能,发挥它本身的效能,当该租赁物出现妨碍使用的情况时,就要对其进行维修。法律将维修的义务加诸出租人是从租赁合同的特点出发的,一是租赁物的所有人在绝大多数情况下是出租人，出租人要对自己的财产负责，要延长租赁物的使用期，对租赁物进行正常的养护和维修，维护的是自己的利益；二是出租人出租租赁物是为了收取租金，承租人支付出租金是为了使用租赁物，如果租赁物不能使用了，承租人订立合同的目的就不能实现，再让他支付租金是不公平的。因此，各国法律都把对租赁物的维修义务归于出租人一方。

出租人尽维修义务并不是绝对的、无限的，它应具备一些条件：

1. 租赁物有维修的必要

有维修的必要是指租赁物已出现影响正常使用、发挥效用的情况，不进行维修就不能使用，出租人应对租赁物进行及时的维修，以保证其正常使用。

2. 有维修的可能

有维修的可能是指租赁物损坏后能够将其修好以恢复或达到损坏前的状态，如果租赁物已彻底损坏，没有修复的可能，出租人的维修义务就转化为承担一定的民事责任的义务，如减少租金等。

3. 有维修的正当理由

出租人的维修义务一般是在承租人按约定正常使用租赁物的情况下出现的租赁物的损耗或者是由租赁物的性质所要求的对租赁物的正常的维护，如果是因为承租人的保管使用不善，造成租赁物损坏时，出租人不负有维修的义务。如承租人租赁一架塔吊，因自己安装不符合要求出现了问题，不能使用，就要由承租人自己负责重新进行安装。

出租人的维修义务是需要承租人的协助来履行的。当租赁物出现质量问题时，承租人应及时通知出租人，以便能够得到及时的维修。当出租人对租赁物进行正常维修时，承租人不能拒绝出租人维修租赁物的要求,而应当积极配合出租人并为其提供必要的条件。例如,在房屋租赁中,出租人在雨季前对房屋进行维修,以保证在雨季到来时不致漏水,承租人就应当积极协助出租人。当租赁物出现质量问题时,承租人如果有可能或在有条件的情况下,应当采取必要的措施防止租赁物的进一步被损坏等,承租人的这些义务虽然法律上并没有规定,但根据合同法的诚实信用原则,这些附随义务也是当事人应当遵守的。

法律虽然规定了在一般情况下出租人负有维修义务。但并非在所有的情况下维修的义务都由出租人承担。排除出租人维修义务的情况有几种:(1)法律、行政法规规定,由承租人承担维修义务的。如我国海商法规定,在光船租赁中,由承租人负责维修保养。有的国家的法律规定,在房屋租赁中,有些小的维修义务由承租人承担,如法国民法典就规定在房屋租赁中,承租人应当负担的修缮义务有:房间内的一部分破碎地砖的修补、窗户玻璃的修补、门锁的修缮等。意大利民法典规定,由房客负担的小修缮是属于因使用所引起的损坏。(2)双方约定维修义务由承租人负担。(3)依当地习惯或商业习惯。如在汽车租赁中对汽车的维修义务一般都由承租人负担。再如前面曾提到的在我国民间实行的房屋租赁“大修为主,小修为客”的习俗。

第二百二十一条　承租人在租赁物需要维修时可以要求出租人在合理期限内维修。出租人未履行维修义务的,承租人可以自行维修,维修费用由出租人负担。因维修租赁物影响承租人使用的,应当相应减少租金或者延长租期。

【释义】　本条是关于出租人维修义务的补充规定。

出租人履行维修义务,可以是由承租人提出的,也可以是出租人主动作出的。承租人提出维修要求的一般是指在租赁关系存续期间，租赁物出现问题，需要修理的，承租人向出租人提出修理的要求，催告出租人在合理的期限内对租赁物进行维修。该合理期限应当根据物的损坏程度、承租人需要维修的紧迫程度及出租人的维修能力等具体情况确定。出租人应当在承租人提出的合理期限内，履行对租赁物的维修义务，以满足承租人使用租赁物的要求。

如出租人拒绝维修或因为其他原因不能在合理的期限内对租赁物进行维修的，承租人可以自行修理。由于对租赁物的维修是出租人的义务，出租人未尽其义务，由承租人代为履行的，由此支出的费用应当由出租人负担，承租人已经垫付的，有权要求出租人偿还或者从租金中扣除。另外出租人无正当理由在承租人通知的合理期限内拒不履行其维修义务的，就构成根本违约，出租人可依据本法有关规定，解除合同并请求出租人承担违约责任。

无论是出租人对租赁物进行维修，还是承租人对租赁物进行维修，影响了承租人对租赁物的正常使用收益的，承租人有权要求出租人相应地减少租金或者延长租赁期限。

第二百二十二条　承租人应当妥善保管租赁物，因保管不善造成租赁物毁损、灭失的，应当承担损害赔偿责任。

【释义】　本条是关于承租人妥善保管租赁物的义务的规定。

妥善保管租赁物也是承租人的主要义务之一。保管的义务源自于承租人对租赁物享有的是占有和使用权，租赁物的所有权并不是承租人的，是他人的财产在承租人手中，才产生了保管的义务。承租人在使用完毕后，最终要将租赁物返还给出租人，返还时的租赁物应当符合租赁物在使用前的状态或者是性能，承租人就一定要妥善保管租赁物,妥善保管也有利于承租人在租赁期间对租赁物的充分使用。何为妥善保管,在国外的法律中叫做“尽善良管理人之注意”,意大利民法典叫做“奉行善良家父般的勤谨注意”。通俗地说,就是要把该租赁物当成自己的财产加以保管。承租人的保管义务应包括以下几个内容:

1. 按照约定的方式或者租赁物的性质所要求的方法保管租赁物

如租的是机器设备,就应将其放置在厂房里,而不应露天摆放。租赁物是电脑的,在使用后关掉电源开关等。

2. 按照租赁物的使用状况进行正常的维护

很多租赁物都是需要对其经常进行保养维护的,如果不进行经常的维护,就难以保证正常的运转。例如,汽车应当经常加机油,经常进行保养,才能保证正常使用。对于租赁物正常维护的费用有两类:一是为维护物的使用收益能力所支付的费用,如机器设备上的润滑油,汽车使用的汽油、机油等,这部分费用一般应由承租人负担;二是为了维持租赁物使用收益状态所支出的费用,如房屋的维修费用、汽车换胎的费用、机器设备更换零部件的费用等,应当由出租人负担。

3. 通知和协助

当租赁物出现质量问题影响承租人正常使用时,应及时通知出租人,并采取积极措施防止损坏的蔓延或损失的扩大。有时租赁物发生故障来不及要求出租人维修,如果承租人有能力,也有可能先行对其进行维修,承租人应当先行维修,维修的费用由承租人先垫付,之后可向出租人追偿或者在租金里扣除。绝不能因为维修义务是出租人的,就对租赁物坐视不管,这样就没有尽到善良管理人的义务。

承租人如果违反该项义务,没有对租赁物妥善保管,造成租赁物毁损、灭失的,应当承担损害赔偿责任。如果是由于其他允许使用租赁物的人的行为造成的租赁物的损坏的,承租人也应承担责任,因为第三人使用租赁物是经承租人许可的。

第二百二十三条 承租人经出租人同意,可以对租赁物进行改善或者增设他物。

承租人未经出租人同意,对租赁物进行改善或者增设他物的,出租人可以要求承租人恢复原状或者赔偿损失。

【释义】 本条是关于承租人对租赁物进行改善或增设他物的规定。

所谓改善,是指对租赁物并不改变其外观形状,而是对其性能进行改良。如租用的汽车由原来的化油器改装为电喷的,使汽车的性能更符合环保的要求。所谓增设他物,也叫添附,是指在原有的租赁物上又添加另外的物,如在汽车上安装音响设备、在房屋里安装空调等就是添附。

有时,承租人为了使租赁物充分有效地发挥作用,需要对租赁物进行改善或者添附,但承租人对租赁物只是享有占有、使用的权利,而不具有处分权,因此,他不能擅自在租赁物上进行拆改或者添附。承租人需要对租赁物进行改善或者添附时,须先同出租人协商,在征得出租人的同意后方能对租赁物进行改善或添附。如对租赁的房屋进行装修、为租用的汽车安装防盗器等。

承租人在征得出租人同意后对租赁物进行改善或者增设他物的,使其使用效用和本身的价值增加了,在租赁的有效期间内是不成问题的,但如果租赁期限届满,承租人须将租赁物返还出租人时就有一个与原租赁物的状况发生变化如何处理的问题,一般应遵循这样一个规则:

1. 可以要求出租人偿还由于改善或增设他物使租赁物的价值增加的那部分费用。但仅限于合同终止时租赁物增加的价值额,而不能以承租人实际支付的数额为准。

2. 对于增设他物的,如果可以拆除并不影响租赁物的原状,承租人最好拆除,承租人也有权拆除。一般地说,出租人不希望承租人对租赁物进行添附,因为这种添附增加了价值,出租人是要有所付出的。因此,增设物能拆除的,承租人尽量拆除。例如,承租人在租赁房屋内安装的空调,就可以拆除,但拆除后应当将安装处修复至原来的状态。如果出租人对增加物表示可以不拆除并愿意支付增加的费用的,也可以不必拆除。

承租人未经出租人同意对租赁物进行改善、增设他物的,承租人不但不能要求出租人返还所支付的费用,反过来出租人可以要求承租人恢复原状或者赔偿损失。

第二百二十四条　承租人经出租人同意,可以将租赁物转租给第三人。承租人转租的,承租人与出租人之间的租赁合同继续有效,第三人对租赁物造成损失的,承租人应当赔偿损失。

承租人未经出租人同意转租的,出租人可以解除合同。

【释义】　本条是关于承租人对租赁物的转租的规定。

转租,是指承租人将租赁物转让给第三人使用收益,承租人与第三人形成新的租赁关系,但承租人与出租人的租赁关系仍然存在的一种交易形式。承租人是否有对租赁物的转租的权利,各国规定不尽一致,大致有三种类型:第一种类型是,未经出租人同意不得将租赁物转租给第三人。如日本民法规定,租用人未经出租人同意,不得将其权利出让或将其租用物转租。采取这种规定的理由是,租赁物的所有权不属于承租人,承租人无权处分租赁物,如果他要处分须经有处分权的人同意,这是交易的最基本的条件,也是为了保护交易安全。因为无处分权的民事行为是一种效力待定的行为,它的效力是不稳定的,一旦有处分权人予以否认,该处分行为是无效的,因此,允许承租人随意转租,不利于保护出租人的利益,也不利于保护第三人的利益。第二种类型是,承租人能否转租,区分动产租赁和不动产租赁,动产租赁的转租须经出租人同意,不动产租赁则另有规定。如意大利民法规定,除有相反的约定,承租人有将租赁物让渡他人的转租权,但是未经出租人同意不得转卖契约。涉及动产物时,转租应当由出租人授权或者与惯例相符。我国台湾地区“民法典”规定,承租人非经出租人承诺不得将租赁物转租于他人,但租赁物为房屋者,除有反对之约定外,承租人得将其中一部分转租于他人。采用这一规定的理由是,动产租赁中的转让须经出租人同意是因为动产有流动性,一旦转移于他人之处,出租人无法对其了解和控制。而不动产租赁中,不动产是不能移动的,能够在出租人的视线范围内,出租人可以根据次承租人对租赁物使用的状况进行监督,所以可以不经出租人同意。第三种类型是,规定除了当事人有不准转租的明确约定以外,承租人都可以转租。如法国民法典规定,承租人有转租或以租赁权让与他人的权利,但租赁契约有禁止的约定者,不在此限。采用这种规定的理由是,租赁合同并不以转移标的物所有权为内容,也并不以出租人对租赁物有所有权为必要。所以承租人可以将租赁物转租他人,除非当事人事先约定不准转租。

我国合同法采用的是第一种类型,这是因为在我国的租赁合同关系中,特别是房屋租赁,有些人利用这种形式将租来的房屋层层租赁,使租赁房屋的租金过高,以获取暴利,侵害了房屋所有人的利益,为了规范这类行为,本条规定,承租人将租赁物转租他人的必须经出租人同意。

转租包括经出租人同意和未经出租人同意两种情况：

1. 经出租人同意的转租

经出租人同意的转租包括两种情形：一是在租赁合同订立时明确约定承租人有权出租租赁物；二是在租赁期间承租人征得出租人同意将租赁物转租。对于事前未经出租人同意，事后出租人知道后并不反对或予以承认的，按照本法第五十一条的规定，也可以视为经出租人同意的转租。

经出租人同意的转租是有效的，但由于在同一租赁物上出现了三个当事人、两个合同关系，即出租人、承租人、第三人也可称为次承租人，这三人之间的法律关系必须明确。按照本条的规定经过转租的租赁合同关系当事人的关系应为：第一，出租人与承租人之间的关系不因转租而受影响，继续有效，承租人仍然应向出租人承担支付租金、在租赁期间届满时返还租赁物的义务。因次承租人的行为造成租赁物损失的，承租人仍然要对出租人负责。第二，虽然次承租人与出租人之间没有合同关系，次承租人可以直接向出租人支付租金。第三，在租赁合同终止或者被解除时，承租人与次承租人之间的租赁关系也随之终止。因为这个次承租合同的订立是以前一个租赁合同为基础的。

2. 未经出租人同意的转租

本条规定，未经出租人同意转租的，出租人可以解除合同。因为承租人未经出租人同意擅自将租赁物转租他人，直接破坏了出租人对承租人的信任，也直接损害了出租人对租赁物的所有权或处分权，同时造成多层次的对租赁物的占有关系，增加了出租人要求返还租赁物的困难或使出租物的毁损程度加重，所以出租人有权解除合同。

第二百二十五条　在租赁期间因占有、使用租赁物获得的

收益，归承租人所有，但当事人另有约定的除外。

【释义】　本条是关于租赁物的收益归属的规定。

本条中的收益是指承租人因占有、使用租赁物而获得的效益。收益包括两类：一类是因为占有租赁物而产生的收益；另一类是使用租赁物而产生的收益，如承租人从房屋租赁的转租中收取的超额租金，承租人租用汽车经营货物运输获得的收益等。除当事人在合同中另有约定外，租赁期间承租人占有使用租赁物获得的收益归承租人所有。这样规定是由租赁合同的性质决定的。租赁合同是出租人将租赁物交付承租人使用、收益，承租人支付租金的合同。这里不仅是使用还包括收益。在有些情况下，承租人重视的是租赁物的使用，租赁本身并不产生收益，如承租人为居住而租赁房屋、家具等；而在有些情况下，承租人租赁的直接目的就在于收益，如为生产经营租赁机器设备、租赁房屋等。在意大利民法中专门规定了一类叫做产生孳息的物品租赁，即是以动产或不动产生孳息的物品为租赁的标的物的。承租人对租赁物的使用是以支付租金为代价的，所以就其租赁物的占有、使用而获得的收益，应当享有所有权。

第二百二十六条　承租人应当按照约定的期限支付租金。对支付期限没有约定或者约定不明确，依照本法第六十一条的规定仍不能确定，租赁期间不满一年的，应当在租赁期间届满时支付；租赁期间一年以上的，应当在每届满一年时支付，剩余期间不满一年的，应当在租赁期间届满时支付。

【释义】　本条是关于租金支付期限的规定。

支付租金是承租人的主要义务。租金支付期限是出租人能够及时收取租金的依据。为避免合同履行中发生纠纷，一般租赁合同中应明确约定租金支付期限。租金的支付期限是合同的主要条款,关系到租金支付的时间,当事人在合同中应当尽量约定明确。租金的支付期限可以按年、月、日计算,也可以小时计算。租金的支付可以是一次支付,也可以是分期支付;一次支付可以是事前支付,也可以在租赁期间届满之后一次支付,这些都由双方当事人在合同中约定。当事人应当严格按照合同的约定的期限支付租金。

在实际生活中,一些当事人在订立合同时由于种种原因,未约定租金支付期限或约定得不明确,给合同的履行带来了一定的困难,这就需要当事人进行进一步的协商,如果能够达成协议,承租人应当按照补充的协议中约定的支付期限支付租金。如果不能达成协议,且依据合同的有关条款和交易习惯也不能确定的,按照本条的规定可依据下述方法确定支付期限:

1. 租赁期间不满 1 年的,租金应当在租赁期间届满时支付。如当事人在租赁合同中约定租期为 6 个月,则承租人应当在 6 个月届满时支付全部租金。

2. 租赁期间 1 年以上的,应当在每届满 1 年时支付,剩余期间不满 1 年的,应当在租赁期间届满时支付。如当事人在 1995 年 5 月订立了一个房屋租赁合同,租期为 4 年 6 个月,承租人就应在今后 4 年的每年 5 月向出租人支付租金,到 1999 年 5 月为第 4 年时,租期还有 6 个月,最后一次租金的支付应为 1999 年 11 月。

第二百二十七条　承租人无正当理由未支付或者迟延支付租金的,出租人可以要求承租人在合理期限内支付。承租人逾期不支付的,出租人可以解除合同。

【释义】　本条是关于承租人违反支付租金义务的法律后果的规定。

承租人应当按照合同约定的时间、金额、方式向出租人支付租金,这是因为承租人取得租赁物的使用权是以支付租金为代价的。出租人出租租赁物的目的就是收取租金,承租人能按时足额支付租金,出租人通过让渡财产使用权而获得租金收入的合法权利才能得到保障。

本条规定,承租人在租赁期间无正当理由不得拒付和迟延支付租金。所谓正当理由包括几种情况:一是不可抗力或意外事件,使租赁物部分或者全部毁损、灭失的,承租人已无法对租赁物使用、收益,承租人可以请求不支付租金。二是因出租人没有履行义务,如交付的租赁物不符合约定的使用要求;在租赁期间租赁物出现质量问题,出租人不尽维修义务的。三是因承租人本身发生一些意外事件致使其暂时无力支付租金。例如,用于居住的房屋租赁的承租人因生重病住院,经济上出现暂时困难,无力支付到期租金。在这种情况下,可以请求出租人适当延缓交付。

承租人无正当理由未支付或迟延支付租金的是一种违约行为,当然要承担一定的违约责任。承租人不支付租金虽然是一种根本违约行为,但出租人并不一定要马上解除合同,为了保持合同的稳定性,可以给承租人对违约的补救机会。因此,本条规定,出租人通知承租人,要求其在合理的期限内支付。该合理期限应当根据到期租金的数额、承租人的支付能力以及出租人的经济状况等因素来确定。承租人经催告后在合理的期限内仍不支付租金的,出租人可以解除合同。对迟延交付租金的,各国法律一般都规定出租人的一个催告时间,在经催告后承租人仍不交付的,出租人可以解除合同。

租赁合同被解除后,租赁期间尚未届满的,合同终止履行,承租人应返还租赁物,承租人欠付的租金以及对出租人造成的损害，应当进行清算。

第二百二十八条　因第三人主张权利，致使承租人不能对租赁物使用、收益的，承租人可以要求减少租金或者不支付租金。

第三人主张权利的，承租人应当及时通知出租人。

【释义】　本条是关于出租人的权利瑕疵担保责任的规定。

所谓出租人的权利瑕疵担保，是指出租人担保第三人不能就租赁物主张任何权利。权利瑕疵担保责任是指当第三人对租赁物主张权利时，出租人所应承担的责任。

权利瑕疵担保责任的构成要件为：第一，权利瑕疵在合同成立时已存在；第二，相对人不知有权利瑕疵的存在，如果在订立合同时相对人明知行为人对该物无处分权而与之订立合同，相对人不能作为善意相对人而享受对对方的权利的瑕疵担保的要求；第三，权利瑕疵在合同成立后仍未能排除，如果在合同成立时，虽有权利瑕疵，但在合同成立后，行为人取得了该物的处分权，则应视为权利瑕疵已经除去。

出租人承担权利瑕疵担保责任的条件为：

1. 因第三人向承租人主张权利。第三人主张权利可以是第三人作为租赁物的所有人主张出租人对租赁物无处分权，该租赁合同无效；也可以是作为租赁物的抵押权人，在义务人不履行义务，要求实现其抵押权。在这种情况下，势必影响承租人对租赁物的使用、收益。

2. 第三人主张权利妨碍承租人对租赁物的使用和收益。如第三人主张抵押权的实现时，因其涉及对租赁物实体的处置，则会妨碍承租人对租赁物的使用。

3. 承租人在订立合同时不知有权利瑕疵，如承租人在订立合同时明知出租人对该租赁物没有处分权，而自愿承担第三人主张权利的风险，出租人不负瑕疵担保责任。

在第三人主张权利时，除出租人已经知道第三人主张权利外，承租人应当及时通知出租人，如承租人怠于通知致使出租人能够救济而未能及时救济的，则出租人对承租人的损失不负赔偿责任。承租人及时通知出租人，出租人对第三人主张权利不能排除的，承租人事实上对租赁物已无法使用、收益，这时，承租人有权请求减少租金或不支付租金。

第二百二十九条　租赁物在租赁期间发生所有权变动的，不影响租赁合同的效力。

【释义】　本条是关于租赁物发生所有权变动时租赁合同的效力的规定。

本条的规定体现了租赁合同的一个特点，即租赁权的物权化特点。所谓物权化，是指在租赁关系存续期间，承租人对租赁物的占有使用可以对抗第三人，即使是该租赁物所有权人或享有其他物权的人也不例外。

本条主要规定的是租赁物的所有权发生变动时，租赁合同的效力问题。在租赁合同中有一个基本的制度叫"买卖不破租赁"。买卖不破租赁，是指当出租人在租赁合同有效期内将租赁物的所有权转让给第三人时，租赁合同对新所有人有效。关于这个原则，各地民法都有所体现，但不尽相同，有的国家规定，只有对不动产租赁或经过登记的动产租赁才适用该项原则。如意大利民法规定，如果在租赁物转让前已有明确的租赁契约，则租赁契约得对抗第三买受人。在买受人善意取得占有的情况下，前款规定不适用于不在公共登记处登记的动产。有的规定，买卖不破租赁只适用于不动产。如法国民法典规定，如出租人出卖租赁物时,买受人不得辞退经公证作成或有确定日期的租赁契约的房屋或土地承租人。日本民法典也规定,不动产的租赁契约进行登记时,而后对于其不动产取得物权者,也生效。有的则规定,不论是动产租赁还是不动产租赁,都适用买卖不破租赁的原则。如我国台湾地区“民法典”规定,出租人于租赁物交付后,纵将其所有权付让与第三人,其租赁契约,对于受让人仍继续存在。我国合同法规定不论动产租赁和不动产租赁都适用买卖不破租赁的原则。

买卖不破租赁并不限于出租人出售租赁物的行为,还应包括租赁物抵押、赠与以及遗赠、互易甚至将租赁物作为合伙投资等情况,上述情况都会涉及租赁物的所有权变动问题。

适用买卖不破租赁的条件是:第一,租赁合同已成立并生效;第二,租赁物已交付承租人;第三,所有权发生变动是在租赁期间;第四,出租人或租赁物的所有人将租赁物的所有权让与了第三人。具备上述条件,即使买受人不知道该租赁合同存在,租赁关系仍然能够对抗该买受人。

本条规定,租赁物在租赁期间发生所有权变动的,不影响租赁合同的效力。这里所说的不影响租赁合同的效力是指,租赁物的所有权发生变动后,其设定在该租赁物上的租赁合同仍然存在,在承租人与受让人之间无须另行订立租赁合同,受让人在受让该租赁物的所有权时就与承租人产生了租赁合同关系 ,成为一个新的出租人,继承原出租人的权利和义务,受让人要受该租赁合同的约束。如果出租人没有将所有权变动的事项通知承租人,承租人向原出租人支付的租金效力及于受让人。

第二百三十条　出租人出卖租赁房屋的,应当在出卖之前的合理期限内通知承租人,承租人享有以同等条件优先购买的

权利。

【释义】 本条是关于房屋租赁的承租人对租赁的房屋优先购买权的规定。

优先购买权,是指民事主体在特定买卖的同等条件下,依法享有优先于他人购买财产的权利。承租人的优先购买权则是指承租人在出租人出卖租赁物时,在同等条件下优先购买该租赁物的权利。根据本条规定,承租人对租赁物的优先购买权仅限于房屋。

优先购买权的基本特征是:第一,它是一种法定的权利,是由法律直接规定的。第二,它是承租人所享有的对出租人出卖房屋的请求权,因此,出租人出卖租赁的房屋时必须及时通知承租人。这种请求权是一种请求债权,不是直接对物享有权利,也不能直接对抗第三人,优先权行使前不影响出卖人与其他人进行协商。第三,它是专属于承租人的权利,这种优先权不能通过转让或者继承转移至他人。第四,它是一种附条件的形成权,即以同等条件为前提。

优先购买权的实现需要具备下列条件:

1. 在租赁合同的存续期间。

2. 在同等的条件下购买。在非同等条件下,承租人不能享有优先购买权。同等条件是指承租人与其他购买人在买卖条件上等同,包括买卖的价格、付款的期限和方式等。

3. 必须在一定期限内行使。如果出租人通知承租人将要出卖租赁的房屋,并提出了一定的期限,而承租人在合理期限内没有购买的意思表示,优先购买权丧失。这说明承租人并不想购买该房屋,也就没有保护的必要了。

承租人享有优先购买权就要求出租人在出卖租赁房屋时应当在出卖之前的合理期限内通知承租人。给承租人考虑是否购买该房屋的时间。只要承租人未作出放弃优先购买权的表示，出租人不得在这个期限内将该房屋卖给他人。如果出租人违反了该项规定，承租人可以请求人民法院确认该买卖合同不能生效。

第二百三十一条　因不可归责于承租人的事由，致使租赁物部分或者全部毁损、灭失的，承租人可以要求减少租金或者不支付租金；因租赁物部分或者全部毁损、灭失，致使不能实现合同目的的，承租人可以解除合同。

【释义】　本条是关于在租赁期间租赁物发生毁损、灭失的承租人的请求权的规定。

本条规定的是在承租人已尽了善良管理人的义务的情况下，由于其他原因，造成租赁物的毁损、灭失的，承租人享有何种权利。

不可归责于承租人的事由有下列几种情况：

1. 因不可抗力的原因造成租赁物毁损、灭失的

不可抗力的条件是不能预见、不能避免，并且不能克服。如承租人租赁房屋的，由于发生洪水，大水冲进房屋，使屋内的墙皮脱落，这种损坏是承租人难以克服的。按照本法的规定，不可抗力是免责的事由，因此，在出现不可抗力时，租赁物毁损、灭失了，承租人不承担责任。

2. 因意外事件造成租赁物毁损灭失的

例如，承租人租用汽车在路上正常行驶，被一违反交通规则的汽车撞坏，经过认定承租人本人无过错，汽车的损害是由于第三人的违反交通规则的行为造成的。

3. 因出租人不履行义务造成租赁物毁损灭失的

例如，承租人租赁的房屋，由于雨季下雨太多出现屋顶漏

雨，承租人要求出租人进行维修，但出租人迟迟不予维修，最后导致房屋倒塌。倒塌的原因就是出租人没有对房屋进行及时的维修。

上述前两种情况，不可抗力和意外事件都是租赁合同双方当事人都无过错，既不可归责于承租人，也不可归责于出租人，而出现了租赁物毁损、灭失的情况。在这种情况下，应当维护哪一方当事人的利益，是法律所要解决的问题。按照民法上的一般原则，对物的风险责任是以谁享有所有权为标准的，即所有权人承担对物的毁损、灭失的风险。本法在买卖合同中规定了买卖合同标的物的风险责任交付后转移至买受人的一般原则。在租赁合同中，多数情况下，出租人是租赁物的所有人至少是可以支配租赁物的人，当发生不可归责于双方当事人的事由的情况，租赁物毁损、灭失了，这个风险责任应当由出租人来承担。

在第三种情况下，由于出租人有过错，造成租赁物的毁损、灭失，当然应当由其承担损失的责任。

在上述三种情况下，由于承租人对租赁物已不能使用或使用的效能受到了影响，本条规定承租人可行使以下权利：

1. 要求减少租金或不支付租金。减少租金一般适用于租赁物部分毁损，但还能够使用，或者是承租人已经支付了部分租金，租赁物全部毁损、灭失了，已支付的租金不再返还，未支付的租金不再支付。不支付租金一般是指租赁物虽然部分毁损，但已失去其效用或者租赁物全部毁损、灭失，承租人已不能使用该租赁物，当然可以要求不支付租金。不支付租金的法律后果实际上是合同已不可能履行，当承租人不支付租金时，如果出租人同意，合同实际上是协议解除，合同终止。

2. 解除合同。解除合同的条件是不能实现合同目的。这里规定的解除条件比本法第九十四条第一项规定的“因不可抗力致使不能实现合同目的”的范围要宽。即使不是不可抗力，只要承租人没有过错，租赁物毁损、灭失了，实际上已经不可能再履行合同了，这时承租人可以行使解除权。这种解除权不同于上面所说的协议解除，它是法定解除，也不是请求权，而是一种形成权，即承租人主张解除合同的，只要通知到达出租人，合同即行解除，如果出租人对此有异议，提请诉讼或仲裁，人民法院或者仲裁机构也只是对承租人行使解除权的效力进行确认。

第二百三十二条　当事人对租赁期限没有约定或者约定不明确，依照本法第六十一条的规定仍不能确定的，视为不定期租赁。当事人可以随时解除合同，但出租人解除合同应当在合理期限之前通知承租人。

【释义】 本条是关于租赁期限没有约定或者约定不明确时的法律后果的规定。

租赁合同是出租人与承租人之间定期或者不定期地转移租赁物的占有权、使用权的合同。从是否规定有租赁期限来看，租赁合同分为定期租赁合同和不定期租赁合同两种。定期租赁合同的当事人在合同中约定了租赁期限，合同于约定的租赁期限届满时终止。一般租赁合同都要明确规定租赁期限，以便确定租赁价值的回收、租金构成等问题。

租赁合同当事人也可以不约定期限，这就是不定期租赁合同。与约定有期限的租赁合同相比，未约定期限或者约定期限不明确的合同在履行时有一定困难，容易酿成纠纷。根据本条规定，当事人对租赁期限没有约定或者约定不明确时，应首先依照本法第六十一条的规定进行协议补充，即由出租人和承租人就租赁期限进行再磋商，如果能够达成协议，合同即按照补充协议的期限履行。仍不能达成补充协议的，则依照合同有关条款或者交易习惯加以确定。如果合同双方当事人既不能就租赁期限达成补充协议,又不能根据合同条款或者交易习惯加以确定,只要出租人没有收回租赁物的意思,同时也没有收回行为并且继续收取租金的,就表明租赁关系仍然存在,但这时的租赁视为不定期租赁,双方当事人可以随时解除合同。如果承租人在使用租赁物后已达到了其预期目的,同时履行了其义务,可以提出终止合同的履行;如果出租人对租赁物有客观原因需要利用,而非出于其他恶意,可以在保障承租人利益不受损害的情况下,收回租赁物。但出租人解除合同时,应依诚实信用原则,在一个合理期限之前通知承租人。

第二百三十三条　租赁物危及承租人的安全或者健康的,即使承租人订立合同时明知该租赁物质量不合格,承租人仍然可以随时解除合同。

【释义】　本条是关于租赁物质量不合格时承租人的解除权的规定。

租赁合同为有偿合同,在各国法上一般都规定,对于租赁合同准用买卖合同的有关规定,租赁合同的出租人如同买卖合同的出卖人一样,对租赁物负有瑕疵担保责任。出租人的瑕疵担保责任包括物的瑕疵担保责任(也称质量瑕疵担保责任)和权利瑕疵担保责任。出租人的权利瑕疵担保,是指出租人应担保不因第三人对承租人主张权利而使承租人不能为使用收益。出租人的物的瑕疵担保是指出租人应担保所交付的租赁物能够为承租人依约正常使用收益。构成出租人的物的瑕疵担保责任的条件有两个:

1. 租赁物有瑕疵。租赁物有瑕疵亦即标的物的品质或者数量不符合约定的标准,或者不符合标的物的通常使用状态。

租赁物无论是在交付前还是于交付后发生瑕疵的，出租人均负有瑕疵担保责任。

2. 承租人于合同订立时不知租赁物有瑕疵，也不存在可以免除出租人责任的情形。

但是，为保证承租人一方的人身安全或者健康，许多国家和地区的法律规定第二项条件不适用于房屋租赁。如德国民法典第544条规定："住房或者其他房屋处于其使用显然有害于健康的状况时，即使承租人在订立合同时已知有此种有害状况，或者已放弃行使因此种有害状况而享有的权利，仍可以不遵守预告解约通知期限而通知终止租赁关系。"我国台湾地区"民法典"第424条规定："租赁物为房屋或其他供居住之处所者，如有瑕疵，危及承租人或其同居人之安全或健康时，承租人虽于订约时已知其瑕疵，或虽已抛弃其终止契约之权利，仍得终止契约。"之所以这样规定，是因为房屋为重要的不动产，各国立法对不动产租赁都有特别规定。同时，由于房屋是一种非常特殊的商品，尤其是住房，它用于满足公民"住"这一基本生活需要。对于住房租赁予以特别的法律调整，有利于稳定社会秩序和安定人民生活。因此，在住房租赁中，出租人对于房屋的质量应负严格的产品责任，也就是说，只要房屋的质量不合格，危及承租人的人身安全或者健康时，无论承租人在订立合同时知道与否，承租人均有权随时解除合同。我国在制定合同法时，扩大了这一原则的适用范围。该原则不仅适用于房屋租赁，还适用于所有租赁物。根据本条规定，租赁物危及承租人的安全或者健康的，即使承租人订立合同时明知该租赁物质量不合格，承租人仍然可以随时解除合同。

第二百三十四条　承租人在房屋租赁期间死亡的，与其生

前共同居住的人可以按照原租赁合同租赁该房屋。

【释义】 本条是关于房屋承租人死亡时的法律后果的规定。

房屋租赁合同是以房屋为租赁物的租赁合同,是指出租人和承租人之间关于出租人将房屋交付承租人使用,承租人支付租金并于合同终止时将租用的房屋返还出租人的协议。

房屋为重要的不动产,它既可以作为生产资料,又可以作为生活资料。作为生活资料,房屋是满足公民"住"这一基本生活需要的物质条件,从而住房租赁也就成为解决公民居住条件的重要法律手段。"住"一般是以户为单位的,所以,虽然承租人为一人,也会有其他共同居住人的利益。因此在调整租赁关系时,不能不考虑承租人死亡后其他共同居住人的居住利益。在住房租赁中,承租人取得的只是房屋使用权,原则上其承租权不得继承。承租人死亡后,生前未与其共同生活的亲属或者法定继承人,如果确需继续租用住房的,享有优先承租权,可以与出租人另行签订房屋租赁合同。但是,在租赁期间,与承租人共同居住的人有在租赁的房屋内居住的权利,出租人不得干涉。承租人死亡后,生前与承租人共同居住的人可以继续租赁原住房,但应与出租人办理续租手续,变更承租人。承租人死亡后无共同居住之人的,租赁关系终止。原共同居住之人另有住房的,也可以终止租赁关系。

第二百三十五条 租赁期间届满,承租人应当返还租赁物。返还的租赁物应当符合按照约定或者租赁物的性质使用后的状态。

【释义】 本条是关于租赁期间届满承租人返还租赁物的规定。

租赁期间届满，承租人应向出租人返还租赁物，这是租赁合同中承租人的一项主要义务，它主要包括以下三方面的内容：

1. 承租人应于租赁关系终止时向出租人返还租赁物。租赁关系终止的原因多种多样。一般情况下，租赁期间届满，租赁关系即终止。但也可因当事人一方行使解除或者终止合同的权利，或者因其他原因而终止。在租赁关系终止时，只要租赁物还存在，承租人就应当返还原租赁物；只有当租赁物不存在时，承租人才不负返还义务。例如，在租赁物灭失的情况下，租赁关系也当然终止，但承租人无返还租赁物的义务。如果租赁物系承租人的原因而灭失的，承租人应负损害赔偿责任；租赁物非因承租人的原因灭失的，承租人不负责任。

2. 承租人返还的租赁物应当符合按照约定或者租赁物的性质使用后的状态。由于租赁合同是转让财产使用权的合同，标的物所有权并不发生转移，承租人于租赁期间届满须返还原租赁物，从本质上讲，承租人应在不消费租赁物的条件下达到使用目的，所以租赁物应当是有体物、非消费物。所谓有体物，一般是指有一定形状，能够为人们视觉、感觉所认知的物，而且应是不易腐烂、变质、消化、消灭其价值的非消费物。只有这样，才能体现其作为租赁物的价值，否则，看不见、摸不着或者一经使用就消失殆尽的物，将无以体现财产租赁合同的使用权转让属性。但在特殊情况下，消费物也可以成为租赁物，但以承租人以非消费方式使用租赁物为限，如租赁食品供展览之用。因此，原则上讲，只要承租人返还的租赁物符合合同约定状态，或者符合承租人正常使用收益后合理损耗的状态，其返还义务的履行就是适当的。承租人未经出租人同意对租赁物改建、改装或者增加附着物的，于返还租赁物时应当恢复原状；如果承租人的行为是经出租人同意的，承租人可以不恢复原状，并可以在现有增加价值的范围内向出租人请求偿还费用。

3. 租赁期间届满，承租人应当及时向出租人返还租赁物。合同期间届满，双方当事人的权利义务关系即告终止，承租人即无权再继续使用租赁物，故应及时返还租赁物。承租人不及时返还租赁物，应负违约责任，出租人既可以基于租赁关系要求承租人返还，也可以基于所有权要求承租人返还，因为租赁关系终止后，承租人已没有占有租赁物的合法依据。承租人不仅应当支付逾期返还租赁物的租金，偿还违约金或赔偿损失，还应承担租赁物逾期返还期间意外灭失的风险。

第二百三十六条 租赁期间届满，承租人继续使用租赁物，出租人没有提出异议的，原租赁合同继续有效，但租赁期限为不定期。

【释义】 本条是关于租赁期间届满承租人继续使用租赁物的规定。从是否规定有租赁期限看，租赁可分为定期租赁和不定期租赁。在不定期租赁中，当事人在合同中未约定租赁期限，因此任何一方当事人均可以随时解除合同。定期租赁合同的当事人在合同中约定了租赁期限，合同于租赁期间届满即告终止。但是当事人于合同约定的期间届满时也可以续订合同。续订合同又称为期限更新，它不同于一般合同中履行期限的变更。前者是两个合同关系，后者只是一个合同关系。租赁合同期限更新只能发生于租赁期限（约定或者法定的期限）届满之时。

租赁双方当事人更新期限续订合同有两种方式：约定更新和法定更新。约定更新，又称明示更新，是指合同当事人于租赁期间届满后另订一合同，约定延长租赁期限。法定更新又称默示更新，是指租赁期间届满后，合同当事人的行为表明其租赁关系继续存在。本条即是对法定更新的规定。根据本条规定,租赁期间届满,承租人仍继续对租赁物为使用收益,出租人亦不反对;承租人继续支付租金,而出租人也接受了。当事人有此行为即可以推定双方有继续租赁关系的意向,租赁期限视为更新。但在这种情况下,当事人之间的定期租赁更改为不定期租赁,任何一方当事人均可以随时解除合同。

第十四章 融资租赁合同

本章是关于融资租赁合同的规定,共十四条,主要内容包括融资租赁合同的定义、融资租赁合同的内容、融资租赁合同中出租人的主要权利和义务、承租人的主要权利和义务、融资租赁交易中融资租赁合同与买卖合同的关系、融资租赁合同中租金的构成、租赁期间届满租赁物的归属等。

第二百三十七条 融资租赁合同是出租人根据承租人对出卖人、租赁物的选择,向出卖人购买租赁物,提供给承租人使用,承租人支付租金的合同。

【释义】 本条是关于融资租赁合同概念的规定。

融资租赁这一名称是从英文 finance lease 翻译过来的。"finance"一词意为财政、金融,也可译为筹集资金、提供资金。因此,finance lease 通常译为融资租赁,也有的译为金融租赁。融资租赁是一种新兴的租赁形式,自 20 世纪 50 年代首先在美国出现至今,已有 40 多年的发展历史。80 年代初,融资租赁在我国的经济生活中开始出现。1981 年,我国成立了第一批专业租赁公司,如中国东方租赁有限公司和中国租赁有限公司。迄今为止,我国相继成立了近 500 家专营和兼营融资租赁的企业和机构,为我国航空、轻工、机械制造、电子和邮电等行业近 7000 个技术项目引进设备和技术共计 150 亿美元,成为我国利用外资、对国有大中型企业进行技术改造的一条重要渠道。

融资租赁是一种贸易与信贷相结合,融资与融物为一体的综合性交易。鉴于其复杂的法律关系,不同国家和地区对融资租赁有着不同的理解和定义。一般来说,融资租赁要有三方当事人(出租人、承租人和出卖人)参与,通常由两个合同(融资租赁合同、买卖合同)或者两个以上的合同构成,其内容是融资,表现形式是融物。我国立法者在借鉴《国际融资租赁公约》和其他国家对融资租赁的定义的基础上,结合我国融资租赁界对融资租赁比较一致的看法后,对融资租赁作出规定。典型的融资租赁合同具有以下三方面的含义:

第一,出租人须根据承租人对出卖人和租赁物的选择出资购买租赁物。这是融资租赁合同不同于租赁合同的一个重要特点。租赁合同的出租人是以自己现有的财物出租,或者根据自己的意愿购买财物用于出租。而融资租赁合同是出租人按照承租人的要求,主要是对出卖人和租赁物的选择,出资购买出租的财物,使承租人不必付出租赁物的价值,即可取得租赁物的使用收益,从而达到融资的效果。正是从这一意义上,这种合同被冠以“融资”的称号。

第二,出租人须将购买的租赁物交付承租人使用收益。在融资租赁合同中,出租人虽然须向第三人购买标的物,但其购买的直接目的是交付承租人使用收益,而不是自己使用收益。这是融资租赁合同中出租人的买卖行为不同于买卖合同之处。

第三,承租人须向出租人支付租金。融资租赁合同的承租人对出租人购买租赁物为使用收益,并须支付租金。也正是在这种意义上,该种合同的名称中含有“租赁”一词。

除上述典型的融资租赁合同以外,目前国际上通行的融资租赁形式还有以下三种:

1. 回租。所谓回租,是指承租人将自己所有的物件卖给出租人,同时与出租人签订一份融资租赁合同,再将该物件租回使用的一种租赁形式。在回租情况下,出卖人同时也是承租人,买受人同时也是出租人。

2. 转租。所谓转租,是指按合同约定,承租人将自己租入的租赁物转租给新承租人使用的一种租赁形式。在转租方式下,承租人同时也是出租人。

3. 杠杆租赁。所谓杠杆租赁,是指出租人一般只出资租赁物全部金额的一部分(一般不低于20%),就获得租赁物的所有权,租赁物的其他金额则以该租赁物作抵押,向金融机构贷款解决的一种租赁形式。在杠杆租赁中,金融机构提供的贷款是一种无追索权的贷款,但需出租人以租赁物、融资租赁合同和收取租金的受让权作为担保。

第二百三十八条　融资租赁合同的内容包括租赁物名称、数量、规格、技术性能、检验方法、租赁期限、租金构成及其支付期限和方式、币种、租赁期间届满租赁物的归属等条款。

融资租赁合同应当采用书面形式。

【释义】　本条是关于融资租赁合同内容的规定。

典型的融资租赁涉及三方当事人(出租人、承租人、出卖人)和两个合同(融资租赁合同和买卖合同)。在签订合同时,通行的做法是:当某个企业需要某种设备又缺少所需资金时,可以向租赁公司提出,要求租赁公司出资购买并租给其使用,双方达成一个租赁意向。租赁公司根据承租人对设备和出卖人的要求,与出卖人签订一个买卖合同,由出卖人将设备直接送交承租人,由承租人验收。出租人凭承租人的验收合格通知书向出卖人支付货款。出租人付款前,与承租人正式签订一份融资租赁合同。由此可以看出,融资租赁交易行为所包含的融资租赁合同和买卖合同是相互联系、相互影响的，各自虽具有独立性，但又并不完全独立，而是在一定意义上以对方的存在为条件。

在实践中，由于租赁方式的不同，融资租赁合同的内容往往也不同，本条是对典型的融资租赁合同内容的规定，主要包括以下几方面内容：

1. 有关租赁物的条款

融资租赁合同的标的物是承租人要求出租人购买的设备，是合同当事人双方权利和义务指向的对象，因此，融资租赁合同首先应就租赁物作出明确约定。此条款应写明租赁物的名称、质量、数量、规格、型号、技术性能、检验方法等。由于关于租赁物的说明多涉及工程技术内容，专业性很强，而且繁杂具体，所以，一般只在合同正文中作简明规定，另附表详细说明，该附表为合同不可缺少的附件。

2. 有关租金的条款

租金是合同的主要内容之一。合同对租金的规定包括租金总额、租金构成、租金支付方式、支付地点和次数、租金支付期限、每期租金额、租金计算方法、租金币种等。

3. 有关租赁期限的条款

租赁期限一般根据租赁物的经济寿命、使用及利用设备所产生的效益，由双方当事人商定。此条款应当明确租赁起止日期。租赁期限对于明确租赁双方权利义务的存续期间具有非常重要的法律意义，由于融资租赁合同的一个很重要的特性就是合同的不可中途解约性，因此，此条款应当明确规定，在合同有效期内，当事人双方无正当、充分的理由，不得单方要求解约或退租。

4. 有关租赁期间届满租赁物的归属的条款

租赁期间，租赁物的所有权归出租人享有。租赁期间届满，承租人一般有三种选择权,即留购、续租或退租。在留购情况下,承租人取得租赁物的所有权。在续租和退租情况下,租赁物仍归出租人所有。

除上述条款外,融资租赁合同一般还应包括租赁物的交付、使用、保养、维修和保险、担保、违约责任、合同发生争议时的解决方法、合同签订日期和地点等条款。

由于融资租赁合同的法律关系比较复杂,同时,融资金额一般较大,履行期较长,为了明确当事人各方的权利义务关系,本法规定融资租赁合同必须采用书面形式。

第二百三十九条　出租人根据承租人对出卖人、租赁物的选择订立的买卖合同,出卖人应当按照约定向承租人交付标的物,承租人享有与受领标的物有关的买受人的权利。

【释义】　本条是关于融资租赁标的物交付的规定。

出卖人按照约定向承租人交付标的物,承租人享有与受领标的物有关的买受人的权利,是融资租赁与传统租赁的一个重要区别。在传统租赁中,出租人是将自己现有的物或者根据自己的意愿购买的物出租给承租人,承租人与出卖人之间不存在任何法律关系,出租人对租赁物负有瑕疵担保责任。而在融资租赁中,融资租赁合同的租赁物即是买卖合同的标的物。融资租赁合同最重要的法律特征就是融资与融物相结合,融资为融物服务。买卖合同是出租人根据承租人对出卖人和租赁物的选择订立的,作为买受人的出租人只负支付货款的义务,而承租人是租赁物的占有、使用、收益人,且了解租赁物。出租人实质上是为承租人购买租赁物提供资金,真正的买卖双方是承租人和出卖人,因此,出卖人应直接向承租人交付标的物。

出卖人不仅应向承租人直接交付标的物,而且应承担租赁物的瑕疵担保责任。这是因为之所以会有租赁物的质量问题，根本原因是出卖人没有按照合同约定的内容履行交付符合国家规定或者当事人约定的质量标准的标的物的义务。因此，在融资租赁合同中，出租人一般不负瑕疵担保责任，也不负迟延履行的责任。

承租人应当按照合同约定的时间、地点、验收方法接收标的物。接收标的物，既是承租人的权利，也是承租人的义务。作为义务，承租人应当接收标的物，无正当理由不接收的，应当承担相应的迟延履行责任；作为权利，承租人有权接收标的物，出卖人不得拒绝将标的物交付给承租人。

第二百四十条　出租人、出卖人、承租人可以约定，出卖人不履行买卖合同义务的，由承租人行使索赔的权利。承租人行使索赔权利的，出租人应当协助。

【释义】　本条是关于行使索赔权的规定。

所谓索赔权，是指当义务人不履行义务而给权利人造成损失时，权利人依法享有向义务人索赔因此而造成的损失的权利。

在典型的融资租赁关系中，存在承租人、出租人、出卖人三者关系。当出租人根据承租人的委托，出资向出卖人购买租赁物后，租赁物的所有权即转移给出租人，出租人同时享有因出卖人违反合同规定而造成损失时要求出卖人赔偿的权利。但由于融资租赁合同的特殊性，在买卖合同中，作为买受人的出租人的主要义务就是支付价款，由于租赁物是由承租人指定购买的，对其性能和生产要求等，出租人往往缺乏了解，很难对出卖人提供的租赁物做检验和判断，同时，租赁物的用益权也属于承租人，为了保证租赁物符合要求，便于解决使用中出现的问题，出租人往往将选择由谁来提供何种品质、规格的租赁物的决定权赋予承租人，由承租人负责收货验收，发现质量技术问题由承租人直接与出卖人交涉，即出租人将索赔权转让给承租人。对由于出卖人的过错，如租赁物质量不合格或者迟延供货等原因所造成的损失，承租人可以直接向出卖人行使索赔权而得到赔偿。这样，既简化了法律关系，同时又降低了索赔成本。因此，出租人、出卖人、承租人三方可以在买卖合同和融资租赁合同中明确规定，出卖人不履行买卖合同义务的，由承租人行使索赔的权利，直接向出卖人索赔。承租人行使索赔权的，出租人应协助承租人索赔。承租人直接向出卖人行使索赔权的内容主要有以下两种：

1. 出卖人交付的标的物质量不符合约定时，承租人可以要求：

（1）减少价金。如果出卖人交付的标的物虽不符合合同约定，但不影响使用，而承租人也愿意继续使用的，可以按质论价，要求出卖人减少价金。

（2）修理、调换。当出卖人交付的标的物不能利用时，根据标的物的具体情况，承租人可以请求出卖人负责修理或者另行交付无瑕疵的标的物，并承担因修理、调换而支付的实际费用。

（3）支付违约金。在出卖人交付的标的物不符合质量要求时，承租人可以请求出卖人支付约定的或者法定违约金。在违约金不足以抵偿损失时，承租人还可以要求出卖人支付损害赔偿金。

（4）解除合同并赔偿损失。当出卖人交付的标的物由于质量问题无法使用时，承租人不仅可以要求解除合同，而且可以要求赔偿损失。

2. 出卖人未交付或者迟延交付标的物的，承租人可以请求出卖人继续履行交付义务，并请求支付违约金，或者解除合同并要求损害赔偿。

第二百四十一条　出租人根据承租人对出卖人、租赁物的选择订立的买卖合同，未经承租人同意，出租人不得变更与承租人有关的合同内容。

【释义】 本条是关于出租人不得擅自变更买卖合同内容的规定。

融资租赁本身是由融资租赁合同与买卖合同两部分构成的，因此，为融资租赁而订立的融资租赁合同和买卖合同，均不同于传统的租赁合同与买卖合同。此处的融资租赁合同与买卖合同是融资租赁交易中相互联系、相互影响的两部分，各自具有独立性，但又不完全独立，而是在一定意义上以对方的存在为条件的。就租赁与买卖的关系而言，租赁合同自当事人双方签订合同之日起成立，但合同自承租人收到出卖人交付的标的物时起生效。因此，若买卖合同不成立、无效或者解除，则融资租赁合同也就因标的物的履行不能而解除。同时，买卖合同虽由出租人与出卖人订立，但关于买卖的条件却是由承租人指定的，买卖的标的物是出租人用于租赁的物，因此，买卖合同在标的物交付前，若租赁合同不成立、无效或者解除，买卖合同可以解除，但在当事人协议变更、解除买卖合同时，除合同另有约定外，须出租人、承租人及出卖人三方当事人同意。

在融资租赁交易中，先签订的买卖合同是租赁物的依据，后签订的融资租赁合同是买卖合同成立的前提。两者缺一不可，构成联立联动关系。出租人与承租人和出卖人均形成正式合同关系，出卖人与承租人之间形成准合同关系。买卖合同虽是由出租人与出卖人订立的，在买卖合同未履行或者未完全履行前，出租人与出卖人只要协商一致，就可以对合同进行修改、补充。但由于买卖合同与融资租赁合同关系密切，出租人订立买卖合同的目的是承租人，而且买卖合同的条款往往是经承租人确认的，出租人和出卖人在变更买卖合同时，不得损害承租人的利益。未经承租人同意，出租人不得擅自变更与承租人有关的买卖合同的内容。

与承租人有关的买卖合同的内容的变更主要涉及以下几个方面：

1. 主体的变更。买卖合同的主体是出租人与出卖人。由于出卖人是由承租人预先选择的，是承租人在融资租赁合同中指定的，因此，未经承租人同意，出租人不得擅自变更买卖合同的另一方当事人。

2. 标的物的变更。由于买卖合同的标的物是融资租赁合同的租赁物，两者是一致的，它也是由承租人预先选择并在融资租赁合同中约定的，它必须合于承租人指定的条件，因此，未经承租人同意，出租人不得擅自变更买卖合同的标的物。

3. 标的物的交付。由于买卖合同的标的物是由出卖人直接交付于承租人的，如果出租人与出卖人协商变更标的物的交付时间、地点和方式的，应当征得承租人的同意。如果因此而增加承租人的费用的，应由出租人和出卖人协商分担。

出租人按照承租人要求与出卖人订立的买卖合同，未经承租人同意擅自变更与承租人有关的合同内容的，即构成对承租人的违约，承租人首先可以要求出租人支付违约金。其次承租人还可以拒收租赁物，并通知出租人解除合同。如果因此给承租人造成损失的，承租人还有权要求出租人赔偿损失。

第二百四十二条 出租人享有租赁物的所有权。承租人破产的，租赁物不属于破产财产。

【释义】 本条是关于租赁物所有权的规定。

根据我国民法通则第七十一条的规定："财产所有权是指所有人依法对自己的财产享有占有、使用、收益和处分的权利。"作为一种民事法律关系，它的主体是财产所有权，它的客体是财产，它的内容是财产所有权人对其财产所享有的权利和非财产所有权人负有不得侵犯的义务。作为一种民事权利，它是所有权人依法对自己的财产享有排除他人非法干预的支配权。所有权具有物权的一切法律特征，以标的物的占有、使用、收益和处分为其完整的内容。除法律规定的以外，这种支配权应当是不受限制的，财产所有权人可以按照自己的意愿决定标的物的命运。融资租赁合同之债与其他民事法律关系一样，也是以所有权为出发点和归宿的。在融资租赁过程中，在租赁期限届满之前，出租人始终对租赁物拥有所有权，它不需要承租人及他人的协助就能解决。

但是，在融资租赁交易中，所有权在行使过程中是处于不完整状态的，也就是说，租赁物所有权的四项权能并不是同时集中于一个主体手中的，存在着分离。融资租赁合同中出租人向承租人转移的是租赁物的占有权、使用权和收益权，而不是所有权。但这种分离并不影响所有权人，即出租人行使权利。在融资租赁合同存续期间，在承租人最终行使购买选择权之前，租赁物的所有权始终属于出租人。这一权利使出租人有权要求承租人承担以下义务：

1. 保管、保养租赁物，使之处于正常使用状态。

2. 在融资租赁合同履行完毕之前，未经出租人同意，不得将租赁物进行抵押、转让、转租、赠与、迁离、重大改造、用作投资等。

3. 承租人破产时，租赁物不属于破产财产。出租人作为买卖合同的买受人，支付了合同规定的价款后，即取得了租赁物的所有权，这一权利并非来自融资租赁合同，而是来自买卖合同，因此该项权利可以对抗包括承租人在内的一切人，当然也包括对抗承租人的其他债权人和承租人破产时的破产清算人。因此，承租人破产时，租赁物不列入承租人的破产财产，出租人可以解除合同，收回租赁物。当然，出租人收回租赁物时，也负有清算义务。

第二百四十三条 融资租赁合同的租金，除当事人另有约定的以外，应当根据购买租赁物的大部分或者全部成本以及出租人的合理利润确定。

【释义】 本条是关于融资租赁合同租金构成的规定。

租金是融资租赁合同中一项非常重要的内容。由于租赁双方均以营利为目的，而租金又直接影响到利润，所以租金的确定是融资租赁交易中至关重要的问题。

在融资租赁交易中，承租人负有支付租金的义务。但因其为“融资”租赁，所以承租人支付的代价并非是租赁物为使用收益的代价，而是融资的代价，因此，融资租赁合同中租金标准的确定，与租赁合同中租金的确定标准是不同的，它高于传统租赁中的租金。

与商品价格概念相对应，租金以出租人消耗在租赁物上的价值为基础，同时依据租赁物的供求关系而波动。通常情况下，出租人消耗在租赁物上的价值包括三部分，即租赁物的成本、为购买租赁物向银行贷款而支付的利息、为租赁业务而支付的营业费用。

1. 租赁物的成本。租赁物成本是构成租金的主要部分。出租人购买租赁物所支付的资金，将在租赁业务成交后，从租金中得以补偿。同时,在购置过程中,出租人所支付的运输费、保险费、调试安装费等也要计入租赁物成本中,一起从租金中分期收回。所以,租赁物成本包括租赁物购买价金及其运输费、保险费等,也称租赁物总成本。

2. 利息。出租人为购买租赁物向银行贷款而支付的利息,是租金构成的又一重要因素。利息按租赁业务成交时的银行贷款利率计算且一般以复利率来计算。

3. 营业费用。营业费用是指出租人经营租赁过程中所支出的费用,包括业务人员工资、办公费、差旅费和必要的盈利。

通常情况下,融资租赁合同的租金应根据购买租赁物的大部分或者全部成本以及出租人的合理利润来确定,但目前国际和国内融资租赁领域,除保留传统的固定租金方式外,已越来越多地采用灵活的、多形式的、非固定的租金支付方式,以适应日趋复杂的融资租赁关系和当事人双方的需要。在融资租赁交易中,当事人经常根据承租人对租赁物的使用或者通过使用租赁物所获得的收益来确定支付租金的大小和方式,也可以按承租人现金收益的情况确定一个计算公式来确定租金,或由当事人约定并在融资租赁合同中规定以其他方式来确定租金。

第二百四十四条　租赁物不符合约定或者不符合使用目的的,出租人不承担责任,但承租人依赖出租人的技能确定租赁物或者出租人干预选择租赁物的除外。

【释义】　本条是关于租赁物质量瑕疵担保责任的规定。

租赁物瑕疵分为物的瑕疵(也称质量瑕疵)和权利瑕疵两种。对于租赁物质量瑕疵,确定其担保责任的承担主体是至关重要的,因为它直接关系到融资租赁交易本质特征能否体现,关系到融资租赁与传统租赁能否明确区分。在传统租赁中,出租人与买卖合同中的出卖人一样负有质量瑕疵担保责任，须使租赁物合于合同约定的使用收益的状态。而在融资租赁合同中，一般都明确规定，出卖人迟延交付租赁物或者租赁物的规格、式样、性能等不符合合同约定或者不符合使用目的的，出租人不承担责任，由承租人直接向出卖人索赔，并承担索赔不成时的损害后果。此即所谓出租人瑕疵担保的免责特约。这种约定既符合融资租赁交易的理论和实践，同时也不违背现行法律的规定。其理由如下：

1. 虽然根据传统的民法理论，所有权人应对其货物承担质量瑕疵担保责任，但民法对瑕疵担保责任的规定为任意性规范，允许合同双方当事人以特约予以变更。因此，出租人与承租人在合同中约定免除出租人的质量瑕疵担保责任是有效的。

2. 融资租赁的经济意义在于出租人以融物的方式向承租人提供融资，具有金融的性质。出租人的主要义务就是支付购买租赁物的货款，其权利是收取租金从而收回投资，并取得利润。除此之外，几乎所有关于购买租赁物的权利义务均应由承租人承受，出租人只拥有名义上的所有权，不承担包括质量瑕疵担保责任在内的任何实体义务和责任。

3. 在融资租赁合同中，通常情况下，承租人完全基于自己的知识和经验选定租赁物的制造商、租赁物的种类、数量、规格等，由出租人按照承租人的指定出资购买租赁物。承租人作为买卖合同标的物的选择权人，自然应对行使选择权的不利后果承担责任。

4. 作为出租人的租赁公司，其机能仅在向承租人提供融资购买租赁物，不可能对所有承租人选定的租赁物都有充分的了解。如果由出租人承担风险责任，必然导致出租人聘请专家检验，这就意味着增加费用。而所增加的费用最后必然通过租金的形式由承租人负担。而作为租赁物的最终用户，承租人对租赁物具有专门的知识。为避免增加成本，减少承租人的负担，应由承租人承担质量瑕疵责任。

5. 融资租赁合同一般在规定出租人瑕疵担保免责的同时，往往订有索赔权转让条款，即在租赁物实际使用中，如发生质量问题，承租人可以向出卖人提出赔偿请求。这就保证了出租人和承租人之间权利义务的平衡。也只有这样，融资租赁交易才是公平的。

当然，并不是在任何情况下，出租人都能免除其质量瑕疵担保责任。当承租人完全依赖出租人的技能和判断选择租赁物，或者出租人干预选择租赁物时，如出租人为承租人确定租赁物或者擅自变更承租人已选定的租赁物的，出租人应承担全部或者部分租赁物的质量瑕疵担保责任。此外，在以下几种特殊情况下，租赁物的质量瑕疵担保责任也应由出租人负担：

(1)出租人明知租赁物有瑕疵而未告知或者因重大过失不知有瑕疵的；

(2)出租人与出卖人有密切关系的；

(3)承租人无法或者不能直接向出卖人索赔的。

第二百四十五条　出租人应当保证承租人对租赁物的占有和使用。

【释义】　本条是关于出租人保证承租人占有租赁物的规定。

租赁期间内，出租人应保证承租人对租赁物的占有和使用，这是融资租赁合同中出租人的一项主要义务，也是承租人的一项主要权利，它包含有以下三方面含义：

1. 出租人不得妨碍承租人依照融资租赁合同所拥有的承租权，也不得擅自变更原承租条件。

2. 承租人在租赁期间内，对租赁物拥有独占使用权。在融资租赁合同中，虽然承租人是通过租赁公司融通资金的，但承租人订立融资租赁合同的根本目的是要取得租赁物的使用权。所以，承租人在接受出卖人交付的标的物后，在租赁期内，承租人对租赁物享有独占使用权，对使用租赁物所取得的收益可以独立处分。从买卖的角度来看，出租人为买受人，出卖人虽将标的物直接交付给承租人，但标的物的所有权属于出租人，承租人则取得标的物的占有权、使用权和收益权。

3. 出租人应保证承租人在租赁期间内对租赁物的占有和使用，不受第三人的干扰。例如，出租人转让租赁物所有权的，融资租赁合同对新的所有权人继续有效，新所有权人不得解除合同，取回租赁物。此即所谓“买卖不破租赁”原则。出租人将租赁物设定抵押时，出租人的抵押行为不得影响承租人的使用收益权。承租人的使用收益权可以对抗抵押权人的抵押权。当然，承租人在行使上述权利时，应以不危害出租人对租赁物的所有权为限。在租赁期间，承租人如果受到对租赁物享有合法权利的人的干扰，出租人应承担违约责任。

第二百四十六条　承租人占有租赁物期间，租赁物造成第三人的人身伤害或者财产损害的，出租人不承担责任。

【释义】 本条是关于出租人不负租赁物使用对第三人侵权责任的规定。

所谓对第三人的侵权责任，是指因租赁物本身及其设置、使用、保管等造成第三人的财产损害或者人身伤害。根据我国民法通则的规定，这种侵权责任通常有三种情形：

1. 产品责任

根据民法通则第一百二十二条的规定，租赁物因本身存在缺陷,造成他人人身和财产损害的,应由租赁物的供应商或者制造商承担赔偿责任。出租人虽非租赁物的制造商,但在承租人于租赁期满行使留购选择权时,出租人便成为销售者。在这种情况下,出租人仍不负租赁物的产品责任。这是因为:第一,融资租赁的实质是出租人对承租人的融资,其经济地位接近于金融业者,而异于商业销售者,实质的买卖关系存在于承租人和出卖人之间。第二,在融资租赁中,出租人并不与租赁物发生直接联系,不具备有关租赁物的商品知识、信息、检测技术和手段等。

2. 高度危险作业责任

根据民法通则第一百二十三条的规定,从事高度危险作业的经营者对因高度危险作业致人损害时,应承担无过错赔偿责任。当租赁物为高度危险作业的设备时,该设备的经营者应对设备造成的损害后果承担赔偿责任。依民法学说,判断经营者的标准有两条:运行支配和运行利益。对高度危险作业的设备拥有支配权并享受运行利益的人为经营者,应对租赁设备造成他人损害负赔偿责任。在融资租赁中,承租人对租赁物的运行拥有支配权,并享有运行利益,当然应作为经营者承担赔偿责任。而出租人并未实际占有租赁物,对租赁物的运行没有支配权,同时,出租人收取的租金与租赁物的使用收益并非对价关系,不存在租赁物的运行利益。因此,对租赁物属高度危险作业设备而致第三人损害的情形,出租人不负损害赔偿责任。

3. 建筑物责任

根据民法通则第一百二十六条的规定,如果租赁物是建筑物或者构成建筑物的一部分,因倒塌、脱落等致人损害的,出租人作为租赁物的所有权人,承租人作为租赁物的管理人,均应承担民事责任。但在融资租赁中,出租人对租赁物只拥有名义上的所有权,这种所有权实际上是出租人为保证其收回投资的一种抵押担保物权，承租人则拥有租赁物的占有权、使用权和收益权，因此应由承租人承担赔偿责任。

第二百四十七条　承租人应当妥善保管、使用租赁物。

承租人应当履行占有租赁物期间的维修义务。

【释义】　本条是关于承租人对租赁物所负保管、维修义务的规定。

在融资租赁中，承租人的一项非常重要的义务就是妥善保管租赁物、严格按照合同的技术操作规程使用租赁物，并对租赁物进行保养、维修。这是因为，一方面承租人得对租赁物为使用收益，出租人须容忍承租人为使用收益，另一方面租赁物虽为承租人选定，但为出租人所有，因此承租人为自己使用收益的需要，为保护出租人利益的需要，应负保管义务。承租人在租赁期间只得自己使用租赁物，而不得擅自转租，更不得处分租赁物。承租人擅自转租的，出租人可以解除合同，收回租赁物。承租人处分租赁物的，是对他人财产的处分，出租人可以解除合同，收回租赁物，或者在第三人善意取得租赁物且不能返还时请求损害赔偿。

在融资租赁中，出租人不负标的物的瑕疵担保责任，因而对租赁物无维修义务，但出租人却享有于租赁物期间届满后收回标的物加以使用或者处分的期待利益。因此，承租人需保障出租人期待利益的实现，不仅需妥善保管标的物，而且负有维修保养标的物的义务。

第二百四十八条　承租人应当按照约定支付租金。承租人经催告后在合理期限内仍不支付租金的，出租人可以要求支付全部租金；也可以解除合同，收回租赁物。

【释义】 本条是关于承租人支付租金义务的规定。

在租赁期间,承租人应当按照合同约定向出租人支付租金,这是承租人的基本义务。由于融资租赁合同中的租金并非租赁物的对价,而是融资的对价,所以当租赁物存在瑕疵时,承租人不得以此为理由拒付租金。

承租人未按照约定支付租金时,出租人可以规定一个合理期限,要求承租人支付。经出租人催告,承租人在规定的期限内仍不支付租金的,即构成违约,出租人可以采取以下两种救济措施:

1. 要求承租人支付全部租金。所谓全部租金,是指融资租赁合同中所规定的全部已到期而承租人未支付的租金,以及其他依约定未到期的租金。在融资租赁合同规定的每期租金支付期限到期之前,出租人无权请求承租人支付。但在融资租赁合同中往往规定,承租人不支付租金或者有其他违约行为时,出租人有权要求承租人付清全部租金。此即所谓期限利益丧失约款。出租人之所以要在合同中规定期限利益丧失约款,是因为在融资租赁合同中,租赁物是为了承租人的特殊需要,由承租人选定,出租人出资购买的,此类租赁物专用性较强,在承租人不支付租金时,出租人即使收回租赁物,也难以通过重新转让或出租收回所投资金。同时,在融资租赁交易中,出租人与承租人互负的义务并非是同时履行的,而是有先后层次的,出租人支付租赁物价款的义务履行在先,承租人支付租金的义务履行在后,出租人的利益缺乏一种相互制衡或者保障。由于一般情况下,承租人在迟延支付一期租金时,很有可能也无力支付剩余未到期的租金,所以此时出租人如果不能一次性主张全部租金或者不能收回租赁物,将使自己处于默视损失扩大却无能为力的被动局面。因此,在承租人违约不支付租金时,出租人有权要求承租人支付全部租金，这有利于保护出租人的利益，同时，承租人丧失了期限利益，也是对承租人违约行为的一种惩罚，有利于促使承租人更好地履行自己的义务。

2. 解除合同，收回租赁物，并请求赔偿损失。出租人不选择要求承租人支付全部租金的，可以解除合同，收回租赁物。因为出租人对租赁物享有所有权，这一所有权具有担保其租金债权的功能，所以当承租人违约，出租人解除合同时，出租人可以收回租赁物。

第二百四十九条 当事人约定租赁期间届满租赁物归承租人所有，承租人已经支付大部分租金，但无力支付剩余租金，出租人因此解除合同收回租赁物的，收回的租赁物的价值超过承租人欠付的租金以及其他费用的，承租人可以要求部分返还。

【释义】 本条是关于承租人请求部分返还租赁物价值的规定。

根据本法第二百四十八条的规定，承租人不支付租金时，出租人有权解除合同，收回租赁物。这是由出租人享有租赁物所有权所决定的。但是出租人所有权是一项受其租金债权严格制约的权利，在融资租赁交易中，与租赁物所有权有关的风险与收益实质上都转移给承租人了，出租人所有权只具有抵押权的意义。因此，当承租人违约时，出租人有权解除合同，收回租赁物，并要求承租人赔偿损失。在融资租赁实践中，损害赔偿金是以相当于残存租金额或者以残存租金额减去中间利息计算的。这样出租人不仅收回了租赁物，而且可以获得一笔相当于残存租金额的损害赔偿金。而在融资租赁合同完全履行时，出租人仅可取得全部租金及期满后取得租赁物的残余价值。由此可以看出，出租人中途解约取得的利益，比合同全部履行本应得到的利益还要多。这不仅不公平，而且由于利益驱动，会使出租人尽量使用解除合同的办法，不利于融资租赁合同关系的稳定。为了解决这一问题，本条规定，当事人约定租赁期间届满租赁物归承租人所有，承租人已经支付大部分租金，但无力支付剩余租金，出租人因此解除合同收回租赁物的，收回的租赁物的价值超过承租人欠付的租金以及其他费用的，承租人可以请求部分返还。也就是说，出租人因收回租赁物而所得，无论按所评估的公允价值，还是按公开拍卖的实际所得，都不直接归出租人所有。这一所得必须与出租人这时的租金债权，即承租人尚未付清的租金及费用作比较。只有出租人收回租赁物的所得等于出租人的租金债权的部分时，才归出租人所有，超出租金债权部分，是出租人多得的利益，应返还给承租人，或者充作承租人支付的损害赔偿金，不足部分仍应由承租人清偿。

第二百五十条　出租人和承租人可以约定租赁期间届满租赁物的归属。对租赁物的归属没有约定或者约定不明确，依照本法第六十一条的规定仍不能确定的，租赁物的所有权归出租人。

【释义】　本条是关于租赁期间届满租赁物归属的规定。

在传统租赁中，承租人的一项主要义务就是于租赁期间届满时，将租赁物返还给出租人。而在融资租赁中，租赁期间届满，承租人一般可以有三种选择权：留购、续租或退租。留购是指租期届满，承租人支付给出租人一笔双方商定的设备残值（名义货价），取得租赁物的所有权。续租是指租期届满，承租人与出租人更新合同，继续承租租赁物，承租人按新合同支付租金；或者承租人未退回租赁物，出租人同意合同继续有效至承租人退回租赁物或者留购租赁物，承租人按原合同支付租金，直至合同终止。退租是指租期届满,承租人负责将处于良好工作状态的租赁物按出租人要求的运输方式运至出租人指定的地点。由此而产生的一切支出,如包装、运输、途中保险等费用均由承租人承担。在这三种租赁物的处理方式中,出租人更愿意选择留购这一处理方式。实践中,出租人关心的是如何收回其投入以及盈利,而对租赁物的使用价值没有多大兴趣,大多数融资租赁交易均把承租人留购租赁物作为交易的必要条件。如果选择另外两种方式处理租赁物,仍面临着租赁物的最终处理问题,出租人并不希望保留租赁设备。

如果当事人双方对于租赁物的归属没有约定或者约定不明确时,可以依照本法第六十一条的规定协议补充;不能达补充协议时,应依照合同有关条款或者交易习惯加以确定。如果合同双方当事人既不能就租赁物的归属达成补充协议,又不能根据合同有关条款或者交易习惯确定时,租赁物的所有权归出租人享有。这是因为,融资租赁与传统租赁一样,在租赁期间,租赁物的所有权归出租人。租赁期间届满时,如果承租人未支付名义货价,即使名义货价只值一分钱,承租人也不能取得租赁物所有权,租赁物所有权仍归出租人享有。

第十五章 承揽合同

本章共十八条，对承揽合同的方式、材料的提供、履行期限、支付报酬、保管责任、留置权等承揽人与定作人之间的权利义务作了规定。

第二百五十一条 承揽合同是承揽人按照定作人的要求完成工作，交付工作成果，定作人给付报酬的合同。

承揽包括加工、定作、修理、复制、测试、检验等工作。

【释义】 本条规定了承揽合同的定义和承揽合同的主要种类。

承揽合同是承揽人按照定作人的要求完成一定的工作，并将工作成果交付给定作人，定作人接受该工作成果并按照约定向承揽人给付报酬的合同。承揽合同的主体是承揽人和定作人。承揽人就是按照定作人指示完成特定工作并向定作人交付该工作成果的人。定作人是要求承揽人完成承揽工作并接受承揽工作成果、支付报酬的人。承揽人和定作人可以是法人或者其他组织，也可以是自然人。这比经济合同法的主体范围扩大了，经济合同法中加工承揽合同的主体只是法人和其他经济组织等，不包括自然人。承揽合同的客体是完成特定的工作。承揽合同的对象为承揽标的，承揽标的是有体物的，合同的标的物又可以称为承揽物或者定作物。承揽工作具有特定化性，如修理汽车、裁剪制作衣服。承揽人完成的承揽工作需有承揽工作成果，该工作成果可以是有形的，如加工的零部件、印刷的图书、录制的磁带、检验的结论，也可以是无形的，如测试仪器的运行。

承揽合同具有下列特征：

1. 承揽合同以完成一定工作为目的

承揽合同中的承揽人必须按照定作人的要求完成一定的工作，定作人订立合同的目的是取得承揽人完成的一定工作成果。在承揽合同中，定作人所需要的不是承揽人的单纯劳务，而是其物化的劳务成果。也就是说，承揽人完成工作的劳务只有体现在其完成的工作成果上，只有与工作成果相结合，才能满足定作人的需要。

2. 承揽合同的标的具有特定性

承揽合同的标的是定作人所要求的，由承揽人所完成工作成果。该工作成果既可以是体力劳动成果，也可以是脑力劳动成果；可以是物，也可以是其他财产。但其必须具有特定性，是按照定作人特定要求，只能由承揽人为满足定作人特殊需求通过自己与众不同的劳动技能而完成的。

3. 承揽合同的承揽人应以自己的风险独立完成工作

承揽合同的定作人需要的是具有特定性的标的物。这种特定的标的物只能通过承揽人完成的工作来取得。因此，定作人是根据承揽人的条件认定承揽人能够完成工作来选择承揽人的，定作人注重的是特定承揽人的工作条件和技能，承揽人应当以自己的劳力、设备和技术，独立完成承揽工作，经定作人同意将承揽工作的一部分转由第三人完成的，承揽人对第三人的工作向定作人承担责任。承揽人应承担取得工作成果的风险，对工作成果的完成负全部责任。承揽人不能完成工作而取得定作人所指定的工作成果，就不能向定作人要求报酬。

承揽合同是一大类合同的总称，传统民法中承揽合同包括加工承揽合同和建设工程合同两大类合同。由于建设工程合同在发展中形成了许多独特的行业特点,经济合同法将工程建设合同独立于加工承揽合同单独加以规定,因此本章所指的承揽合同主要是指经济合同法所规定的加工承揽合同而不包括工程建设合同。本条第二款所列的几项工作都是主要的承揽工作。经济合同法有关加工承揽合同的规定中都提到了这几种承揽工作。

(1)加工

所谓的加工就是指承揽人以自己的技能、设备和劳力,按照定作人的要求,将定作人提供的原材料加工为成品,定作人接受该成品并支付报酬的合同。加工合同是实践中大量存在的合同,它既有生产性,比如一个企业将另一个企业提供的材料加工成特定的设备;也有生活性,如服装店用顾客提供的布料为其裁缝衣服。还有一些艺术性,如画廊为他人装裱图画等。在国际经济活动中,来料加工已成为一种重要的外贸形式。

(2)定作

定作就是承揽人根据定作人的要求,以自己技能、设备和劳力,用自己的材料为定作人制作成品,定作人接受该特别制作成品并给付报酬的合同。定作合同在日常生活中也很常见,如家具厂为顾客定作家具,服装厂为某学校定作校服等。定作与加工的区别在于定作中承揽人需自备材料,而不是由定作人提供的。

(3)修理

修理既包括承揽人为定作修复损坏的动产,如修理汽车、修理手表、修理电器、修理自行车、修理鞋等;也包括对不动产的修缮,如检修房屋屋顶的防水层。

(4)复制

复制是指承揽人按照定作人的要求,根据定作人提供的样品，重新制作类似的成品，定作人接受复制品并支付报酬的合同。复制包括复印文稿，也包括复制其他物品，如文物部门要求承揽人复制一文物用以展览。

(5)测试

测试是指承揽人根据定作人的要求，利用自己的技术和设备为定作人完成某一项目的性能进行检测试验，定作人接受测试成果并支付报酬的合同。

(6)检验

检验是指承揽人以自己的技术和仪器、设备等为定作人提出的特定事物的性能、问题、质量等进行检查化验，定作人接受检验成果，并支付报酬的合同。

本条第二款所列的加工、定作等工作都直接源自经济合同法中的加工承揽的有关规定。但本章所调整的范围不仅仅包括所列的这几种承揽工作。承揽合同是现实经济生活中适用极为广泛的一类合同，是满足公民、法人的生产、生活的特殊需要的一种法律手段。因此，就我国现实经济生活而言，任何符合本条第一款所定义的合同行为，如印刷、洗染、打字、翻译、拍照、冲卷扩印、广告制作、测绘、鉴定等都属于本章所调整的承揽工作。

第二百五十二条 承揽合同的内容包括承揽的标的、数量、质量、报酬、承揽方式、材料的提供、履行期限、验收标准和方法等条款。

【释义】 本条规定了承揽合同的主要条款。

本条规定的是承揽合同中一般条款，也就是说，承揽合同不是一定要具备这些条款，当事人可以根据合同性质和双方的需要对上述规定的条款进行增减。

所谓承揽的标的，是指承揽合同权利义务所指向的对象，也就是承揽人按照定作人要求所应进行的承揽工作。如甲与乙服装厂签约定作一套礼服合同,合同的标的就是制作完成甲所要求的礼服。承揽合同双方当事人必须在合同中明确标的的名称,以使标的特定化,明确双方当事人权利义务的对象。承揽合同的标的是合同的必要条款,合同不规定标的,就会失去目的,因此,双方当事人未约定承揽标的或者约定不明确,承揽合同不成立。

数量与质量是确定合同标的的具体条件,是该合同标的区别于同类另一标的的具体特征。当事人应当明确规定标的的数量,选择好双方共同接受的计算单位,确定双方认可的计算方法,还可以规定合理的磅差或者尾差。数量是承揽合同的必备条件之一,当事人未明确标的数量的,承揽合同不成立。标的质量需订得详细具体,如标的的技术指标、质量要求、规格、型号等都要明确。一般来说标的质量包括五个方面:一是标的的物理和化学成分。如定作服装就要明确面料的种类,制作家具需明确材料的质地等。二是标的的规格,通常是用度、量、衡来确定标的物的质量,例如定作一书桌时,就应当明确书桌的高度、长度、宽度等规格。这种规格就反映了标的质量。三是标的的性能,如强度、硬度、弹性、延度、抗蚀性、耐水性、耐热性、传导性、牢固性等。四是标的的款式,主要是指标的的色泽、图案、式样、时尚等特性。五是标的感觉要素,主要指标的的味道、触感、音质、新鲜度等。当事人在签订合同时,应当详尽写明质量要求,其可以以样货标准确定,可以以标准市货确定,可以约定特定标准,可以以货物平均品质为根据确定,可以以说明书的标准确定。

这里的报酬主要是指定作人应当支付承揽人进行承揽工作所付出的技能、劳务的酬金。报酬是承揽合同中的主要条款,当事人在订立合同时应当明确报酬。当事人可以约定报酬的具体数额,也可以约定报酬的计算方法。如果在合同生效后,当事人就报酬没有约定或者约定不明确的,当事人可以协议补充;不能达成补充协议的,按照合同有关条款或者交易习惯确定;仍不能确定的,按照订立合同时履行地的市场价格履行,有政府定价的,按政府定价履行。除报酬外,承揽人提供材料的,定作人应当根据承揽人提供的发票向承揽人支付材料费,没有发票的,按订立合同时市场价格确定。当事人可以约定材料费支付的时间,未约定或者约定不明确的,应当在支付报酬的同时支付。

材料是指完成承揽工作所需的原料。当事人应当约定由哪一方提供材料,并且应当明确提供材料的时间、地点、材料的数量和质量等。如果当事人未约定由哪一方提供材料或者约定不明的,当事人可以补充协议;不能达成补充协议的,按照合同有关条款或者交易习惯确定,仍不能确定的,一般由承揽人提供,承揽人根据定作人对工作的要求和合同性质,合理地按质按量选用材料,定作人应当支付材料费。在确定材料提供方的基础上,如果未明确材料提供的时间,由承揽人提供材料的,承揽人根据履行期限合理地准备材料;如果由定作人提供材料的,承揽人可以根据履行期限,要求定作人及时提供。交付材料地点不明确的,一般在承揽人工作地点交付。材料数量不明确的,由当事人根据承揽工作的要求合理提供。材料质量不明确的,由当事人根据承揽工作的性质确定。

在承揽合同中履行期限主要是指双方当事人履行义务的时间,对承揽人而言,是指承揽人完成工作,交付工作成果的时间;对定作人而言,是指定作人支付报酬或者其他价款的时间。如果当事人在合同生效后未约定工作成果交付时间或者约定不明确的,当事人可以协议补充,不能达成补充协议的,应当根据合同的性质或者交易习惯确定承揽人交付工作成果时间。根据承揽工作的性质,不需要特别交付的,如粉刷墙壁,以完成工作成果的时间为交付时间。如果当事人在合同生效后未约定定作人支付报酬的时间或者约定不明确的,当事人可以补充协议;达不成协议的,应当根据合同性质或者交易习惯确定;根据合同性质或者交易习惯仍不能确定支付期限的,承揽人交付工作成果的时间为定作人支付报酬的时间。由定作人支付材料费或者其他费用的期限,当事人未约定或者约定不明确的,以支付报酬的时间为支付材料费或者其他费用的时间。

当事人可以约定验收标准和方法。验收的标准是指检验材料、承揽工作质量的标准。验收标准未约定或者约定不明确的,当事人可以协议补充确定。不能达成补充协议的,可以通过合同的有关条款或者交易习惯确定。既不能通过协商达成补充协议,又不能按照合同的有关条款或者交易习惯确定,按照同类产品或者同类服务的市场通常质量标准验收。

第二百五十三条　承揽人应当以自己的设备、技术和劳力,完成主要工作,但当事人另有约定的除外。

承揽人将其承揽的主要工作交由第三人完成的,应当就该第三人完成的工作成果向定作人负责;未经定作人同意的,定作人也可以解除合同。

【释义】　本条是关于承揽人独立完成主要工作的规定。

承揽合同的标的是定作人所要求的,由承揽人所完成工作成果。该工作成果既可以是体力劳动成果,也可以是脑力劳动成果;可以是物,也可以是其他财产。但其必须具有特定性,是按照定作人特定要求,只能由承揽人为满足定作人特殊需求通过自己与众不同的劳动技能而完成的。如果定作人所需的标的能够从市场上任意买到,定作人就不必通过订立承揽合同要求承揽人来完成。因此,承揽合同的本质特点要求该合同是建立在对承揽人的工作能力信任的基础上,承揽人应当以自己的设备、技术和劳力完成承揽的主要工作。原经济合同法第十九条中规定,除合同另有规定的以外,承揽方必须以自己的设备、技术和劳力,完成加工、定作、修缮任务的主要部分,不经第三方同意,不得把接受的任务转让给第三方。本条坚持了经济合同法的规定,并确立了一个原则,承揽人应当完成承揽工作的主要部分,不仅仅只是加工、定作,其他承揽工作都应当遵循这个原则。

承揽人设备、技术和劳力是决定其工作能力的重要因素,也是定作人选择该承揽人完成工作的决定性因素。所谓的设备,是指承揽人进行工作所使用的工具。所谓的技术是承揽人进行工作所需的技能,包括专业知识、经验等。所谓的劳力指承揽人完成工作所付出的劳动力。这里的“主要工作”一般是指对工作成果的质量起决定性作用的工作,也可以说是技术要求高的那部分工作;如订制服装,量体裁剪和整体裁制是其主要工作。主要工作的质量、数量将决定工作成果是否符合定作人的要求,因此,承揽人作为定作人选择的对象,应当以自己的设备、技术和劳力完成主要工作,否则会影响定作人订立合同的目的。

合同法从尊重当事人意思自治原则出发,规定了当事人如果约定,承揽人必须完成所有的承揽工作的,承揽人不仅应当亲自完成主要工作,其他工作也要由承揽人本人完成。如果当事人约定或经定作人同意,承揽人可以将工作的主要部分交由第三人完成的,承揽人可以将所承揽的工作交由第三人完成,但承揽人应当对第三人的工作对定作人负责。如甲向船舶工业公司定作一艘万吨油轮,船舶工业公司作为专业的外贸公司,本身不从事造船工作,因此可以在合同中约定该型号的油轮由船舶工业公司选择造船厂制造，船舶工业公司对该油轮的质量负责。

承揽合同是基于定作人对承揽人有特别的人身信任，如果该承揽人不亲自履行合同，就无法实现定作人订约的目的，承揽人应当以自己的设备、技术和劳力完成主要的承揽工作。合同中约定，承揽人必须亲自完成工作的，承揽人未经定作人同意，不得将承揽人工作的主要部分交由第三人完成。承揽人擅自将工作交由第三人完成的，将构成根本违约，此时，定作人可以选择两种方式要求承揽人承担合同责任。一种是定作人要求承揽人对第三人完成的工作成果向定作人负责。比如，定作人对承揽人设备、技术和劳力无特别要求，只要求工作成果按时按量完成的情况下，承揽人擅自将承揽工作交由第三人完成，定作人认为工作成果的质量、数量、交付时间等能够接受，可以不解除合同。定作人不解除合同的，第三人完成工作的，由承揽人对第三人的工作向定作人负责。当工作成果质量不符合合同约定的质量要求的，定作人有权要求承揽人承担重作、修理、更换和赔偿损失等违约责任。工作成果数量不符合约定的，定作人有权要求承揽人在合理的期限内补齐，造成定作人损失的，承揽人承担损害赔偿责任。工作成果交付迟延的，承揽人应当承担迟延交付的违约责任，并赔偿定作人的损失。另一种是通知承揽人解除合同。因解除合同给定作人造成损失的，定作人可以要求承揽人承担损害赔偿责任。如甲到著名的乙服装公司定作一批西装，乙公司将该批服装交由其他服装公司制作，虽然服装的质量上与乙的产品无太大差别，但名气无法与乙公司相比，在这种情况下，甲就可以解除合同。

第二百五十四条　承揽人可以将其承揽的辅助工作交由第三人完成。承揽人将其承揽的辅助工作交由第三人完成的，应

当就该第三人完成的工作成果向定作人负责。

【释义】 本条是关于承揽人对辅助性工作的责任。

根据上条的规定,承揽合同中,承揽人应当以自己的设备、技术和劳力完成承揽工作的主要部分,如果将主要工作交由第三人完成的,必须经过定作人的同意,否则,承揽人应当承担违约责任。根据本条规定,承揽人将承揽的辅助工作交由第三人完成可以不必经定作人同意。

这里的"辅助工作",是指承揽工作中主要工作之外的部分,是相对于"主要工作"而言的。"主要工作"一般是指对工作成果的质量起决定性作用的工作,也可以说是技术要求高的那部分工作。主要工作之外的工作就可以理解为辅助性工作。如订制服装合同,量体裁剪和整体缝制是承揽人的主要工作,缝扣子、熨烫是其辅助性工作。对于辅助工作,承揽人是可以交由第三人完成而不必经过定作人的同意,承揽人的这种行为实际上是将其部分工作义务转由第三人完成,根据合同法总则关于合同的变更和转让的规定,债务人转移债务的,应当经债权人同意,但在承揽工作中,因为辅助工作对工作成果的整体质量没有太大的影响,因此承揽人将辅助工作交由第三人完成的,可以不经定作人同意,这样的规定符合承揽工作的一般交易习惯。虽然承揽人可以根据工作需要,自行决定将辅助工作交由第三人完成,但是承揽人应当根据诚实信用原则,认真考察第三人的工作能力,合理地选择第三人。确定第三人后,如果第三人同意完成该部分工作的,承揽人应当将定作人对工作的要求或者是合同中的质量、数量、交付期限的约定如实告知第三人,第三人应当根据承揽人提供的情况,按质按量,按时完成工作。承揽人应当保证三人完成的工作成果符合定作人的要求。

根据承揽合同的性质,承揽人应当在约定的期限内提供符合定作人要求的工作成果，也就是说，承揽人对工作的完成承担全部的责任，即使承揽人根据本条规定将辅助性工作交由第三人完成，也要对整个的工作负责，也就是说，第三人完成的工作不符合定作人的要求，承揽人应当向定作人承担违约责任。第三人的工作不符合主要表现为未及时完成承揽人交给的辅助工作、完成的质量和数量不符合定作人的要求或者合同的约定。第三人未及时完成工作致使工作成果迟延交付的，承揽人应当承担迟延交付的违约责任，第三人完成的工作质量不符合要求的，承揽人应当负责重作、修理、退换，并赔偿因此给定作人造成的损失。第三人完成的工作数量不足的，由承揽人负责补齐，并赔偿因此给定作人造成的损失。由于第三人的工作给定作人造成其他损失的，由承揽人承担损害赔偿责任。

从尊重当事人的意思自治出发，合同法允许承揽合同的当事人对辅助工作的完成作出与本条不同的约定。具体说来，关于辅助性工作的责任，当事人的约定一般有三种情况：一是如果当事人有约定，承揽工作必须全部由承揽人独自完成的，承揽人不得将工作转由第三人完成，即使辅助工作也不例外，承揽人违反约定将辅助工作交由第三人完成的，承揽人应当承担违约责任，赔偿定作人损失。二是如果承揽合同中约定，承揽人将辅助性工作交由第三人完成的，承揽人仅对其完成的主要工作负责，第三人对其完成的辅助工作负责。在此情况下，如果承揽人将辅助性工作交由第三人完成的，应当通知定作人并取得定作人同意。第三人工作不符合约定的，定作人只能要求第三人承担违约责任，承揽人根据约定对此不承担责任。三是承揽合同中约定，承揽人将辅助性工作交由第三人完成的，承揽人与第三人对由第三人完成的辅助工作向定作人承担连带责任。承揽人将辅助工作交由第三人完成的，应当与第三人约定，就该辅助工作向定作人承担连带责任。承揽人与第三人未作此约定的，承揽人应当对第三人的工作向定作人承担责任。

第二百五十五条　承揽人提供材料的，承揽人应当按照约定选用材料，并接受定作人检验。

【释义】　本条规定了承揽人提供材料时的主要义务。

如果当事人在承揽合同中约定由承揽人提供材料，并约定了提供材料的时间、材料的数量和质量的，承揽人应当按照约定准备材料。如果合同中未明确由哪一方提供材料的，但根据合同条款或者通过补充协议、交易习惯等方式确定应当由承揽人提供材料的，合同中如果约定了材料提供的时间、数量和质量的，承揽人应当按照约定提供材料。承揽人准备材料时，还应当备齐有关的资料，如发票、质量说明书等说明文件。

如果明确由承揽人提供材料，但是合同中未约定材料提供的时间、数量和质量的，事后又未就此达成补充协议的，承揽人应当根据承揽工作的性质和定作人对交付工作成果的要求，及时准备材料。数量不明确的，承揽人应当根据通常情况下完成该类工作成果所需的工作量，合理地确定材料的数量。质量不明确的，承揽人应当根据定作人对工作成果的质量要求，合理选用适合该工作成果的材料，定作人对工作成果的质量未有特别要求的，承揽人应当根据价款数额的大小以及工作性质，合理确定质量标准，合理选用材料。根据以上条件仍不能确定材料质量的，承揽人应当按照通常标准准备材料。

承揽人准备好材料后，应当及时通知定作人检验，并如实提供发票以及数量和质量的说明文件。定作人接到通知后，应当及时检验该材料，认真查看承揽人提供的材料以及有关文件。定作人认为承揽人选用的材料符合约定的，应当告知承揽人，或者根据承揽人的要求以书面形式确认。经检验,定作人发现材料数量缺少的,应当及时通知承揽人补齐;数量超出的,应当及时通知承揽人超出的数额。定作人发现材料质量不符合约定的,应当及时通知承揽人更换,因此发生的费用,由承揽人承担。

如果合同中未约定材料数量、质量的,如果定作人检验后,表示认可的,应当告知承揽人,或者根据承揽人的要求以书面形式确认。如果定作人认为材料不适合的,应当通知承揽人,并且还应当通知承揽人其对数量、质量要求。承揽人接到通知后,应当及时选用符合定作人要求的材料。

经定作人检验后,承揽人应当以定作人确认后的材料完成工作。承揽人以次充好或者故意隐瞒材料瑕疵而造成工作成果质量不符合约定的,定作人有权要求重作、修理、减少价款或者解除合同。

定作人未及时检验的,应当顺延工期,并赔偿承揽人因此受到的损失。定作人在接到检验通知后,在合理期限内,未做检验的,视为承揽人提供的材料符合要求,定作人不得再对该材料提出质量异议。

第二百五十六条　定作人提供材料的,定作人应当按照约定提供材料。承揽人对定作人提供的材料,应当及时检验,发现不符合约定时,应当及时通知定作人更换、补齐或者采取其他补救措施。

承揽人不得擅自更换定作人提供的材料,不得更换不需要修理的零部件。

【释义】 本条规定了由定作人提供材料时,双方当事人的义务。

承揽合同中,根据承揽工作性质或者交易习惯,双方当事人可以约定由定作人提供材料,并且应当约定提供材料的时间、数量和质量。定作人应当在合同约定的时间向承揽人提供符合约定数量和质量的材料。该材料主要指承揽工作所必需的原材料,如制作家具的木材,制作衣服的面料等。承揽工作的对象(亦称为工作基底),如修理电视合同中的电视,印刷合同中的原稿等,也属于材料范围。

当定作人按约定提供原材料后,承揽人应当立即检验原材料。检验的内容主要包括原材料的数量是否符合合同约定,原材料的质量是否达到合同约定的质量要求。如果经承揽人检验,定作人提供的原材料符合约定,承揽人应当确认并通告定作人。如果经检验,定作人提供的原材料不足的,承揽人应当通知定作人补齐;定作人提供的原材料质量不符合约定的,承揽人应当及时通知定作人更换以达到合同要求。因承揽人原因,未及时通知定作人原材料不符合约定的,影响完成工作时间的,承揽人应当承担违约责任。承揽人发现定作人提供的原材料不符合约定而未通知定作人的,视为原材料符合约定,因该原材料数量、质量原因造成承揽工作不符合约定的,由承揽人承担违约责任,定作人有权要求承揽人修理、更换、减少报酬或者解除合同,造成定作人损失的,承揽人应当赔偿损失。

定作人在接到原材料不符合约定的通知后,应当及时采取措施,补齐或者更换原材料使其达到合同约定的要求。因定作人迟延补齐、更换的,工期顺延;定作人未采取措施补齐、更换的,承揽人有权解除合同,因此造成承揽人损失的,由定作人承担损害赔偿责任。

如果经承揽人检验,定作人提供的原材料符合约定的,承揽人应当妥善保管该原材料,因承揽人保管不善,造成原材料损失的,由承揽人承担赔偿责任。

定作人提供的原材料符合约定的,承揽人在工作中应当以该原材料完成工作,不得擅自更换原材料,因此造成工作成果不符合约定质量的,定作人有权要求承揽人修理、更换、减少报酬或者解除合同,造成定作人损失的,承揽人承担赔偿责任。承揽人使用定作人提供的原材料应当符合合同中约定或者合理的损耗量,由于承揽人的原因造成材料浪费的,承揽人应当与赔偿,造成材料短缺的,由承揽人负责补齐。如果完成承揽工作后,定作人提供的材料的剩余的,承揽人应当返还给定作人。

由定作人提供工作基底的,承揽人应当妥善保管。在修理合同中,承揽人应当按照约定修理物品损坏的部分,并保持其他部分的完整性,不得更换不需要修理部分的零部件。如定作人将损坏的进口照相机交承揽人修理,承揽人经检查后,发现是一个齿轮磨损的,承揽人应当更换该磨损的齿轮而不得以次充好,更换其余的齿轮。承揽人更换应修理以外的零部件,承揽人应当恢复原状并承担赔偿责任。

第二百五十七条　承揽人发现定作人提供的图纸或者技术要求不合理的,应当及时通知定作人。因定作人怠于答复等原因造成承揽人损失的,应当赔偿损失。

【释义】　本条规定了定作人要求不合理时,双方当事人的义务。

承揽工作的性质就是承揽人按照定作人的要求进行工作,定作人一般通过提供图纸或者技术要求的方式对承揽人的工作提出要求。承揽人应当严格按照定作人的要求进行工作,如果承揽人在工作之前或者工作之中发现定作人提供的图纸或者技术要求不合理,即按此图纸或者技术要求难以产生符合合同约定的工作成果,在此情况下,承揽人应当及时将该情况通知定作人。承揽人未及时通知定作人的,怠于通知期间的误工损失由承揽人自己承担,造成工期拖延的,给定作人造成损失的,承揽人应当赔偿定作人损失。如果承揽人发现定作人提供的图纸或者技术要求不合理而未通知定作人,仍然按照原图纸或者技术要求进行工作致使工作成果不符合合同约定的,由承揽人承担违约责任,定作人有权要求承揽人修理、更换、减少价款或者解除合同。造成定作人损失的,承揽人应当赔偿损失。

定作人在接到承揽人关于图纸或者技术要求不合理的通知后,应当立即采取措施,修改图纸和技术要求。修改完成后,定作人应当及时答复承揽人,并提出修改意见。在承揽人发出通知至收到定作人答复期间,承揽人可以停止工作,工期顺延,定作人还应当赔偿承揽人在此期间的误工以及其他损失。

定作人在接到通知后,未能及时答复承揽人并提出修改意见的,承揽人有权要求定作人赔偿其误工等损失。定作人怠于答复的,承揽人可以催告定作人在合理期限内予以答复并提出修改意见,在合理期限内承揽人仍未收到定作人答复的,承揽人有权解除合同,并通知定作人,因此造成的损失,由定作人赔偿。

第二百五十八条　定作人中途变更承揽工作的要求,造成承揽人损失的,应当赔偿损失。

【释义】　本条规定了定作人中途变更工作要求的法律责任。

承揽工作的性质是承揽人按照定作人的要求进行工作,提供符合定作人特殊需要的工作成果。定作人对承揽工作的要求通过提供图纸、技术要求或者通过对承揽工作数量、质量的特别约定,在合同中体现自己对承揽工作的要求。承揽人只有严格按照合同约定工作要求完成工作,才能满足定作人订立合同的目的。如果定作人在承揽人工作期间认为按照原先的要求,不能满足自己的需要,定作人可以中途变更承揽工作的要求。这也是承揽工作的性质决定的,承揽工作的目的就是满足定作人的特殊需要,如果承揽工作的成果不能满足定作人的需要,承揽合同就不会实现定作人订立合同时所期望的利益,因此,定作人可以根据自己的需要,随时变更对合同的要求。这里的变更与一般合同的变更不同,一般情况下,合同的变更需经当事人双方协商一致,一方提出变更要求,如果对方不同意,则不发生变更,当事人仍然按照原合同履行。在承揽合同中,承揽人应当按照定作人的要求进行工作,如果定作人中途变更对承揽工作要求的,如修改设计图纸,提出新的质量要求等,承揽人应当按照定作人的新要求工作。承揽人认为定作人提出的新要求不合理的,应当及时通知定作人,定作人接到通知后,应当及时答复承揽人并提出修改意见。定作人不予修改的,承揽人不应当按照原要求履行,否则会导致损失的扩大,在此情况下,承揽人可以解除合同。

根据本条规定,定作人可以中途变更承揽工作的要求,但根据公平原则,定作人中途变更对承揽工作的要求,造成承揽人损失的,应当赔偿承揽人的损失。承揽人按照原要求完成部分工作的,定作人应当支付该部分工作的报酬。由承揽人提供材料的,定作人应当支付完成该部分工作所耗费的材料的价款和保管费。按照新要求,需增加材料的,由定作人负担费用。新要求使原承揽工作质量、难度提高的,定作人应当相应增加报酬。因定作人中途变更合同,使工期顺延,因此造成承揽人误工损失的,由定作人赔偿损失。

第二百五十九条　承揽工作需要定作人协助的,定作人有

协助的义务。

定作人不履行协助义务致使承揽工作不能完成的，承揽人可以催告定作人在合理期限内履行义务，并可以顺延履行期限；定作人逾期不履行的，承揽人可以解除合同。

【释义】 本条是关于定作人协助义务的规定。

根据本条的规定，根据承揽工作的性质、交易习惯或者诚实信用原则，定作人有协助义务的，定作人应当协助承揽人完成工作。例如，应当由定作人提供工作场所的，定作人应当及时提供适于工作的工作场所；应当由定作人提供承揽人完成工作所需生活条件和工作环境的，定作人应当及时提供符合完成工作所要求的生活条件和工作环境。

定作人的协助，是承揽合同适当履行的保障，定作人不协助承揽人进行工作，承揽合同将不能顺利履行，甚至无法履行，双方当事人订立合同的目的难以实现，因此，如果承揽合同需要定作人协助的，即使合同未明确规定定作人协助的，定作人也应当履行协助义务。如果定作人的协助义务是完成承揽合同的前提条件，定作人不履行的，承揽人应当催告定作人在合理期限内履行，并可以顺延完成工作的期限。如果在合理期限内定作人仍未履行协助义务，将构成本条所称的逾期不履行，定作人的逾期不履行将导致合同不能继续履行，承揽工作无法按约完成，此时，承揽人可以解除合同。

承揽人解除合同的，应当通知定作人，通知到达定作人时，解除生效。解除合同能恢复原状的，双方当事人应当恢复原状。解除合同并不能免除定作人不履行协助义务的责任，给承揽人造成损失的，定作人应当赔偿损失。有两点应当注意：一是定作人不履行协助义务，无论有无过错，只要是经催告仍未在合理期限内履行的，客观上致使承揽工作无法完成的，承揽人就可以解除合同。承揽人未经催告的,不能解除合同。二是如果定作人不履行协助义务并不能导致工作不能完成,则承揽人不能解除合同,而只能要求定作人赔偿损失;如果因此导致工作成果交付的期限拖延的,定作人应当承担迟延履行的责任。

第二百六十条　承揽人在工作期间,应当接受定作人必要的监督检验。定作人不得因监督检验妨碍承揽人的正常工作。

【释义】　本条是关于定作人监督检查承揽工作的规定。

根据承揽工作的性质,承揽人是按照定作人的要求完成一定工作的,因此,定作人有权在工作期间对承揽的工作进行必要的监督检验,这也是保证工作质量,预防工作成果瑕疵的必要措施。监督检验主要是指对进度、材料的使用、是否符合图纸或者技术要求等方面是否符合合同约定和定作人的要求。本条的规定确认了定作人的监督检验权,但同时又为定作人行使该权利规定了两个条件:

1. 定作人的监督检验必须是必要的。这里"必要"的含义是指,如果合同中已经约定定作人监督检验的范围的,定作人应当按照约定的内容按时进行检验。如果合同中未约定检验范围的,定作人应当根据承揽工作的性质,对承揽工作质量进行检验,如承揽人是否使用符合约定的材料、承揽人是否按照定作人提供的图纸或者技术要求工作。如果定作人发现承揽人的工作不符合约定,可以要求承揽人返工、修理或者更换。

2. 定作人的监督检验行为不得妨碍承揽人的正常工作。定作人有权对承揽工作进行监督检验,但根据公平原则,定作人监督检验行为不得给承揽人带来不合理的负担,不得影响承揽人正常的工作秩序。承揽合同中约定监督检验时间的,定作人应当按照约定的时间进行检验,合同中未约定监督检验的,定作人在监督检验承揽前应当与承揽人协商确定监督检验的方式、时间和内容。未达成协议的,定作人在检验前,应当通知承揽人检验的时间和内容,以便于承揽人对工作作出适当的安排。定作人的监督检验行为妨碍承揽人正常工作的,承揽人可以拒绝定作人的监督检验。定作人的监督检验行为给承揽人造成损失的,应当承担损害赔偿责任。

接受定作人的监督检验是法律为承揽人规定的义务。承揽人不得以合同未约定而拒绝。承揽人应当为定作人的监督检验提供方便和条件,并应当如实地向定作人反映工作情况,不得故意隐瞒工作中存在的问题,对于定作人提出的合理建议和指示,应当及时采纳,改进自己的工作。

第二百六十一条　承揽人完成工作的,应当向定作人交付工作成果,并提交必要的技术资料和有关质量证明。定作人应当验收该工作成果。

【释义】 本条是关于工作成果交付的规定。完成承揽工作并交付工作成果,是承揽人的一项义务;定作人在交付时,应当验收该工作成果,这是定作人的权利也是定作人的义务。

在承揽合同中,承揽人一般有两个主要义务,即按照定作人的要求完成一定工作,并且在工作完成时将工作成果交付给定作人。工作成果的所有权,属于定作人的,事实上往往在工作完成时,承揽人对工作成果存在占有关系,只有将工作成果转移于定作人占有,才能保证定作人对工作成果行使所有权,实现定作人订立承揽合同的经济目的。

交付工作成果包括两方面内容:一是将工作成果交给定作人;二是向定作人提交必要的技术资料和有关质量证明。承揽人按照合同约定的时间完成工作后,应当按照合同约定的时间、地点和方式将工作成果交给定作人占有。合同约定由定作人自提的,承揽人应当在工作完成后,通知定作人提货,在工作完成的地点或者定作人指定的地点,将工作成果交给定作人占有,承揽人完成工作的地点或者定作人指定的地点为交付地点,承揽人通知定作人提货的日期为交付日期,但承揽人在发出提取工作成果的通知中,应当给定作人留下必要的准备时间和在途时间。合同约定由承揽人送交的,承揽人在工作完成后,自备运输工具,将工作成果送到定作人指定的地点并通知定作人验收。定作人指定的地点为交付地点,定作人实际接受的日期为交付日期。约定由运输部门或者邮政部门代为运送的,承揽人应当在工作完成后,将工作成果交到运输部门或者邮政部门,办理运输手续。运输部门或者邮政部门收货的地点为交付地点,运输部门或者邮政部门接受工作成果的日期为交付日期。如果合同中未约定交付的时间、地点和方式的,承揽人可以与定作人协议补充;不能达成补充协议的,承揽人按照合同有关条款或者交易习惯交付。按照合同有关条款或者交易习惯仍不能确定交付时间、地点、方式的,承揽人应当在工作完成时,通知定作人取货。承揽人通知取货的地点为交付地点,承揽人确定的合理取货时间为交付时间。根据承揽合同性质,承揽工作无须特别交付的,例如粉刷一面墙,承揽人完成工作即为交付,完成工作的时间为交付时间。如果承揽人履行交付义务时,定作人迟延验收的、定作人下落不明的或者定作人死亡或者丧失行为能力而未确定继承人或者监护人时,承揽人可以依法将工作成果提存,定作人未支付报酬、材料费等费用的,承揽人可以留置该工作成果。

工作成果附有所有权凭证的,承揽人应当在交付工作成果时,一同交付所有权凭证。根据本条规定,为了便于定作人的验收和检验,承揽人在交付工作成果的同时,还应当提交必要的技术资料和有关质量证明。技术资料主要包括使用说明书,结构图纸、有关技术数据。质量证明包括有关部门出具的质量合格证书以及其他能够证明工作成果质量的数据、鉴定证明等。承揽人在交付工作成果、必要的技术资料和质量证明外,还应当交付工作成果的附从物,如工作成果必备的备件、配件、特殊的维护工具等。如果定作人提供的材料尚有剩余,承揽人也应当退还定作人。

承揽人交付工作成果的,定作人应当积极配合,由承揽人运送工作成果的,为承揽人的交付创造条件,提供方便。需要定作人自提的,定作人应当按照合同的约定和承揽人的通知,及时提取工作成果。根据工作性质无须承揽人实际交付的,定作人应当对承揽人完成的工作作出承认。定作人无正当理由拒绝接收工作成果的,承揽人可以催告定作人接收工作成果并进行验收。定作人超过合理期限受领工作成果的,承揽人可以按照本法的规定提存或者留置工作成果,并有权要求定作人支付未付的报酬、材料费以及保管费等费用,并可以要求其承担违约责任。定作人拒绝受领后,应当承担工作成果的毁损、灭失的风险。

定作人在接收承揽人交付,也就是在定作人实际收到工作成果时,应当对工作成果及时进行验收。验收的目的主要是检验工作成果的质量、数量是否符合合同约定或者定作人的要求。验收往往是双方当事人进行结算、定作人支付报酬等费用的前提条件,因此,根据公平和诚实信用原则,定作人在接到工作成果时,应当及时进行验收。验收一般包括三个步骤:一是确认交付时间和地点;二是查点工作成果的数量;三是查验工作成果的质量以及有关技术资料和质量证明。经验收,定作人认为承揽人交付的工作成果合格的,定作人应当接受工作成果,并按照合同的约定或者交易习惯支付报酬以及其他应付费用。如果经检验,工作成果有质量问题或者数量短缺的,定作人应当取得有关部门出具的证明。经检验,工作成果有严重的质量缺陷的,定作人可以拒收并通知承揽人。定作人在检验中发现定作物的数量或者质量不符合要求的,应当在合同约定的期限内通知承揽人,未有约定或者约定不明确的,定作人在发现数量或者质量不符合要求时,应当在合理期间内通知承揽人。在验收时,如果双方当事人对工作成果的质量或者数量等发生争议,可由国家法定的检验机构进行鉴定。定作人未及时检验,或者在检验发现问题后怠于通知,或者在收到工作成果之日起两年内未通知承揽人的,视为工作成果的数量或者质量符合要求。

第二百六十二条　承揽人交付的工作成果不符合质量要求的,定作人可以要求承揽人承担修理、重作、减少报酬、赔偿损失等违约责任。

【释义】 本条是关于承揽人因工作成果质量不符合约定所承担违约责任的规定。

承揽合同中,承揽人的主要义务之一就是遵守合同约定和定作人的要求,按质按量地完成工作成果,也就是说,承揽人应当保证其完成的工作成果符合合同约定,在质量上要达到合同约定的标准。承揽人所交付的工作成果不符合质量标准的,承揽人应当对工作成果负瑕疵担保责任,定作人有权要求承揽人承担违约责任。

根据本条规定以及本章的有关规定,承揽人承担瑕疵担保责任,应具备两个条件:

一是承揽人交付的工作成果不符合质量要求。承揽合同中当事人约定了质量标准和要求的,承揽人交付的工作成果质量不符合该约定的,即可认定工作成果不符合质量要求。如果当事人未约定质量标准或者约定不明确的，则工作成果应当符合根据合同条款或者交易习惯所确定的质量标准，不符合的，则可认定工作成果不符合质量要求。如果合同条款或者交易习惯难以确定质量标准的，工作成果应当具备其通常使用效用，如果不具备，则可认定工作成果不符合质量要求。

工作成果不符合质量要求的原因可以有多方面，如承揽人偷工减料，以次充好，不按照合同约定的技术要求、技术条件、图纸进行工作，违反国家法律规定的技术工作规程进行工作等。也可能是材料瑕疵的原因，如由承揽人提供材料的情况下，承揽人故意隐瞒瑕疵；定作人提供的材料不符合约定的情况下，承揽人未检验或者检验后未通知定作人调换。也可能是定作人提供的图纸、技术要求不合理，承揽人发现后，未通知定作人更改。由于承揽合同中，按照约定完成工作并交付工作成果是承揽人的法定义务，承揽人也就有义务为工作成果的品质负责，保证工作成果的质量符合要求，否则承揽人就应当承担违约责任。

二是定作人在合理的期限内提出质量异议。承揽人交付工作成果后，定作人应当及时进行验收，检验工作成果是否符合质量要求。经验收发现工作成果不符合约定的，定作人应当在约定的期限内通知承揽人。如果当事人未约定异议期限的，定作人应当在收到工作成果后的合理期间内将工作成果不符合质量要求的情况及时通知承揽人。定作人未及时检验，或者在检验发现问题后怠于通知，或者在收到工作成果之日起两年内未通知承揽人的，视为工作成果的数量或者质量符合要求，即使事实上工作成果不符合质量要求，承揽人也不承担违约责任。

承揽人提供的工作成果不符合质量要求，定作人在合理期限内提出质量异议的，定作人则有权要求承揽人承担违约责任。违约责任主要包括：(1)修理。工作成果有轻微瑕疵的，定作人可以要求承揽人进行修整、修补，使工作成果符合质量标准。因修理造成工作成果迟延交付的，承揽人仍应承担逾期交付的违约责任。(2)重作。工作成果有严重瑕疵的，定作人可以拒收，要求承揽人返工重新制作或者调换。因重作造成工作成果迟延交付的，承揽人仍应承担逾期交付的违约责任。(3)减少报酬。工作成果有瑕疵，而定作人同意利用的，可以按质论价，相应地减少所应付的报酬。(4)赔偿损失。由于工作成果不符合质量标准，给定作人造成人身伤害或者财产损害的，定作人有权要求承揽人赔偿因此造成的损失。除上述四个主要违约责任外，定作人可以根据合同约定要求承揽人承担其他的违约责任。如合同中约定的违约金，承揽人应当支付违约金。承揽人按约向定作人支付定金的，工作成果不符合质量标准的，定作人有权不返还定金。定作人向承揽人支付定金的，工作成果不符合质量标准的，定作人有权要求承揽人双倍返还所付的定金。

第二百六十三条　定作人应当按照约定的期限支付报酬。对支付报酬的期限没有约定或者约定不明确，依照本法第六十一条的规定仍不能确定的，定作人应当在承揽人交付工作成果时支付；工作成果部分交付的，定作人应当相应支付。

【释义】　本条是关于定作人支付报酬期限的规定。

这里的“报酬”是指定作人获得承揽人技术、劳务所应当付出的代价。报酬一般指金钱。向承揽人支付报酬是定作人最基本的义务。定作人支付报酬的前提是承揽人交付的工作成果符合合同约定的质量和数量，不符合质量、数量要求的，定作人可以不支付报酬或者相应减少报酬。定作人应当按照合同约定的期限，以合同约定的币种、数额，向承揽人支付报酬。

如果承揽合同对支付报酬的期限没有约定或者约定不明确

的，依照本法第六十一条的规定，当事人可以协议补充约定报酬支付期限，定作人按照补充约定的期限向承揽人支付报酬。当事人不能达成补充协议的，定作人按照合同有关条款或者交易习惯确定的支付期限，向承揽人支付报酬。

如果合同对报酬支付期限未约定，根据本法第六十一条仍不能确定的，定作人应当在承揽人交付工作成果的同时支付，也就是承揽人将其完成的工作成果交给定作人占有的时间，为定作人支付报酬的时间。合同约定由定作人自提的，承揽人应当在工作完成后，通知定作人提货，在工作完成的地点或者定作人指定的地点，将工作成果交给定作人占有，承揽人通知定作人提货的日期为交付日期，定作人应当在该日期支付报酬。合同约定由承揽人送交的，承揽人在工作完成后，自备运输工具，将工作成果送到定作人指定的地点并通知定作人验收。定作人实际接受的日期为交付日期，定作人在接受工作成果时支付报酬。约定由运输部门或者邮政部门代为运送的，承揽人应当在工作完成后，将工作成果交到运输部门或者邮政部门，办理运输手续。运输部门或者邮政部门接受工作成果的日期为交付日期。承揽人将运输部门或者邮政部门收运的日期通知定作人，定作人在收到该通知时，支付报酬。如果合同中未约定交付内容的，承揽人可以与定作人协议补充；不能达成补充协议的，承揽人按照合同有关条款或者交易习惯交付。按照合同有关条款或者交易习惯仍不能确定交付时间的，承揽人应当在工作完成时，通知定作人取货。承揽人确定的合理取货时间为交付时间，定作人则应当在收到取货通知时支付报酬。根据承揽合同性质，承揽工作无须特别交付的，例如粉刷一面墙，承揽人完成工作即为交付，完成工作的时间为交付时间，定作人在承揽人完成工作时，支付报酬。

如果工作成果部分交付的,定作人验收该部分工作成果,并根据已交付部分的工作,向承揽人支付报酬。如甲与乙约定,由乙为甲制作三套沙发,总价 900 元。乙每完成一套沙发,就交付一套。甲每验收一套,则应当向承揽人支付 300 元。

如果承揽人提供材料的,定作人应当向承揽人支付材料费。定作人支付材料费,也适用本条的规定。

定作人支付报酬以及材料费等费用时,承揽人下落不明、承揽人死亡或者丧失行为能力而未确定继承人或者监护人的,定作人可以将报酬等价款提存。

第二百六十四条　定作人未向承揽人支付报酬或者材料费等价款的,承揽人对完成的工作成果享有留置权,但当事人另有约定的除外。

【释义】 本条是关于承揽人留置权的规定。

定作人应当按照约定支付报酬是定作人的基本义务。如果由承揽人提供材料完成工作成果的,定作人应当向承揽人支付材料费。承揽人为完成工作而垫付的其他费用,定作人也应当偿还。如果定作人无正当理由不履行支付报酬等价款等义务的,承揽人有权对完成的工作成果享有留置权。

所谓的留置权是指债权人对按照合同约定占有债务人的财产,在债务人不按照合同约定的期限履行债务时,留置该财产以实现债权的权利。留置权具有以下几个特征:第一,留置权以担保债权实现为目的;第二,留置权人有权从留置的债务人的财产的价值中优先受偿;第三,留置权是一种法定担保方式,它依法律规定而发生,而以非当事人之间的协议成立。为了保障承揽人收取报酬等权利,许多国家在立法中赋予承揽人对工作的成果享有留置权。如德国民法典第 647 条规定,承揽人因其制造或修缮占有定作人动产时,就其承揽关系所产生的债权对于制造或修缮已毕的动产上享有留置权。我国担保法第八十四条规定,因保管合同、运输合同、加工承揽合同发生的债权,债务人不履行债务有,债权人有留置权。根据有关我国法律并借鉴国外的立法例,本条也作了同样规定。

根据本条规定,承揽人对完成的工作成果享有留置权。付款期限届满时,定作人未向承揽人支付报酬或者材料等价款的,承揽人有权留置工作成果,并通知定作人在不少于两个月的期限内支付报酬以及其他应付价款,定作人逾期仍不履行的,承揽人可以与债务人协议将留置的工作成果折价,也可以依法拍卖、变卖该工作成果,以所得价款优先受偿。受偿的范围包括定作人未付的报酬及利息、承揽人提供材料的费用、工作成果的保管费、合同中约定的违约金以及承揽人的其他损失,等等。工作成果折价或者拍卖、变卖后,其价款超过定作人应付款额的,归定作人所有,不足部分由定作人清偿。

根据本法以及我国其他法律的有关规定,承揽人行使留置权应当符合以下两个前提条件:

1. 定作人无正当理由不履行支付报酬、材料费等费用。支付报酬是定作人的基本义务。由承揽人提供材料的,定作人在支付报酬外还应当向承揽人支付材料费。虽然承揽人享有工作成果的留置权,但只有在支付期限届满时,定作人仍未支付报酬、材料费等费用的,承揽人才能留置工作成果。承揽合同约定支付期限的,定作人应当在合同约定的期限内向承揽人支付报酬以及材料费等其他费用。合同未约定支付期限的,如果承揽合同对支付报酬的期限没有约定或者约定不明确的,当事人可以协议补充约定报酬支付期限,定作人按照补充约定的期限向承揽人支付报酬。当事人不能达成补充协议的,定作人按照合同有关条款或者交易习惯确定的支付期限，向承揽人支付报酬。如果合同对报酬支付期限未约定，按照合同有关条款或者交易习惯仍不能确定的，定作人应当在承揽人交付工作成果的同时支付，也就是承揽人将其完成的工作成果交给定作人占有的时间，为定作人支付报酬的时间。根据承揽合同性质，承揽工作无须特别交付的，例如粉刷一面墙，承揽人完成工作即为交付，完成工作的时间为交付时间，定作人在承揽人完成工作时，支付报酬。在上述期限内，定作人未履行支付报酬、材料费等费用的，承揽人可以留置该工作成果。

2. 承揽人合法占有本承揽合同的工作成果。根据担保法第八十二条规定，留置的财产是债权人按照合同约定占有债务人的动产，因此，承揽人留置的工作成果应当是根据本承揽合同而合法占有的定作人的动产。如果承揽人已经将工作成果交付给定作人，也就是说，该工作成果已由定作人占有，承揽人就无法实现留置权。如果工作成果不是动产如已粉刷的墙壁，承揽人也无法实现留置权。如果定作人同承揽人订有数个承揽合同，定作人未支付其中一个合同的报酬的，承揽人只能留置定作人未付报酬的那个合同的工作成果。如甲与乙服装店约定，由乙服装店为甲制作一套西装，之后甲又与乙约定，由乙再为甲制作一件风衣。如果甲支付了制作风衣的报酬而未支付乙制作西装的报酬的，乙只能留置该西装而不能留置风衣。如果乙已经将西装交付给甲的，乙只能要求甲支付报酬而不能留置风衣。如果承揽人占有定作人的其他财产，当定作人无正当理由不支付报酬、材料费等费用的，承揽人不能留置该其他财产。如甲配件厂租用乙公司的汽车，乙和甲约定，由甲为乙加工一批汽车配件。如果乙未按照约定支付甲加工配件的报酬，甲只能留置汽车配件而不能留置汽车。

根据当事人的意思自治，如果当事人约定承揽人不能留置工作成果的，承揽人不得留置工作成果，在工作完成时，承揽人应当按照约定向定作人交付工作成果。如果定作人未能按照约定支付报酬或者材料费的，承揽人只能要求定作人支付报酬或者材料费以及承担约定的违约责任。

第二百六十五条　承揽人应当妥善保管定作人提供的材料以及完成的工作成果，因保管不善造成毁损、灭失的，应当承担损害赔偿责任。

【释义】　本条是关于承揽人对材料和工作成果的保管责任的规定。

承揽合同约定由定作人提供材料的，定作人应当按照约定的质量和数量提供。定作人按约提供材料后，该材料处在承揽人的占有之下，因此承揽人有义务妥善保管定作人提供的材料，保持材料的质量状态，防止材料非正常损耗，从而保证工作成果的质量。

所谓的妥善保管，是指承揽人在没有特别约定的情况下，按照本行业的一般要求，根据物品的性质选择合理的场地、采用适当的保管方式，防止物品毁损和灭失。承揽人可以自己保管材料，也可以将材料交给第三人保管。承揽人将材料交给第三人保管的，不得给定作人增加不合理的费用。由于承揽人未尽保管义务，致使材料的毁损、灭失的，承揽人应当承担赔偿责任，自负费用补齐、更换与定作人提供材料同质同量的材料，因此造成定作人损失的，应当赔偿损失；造成迟延交付的，应当承担违约责任。如果材料是不可替代物的，由于承揽人的原因致使材料毁损、灭失的，承揽人应当赔偿定作人材料损失，并承担违约责任。材料交给第三人保管的，承揽人对第三人的保管行为向定作人负责。材料因自身性质产生的自然损耗的，承揽人如果已尽妥善保管责任的，承揽人不承担损害赔偿责任。由于定作人隐瞒材料瑕疵的，承揽人在尽妥善保管义务的前提下，对材料的毁损、灭失以及因材料产生的工作成果瑕疵不承担责任。材料因为不可抗力而发生毁损、灭失的，承揽人已尽妥善保管责任的，承揽人不承担损害赔偿责任。

承揽人的主要义务是完成并交付工作成果，在交付前，工作成果是在承揽人占有之下的，承揽人应当妥善保管工作成果，保证工作成果如期交付。工作成果须实际交付的，交付前，承揽人应当妥善保管工作成果。如果承揽人未尽妥善保管义务，造成工作成果毁损、灭失的，承揽人应当自负费用准备材料，重新完成工作并交付工作成果。因重作而迟延交付的，承揽人应当承担迟延履行的违约责任并赔偿因此给定作人造成的损失。如果工作完成后，承揽人按照约定交付工作成果而定作人迟延受领的，定作人承担迟延受领期间工作成果的风险，即在承揽人交付至定作人实际受领期间，工作成果发生毁损、灭失的，定作人仍有义务按照约定向承揽人支付报酬及其他费用。

第二百六十六条　承揽人应当按照定作人的要求保守秘密，未经定作人许可，不得留存复制品或者技术资料。

【释义】　本条是关于承揽人保密的规定。

根据本条的规定，承揽人有保密的义务。承揽人的保密义务体现在，承揽人在订立合同过程中知悉定作人商业秘密的，定作人要求保密的，承揽人应当保密，不得泄露或者不正当地使用。如果承揽合同成立后，定作人要求承揽人对承揽工作保密的，承揽人应当在进行承揽工作中保守秘密；在工作完成后，应当将涉密的图纸、技术资料等一并返还定作人，未经定作人的许可，承揽人不得留存复制品或者技术资料。本条的规定主要侧重于在承揽合同成立后，承揽人在工作中以及工作完成后的保密义务。

承揽合同中成立后，承揽人的主要义务就是按照定作人的要求完成工作。定作人可以要求承揽人对承揽的工作保密。定作人保密的要求可以通过合同中约定，也可以在合同履行期间，要求承揽人保守秘密。定作人应当明确承揽人保密的内容、期限。保密的内容包括技术秘密也包括商业秘密，如具有创造性的图纸、技术数据，或者是专利技术的工作成果，也包括其他定作人不愿他人知晓的信息，如定作人的名称、工作成果的名称。保密的期限不限于承揽合同履行期间，在承揽合同终止后的一段期间内，承揽人仍应当保守有关秘密。

承揽人在工作中，应当妥善保管有关图纸和技术资料及其他应保密的信息，不得将秘密泄露给他人，也不得不正当的利用保密信息，如承揽人在履行合同中知悉技术秘密的，承揽人不得擅自将该技术秘密以自己的名义申请专利。定作人提供图纸、技术资料、样品的情况下，承揽人未经定作人许可不得擅自复制工作成果。如定作人与承揽人订立加工承揽合同，要求承揽人根据图纸加工出一台定作人设计的新型汽车发动机的样机，承揽人就不得根据图纸多加工几台以便供研究或者投放市场。非经定作人许可不得保留技术资料和复制品。承揽工作完成后，承揽人在交付工作成果的同时，也应当把定作人提供的图纸、技术资料返还定作人。如果承揽人根据定作人的要求，在工作中自己制作出的图纸、技术资料、模具等，是否可以留存，有约定，按照约定，无约定，则视情况而定。如定作人要求承揽人生产某一型号车床，该车床型号公开的，并且属于承揽人产品系列，这种情况下，承揽合同类似于买卖，承揽人可以留存该车床的生产技术资料而不必承担保密义务。如果定作人要求承揽人生产一特大车床，该车床以前没有生产过，承揽人根据定作人提出的要求设计、生产，其费用由定作人负责的，承揽人就应当在完成工作后，将图纸及有关技术资料交给定作人，并不得留存复制品。

承揽人未尽保密义务，泄露秘密，给定作人造成损失的，承揽人承担损害赔偿责任。如果定作人已经公开秘密，承揽人可以不再承担保密义务，但不能不正当地利用已公开的秘密。如定作人将其工作成果申请专利的，承揽人不得未经定作人许可，擅自生产与工作成果同样的产品。

第二百六十七条　共同承揽人对定作人承担连带责任，但当事人另有约定的除外。

【释义】　本条是关于共同承揽人责任的规定。

共同承揽是指由两个或者两个以上的人共同完成承揽工作的合同。共同完成承揽工作的人称共同承揽人。共同承揽可以由共同承揽人与定作人共同订立承揽合同，也可以根据承揽人的约定由其中一个承揽人代表所有共同承揽人与定作人订立承揽合同。根据共同承揽的性质，本条规定共同承揽人对定作人承担连带责任。共同承揽人应当按照约定完成工作，将工作成果交付给定作人。每一个共同承揽人都应当对承揽的全部工作向定作人负责。如果交付的工作成果不符合要求，定作人可以要求共同承揽中的任何一个承揽人承担违约责任，任何一个共同承揽人都应当无条件承担违约责任。承担责任的共同承揽人，可以向其他共同承揽人追偿超出其实际应承担的责任份额，也就是说，任何一个共同承揽人向承担责任后，共同承揽人再根据约定或者过错大小承担相应责任。例如，甲乙二人共同与丙订立一个大型船舶建造合同，约定由甲、乙共同完成，两年后交货,并约定迟延交付的,每天向定作人交纳违约金一千美元。如果由于甲的工作迟延致使交付比约定晚了三十天,丙可以要求甲或乙承担迟延交付的违约责任,如果丙要求乙支付三万美元违约金的,乙应当向丙如数支付,支付后再向甲追偿。共同承揽人对定作人承担连带责任,也可以理解为共同承揽人也享有连带权利,任何一个共同承揽人都可以根据法律规定或者合同约定向定作人主张权利,再根据约定或者工作比例分享。例如甲与乙共同承揽制作一部大型车床,如果定作人未按照约定支付报酬和材料费,甲或乙都有权留置该车床,以折价或者变卖、拍卖获取价款,取得价款后,再根据约定或者各自工作份额优先受偿。

本条从尊重当事人意思自治出发,规定了当事人可以约定共同承揽的责任承担。如定作人与共同承揽人约定,共同承揽人各自承担责任;也可以约定,指定其中一个承揽人承担合同责任。有当事人约定,共同承揽人根据约定向定作人承担责任。无约定或者约定不明确的,共同承揽人承担连带责任。

共同承揽与转承揽不同,转承揽是承揽人将自己承揽的部分工作交由第三人完成。虽然共同承揽与转承揽都是由多个人完成的工作,但共同承揽人都是承揽合同的当事人,就是说参与工作的都是承揽人,都是合同当事人,而转承揽中的第三人虽然参与完成工作,但不是承揽合同的当事人,只是转承揽合同中的当事人。共同承揽人对定作人承担连带责任,即每一个共同承揽人都对全部工作向定作人负责,定作人可以要求任何一个参与工作的人承担合同责任。转承揽中,参与完成工作的第三人向承揽人负责,承揽人向定作人承担全部工作责任。当工作成果不符合约定时,即使是第三人工作造成的,承揽人也要向定作人承担违约责任。

第二百六十八条　定作人可以随时解除承揽合同，造成承揽人损失的，应当赔偿损失。

【释义】　本条是关于定作人解除权的规定。

根据本条的规定，定作人可以随时解除合同。解除合同是指在合同成立后，因当事人一方或者双方的意思表示而使合同关系消灭的行为。根据本法总则第六章的规定，双方当事人可以协商解除合同，当事人一方解除合同的，只限于两种情况：一是在发生不可抗力致使合同目的无法实现。二是对方当事人严重违约，包括在履行期限届满之前，对方当事人明确表示或者以自己行为表明不履行其主要债务；对方当事人迟延履行主要债务，经催告后在合理期限内仍未履行的；对方当事人迟延履行债务或者其他违约行为致使严重影响订立合同所期望的经济利益的。除这些法定解除权外，当事人擅自解除合同的，应当承担违约责任。但在承揽合同中，定作人除了享有本法总则规定的解除权外，他可以享有随时解除合同的权利，这是承揽合同的一大特点，也是由于承揽合同性质所决定的。承揽合同是定作人为了满足其特殊需求而订立的，承揽人根据定作人的指示进行工作，如果定作人于合同成立后由于各种原因不再需要承揽人完成工作，则应当允许定作人解除合同。定作人解除合同的前提是赔偿承揽人的损失。这样处理，既可以避免给定作人造成更大的浪费，也不会给承揽人造成不利。许多国家的民法中都赋予了定作人随时解除合同的权利。如日本民法典第 641 条规定，在承揽人未完成工作时期，定作人，无论何时都得赔偿损害而解除契约。德国民法典第 649 条也规定，承揽人未完成工作前，定作人得随时告知解除契约。本条根据承揽合同的特点，参照国外有关立法例，也作了同样的规定，赋予定作人随时解除合同的权利。根据本条和本法有关规定，定作人行使随时解除权

的,应当符合以下要求:

1. 定作人应当在合同有效期内提出解除合同。虽然本条规定定作人可以随时解除合同,但“随时”实际是指合同成立生效后,合同履行完毕前的任何时间。根据解除的含义,解除是当事人在合同效力存续期间,提前终止合同效力的行为。如果承揽人已交付工作成果,定作人已支付报酬等费用,合同已终止,定作人此时如果不需要工作成果的,不能提出解除合同。

2. 定作人根据本条解除合同的,应当通知承揽人。解除通知到达承揽人时,解除生效,合同终止,承揽人可以不再进行承揽工作。

3. 定作人根据本条解除承揽合同造成承揽人损失的,应当赔偿损失。这些损失主要包括承揽人已完成的工作部分所应当获得的报酬、承揽人为完成这部分工作所支出的材料费以及承揽人因合同解除而受到的其他损失。

合同解除后,承揽人应当将已完成的部分工作交付定作人。定作人提供材料的,如有剩余,也应当返还定作人。定作人预先支付报酬的,在扣除已完成部分的报酬外,承揽人也应当将剩余价款返还定作人。

第十六章　建设工程合同

本章共十九条，对建设工程合同的订立、禁止违法分包与转包、建设工程合同的内容、竣工验收、支付价款以及发包人与承包人其他的权利义务作了规定。

第二百六十九条　建设工程合同是承包人进行工程建设，发包人支付价款的合同。

建设工程合同包括工程勘察、设计、施工合同。

【释义】　本条是关于建设工程合同定义和基本内容的规定。

建设工程合同是指承包人进行工程建设，发包人支付价款的合同。建设工程合同的客体是工程。这里的工程是指土木建筑工程和建筑业范围内的线路、管道、设备安装工程的新建、扩建、改建及大型的建筑装修装饰活动，主要包括房屋、铁路、公路、机场、港口、桥梁、矿井、水库、电站、通讯线路等。建设工程的主体是发包人和承包人。发包人，一般为建设工程的建设单位，即投资建设该项工程的单位，通常也称作“业主”。按照国家计委 1996 年 4 月发布的《关于实行建设项目法人责任制的暂行规定》，国有单位投资的经营性基本建设大中型建设项目，在建设阶段必须组建项目法人。项目法人可按公司法的规定设立有限责任公司和股份有限公司，由项目法人对项目策划、资金筹措、建设实施、生产经营、债务偿还和资产保值增值实行全过程负责。据此规定,由国有单位投资建设的经营性的工程建设,由依法设立的项目法人作为发包人。国有建设单位投资建设的非经营性的工程建设,应当由建设单位为发包人。此外建设工程实行总承包的,总承包单位经发包人同意,在法律规定的范围内对部分工程项目进行分包的,工程总承包单位即成为分包工程的发包人。建设工程的承包人,即实施建设工程的勘察、设计、施工等业务的单位,包括对建设工程实行总承包的单位和承包分包工程的单位。

本条第一款规定的建设工程合同的定义,体现了合同双方当事人即发包人和承包人的基本义务。承包人的基本义务就是按质按期地进行工程建设,包括勘察、设计和施工。发包人的基本义务就是按照约定支付价款。

本条第二款规定了建设工程合同的主要内容。一项工程一般包括勘察、设计和施工等一系列过程,因此建设工程合同通常包括工程勘察、设计、施工合同。

勘察合同,是指发包人与勘察人就完成建设工程地理、地质状况的调查研究工作而达成的协议。勘察工作是一项专业性很强的工作,所以一般应当由专门的地质工程单位完成。勘察合同就是反映并调整发包人与受托地质工程单位之间关系的依据。

设计合同实际上包括两个合同:一是初步设计合同,即在建设工程立项阶段承包人为项目决策提供可行性资料的设计而与发包人签订的合同。二是施工设计合同,是指在承包人与发包人就具体施工设计达成的协议。

施工合同主要包括建筑和安装两方面内容,这里的建筑是指对工程进行营造的行为。安装主要是指与工程有关的线路、管道、设备等设施的装配。

第二百七十条　建设工程合同应当采用书面形式。

【释义】 本条是关于建设工程合同形式的规定。

根据本条的规定,建设工程合同除双方当事人意思表示达成一致外,还应当采用书面形式明确双方的权利义务。

合同按照其订立方式可分为口头合同、书面合同以及采用其他方式订立合同。凡当事人的意思表示采用口头形式而订立的合同,称为口头合同;凡当事人的意思表示采用书面形式而订立的合同,称为书面合同。以口头形式订立合同具有简便、迅速、易行的特点,是实际生活中大量存在的合同形式,如消费者在市场购物时与商店营业员之间产生的货物买卖合同关系,就是典型的口头合同。但是口头合同由于没有必要的凭证,一旦发生合同纠纷,往往举证困难,容易产生推卸责任,相互扯皮的现象,不易分清责任。而书面形式的合同由于对当事人之间约定的权利义务都有明确的文字记载,能够提示当事人适时地正确履行合同义务,当发生合同纠纷时,也便于分清责任,正确、及时地解决纠纷。建设工程合同一般具有合同标的额大,合同内容复杂、履行期较长等特点,为慎重起见,更应当采用书面形式。为此本条特别明确规定。

根据本法规定,书面形式是指合同书、信件以及数据电文(包括电报、电传、传真、电子数据交换和电子邮件)等可以有形地表现所载内容的形式。在实践中,较大工程建设一般采用的是合同书的形式订立合同。通过合同书,当事人写明各自的名称、地址,工程的名称和工程范围,明确规定履行内容、方式、期限,违约责任以及解决争议的方法等。工程承包合同,还应当明确承包的内容以及承包方式。勘察、设计合同,还应当明确提交勘察或者设计基础资料、设计文件(包括概预算)的期限,设计的质量要求、勘察或者设计费用以及其他协作条件等内容。施工合同,还应当明确工程范围、建设工期、中间交工工程的开工和竣工时间、工程质量、工程造价、技术资料交付时间、材料和设备供应责任、拨款和结算、交工验收、质量保证期、双方互相协作等内容。当事人也可以选择有关的合同示范文本作为参照订立建设工程合同。

第二百七十一条 建设工程的招标投标活动,应当依照有关法律的规定公开、公平、公正进行。

【释义】 本条是关于工程招标投标的要求的规定。

招标投标是市场经济条件下进行大宗货物买卖或者建设工程发包与承包时通常采用的竞争交易方式。所谓建设工程招标投标活动,是指建设工程的发包人作为招标方采用适当的方式,发布拟建工程的有关信息,如工程的内容和主要的技术条件,对承包人的资质要求等,但不标明工程的造价,通过这些行为表明发包人将选择符合条件的承包人与之订立建设工程合同的意向,由各有意承包该工程项目的承包人作为投标方向招标方提出自己的工程报价和其他承包条件,参加投标竞争,经招标方对各投标方的报价和其他条件进行审查比较后,从中择优选定中标者,并与之签订建设工程合同的活动。

采用招标投标方式进行建设工程的发包与承包,其最显著的特征是将竞争机制引入建设工程的发包与承包活动之中,与计划经济条件下通过行政手段向建筑企业分配建设任务,或者与采用"一对一"谈判的办法进行的建设工程的发包与承包相比,具有明显的优越性,这主要表现在以下两点:第一,招标方通过对各投标竞争者的报价和其他条件进行综合比较,从中选择报价低、技术力量强、质量保障体系可靠、具有良好信誉的承包人作为中标者,与之签订建设工程合同,这显然有利于保证工程质量、缩短工期、降低工程造价、提高投资效益;第二,招标投标活动要求依照法定程序公开进行,有利于堵住建设工程发包与承包活动中行贿受贿等腐败和不正当竞争行为的“黑洞”。正因为招标投标具有明显的优越性,符合市场竞争的要求,也就成为我国建设工程发包与承包活动中应当大力推广的主要方式,尤其是对于使用国有资金建设的工程项目。因此,在建筑法中就明确规定了建筑工程应当依法实行招标发包,对不适于招标发包的才可以直接发包。因此根据建筑法和其他法律、行政法规的规定,工程建设需要采取招标投标的方式订立合同的,当事人必须采用招标投标方式。法律没有规定的,发包人也可以采取招标投标方式进行发包。

建设工程实行公开招标的,一般包括以下几个主要过程:

1. 发标。发标是指发包人作为招标方依照法定程序和方式,发布招标公告,提供载有招标工程的主要技术要求、主要合同条款、评标的标准和方法以及开标、评标、定标的程序等内容的招标文件。

2. 开标。招标方在投标截止日期届满后,在规定的时间内,将收到的投标书启封打开,查阅其内容,以便对各标书载明的承包条件进行评审活动。开标应当在招标文件规定的时间、地点公开进行,通常采取召开开标会的形式,所有参加投标的承包人都有资格参加开标会,对开标过程进行监督。招标方应当在开标会上当众查验各标书的密封情况,逐一开启标书,公开唱标,宣读各标书中载明的投标人名称、投标价格和其他主要内容,并对唱标做好记录以备查验。开标后,任何人不得再更改标书的报价的其他内容。

3. 评标。评标是指在开标后,招标方应当按照招标文件规定的评标标准和程序对标书进行评价、比较,在具备相应资质条件的投标者中,择优选定中标者。评标应当按照招标文件规定的标准和程序对标书进行客观、公正的评价、比较,任何人不得更改或违反规定的评标标准和程序。实际中通常由招标方组织由项目法人、主要投资方、招标代理机构的代表以及有关技术、经济、法律方面等专家组成一个评标机构,对各投标人的标书的有效性、标书所提供的技术方案的科学性、合理性、可行性,技术力量的状况和质量保证措施的有效性等作出技术评审,对工程报价及各项费用构成的合理性作出经济评审,在此基础上作出评标报告,提出几名推荐中标人的名单,供发包人从中选择。

4. 定标。定标又称决标,是指发包人从投标者中最终选定中标者作为工程承包人的活动。定标必须遵守平等竞争、择优选定的原则,按照规定的程序,从评标机构推荐的中标候选人中择优选定中标人,并与之订立建设工程合同。在国际上通行的作法是,在技术、资信等其他条件相当的情况下,应当以报价最低的投标人作为中标人。

根据本条的规定,建设工程的招标投标应当按照公开、公平和公正的原则进行。所谓的公开,是指进行招标投标活动的有关信息要公开,招标方应当通过新闻媒体上刊发广告或者以其他适当形式,发布建设工程招标信息,并在公开提供的招标文件中,载明招标工程的主要技术要求以及投标人的资格要求等内容,使所有符合条件的承包商都能有机会参与投标竞争。同时,招标投标的程序要公开,包括领取招标文件的时间、地点,投标的截止日期,开标的时间、地点以及评标与定标的标准、方法等,都应当公开透明,以便各方面监督,不允许进行“暗箱操作”。所谓的公平,就是指招标方平等地对待每一份投标,投标方也要以正当手段进行竞争,不得向投标方及其工作人员行贿、提供回扣等不正当竞争行为，以保证竞争的平等。所谓的公正，是指招标方在招标过程中要严格按照公开的招标文件和程序办事，严格按照既定的评标标准和定标，公平地对待每一个投标者，不得厚此薄彼、亲亲疏疏。

第二百七十二条　发包人可以与总承包人订立建设工程合同，也可以分别与勘察人、设计人、施工人订立勘察、设计、施工承包合同。发包人不得将应当由一个承包人完成的建设工程肢解成若干部分发包给几个承包人。

总承包人或者勘察、设计、施工承包人经发包人同意，可以将自己承包的部分工作交由第三人完成。第三人就其完成的工作成果与总承包人或者勘察、设计、施工承包人向发包人承担连带责任。承包人不得将其承包的全部建设工程转包给第三人或者将其承包的全部建设工程肢解以后以分包的名义分别转包给第三人。

禁止承包人将工程分包给不具备相应资质条件的单位。禁止分包单位将其承包的工程再分包。建设工程主体结构的施工必须由承包人自行完成。

【释义】　本条是关于建设工程合同发包、承包和分包的规定。

建设工程合同可以根据承包人承包的工作内容，可以分为直接承包和分包两大类。直接承包是指发包人直接将工程承包给承包人，包括工程总承包和单项工程承包两种方式。分包是指总承包人、勘察、设计、施工承包人经发包人同意，可以将自己承包的部分工作交由第三人完成。

建设工程的总承包，又称为“交钥匙承包”，是指建设工程任务的总承包，即发包人将建设工程的勘察、设计、施工等工程建设的全部任务一并发包给一个具备相应的总承包资质条件的承包人,由该承包人负责工程的全部建设工作,直至工程竣工,向发包人交付经验收合格符合发包人要求的建设工程的发承包方式。工程总承包是国内外建设活动中多有使用的发承包方式,它有利于充分发挥那些在工程建设方面具有较强的技术力量、丰富的经验和组织管理能力的大承包商的专业优势,综合协调工程建设中的各种关系,强化对工程建设的统一指挥和组织管理,保证工程质量和进度,提高投资效益。在建设工程的发承包中采用总承包方式,对那些缺乏工程建设方面的专门技术力量,难以对建设项目实施具体的组织管理的建设单位来说,更具有明显的优越性,也符合社会化大生产专业分工的要求。为此应当提倡对建设工程实行总承包,发包人可以将全部工程发包给一个总承包人完成,由该承包人对工程建设的全过程向发包人负责。与总承包方式相对应的,是单项任务的承包,即发包人将建设工程中的勘察、设计、施工等不同工作任务,分别发包给勘察人、设计人、施工人,与其签订相应的承包合同。这种发包方式有利于吸引较多的承包商参与各项工程建设业务的投标竞争,使发包人有更大的选择余地;也有利于发包人对建设工程的各环节、各阶段实施直接的监督管理,这对于那些具有建设活动方面的专业技术人才,对工程建设有较强的组织管理能力的承包商来说是有利的。

建设工程的发包是采取总承包方式还是单项工程承包方式,可以由发包人根据实际情况自行确定。但是不论发包人采取何种方式与承包人签订合同,都应当遵守本条的规定,不得将建设工程肢解发包,即不得将应当由一个承包人完成的建设工程肢解成若干部分发包给几个承包人。这是针对目前我国建设市场中多有发生且危害较大的将工程肢解发包的实际情况所作出的规定。一些发包单位将按其性质和技术联系应当由一个承包单位整体承包的工程,肢解成若干部分,分别发包给几个承包单位,使得整个工程建设在管理和技术上缺乏应有的统筹协调,往往造成施工现场秩序的混乱、责任不清,严重影响工程建设质量,出了问题也很难找到责任者。而且从实际情况看,肢解发包往往与发包单位的工作人员徇私舞弊、利用肢解发包多拿回扣等违法行为有关。因此,本条第一款中明确规定:"发包人不得将应当由一个承包人完成的建设工程肢解成若干部分发包给几个承包人。"至于如何确定是否应当由一个承包人完成的建设工程,需要由国务院有关主管部门根据实际情况作出具体规定。如对一幢房屋的供水管线,发包人就不应将其分成若干部分发包给几个承包单位。如果对一幢房屋中的供水管线和空调设备的安装,尽管都属于同一建筑的设备安装,但因各有较强的专业性,发包人可以将其分别发包给不同的承包人。

所谓建设工程的分包,是指工程总承包人、勘察承包人、设计承包人、施工承包人承包建设工程后,将其承包的某一部分工程或某几部分工程,再发包给其他承包人,与其签订承包合同项下的分包合同。总承包人、勘察、设计、施工承包人在分包合同中即成为分包合同的发包人。总承包人、勘察、设计、施工承包人分包建设工程的,应当符合以下条件:(1)总承包人、勘察、设计、施工承包人只能将部分工程分包给具有相应资质条件的分包人;(2)为防止总承包人、勘察、设计、施工承包人擅自将应当由自己完成的工程分包出去或者将工程分包给发包人所不信任的第三人,分包工程的必须经过发包人的同意。

在承包与分包相结合的承包形式中,存在承包合同与分包合同两个不同的合同关系。承包合同是发包人与总承包人或者勘察人、设计人、施工人之间订立的合同,总承包人、勘察、设计、施工承包人应当就承包合同的履行向发包人承担全部的责任，即使总承包人、勘察、设计、施工承包人根据合同约定或者发包人的同意将承包合同范围内的部分建设项目分包给他人，总承包人、勘察、设计、施工承包人也得对分包的工程向发包人负责。分包合同是承包合同中的总承包人或者勘察、设计、施工承包人与分包人之间订立的合同，通常来说，分包人仅就分包合同的履行向总承包人、勘察、设计、施工承包人负责，并不直接向发包人承担责任，但为了维护发包人的利益，保证工程的质量，本条适当地加重了分包人的责任，即第三人（分包人）就其完成的工作成果与总承包人或者勘察、设计、施工承包人向发包人承担连带责任。因分包的工程出现问题，发包人既可以要求总承包人、勘察、设计、施工承包人承担责任，也可以直接要求分包人承担责任。

所谓转包，是指建设工程的承包人将其承包的建设工程倒手转让给第三人，使该第三人实际上成为该建设工程新的承包人的行为。转包与分包的根本区别在于：转包行为中，原承包人将其工程全部倒手转给他人，自己并不实际履行合同约定的义务；而在分包行为中，承包人只是将其承包工程的某一部分或几部分再分包给其他承包人，承包人仍然要就承包合同约定的全部义务的履行向发包人负责。根据本法和其他法律规定，承包人经发包人同意将其部分工程分包给他人的行为是允许的，但承包人的转包行为是禁止的。本条明确规定承包人不得将其承包的全部建设工程转包给第三人或者将其承包的全部建设工程肢解以后以分包的名义分别转包给第三人。这是因为：（1）在实践中，转包行为具有很大的危害性。一些单位将其承包的工程压价转包给他人，从中牟取不正当利益，形成“层层转包、层层扒皮”的现象，最后实际用于工程建设的费用大为减少，导致严重偷工减料；一些建设工程转包后落入不具备相应资质条件的包工队中，留下严重的工程质量隐患，甚至造成重大质量事故。(2)承包人擅自将其承包的工程项目转包，破坏了合同关系应有的稳定性和严肃性。在建设工程合同订立过程中，发包人往往经过慎重选择，确定与其所信任并具有相应资质条件的承包人订立合同，承包人将其所承包的工程转包给他人，擅自变更合同，违背了发包人的意志，损害发包人的利益，这是法律所不允许的。

禁止建设工程的转包，建筑法已有相同的规定，在国际上也是通例，不少国家都对建设工程的转包作了禁止性规定。如日本和韩国都规定，除经发包人书面同意外，建筑业从业者不得以任何形式将其承包的建筑工程一并转包给他人。因此，本条关于禁止转包的规定，即符合我国的实际情况，也与国际通行做法相一致。

为了保证工程的质量，防止某些承包单位在拿到工程项目后以分包的名义倒手转包，损害发包人的利益，破坏建设市场秩序，本条第三款规定，禁止承包人将工程分包给不具备相应资质条件的单位。禁止分包单位将其承包的工程再分包。根据本款规定，工程的分包人必须具备相应的资质条件。根据我国有关法律的规定，从事建设活动的建设勘察人、设计人和施工人必须具备以下资质条件：(1)有符合国家规定的注册资本；(2)有与其从事的建设活动相适应的具有法定执业资格的专业技术人员；(3)有从事相关建设活动所应有的技术装备；(4)法律、行政法规规定的其他条件。从事工程建设活动的勘察人、设计人和施工人，按照其拥有的注册资本、专业技术人员、技术装备和已完成的建设工程业绩等资质条件，划分为不同的资质等级，经资质审查合格，取得相应等级的资质证书后，方可在其资质等级许可的范围内从事建设活动。承包人在将工程分包时,应当审查分包人是否具备承包该部分工程建设的资质条件。承包人将工程分包给不具备相应资质条件的分包人,该分包合同无效。为避免因层层分包造成责任不清以及因中间环节过多造成实际用于工程费用减少的问题,根据本款的规定,分包人不得将其承包的工程再分包,即对工程建设项目只能实行一次分包。实行施工承包的,建设工程的主体结构必须由承包人自行完成,不得分包,即承包人承包工程全部施工任务的,该工程的主体结构必须由承包人自行完成,即使经发包人同意,也不得将主体工程的施工再分包给第三人,承包人违反本款规定,将工程主体部分的施工任务分包给第三人的,该分包合同无效。

第二百七十三条　国家重大建设工程合同,应当按照国家规定的程序和国家批准的投资计划、可行性研究报告等文件订立。

【释义】　本条是关于国家重大建设工程合同订立程序的规定。

订立任何建设工程合同都要有一定的依据。一般工程项目的确定,首先要立项,即由有关业务主管部门和建设单位提出项目建议书,经批准后进行可行性研究,编制可行性研究报告,选定工程地址。只有在可行性研究报告批准后,才能根据可行性研究报告签订勘察、设计合同。只有在勘察设计合同履行后,才能根据批准的初步设计、技术设计、施工图纸和总概算等签订施工合同。建设工程合同因涉及基本建设规划,其标的物为不动产的工程,承包人所完成的工作成果不仅具有不可移动性,而且须长期存在和发挥效用,事关国计民生,因此,国家要实行严格的监督和管理。虽然在市场经济条件下,建设工程合同确实不像以前那样全部严格按照具体的建设计划订立,但是,基本建设项目的投资渠道的多样化,并不能完全改变基本建设的计划性,国家仍然需要对基本建设项目实行计划控制,尤其是国家重大项目的建设工程合同,更应当受国家计划和管理和约束。对于承揽合同,国家一般不予以特殊的监督和管理,而对于建设工程合同,从合同签订到合同的履行,从资金的投放到最终的成果验收,都要受到国家严格的管理和监督。为了规范国家重大工程的建设,保证国家投资计划得以实现,保障质量,避免资源浪费,保证投资效益,减少投资风险,本条对国家重大建设工程合同订立提出更严格的依据,即国家重大建设工程合同,应当根据国家规定的程序和国家批准的投资计划、可行性研究报告等文件订立。

哪些建设工程属于国家重大建设工程,法律并没有具体规定,在实践中,并不是国家政府投资的项目都属于国家重大建设工程,一般列入国家重点投资计划而且投资额巨大,建设周期特别长,由中央政府全部投资或者参与投资的工程,属于国家重大建设项目,如三峡工程。有些虽然未列入国家重点投资计划,投资额不算巨大,但影响很大的工程项目,也是属于国家重大建设工程项目,如国家大剧院工程。也有些工程,虽然属于地方政府投资,但投资巨大、影响广泛的工程项目,如亚运工程建设,是主要由北京市政府投资的工程,其投资计划是经过国家批准,也属于国家重大建设工程项目。

根据本条规定,国家重大建设工程合同,应当根据国家规定的程序和国家批准的投资计划、可行性研究报告等文件订立。一般在实践中,国家重大建设工程在事先应当进行可行性研究,对工程的投资规模、建设效益进行论证分析,并编制可行性研究报告,然后到申请立项。立项批准后,再根据立项进行投资计划并报有关国家计划部门进行批准，投资计划批准后，有关建设单位根据工程的可行性研究报告和国家批准的投资计划，遵照国家规定的程序进行发包，与承包人订立建设工程合同。这里规定的国家规定的程序是指建筑法等有关法律、行政法规规定的重大工程建设项目订立的程序。国家重大建设工程合同必须实行公开招标发包，发包人应当按照法定的程序和方式，发布招标公告，提供载有招标工程的主要技术要求、主要合同条款、评标的标准和方法以及开标、评标、定标的程序等内容的招标文件。开标应当在招标文件规定的时间、地点公开进行。开标后应当按照招标文件规定的评标标准和程序对标书进行评价、比较，确定中标候选名单，中标候选单位必须具备能够建设该重大工程项目的相应资质。发包人在具有相同资质条件的投标者中，择优选择中标者。发包人应当同中标者订立建设工程承包合同。国家重大工程建设项目一般都属于国家强制监理的建设工程，因此发包人应当委托具有相应资质条件的工程监理单位对工程建设进行监理。发包人应当与其委托的工程监理单位订立书面的委托监理合同。

第二百七十四条　勘察、设计合同的内容包括提交有关基础资料和文件（包括概预算）的期限、质量要求、费用以及其他协作条件等条款。

【释义】　本条是关于勘察、设计合同主要内容的规定。

这里的勘察是指勘察人对工程的地理状况进行调查研究，包括对工程进行测量，对工程建设地址的地质、水文地质进行调查等工作。设计是指设计人对工程结构进行设计、工程价款的进行概预算。勘察、设计合同是指勘察人、设计人完成工程勘察设计任务，发包人支付勘察设计费的协议。勘察、设计合同明确了发包人与勘察、设计人之间的权利义务关系。为了规范勘察设计合同，本条规定了勘察设计合同的主要内容。

提交有关勘察或者设计基础资料和文件是发包人的义务，勘察或者设计的基础资料是指勘察人、设计人进行勘察、设计工作所依据的基础文件和情况。勘察基础资料包括可行性报告，工程需要勘察的地点、内容，勘察技术要求及附图等。设计的基础资料包括工程的选址报告等勘察资料以及原料（或者经过批准的资源报告），燃料、水、电、运输等方面的协议文件，需要经过科研取得的技术资料。为了保证勘察设计工作的顺利进行，合同中应当明确提交有关基础资料的期限。

提交勘察设计文件（包括概预算）是勘察设计人的基本义务。勘察文件一般包括对工程选址的测量数据、地质数据和水文数据等。勘察文件往往是进行工程设计的一个基础资料，勘察文件的交付能够影响设计工作的进度，因此，当事人应当在勘察合同中明确勘察文件的交付期限。设计文件的期限是指设计人完成设计工作，交付设计文件的期限。设计文件主要包括建设设计图纸及说明，材料设备清单和工程的概预算等。设计文件是工程建设的依据，工程必须按照设计文件进行施工，因此设计文件的交付期限直接影响工程建设的期限，所以当事人在设计合同中应当明确设计文件的交付期限。

这里的质量要求主要是指发包人对勘察设计工作提出的标准。勘察人和设计人应当按照确定的质量要求进行勘察、设计，按时提交符合质量要求的勘察、设计文件。勘察设计质量要求条款明确了勘察设计成果的质量，也是确定勘察人、设计人工作责任的重要依据。

这里的费用是指发包人对勘察人、设计人完成勘察、设计工作的报酬。支付勘察、设计费是发包人在勘察、设计合同中的主要义务,因此在勘察、设计费用条款中应当明确勘察、设计费用的数额或者计算方法,勘察、设计费用的支付方式、地点、期限等内容。

其他协作条件是指双方当事人为了保证勘察、设计工作顺利完成所应当履行的相互协助的义务。发包人的主要协作义务是在勘察、设计人员入场工作时,为勘察设计人员提供必要的工作条件和生活条件,以保证其正常开展工作。勘察设计人的主要协作义务是配合工程建设的施工,进行设计交底,解决施工中的有关设计问题,负责设计变更和修改预算,参加试车考核和工程验收等。对于大中型工业项目和复杂的民用工程应当派现场设计,并参加隐蔽工程的验收等。

当然,勘察设计合同不只是包括这些条款,如当事人的名称或者姓名和住所、履行地点和方式、勘察、设计工作的范围与进度、违约责任、解决争议的方法等条款,也是勘察设计合同所应当具备的条款。此外,根据合同的性质和具体情况,当事人还可以协商确定其他必要的条款。本条规定的内容是建议性的,只是根据勘察设计合同的性质作出的一般性规定,当事人约定的勘察设计合同中不具备上述内容的,并不导致合同的无效。

第二百七十五条 施工合同的内容包括工程范围、建设工期、中间交工工程的开工和竣工时间、工程质量、工程造价、技术资料交付时间、材料和设备供应责任、拨款和结算、竣工验收、质量保修范围和质量保证期、双方相互协作等条款。

【释义】 本条是关于施工合同主要内容的规定。

施工主要是指工程的建筑与安装。施工合同是指施工人完成工程的建筑安装工作,发包人验收后,接受该工程并支付价款的合同。本条为了规范施工合同,根据工程施工的一般特点,规定了施工合同中一些主要内容，即工程范围、建设工期、中间交工工程的开工和竣工时间、工程质量、工程造价、技术资料交付时间、材料和设备供应责任、拨款和结算、竣工验收、质量保证期、双方互相协作等条款。

工程范围是指施工的界区，是施工人进行施工的工作范围。工程范围是施工合同的必备条款。

建设工期是指施工人完成施工任务的期限。每个工程根据性质的不同，所需要的建设工期也各不相同。建设工期能否合理确定往往会影响到工程质量的好坏。实践中，有的发包人由于种种原因，常常要求缩短工期，施工人为了赶进度，只好偷工减料，仓促施工，结果导致严重的工程质量问题。因此为了保证工程质量，双方当事人应当在施工合同中确定合理的建设工期。

中间交工工程是指施工过程中的阶段性工程。为了保证工程各阶段的交接，顺利完成工程建设，当事人应当明确中间交工工程的开工和交工时间。

工程质量是指工程的等级要求，是施工合同中的核心内容。工程质量往往通过设计图纸和施工说明书、施工技术标准加以确定。工程质量条款是明确施工人施工要求，确定施工人责任的依据，是施工合同的必备条款。工程质量必须符合国家有关建设工程安全标准的要求，发包人不得以任何理由，要求施工人在施工中违反法律、行政法规以及建设工程质量、安全标准，降低工程质量。

工程造价是指施工建设该工程所需的费用，包括材料费、施工成本等费用。当事人根据工程质量要求，根据工程的概预算，合理地确定工程造价。实践中，有的发包人为了获得更多的利益，往往压低工程造价，施工人为了盈利，不得不偷工减料，以次充好，结果必然导致工程质量不合格，甚至造成严重的工程质量事故。因此，为了保证工程质量，双方当事人应当合理确定工程造价。

技术资料主要是指勘察、设计文件以及其他施工人据以施工所必需的基础资料。技术资料的交付是否及时往往影响到施工进度，因此当事人应当在施工合同中明确技术资料的交付时间。

材料和设备供应责任是指由哪一方当事人提供工程建设所必需的原材料以及设备。材料一般包括水泥、砖瓦石料、钢筋、木料、玻璃等建筑材料和构配件。设备一般包括供水、供电管线和设备、消防设施、空调设备等。在实践中，有的由发包人负责提供，也可以由施工人负责采购。材料和设备的供应责任应当由双方当事人在合同中作出明确约定。如果在合同中约定由承包人（施工人）负责采购建筑材料、构配件和设备的，施工人履行采购任务，既是施工人应当履行的义务，也是施工人应当享有的权利。发包人有权对施工人提供的材料和设备进行检验，发现材料不合格的，有权要求施工人调换或者补齐。但是发包人不得利用自己有利的合同地位，指定施工人购入由其指定的建筑材料、构配件或设备，包括不得要求施工人必须向其指定的生产厂家或供应商购买建筑材料、构配件或设备。因为由发包人指定供应厂商的行为，容易导致发包人与供应厂商之间的腐败行为，此外，在建设工程造价固定的情况下，发包人指定施工人购买高价的建筑材料、构配件或设备，也会损害施工人的利益。

拨款是指工程款的拨付；结算是指工程交工后，计算工程的实际造价以及与已拨付工程款之间的差额。拨款和结算条款是施工人请求发包人支付工程款和报酬的依据。一般来说，除"交钥匙工程"外，施工人只负责建筑、安装等施工工作，由发包人提供工程进度所需款项，保证施工顺利进行。现实中，发包人往往利用自己在合同中的有利地位，要求施工人垫款施工。施工人垫款完成施工任务后，发包人常常是不及时结算，拖延支付工程以及施工人所垫付的款项，这是造成目前建筑市场中拖欠工程款现象的主要原因，因此当事人不得在合同中约定垫款施工。

竣工验收是工程交付使用前的必经程序，也是发包人支付价款的前提。竣工验收条款一般包括验收的范围和内容、验收的标准和依据、验收人员的组成、验收方式和日期等内容。建设工程竣工后，发包人应当根据施工图纸及说明书、国家颁发的施工验收规范和质量检验标准及时进行验收。

建设工程的保修范围应当包括地基基础工程、主体结构工程、屋面防水工程和其他工程，以及电气管线、上下水管线的安装工程，供热、供冷工程等项目。质量保证期是指工程各部分正常使用的期限，在实践中也称质量保修期。质量保证期应当与工程的性质相适应，当事人应当按照保证工程合理寿命年限内的正常使用，维护使用者合法权益的原则确定质量保证期，但不得低于国家规定的最低保证期限。

双方相互协作条款一般包括双方当事人在施工前的准备工作，施工人及时向发包人提出开工通知书、施工进度报告书、对发包人的监督检查提供必要的协助等。双方当事人的协作是施工过程的重要组成部分，是工程顺利施工的重要保证。

第二百七十六条　建设工程实行监理的，发包人应当与监理人采用书面形式订立委托监理合同。发包人与监理人的权利和义务以及法律责任，应当依照本法委托合同以及其他有关法律、行政法规的规定。

【释义】　本条是关于建设工程监理的规定。

本条所称的建设工程监理，是指由具有法定资质条件的工程监理单位，根据发包人的委托，依照法律、行政法规及有关的建设工程技术标准、设计文件和建设工程合同，对承包人在施工质量、建设工期和建设资金使用等方面，代表发包人对工程建设过程实施监督的专门活动。作为建设工程的发包人，为了取得好的投资效益，保证工程质量，合理控制工期，需要对承包人的工程建设活动实施必要的监督。但多数发包人并不擅长工程建设的组织管理和技术监督，而由具有工程建设方面的专业知识和实践经验的人员组成的专业化的工程监理单位，接受发包人的委托，代表发包人对工程的质量、工期和投资使用情况进行监督，对于维护发包人的利益，协调发包人与承包人之间的关系，保证工程质量，规范建设市场秩序，都具有很大的优越性。建设工程的监理制度在国际上已有较长的发展历史，西方发达国家已经形成了一套完整的工程监理制度，可以说，建设工程监理已成为建设领域的一项国际惯例，随着改革开放进程的发展，我国在工程建设中也推行监理制度。

建设工程监理是建设项目的发包人为了保证工程质量、控制工程造价和工期，以维护自身利益而采取的措施，因此对建设工程是否实行监理，原则上应由发包人自行决定。但是对于使用国家财政资金或者其他公共资金建设的工程项目，为了加强对项目建设的监督，保证投资效益，维护国家利益，国家规定了实行强制监理的建设工程范围。属于实行强制监理的工程，发包人必须依法委托工程监理单位实施监理，对于其他建设工程，则由发包人自行决定是否实行工程监理。对需要实行工程监理的，发包人应当委托具有相应资质条件的工程监理人进行监理。发包人与其委托的工程监理人应当订立书面委托监理合同，是委托监理合同中工程监理人对工程建设实施监督的依据。发包人与工程监理人之间的关系在性质上是平等主体之间的委托合同关系,因此,发包人与监理人的权利和义务关系以及法律责任,应当依照本法委托合同以及建筑法等其他法律、行政法规的有关规定。

实施工程监理的,在进行工程监理前,发包人应当将委托的监理人的名称、资质等级、监理人员、监理内容及监理权限,书面通知被监理的建设工程的承包人。建设工程监理人应当依照法律、行政法规及有关的技术标准、设计文件和建设工程合同,对承包人在工程建设质量、建设工期和建设资金使用等方面,代表发包人对工程建设进行监督。工程监理人员发现工程设计不符合建设工程质量标准或者合同约定的质量要求的,应当报告发包人要求设计人改正;工程监理人员认为工程施工不符合工程设计要求、施工技术标准和合同约定的,有权要求施工人改正。工程监理人在监理过程中,应当遵守客观、公正的执业准则,不得与承包人串通,为承包人谋取非法利益。

工程监理人不按照委托监理合同的约定履行监理义务,对应当监督检查的项目不检查或者不按照法律、行政法规和有关技术标准、设计文件和建设工程合同规定的要求和检查方法规定进行检查,给发包人造成损失的,应当承担相应的赔偿责任。例如工程建设质量不合格,通常既与承包人不按照要求施工有关,也与监理人不按照合同约定履行监理义务有关,在这种情况下造成发包人损失的,承包人与监理人都应当承担各自的赔偿责任。至于如何确定监理人相应的赔偿责任,应当由人民法院或者仲裁机构予以确定。工程监理人与承包人串通,为承包人谋取非法利益,给发包人造成损失的,应当与承包人承担连带赔偿责任。

第二百七十七条 发包人在不妨碍承包人正常作业的情况下，可以随时对作业进度、质量进行检查。

【释义】 本条是关于发包人检查权的规定。

为了提高工程的建设水平、保证施工进度和质量、充分发挥投资效益、保障建设工程承包合同的实施，保护发包人的利益，本条规定了发包人可以随时对工程作业的进度和质量进行检查。

发包人对工程作业的检查一般通过两种方式。一种是委派具体管理人员作为工地代表。发包人委派工地代表后，应当及时通知承包人。派驻的工地代表负责对工程进度、工程质量进行监督检查，办理中间交工工程验收手续以及其他应当由发包人解决的事宜。另一种是发包人委托监理人实施对工程建设过程中的检查。国家规定强制监理的工程，发包人应当委托监理人对工程实施监理。除此之外，发包人也可以自愿委托监理人对工程进行监理。监理人应当是具有相应工程监理资质证书的监理公司、监理事务所和兼监理业务的工程设计、科研及工程建设咨询公司。发包人委托监理的，应当与监理人订立书面的委托监理合同。在实施工程监理前，发包人应当将委托监理单位、监理内容及监理权限，书面通知被监理工程的承包人。监理人应当依照法律、行政法规及有关的技术标准、设计文件和建设工程承包合同，对承包人在施工质量、建设工期和建设资金使用等方面，代表发包人对承包人的建设工作实施监督。

根据本条的规定，发包人可以随时对工程作业的进度和质量进行检查。工地代表、监理人在检查过程中发现工程设计不符合建设工程质量要求的，应当报告发包人要求设计人改正。如果发现工程的施工不符合工程设计要求、施工技术标准和合同约定的，工地代表和监理人有权要求承包人改正。承包人应当接受发包人的检查，为工地代表和监理人的工作提供方便和协助，并应发包人的要求，及时向发包人提供月份作业计划、月份施工统计报表、施工进度报告表、工程事故报告等文件。如果承包人的勘察、设计、施工等工作不符合工程质量要求的，当发包人或工地代表、监理人提出改正要求的，承包人应当立即改正，不得拒绝。

发包人有权对承包人的工程作业进行检查，但另一方面发包人的检查行为要合理，不能因此妨碍承包人的正常作业。这也是从平等对待双方当事人，维护承包人的合法权益出发，对发包人的检查权进行合理的限制。因此，本条规定了“发包人在不妨碍承包人正常作业的情况下”这个前提。如果因为发包人或者工地代表、监理人的不当行为致使承包人无法进行正常作业的，承包人有权要求顺延工期，造成承包人停工、返工、窝工等损失的，有权要求发包人承担损害赔偿责任。

第二百七十八条　隐蔽工程在隐蔽以前，承包人应当通知发包人检查。发包人没有及时检查的，承包人可以顺延工程日期，并有权要求赔偿停工、窝工等损失。

【释义】　本条是关于隐蔽工程的规定。

隐蔽工程是指地基、电气管线、供水供热管线等需要覆盖、掩盖的工程。由于隐蔽工程在隐蔽后，如果发生质量问题，还得重新覆盖和掩盖，会造成返工等非常大的损失，为了避免资源的浪费和当事人双方的损失，保证工程的质量和工程顺利完成，本条规定了承包人在隐蔽工程隐蔽以前，应当通知发包人检查，发包人检查合格的，方可进行隐蔽工程。实践中，当工程具备覆盖、掩盖条件的，承包人应当先进行自检，自检合格后，在隐蔽工程进行隐蔽前及时通知发包人或发包人派驻的工地代表对隐蔽工程的条件进行检查并参加隐蔽工程的作业。通知包括承包人的自检记录、隐蔽的内容、检查时间和地点。发包人或其派驻的工地代表接到通知后，应当在要求的时间内到达隐蔽现场，对隐蔽工程的条件进行检查，检查合格的，发包人或者其派驻的工地代表在检查记录上签字，承包人检查合格后方可进行隐蔽施工。发包人检查发现隐蔽工程条件不合格的，有权要求承包人在一定期限内完善工程条件。隐蔽工程条件符合规范要求，发包人检查合格后，发包人或者其派驻工地代表在检查后拒绝在检查记录上签字的，在实践中可视为发包人已经批准，承包人可以进行隐蔽工程施工。

发包人在接到通知后，没有按期对隐蔽工程条件进行检查的，承包人应当催告发包人在合理期限内进行检查。因为发包人不进行检查，承包人就无法进行隐蔽施工，因此承包人通知发包人检查而发包人未能及时进行检查的，承包人有权暂停施工。承包人可以顺延工期，并要求发包人赔偿因此造成的停工、窝工、材料和构件积压等损失。

如果承包人未通知发包人检查而自行进行隐蔽工程的，事后发包人有权要求对已隐蔽的工程进行检查，承包人应当按照要求进行剥露，并在检查后重新隐蔽或者修复后隐蔽。如果经检查隐蔽工程不符合要求的，承包人应当返工，重新进行隐蔽。在这种情况下检查隐蔽工程所发生的费用如检查费用、返工费用、材料费用等由承包人负担，承包人还应承担工期延误的违约责任。

第二百七十九条　建设工程竣工后，发包人应当根据施工图纸及说明书、国家颁发的施工验收规范和质量检验标准及时进行验收。验收合格的，发包人应当按照约定支付价款，并接收

该建设工程。

建设工程竣工经验收合格后,方可交付使用;未经验收或者验收不合格的,不得交付使用。

【释义】 本条是关于竣工验收的规定。

建设工程的竣工验收,是指建设工程已按照设计要求完成全部工作任务,准备交付给发包人投入使用时,由发包人或者有关主管部门依照国家关于建设工程竣工验收制度的规定,对该项工程是否合乎设计要求和工程质量标准所进行的检查、考核工作。建设工程的竣工验收是工程建设全过程的最后一道程序,是对工程质量实行控制的最后一个重要环节。

实践中,建设工程竣工后,承包人应当按照国家工程竣工验收有关规定,向发包人提供完整的竣工资料和竣工验收报告,并按照合同约定的日期和份数向发包人提交竣工图。竣工日期为承包人送交竣工验收报告的日期,需要修改后才能达到竣工要求的,应为承包人修理、改建后提请发包人验收的日期。

发包人接到竣工验收报告后,应当根据施工图纸及说明书、国家颁发的施工验收规范和质量检验标准及时组织有关部门对工程进行验收。验收的内容主要是:第一,工程是否符合规定的建设工程质量标准。建设工程的质量标准包括依照法律、行政法规的有关规定制定的保证建设工程质量和安全的强制性国家标准和行业标准以及国家颁发的施工验收规范,建设工程合同中约定的对该项建设工程特殊的质量要求,以及为体现法律、行政法规规定的质量标准和建设工程合同约定的质量要求而在工程设计文件、施工图纸和说明书中提出的有关工程质量的具体指标和技术要求。第二,承包人是否提供了完整的工程技术经济资料。这里的工程技术经济资料,一般应包括建设工程合同、建设用地的批准文件、工程的设计图纸及其他有关设计文件、工程所用主要建设材料、建筑构配件和设备的出厂检验合格证明和进场检验报告；申请竣工验收的报告书及有关工程建设的技术档案等。第三，承包人是否有建设工程质量检验书。工程竣工交付使用后，承包人应当对其施工的建设工程质量在一定期限内承担保修责任，以维护使用者的合法权益。为此承包人应当按规定提供建设工程质量保修证书，作为其向用户承诺承担质量保修责任的书面凭证。第四，工程是否具备国家规定的其他竣工条件。例如，按照国务院建设行政主管部门的规定，城市住宅小区竣工综合验收，还应做到住宅及公共配套设施、市政公用基础设施等单项工程全部验收合格，验收资料齐全；各类建筑物的平面位置、立面造型、装饰色调等符合批准的规划设计要求；施工工具、暂设工程、建筑残土、剩余构件全部拆除运走，达到场清地平；有绿化要求的是否已按绿化设计全部完成，达到树活草青等。

发包人在验收后及时作出批准或提出修改意见。承包人应当按照发包人提出的修改意见进行修理或者改建，并承担由自身原因造成修理、改建的费用。为了防止发包人为了拖延支付工程款而迟延进行验收，在实践中发包人在收到承包人送交的竣工验收报告后，无正当理由不组织验收，或者在验收后的合理期间内既不表示是否批准且又不提出修改意见，视为竣工验收报告已被批准，承包人可以要求发包人办理结算手续，支付工程款。发包人未能按照合同约定的日期对工程进行验收的，应从合同约定的期限的最后一天的次日起承担保管费用。

竣工验收合格后，发包人应当按照约定支付价款。在工程建设实践中，竣工报告批准后，承包人应当按照国家有关规定或合同约定的时间、方式向发包人提出结算报告，办理竣工结算。发包人在收到结算报告后，应当及时给予批准或者提出修改意见，在合同约定的时间内将拨款通知送经办银行支付工程款，并将副本送承包人。承包人在收到工程款后将竣工的工程交付发包人，发包人应当接收该工程。现实中有的发包人为了拖延支付工程款，在验收后迟迟不进行工程结算。在实践中，发包人无正当理由在收到竣工报告后迟延办理结算的，应当按施工企业向银行同期贷款的最高利率，向承包人支付工程款的利息，并承担其他违约责任。

建设工程必须经竣工验收合格后，方可交付使用；没有经过竣工验收或者经过竣工验收确定为不合格的建设工程，不得交付使用。如果发包人在竣工验收前，擅自使用工程，发生质量问题的，由发包人自行负责。

第二百八十条　勘察、设计的质量不符合要求或者未按照期限提交勘察、设计文件拖延工期，造成发包人损失的，勘察人、设计人应当继续完善勘察、设计，减收或者免收勘察、设计费并赔偿损失。

【释义】　本条是关于勘察、设计人对勘察、设计质量责任的规定。

建设工程的勘察，担负着为工程建设提供地质资料的任务，建设工程的勘察人应当按照现行的标准、规范、规程和技术条例，进行工程测量、勘测工程地质和水文地质等勘察工作，并按照合同规定的进度提交符合质量要求的勘察成果。建设工程的设计，是直接为工程施工提供据以遵循的技术依据。建设工程的设计人应当根据设计技术经济协议文件、设计标准、技术规范、规程、定额等提出勘察技术要求和进行设计，并按照合同约定的进度提交符合质量要求的设计文件（包括概预算文件、材料设备清单）。

勘察、设计的质量是决定整个建设工程质量的基础，如果勘察、设计的质量存在问题，整个建设工程质量也就没有保障，因此工程的勘察、设计必须符合质量要求。根据本法及其他有关法律的规定，建设工程的勘察人、设计人必须对其勘察、设计的质量负责，其所提交的建设工程的勘察、设计文件应当符合以下要求：

1. 符合有关法律、行政法规的规定。这里讲的符合法律、行政法规，既包括要符合本法的规定，也要包括符合建筑法、城市规划法、土地管理法、环境保护法以及其他相关的法律、行政法规的规定。

2. 符合建设工程质量、安全标准。这里的建设工程质量、安全标准是指依照标准化法及有关行政法规的规定制定的保证建设工程质量和安全的国家标准和行业标准。标准化法规定，对有关建设工程安全的技术要求，应当制定标准；同时规定，对需要在全国范围内统一的技术要求，应当制定国家标准。国家标准由国务院标准化行政主管部门制定。对没有国家标准而又需要在全国某个行业范围内统一的技术要求，可以制定行业标准。国家标准和行业标准分为强制性标准和推荐性标准。保障人体健康，人身、财产安全的标准和法律、行政法规规定的强制执行的标准是强制性标准。强制性标准必须执行。国家有关建设工程安全的标准，是涉及保障人身、财产安全的标准，属于强制性的标准。勘察人、设计人的勘察、设计必须符合国家有关建设工程安全标准的要求，保证其勘察、设计的质量。

3. 符合建设工程勘察、设计的技术规范。建设工程勘察、设计的技术规范，通常是以标准的形式制定、发布的。对有关建设工程勘察、设计规范的强制性标准，勘察、设计人必须遵照执行。建设工程的勘察文件应当反映工程的地质、地形地貌、水文地质状况，符合规范、规程，做到勘察方案合理、评价准确、数据可靠。建设工程设计文件的深度应当满足相应设计阶段的技术要求，施工图应当配套，细节点应当交代清楚，标注说明应当清晰、完整。

4. 符合合同的约定。勘察、设计文件在符合法律、行政法规的规定和有关质量、安全标准的前提下，还应当符合勘察、设计合同约定的特殊质量要求。

勘察人、设计人提交的勘察、设计文件不符合上述要求的，根据本条的规定，发包人可以请求勘察人、设计人承担以下违约责任：继续完善勘察、设计，减收或者免收勘察、设计费，赔偿损失。需要指出的是，如果勘察、设计质量只有轻微质量瑕疵的，发包人可以请求勘察人、设计人继续完善勘察、设计，如果勘察人、设计人不具备完成符合要求的勘察、设计工作能力或者提交的勘察、设计质量严重不符合约定的，发包人可以解除合同，重新委托其他勘察人、设计人完成勘察、设计工作。如果勘察、设计不符合约定造成工程质量问题的，勘察人、设计人应当承担相应的赔偿责任。

勘察人、设计人未按照合同约定的期限提交勘察、设计文件，发包人可以催告勘察人、设计人尽快提交勘察、设计文件，如果勘察、设计文件的迟延致使工期拖延给发包人造成损失的，发包人可以请求勘察人、设计人赔偿损失。如果勘察人、设计人在催告后合理期限内仍未能提交勘察、设计文件，严重影响工程进度的，发包人可以解除合同，委托其他勘察人、设计人完成勘察、设计工作。

第二百八十一条　因施工人的原因致使建设工程质量不符合约定的，发包人有权要求施工人在合理期限内无偿修理或者

返工、改建。经过修理或者返工、改建后,造成逾期交付的,施工人应当承担违约责任。

【释义】 本条是关于施工人对建设工程质量责任的规定。

建设工程的施工是指根据工程的设计文件和施工图纸的要求,通过施工作业最终形成建设工程实体的建设。在建设勘察、设计的质量没有问题的情况下,整个建设工程的质量状况最终取决于施工质量。这里所说的施工质量包括各类工程中土建工程的质量,也包括与其配套的线路、管道和设备的安装质量。根据本条规定,建设工程的施工人对工程的施工质量负责。在现实中,不少建设工程的质量问题都与建设工程的施工有关。小的施工问题,如屋面漏水、墙面开裂、管道阻塞,给用户带来很大的生活不便;大的质量问题,则会酿成人身伤亡和重大财产损失的恶性事故。因此,建设工程的施工人必须以对国家和人民财产安全负责任的态度,严格按照工程设计文件和技术标准进行施工,严把质量关,做好工程施工的各项质量控制与管理工作。

建设工程的施工人为保证工程的施工质量,必须做到严格按照工程设计图纸和施工技术标准施工,不得偷工减料。工程设计图纸是建设设计单位根据工程的功能、质量等方面的要求所作出的设计工作的最终成果,其中的施工图是对建设工程的建筑物、设备、管线等工程对象的尺寸、布置、选用材料、构造、相互关系、施工及安装质量要求的详细图纸和说明,是指导施工的直接依据。进行建设工程的各项施工活动,包括土建工程的施工、给排水系统的施工、供热供暖系统的施工等,都必须按照相应的施工图纸的要求进行。建设工程施工人除必须严格按照工程设计图纸施工外,还必须按照建设工程施工的技术标准的要求进行施工。施工技术标准是施工作业人员进行每一项施工操作的技术依据,包括对各项施工准备、施工操作工艺流程和应达到的质量要求的规定。从现实情况来看,工程施工中的偷工减料行为,是造成建设工程质量的通病,是发生重大质量事故的重要原因。所谓的“偷工”是指不按施工技术标准规定的施工工艺流程进行施工作业,擅自减少工作量的行为。所谓的“减料”,是指在工程施工中违反设计文件和施工技术标准的规定,擅自减少建筑材料的数量和降低用料质量的行为。因此,施工人除严格按照工程设计图纸和施工技术标准施工外,在施工中不得偷工减料。

凡是因施工原因造成的工程质量问题,都要由施工人承担责任。这些责任包括由建设施工人对存在质量问题的工程进行修理、返工或改建并承担赔偿损失等民事责任;由有关行政机关对违法施工人依法给予行政处罚的行政责任;以及对造成重大质量事故、构成犯罪的,由司法机关依照刑法的规定追究刑事责任。本条则是规定了施工人因施工质量不符合约定所应承担的民事责任。如果因施工人原因致使工程质量不符合约定的,发包人可以请求施工人在合理期限内无偿对工程进行修理或者返工、改建以达到约定的质量要求。如果经过修理或者返工、改建后,造成工程迟延交付的,施工人应当承担逾期交付的违约责任。这里的违约责任包括赔偿发包人因逾期交付受到的损失,按照约定向发包人支付违约金、减少价款、执行定金罚则等。发包人可以根据施工人违约程度和损失大小,合理选择请求施工人承担上述违约责任。

第二百八十二条　因承包人的原因致使建设工程在合理使用期限内造成人身和财产损害的,承包人应当承担损害赔偿责任。

【释义】　本条是关于承包人在建设工程合理使用期限内

质量保证责任的规定。

根据本章的规定,承包人对整个工程质量负责,当然也应当对建设工程的在合理使用期间的质量安全承担责任。根据本条的规定,承包人承担损害赔偿责任应当具备以下条件:

1. 因承包人的原因引起的建设工程对人身、财产的损害。建设工程的承包人应当按照法律的规定认真履行工程质量保证义务。建设工程的勘察人应当为建设工程提供准确的有关工程地质资料;建设工程的设计人应当按照有关保证工程质量安全的法律、法规和设计规范的规定进行设计,保证建设工程的设计安全可靠;建设工程的施工人必须严格按照工程设计和施工技术标准进行施工,不得使用不合格的建筑材料,不得有任何偷工减料的行为。任何一方不履行法定质量保证义务,造成工程质量安全问题的,承包人都应当承担法律责任。如果不属于承包人的原因,例如,是用户使用不当等原因造成的人身、财产损害的,承包人不承担责任。现实中,有的发包人违法发包如非法压价、接收回扣选择不具备相应资质的承包人,因此引起的质量事故,造成他人人身、财产损害的,发包人也应当承担相应的责任。

2. 人身、财产损害是发生在建设工程合理使用期限内。建设工程,一旦建成,一般都将长期使用,这就要求在建设工程合理使用期限内,不能有危及使用安全的质量问题,否则将会对人身和财产安全构成威胁,对在合理使用期限内造成人身和财产损害的,承包人应当承担损害赔偿责任。为此首先需要确定"合理使用期限"即建设工程的承包人对其建设产品承担质量责任的责任期间。该合理期限一般自交付发包人时起算。但与一般产品的生产者对其产品的质量缺陷承担损害赔偿责任的责任期限最长不超过自产品交付使用最初用户 10 年不同,建设工程的承包人应当在该建设工程合理使用期限内对整个工程质量安全承担责任。关于合理使用期限是多少，本法未作具体规定。这需要根据各类建设工程的不同情况，如建筑物结构、使用功能、所处的自然环境等因素，由有关技术部门作出判断。在国务院有关主管部门制定的《民用建筑设计通则(试行)》中规定，按民用建筑的主体结构确定的建筑耐久年限分为四级：一级耐久年限为100年以上，适用于重要的建筑和高层建筑(指10层以上住宅建筑、总高度超过24米的公共建筑及综合性建筑)；二级耐久年限为50～100年，适用于一般建筑；三级耐久年限为25～50年，适用于次要建筑；四级耐久年限为15年以下，适用于临时性建筑。也就是说，除临时性建筑外，民用建筑的合理使用期限最低也应在25年以上，在此期间内，必须保证建筑物的安全使用。如果该建设工程已过合理使用期限的，原则上不允许继续使用，用户继续使用后，因该建设工程造成的人身、财产损害的，承包人不承担损害赔偿责任。

3. 造成了人身和财产损害。这里的受损害方不仅仅指建设工程合同的对方当事人即发包人，也包括建设工程的最终用户以及因该建设工程而受到损害的其他人。

根据本条规定，因承包人原因造成建设工程质量事故，致使人身、财产受到损害的，承包人应当承担赔偿责任。如果是造成发包人的人身或者财产损害的，发包人可以选择请求承包人承担违约责任或者侵权责任。

第二百八十三条　发包人未按照约定的时间和要求提供原材料、设备、场地、资金、技术资料的，承包人可以顺延工程日期，并有权要求赔偿停工、窝工等损失。

【释义】　本条是关于发包人未按约定的时间和要求提供原材料、设备、场地、资金、技术资料的违约责任的规定。

如果工程承包合同中约定由发包人提供原材料、设备、场地、资金、技术资料的，发包人应当按照约定的原材料、设备的种类、规格、数量、单价、质量等级和提供时间、地点的清单，向承包人提供建设所需的原材料、设备及其产品合格证明。承包人与发包人应当一起对原材料、设备进行检验、验收后，由承包人妥善保管，发包人支付相应的保管费用。对于必须经过试验才能使用的材料，承包人应当按照约定进行测燃、毒性反应等测试。不具备测试条件的，可以委托专业机构进行测试，费用由发包人承担。如果经检验发包人提供的原材料、设备的种类、规格、型号、质量等级与约定不符合的，承包人有权拒绝接收保管，并可以要求发包人运出施工现场并予以更换。如果发包人未按照约定时间提供原材料、设备的，承包人可以中止施工并顺延工期，因此造成承包人停工、窝工损失的，由发包人承担损害赔偿责任。

由发包人提供场地的，发包人应当按照合同约定向承包人提供承包人施工、操作、运输、堆放材料设备的场地以及建设工作涉及的周围场地（包括一切通道）。具体工作包括：(1)发包人应当在承包人工作前及时办理有关批件、证件和临时用地等的申报手续，包括工程地址和临时设施范围内的土地征用、租用，申请施工许可证和占道、爆破及临时铁道专用岔线许可证。(2)确定建设工程及有关道路、线路、上下水道的定位标桩、水准点和坐标控制点。(3)发包人在提供场地前，应当清除施工现场内一切影响承包人施工的障碍，并向承包人提供施工所需水、电、热力、电讯等管道线路，保证承包人施工期间的需要。发包人未能提供符合约定、适合工作的场地致使承包人无法开展工作的，承包人有权要求发包人排除障碍、顺延工期，并可以暂停工作，因此造成承包人停工、窝工损失的，承包人可以要求发包人承担损害赔偿责任。

由发包人提供工程建设所需资金的,发包人应当按照约定的时间和数额向承包人支付。这里的资金一般是指工程款。在现实中,由发包人提供工程款的包括预付工程款和按工程进度支付工程款两种,具体可由双方当事人在建设工程合同中约定。如果建设工程合同约定由发包人预付工程款的,发包人应当按照约定的时间和数额向承包人预付工程款,开工后按合同约定的时间和比例逐次扣回。发包人未按照合同约定预付工程款的,承包人可以向发包人发出预付工程款的通知,发包人在收到通知后仍不能按照要求预付工程款,承包人可以停止工作并顺延工期,发包人应当从应付之日起向承包人支付应付款的利息,并赔偿因此造成承包人停工、窝工的损失。如果建设工程合同约定发包人按工程进度付款的,发包人应当按照合同约定的进度支付工程款。实践中,完成约定的工程部分后,由发包人确认工程量,以构成合同价款相应项目的单价和取费标准计算出工程价款,经发包人签字后支付。发包人在计算结果签字后的合理期限内仍未能按照要求支付工程款的,承包人可以向发包人发出支付工程款的通知,发包人在收到通知后仍不能按照要求支付工程款,承包人可以停止工作并顺延工期,发包人应当从应付之日起向承包人支付应付价款的利息,并赔偿因此造成承包人停工、窝工的损失。

由发包人提供有关工程建设技术资料的,发包人应当按照合同约定的时间和份数向承包人提供符合约定要求的技术资料。这里的技术资料主要包括勘察数据、设计文件、施工图纸以及说明书等。因为根据法律、行政法规的规定,承包人必须按照国家规定的质量标准、技术规程和设计图纸、施工图等技术资料进行施工,如果发包人未能按照约定提供技术资料,承包人就不能正常进行工作，在这种情况下，承包人可以要求发包人在合理期限内提供建设工作所必需的技术资料并有权暂停工作，顺延工期，并有权要求发包人承担承包人因停工、窝工所造成的损失。

第二百八十四条　因发包人的原因致使工程中途停建、缓建的，发包人应当采取措施弥补或者减少损失，赔偿承包人因此造成的停工、窝工、倒运、机械设备调迁、材料和构件积压等损失和实际费用。

【释义】　本条是关于因发包人原因造成工程停建、缓建所应承担责任的规定。

在工程建设过程中，发包人应当按照合同约定履行自己的义务，为承包人的建设工作提供必要的条件，保证工程建设顺利进行。如果因发包人的原因致使工程建设无法按照约定的进度进行，承包人可以停建、或者缓建。这里的“因为发包人的原因”在实践中一般指下列情况：(1)发包人变更工程量；(2)发包人提供的设计文件等技术资料有错误或者发包人变更设计文件；(3)发包人未能按照约定及时提供建设材料、设备或者工程进度款；(4)发包人未能及时进行中间工程和隐蔽工程条件的验收并办理有关交工手续；(5)发包人不能按照合同的约定保障建设工作所需的工作条件致使工作无法正常进行的，等等。在发生上述原因，致使工程建设无法正常进行的情况下，承包人可以停建、缓建、顺延工期，并及时通知发包人。承包人在停建、缓建期间应当采取合理措施减少和避免损失，妥善保护好已完成工程和做好已购材料、设备的保护和移交工作，将自有机械和人员撤出施工现场，发包人应当为承包人的撤出提供必要的条件。承包人应当将停建、缓建过程中发生的经济支出和其他实际发生的费用向发包人提出报告。

发包人因自身原因致使工程停建、缓建的,发包人应当承担违约责任。首先发包人应当采取必要措施,弥补或者减少损失,同时应当排除障碍,使承包人尽快恢复建设工作。如承包人在施工中发现设计有错误和不合理之处,应当通知发包人,发包人在接到通知后,应当及时同设计人等有关单位研究确定修改意见或者变更设计,并及时将修订后的设计文件送交承包人。发包人还应当赔偿承包人在停建、缓建期间的损失,包括停工、窝工、倒运、机械设备调迁、材料和构件积压所造成的损失和实际发生的费用。

第二百八十五条　因发包人变更计划,提供的资料不准确,或者未按照期限提供必需的勘察、设计工作条件而造成勘察、设计的返工、停工或者修改设计,发包人应当按照勘察人、设计人实际消耗的工作量增付费用。

【释义】　本条是关于因发包人原因造成勘察、设计的返工、停工或者修改设计所应承担责任的规定。

在工程勘察、设计合同中,发包人应当按照合同约定向勘察人、设计人提供开展勘察、设计工作所需要的基础资料、技术要求并对提供的时间、进度和资料的可靠性负责。

委托勘察的,在勘察工作开展前,应当向勘察人明确技术要求和勘察阶段,按时提供勘察工作所需要的勘察基础资料和附图并满足勘察人编写纲要和编制工程预算的基本要求。在勘察前,发包人应当根据勘察人提出的用料计划,按时准备好各种材料,并承担费用。发包人应当为勘察人开展工作提供必要条件,包括派员协助勘察人与有关部门的工作联系,及时为勘察人创造并解决勘察现场条件。如征购土地、拆除障碍物、平整施工现场、修好通行道路、接通电源、水源等，并承担其费用；按照合同为勘察人员准备好食宿、办公等生活工作条件等。

委托设计的，发包人应当按照合同的约定向设计人提供设计的基础资料、设计的技术要求。在初步设计前，发包人应当向设计人提供经过批准的可行性研究报告、选址报告以及原料（或经过批准的资源报告）、燃料、水、电、运输等方面的协议文件和能满足初步设计要求的勘察资料、需要经过科研取得的技术资料；在施工设计前，发包人应当提供经过批准的初步设计文件和能满足施工图设计要求的勘察资料、施工条件以及有关设备的技术资料。同时，发包人在设计人员入场工作时，应当为其提供必要的工作条件和生活条件，以保证其正常开展工作。

发包人向勘察人、设计人提供有关的技术资料的，发包人应当对该技术资料的质量和准确性负责。

发包人变更勘察、设计项目、规模、条件需要重新进行勘察、设计的，应当及时通知勘察人、设计人，勘察人、设计人在接到通知后，应当返工或者修改设计，并有权顺延工期。发包人应当按照勘察人、设计人实际消耗的工作量返工并相应增加支付勘察费、设计费。

勘察人、设计人在工作中发现发包人提供的技术资料不准确的，勘察人、设计人应当通知发包人修改技术资料，在合理期限内提供准确的技术资料。如果该技术资料有严重错误致使勘察、设计工作无法正常进行的，在发包人重新提供技术资料前，勘察人、设计人有权停工、顺延工期，停工的损失应当由发包人承担。发包人重新提供的技术资料有重大修改，需要勘察人、设计人返工、修改设计的，勘察人、设计人应当按照新的技术资料进行勘察、设计工作，发包人应当按照勘察人、设计人实际消耗的工作量相应增加支付勘察费、设计费。

发包人未能按照合同约定提供勘察、设计工作所需工作条件的，勘察人、设计人应当通知发包人在合理期限内提供，如果发包人未提供必要的工作条件致使勘察、设计工作无法正常进行的，勘察人、设计人有权停工、顺延工期，并要求发包人承担勘察人、设计人停工期间的损失。

第二百八十六条　发包人未按照约定支付价款的，承包人可以催告发包人在合理期限内支付价款。发包人逾期不支付的，除按照建设工程的性质不宜折价、拍卖的以外，承包人可以与发包人协议将该工程折价，也可以申请人民法院将该工程依法拍卖。建设工程的价款就该工程折价或者拍卖的价款优先受偿。

【释义】　本条是关于发包人未支付工程价款的责任的规定。

发包人在工程建设完成后，对竣工验收合格的工程应当按照合同约定的方式和期限进行工程决算，支付价款，在向承包人支付价款后接受工程。在实践中，建设工程竣工后，承包人应当按照国家工程竣工验收有关规定，向发包人提供完整的竣工资料和竣工验收报告。发包人接到竣工验收报告后，应当根据施工图纸及说明书、国家颁发的施工验收规范和质量检验标准及时组织有关部门对工程进行验收。竣工验收合格后，发包人应当按照约定支付价款。在工程建设实践中，当竣工报告批准后，承包人应当按照国家有关规定或合同约定的时间、方式向发包人提出结算报告，办理竣工结算。发包人在收到结算报告后，应当及时作出批准或者提出修改意见，在合同约定的时间内将拨款通知送经办银行支付工程款，并将副本送承包人。承包人在收到工程款后将竣工的工程交付发包人，发包人应当接收该工程。发包人未按照约定支付价款的，承包人可以催告发包人在合理期限内支付价款并承担逾期付款的违约责任。

从20世纪90年代初到现在，随着固定资产投资规模的过快增长，拖欠工程款的现象出现了大幅度增加的势头。不少地区的工程款拖欠数额庞大，有的工程拖欠付款无期限，问题已经相当突出，不仅严重地影响建设企业的生产经营，制约了建设企业的发展，也影响了工程建设进度，制约了投资效益的提高。为了确实解决拖欠工程款的问题，保障承包人价款债权的实现，本条规定了发包人未按约定支付价款，经承包人催告后在合理期限内仍不支付的，承包人可以与发包人协议将该工程折价，也可以申请人民法院将该工程依法拍卖。建设工程的价款就该工程折价或者拍卖的价款优先受偿。承包人按照本条规定行使优先受偿权，应当注意以下几点：

1. 发包人不支付价款的，承包人不能立即将该工程折价、拍卖，而是应当催告发包人在合理期限内支付价款。如果在该期限内，发包人已经支付了价款，承包人只能要求发包人承担支付约定的违约金或者支付逾期的利息、赔偿其他损失等违约责任。如果在催告后的合理期限内，发包人仍不能支付价款的，承包人才能将该工程折价或者拍卖以优先受偿。

2. 承包人对工程依法折价或者拍卖的，应当遵循一定的程序。发包人对工程折价的，应当与发包人达成协议，参照市场价格确定一定的价款把该工程的所有权由发包人转移给承包人，从而使承包人的价款债权得以实现。承包人因与发包人达不成折价协议而采取拍卖方式的，应当申请人民法院依法将该工程予以拍卖。承包人不得委托拍卖公司或者自行将工程予以拍卖。

3. 工程折价或者拍卖后所得价款如果超出发包人应付价

款数额的，该超过的部分应当归发包人所有；如果折价或者拍卖所得价款还不足以清偿承包人价款债权额的，承包人可以请求发包人支付不足部分。

4. 根据本条规定，按照工程的性质不宜折价、拍卖的，承包人不能将该工程折价或者拍卖。如该工程的所有权不属于发包人，承包人就不得将该工程折价。如国家重点工程、具有特定用途的工程等也不宜折价或者拍卖。

第二百八十七条　本章没有规定的，适用承揽合同的有关规定。

【释义】　本条是关于适用承揽合同的规定。

建设工程合同在性质上属于完成工作的合同。完成工作的合同是在传统民法的承揽合同的基础上发展起来的一大类合同，一般包括承揽合同、技术服务和技术开发合同。传统的承揽合同一般包括承揽和建设工程合同，一些国家的民法典中都专章规定了承揽，并把建设工程纳入规范。我国经济合同法第十八条和第十九条分别规定了建设工程承包合同、加工承揽合同。在起草合同法时，考虑到经济合同法、涉外经济合同法和技术合同法三法合一，经济合同法中规定的有名合同应当保留并专章予以规定，我国经济合同法已将建设工程合同作为不同于承揽合同的一类新的合同。同时又考虑到建设工程不同于其他工作的完成，具有与一般承揽合同不同的一些特点。因此，在第十五章规定了承揽合同，在第十六章规定了建设工程合同。按照本法的规定，承揽合同是承揽人按照定作人的要求完成工作，交付工作成果，定作人给付报酬的合同。承揽包括加工、定作、修理、印刷、广告、复制、测试、检验等工作。建设工程合同是承包人进行工程建设，发包人支付价款的合同。建设工程合同的主体是发包人和承包人。建设工程合同的标的是建设工程，包括建设房屋、公路、铁路、桥梁、隧洞、水库工程。建设工程合同原为承揽合同中的一种，属于承揽完成不动产工程项目的合同。承揽合同和建设工程合同也具有与一般承揽合同相同的特征：如都是诺成合同、双务合同、有偿合同，都以完成一定工作为目的，标的都具有特定性。因此，本条规定了，本章没有规定而承揽合同一章有规定的，可以根据建设工程合同的性质适用承揽合同中的这些规定。建设工程合同中的发包人相当于承揽合同中的定作人，承包人相当于承揽合同中的承揽人。

经过把本章与承揽合同一章的比较，我们大致可以看出以下条款是本章没有规定而在承揽合同中是有规定的：

合同法第二百五十五条规定："承揽人提供材料的，承揽人应当按照约定选用材料，并接受定作人检验。"

根据本条规定，如果当事人在建设工程合同中约定由承包人提供材料、构配件和设备，并约定了提供材料、构配件和设备的时间、数量和质量的，承包人就应当按照约定准备材料、构配件和设备。承包人准备材料、构配件和设备时，还应当备齐有关的资料，如发票、质量说明书等说明文件。承包人准备好材料、构配件和设备后，应当及时通知发包人检验，并如实提供发票以及数量和质量的说明文件。发包人接到通知后，应当及时检验该材料、构配件和设备，认真查看承包人提供的材料、构配件和设备以及有关文件。如果合同中的材料、构配件和设备数量、质量的约定，发包人认为承包人选用的材料、构配件和设备符合约定的，应当告知承包人，或者根据承包人的要求以书面形式确认。经检验，发包人发现材料、构配件和设备数量缺少的，应当及时通知承包人补齐。发包人发现材料、构配件和设备质量不符合约定的，应当及时通知承包人更换，因此发生的费用，由承包人承担。

合同法第二百五十六条规定:“定作人提供材料的,定作人应当按照约定提供材料。承揽人对定作人提供的材料,应当及时检验,发现不符合约定时,应当立即通知定作人更换、补齐或者采取其他补救措施。承揽人不得擅自更换定作人提供的材料,不得更换不需要修理的零部件。”

根据本条规定,建设工程合同中,当事人可以约定由发包人提供材料、构配件和设备。发包人应当在合同约定的时间向承包人提供符合约定数量和质量的材料、构配件和设备。当发包人提供材料、构配件和设备后,承包人应当立即检验。如果经承包人检验,发包人提供的材料、构配件和设备符合约定,承包人应当确认并通告发包人。如果经检验,发包人提供的材料、构配件和设备数量不足的,承包人应当通知发包人补齐;发包人提供的材料质量、构配件和设备不符合约定的,承包人应当及时通知发包人更换以达到合同要求。发包人提供的材料、构配件和设备经检验符合约定的,承包人应当妥善保管该材料、构配件和设备并且应当以该材料、构配件和设备完成建设工作,不得擅自更换。

合同法第二百五十七条规定:“承揽人发现定作人提供的图纸或者技术要求不合理的,应当及时通知定作人。定作人因怠于答复等原因造成承揽人损失的,应当赔偿损失。”

根据本条规定,如果承包人在建设工作之前或者工作之中发现发包人提供的图纸或者技术要求不合理,也就是说,按此图纸或者技术要求难以产生符合合同约定的建设工程,在此情况下,承包人应当及时将该情况通知发包人。发包人在接到承包人关于图纸或者技术要求不合理的通知后,应当立即采取措施,修改图纸和技术要求。

合同法第二百六十五条规定:“承揽人应当妥善保管定作人提供的材料以及完成的工作成果,因保管不善造成毁损、灭失的,承揽人应当承担损害赔偿责任。”

根据本条规定,发包人按约提供材料构配件和设备后,承包人有义务妥善保管发包人提供的材料、构配件和设备,保持材料、构配件和设备的质量状态,防止材料、构配件和设备非正常损耗,从而保证工程的质量。在工程未交付以前,承包人应当妥善保管工程。如果承包人未尽妥善保管义务,造成材料、构配件和设备或者工程毁损、灭失的,承包人应当承担损害赔偿责任。

合同法第二百六十六条规定:“承揽人应当按照定作人的要求保守秘密,未经定作人许可,不得留存复制品或者技术资料。”

根据本条规定,承包人有保密的义务。承包人的保密义务体现在,承揽人在订立合同过程中知悉发包人商业秘密的,发包人要求保密的,承包人应当保密,不得泄露或者不正当地使用。在建设工程完成后,承包人应当将涉密的图纸、技术资料等一并返还发包人,未经发包人的许可,承包人不得留存图纸以及其他技术资料。

第十七章　运 输 合 同

本章共四节,三十四条。

在综合各专门运输法的规定和借鉴国际公约、各国运输合同立法中的有益经验的基础上,规定了本章的运输合同。本章分为四节:第一节一般规定。主要规定了运输合同的一般规则;第二节客运合同,主要规定了客运合同的主要内容;第三节货运合同,主要规定了货运合同的主要内容;第四节多式联运合同,主要规定了多式联运合同的特殊内容。

第一节　一 般 规 定

第二百八十八条　运输合同是承运人将旅客或者货物从起运地点运输到约定地点,旅客、托运人或者收货人支付票款或者运输费用的合同。

【释义】　本条是关于运输合同含义的规定。

运输合同又称运送合同。本条可以看作对运输合同的定义,这个定义参考了有关的法律规定。如海商法第四十一条规定,海上货物运输合同,是指承运人收取运费,负责将托运人托运的货物经海路由一港运至另一港的合同。铁路法第十一条规定,铁路运输合同是明确铁路运输企业与旅客、托运人之间权利义务关系的协议。意大利民法典第1678条规定,运送契约是指获得对价的承运人负有将人或者货物从一地运至另一地的义务协议。

运输合同的定义包含了以下几个方面的内容：

1. 运输合同的主体是承运人和旅客、托运人。运输合同主体是运输合同权利义务的承担者，即运输合同的当事人。根据运输合同是双务合同的特性，当事人一方是享受收取运费或者票款权利承担运送义务的承运人，另一方是享受运送权利并支付运费的旅客和托运人，双方当事人的数目视具体合同关系而定。在运输合同中，承运人作为一方当事人，可以是一人或者为数人，如在相继运输中承运人可分为缔约承运人和实际承运人，在多式联运合同中有多式联运经营人和各区段承运人。承运人多为法人或者组织，但也可以是个人。托运人是指与承运人订立货物运输合同的一方当事人。在旅客运输合同中，旅客具有双重身份，其既是运输合同的一方当事人，又是运输合同权利义务所指向的对象。

2. 运输合同中的托运人有时就是收货人，但在多数情况下，另有收货人，此时，收货人不是运输合同的一方当事人。外国和国际公约一般都规定，货物送达目的地后，承运人有通知收货人的义务，经收货人请求交付后，取得托运人因运输合同所产生的权利。在存在收货人的情况下，托运人与承运人订立运输合同是为了收货人的利益，承运人应当依照运输合同向收货人交付，但收货人的权利产生于请求交付之时，而非运输合同订立时，收货人是运输合同的第三人，也是运输合同中重要的关系人。

3. 运输合同是承运人将旅客或者货物运输到约定地点。由此可见，运输合同的客体是承运人运送行为，不是货物和旅客。

4. 在运输合同中，承运人的义务是将旅客或者货物运输到约定地点，权利是收票款或者运费；而旅客、托运人的权利和义务与其对应，权利是要求承运人将其运输到约定地点，义务是向承运人支付票款或者运费。这里的票款是指在旅客运输合同中，旅客向承运人支付的报酬；这里的运费是指在货物运输合同中，托运人向承运人支付的报酬。

在本章的立法过程中，对于是否规定运输合同一章曾有不同的意见。一种观点认为，我国对于各种方式的运输合同，都已有专门法作了规定，例如铁路法已对铁路运输合同作了规定，民用航空法对航空运输合同作了规定，海商法对海上运输合同作了规定，因此再在本法规定运输合同就没有多大意义，同时还会带来适用上的麻烦，即在本法对运输合同也作了规定的情况下，当事人到底是适用本法对运输合同的规定，还是适用各专门法中的规定？因此在本法中最好不要对运输合同作出规定。另一种观点认为，应当对运输合同作出规定。本法采纳了第二种观点，这是基于以下几方面的原因：

1. 运输合同除了铁路运输合同、海上运输合同和航空运输合同外，还存在公路运输、内河运输等运输方式，对于这些运输合同，我国到目前为止，还没有法律规范，而合同法的规定是要对所有运输方面的合同都要有所规范。在本法中对运输合同作出规定，就可以对公路等其他运输方式运输的合同作出规范。

2. 随着运输业的极大发展，出现了一些新的运输方式，其中最典型的就是多式联运合同。多式联运合同是一种特殊的运输方式，这种运输合同有许多不同于其他运输合同的特征。海商法的规定范围太窄，只局限于其中要有一种运输方式是海运工具的运输合同。本章在借鉴国际多式联运公约的基础上对多式联运合同作了较为全面的规定，这就可以补充我国以前规定的不足。

3. 对于本章的规定与各专门法的关系问题，依据特别法优于普通法的原则，只要各专门法，如海商法有与本章的规定不一致的，优先适用特别法的规定。只有在特别法没有规定的情况下，才可以适用本章的规定。

4. 我国已有的铁路法、民用航空法、海商法对于运输合同的规定详略不一，有的还有不一致的规定。合同法总则以及本章的规定对三大运输法起着补充的作用。

第二百八十九条　从事公共运输的承运人不得拒绝旅客、托运人通常、合理的运输要求。

【释义】　本条是关于公共运输的承运人不得拒绝运输的规定。

什么是公共运输？公共运输包括班轮、班机和班车运输，还包括其他以对外公布的固定路线、固定时间、固定价格进行商业性运输的运输行为。公共运输一般具有以下特征：

1. 在运输中，对公共运输的承运人要比一般承运人的要求高些。在国外对公共运输行为一般都有专门的行政性文件进行规范，这些行政性文件对旅客或者托运人的利益都作了较为有利的保护。

2. 公共运输的承运人的运输行为除了具有商业性的一面外，还由于其是面向社会大众（包括广大旅客和托运人）的运输，具有公益性的一面，如从事铁路旅客运输的承运人就是属于公用事业单位。

3. 从事公共运输的承运人一般都对自己的运输制定了固定的路线、固定的时间、固定的价格，这是公共运输最为显著的特征，从合同法的意义上讲，从事公共运输的承运人与旅客或者托运人之间的合同的内容确定化了。这种合同的基本内容不是由具体合同当事人双方协商确定的，而是由公共运输的承运人单方制定的，当然公共运输的承运人对外公布的固定的价格不是随便制定的，而是在遵守有关法律的前提下，如价格法、铁路法、民用航空法等，考虑到中国的实际收入状况而制定的，并且还要经过主管部门的同意。

4. 从事公共运输的承运人与旅客或者托运人之间的运输合同的形式一般都是格式化的。公共运输合同的格式化产生的原因是由于公共运输的承运人一般都具有垄断性质，以及运输事务的频繁发生。这就决定了具体合同双方协商在事实上的不可能。但是只有公平合理的，并且依照法律的具体规定而产生的格式化合同才更符合旅客或者托运人的利益。为了防止公共运输合同内容的不平等，保护和促进运输经济的发展，公共运输合同一般都要经过国家运输主管部门的审查批准。所以一般来说对于从事公共运输的承运人，我国的国务院或者行政主管部门都制定了行政法规或者行政规章等加以规范，如我国的政府部门制定的《公路货物运输合同实施细则》《航空货物运输合同实施细则》等都对公共运输行为作了一定的规范。

从事公共运输的承运人不得拒绝旅客、托运人通常的、合理的运输要求。但在运输工具已满载的情况下，从事公共运输的承运人可以拒绝旅客的乘坐要求。由于不可抗力导致不能正常运输的情况下，从事公共运输的承运人也可以拒绝旅客或者托运人要求按时到达目的地的要求。本条强调的是不得拒绝旅客或者托运人通常合理的运输要求，对这里的“通常合理”要有一个正确的理解，在不同情况下，其内涵是不同的，如在海上旅客运输中，旅客坐的是头等舱，旅客要求提供空调服务就是“通常合理”，而对散舱的旅客来说，要求提供空调就不是“通常合理”的；其次，判断是否为“通常合理”，不是依单个旅客或者托运人的判断，而是依一般旅客或者托运人的判断；最后，这里的“通常合理”意味着从事公共运输的承运人不得对旅客或者托运人实行差别待遇，如同为乘坐普通舱位的旅客，承运人就不能对其中的一些旅客提供免费餐，而对另一些旅客不提供。

第二百九十条　承运人应当在约定期间或者合理期间内将旅客、货物安全运输到约定地点。

【释义】　本条是关于承运人应当按照约定时间安全运输的规定。

按照约定时间进行安全运输是承运人的一项主要义务。运输合同是承运人与旅客或者托运人就运输事宜所作的一致的意思表示。合同中一般对运输时间、到达地点和运输的安全作了约定，承运人应当按合同中的约定进行运输，否则就要承担违约责任。

本条要求承运人按照约定时间进行安全运输的规定包含了以下三层意思：

1. 承运人应当在约定的期间内或者合理的期间内进行运输。承运人应当在约定或者合理的期间内，承运人应当将旅客或者托运人托运的货物运到目的地。如果由于承运人的原因造成旅客或者货物不能按时到达目的地的，承运人就要承担运输迟延的违约责任。

2. 承运人在运输过程中，应当保证旅客或者货物的安全，运输行为是一项带有危险性的活动，特别是航空运输更是高风险的行业，它直接关系到人民的生命和财产的安全，因此强调运输活动的安全性是运输行业的一项基本原则，也是运输合同立法的基本原则。安全运输就是承运人要确保被运输的旅客和货物以及所使用的运输设备完好无损。有关法律都有专门规定，如铁路法第十条、民用航空法第一百二十四条、海商法第一百一十四条等。

3. 承运人应当将旅客、货物运到约定的地点。正如前面所述，运输合同实质上是旅客或者货物从一个地点到另一个地点的位移，旅客或者托运人与承运人订立合同的目的就是希望承运人把旅客或者货物运到约定地点。如果承运人不按合同约定的地点运输，将旅客或者货物错运到另一个地点，如运输合同中约定承运人应当将旅客或者货物运到上海，承运人却将旅客或者货物运到了南京，承运人就应当承担违约责任。

第二百九十一条　承运人应当按照约定的或者通常的运输路线将旅客、货物运输到约定地点。

【释义】 本条是关于承运人按照约定或者通常运输路线进行运输的规定。

运输合同是从起运地点到目的地的位移，所以承运人运输时都要按照一定的运输路线进行运输。在运输中，当事人应当按照合同约定的路线进行运输，否则就要承担违约责任。如果当事人没有约定的，承运人应当按通常的运输路线进行运输，不得无故绕行。海商法第四十九条第一款规定，承运人应当按照约定的或者习惯的或者地理上的航线将货物运往卸货港。之所以要规定承运人要按照通常的运输路线进行运输，主要是基于以下四方面的原因：

1. 承运人按通常的运输路线进行运输可以规避一些危险。我们知道通常的运输路线一般都是经过多次运输行为的检验，并被证明是很安全的，如果不按通常的运输路线进行运输，就有可能给运输活动带来危险，对旅客或者货物带来危害。例如，在民用航空运输中，航空运输路线一般都是经过精心测航的，选择的路线一般都是比较安全的(如少风暴的发生、少强气流的出现等恶劣天气出现),在国际民用航空运输中,通常的运输一般还要经过航线所经国家的特别准许,如果民用航空运输承运人不按通常的运输路线运输,就有可能对旅客的生命安全造成危害。

2. 一般来说,承运人不按通常的运输路线进行运输,还有可能造成运输迟延,而运输迟延可能对旅客或者托运人精神上、物质上造成损害。

在有的情况下,承运人不按通常的运输路线运输,进行合理的绕行也是准许的,一般不按违约处理。包括以下几种情况:(1)由于运输合同中列明的一些具体的事由出现而发生的绕行。例如合同中明确约定,在出现风暴的情况下,航空承运人可以绕行。(2)法律规定的情形下,承运人也可以绕行。例如海商法第四十九条第二款规定,船舶在海上为救助或者企图救助人命或财产而发生的绕航或者其他合理绕航,不属于违反前款规定的行为。

3. 在运输中遇到危险,为了运输工具、旅客或者货物的安全,承运人也可不按通常的运输路线进行运输,可以进行绕行。即使这种危险是运输前承运人没有做到谨慎处理使运输工具处于适运的状态所致,承运人运输必须绕行,这种绕行也是合理的。

4. 因不可抗力的原因致使承运人不能按照通常的运输路线进行运输的,承运人也可以合理绕行。

第二百九十二条　旅客、托运人或者收货人应当支付票款或者运输费用。承运人未按照约定路线或者通常路线运输增加票款或者运输费用的,旅客、托运人或者收货人可以拒绝支付增

加部分的票款或者运输费用。

【释义】 本条是关于旅客、托运人或者收货人支付票款或者运输费用的规定。

支付票款或者运费是旅客、托运人或者收货人的主要的义务。在旅客运输合同中,旅客支付票款的义务一般是在购买旅客运输票证时履行,旅客没有支付票款一般是不能取得运输票证的。如由收货人支付运费应当在运输单证上载明,如海商法第六十九条规定,托运人应当按照约定向承运人支付运费。托运人与承运人可以约定运费由收货人支付;但是,此项约定应当在运输单证中载明。

如果在运输单证中没有载明应由收货人支付运费,收货人一般可以拒绝支付运费。按运费的支付时间可以分为"运费预付"和"运费到付"两种。"运费预付"是指承运人在签发单据之前就已经收到运费。这种支付方式是受承运人欢迎的,因为他们无需承担运费的风险,但不可抗力灭失的除外,"运费到付"就是在货物到达目的地后,承运人才能收到运费。这种支付方式对于承运人来讲,承担的风险比较大,但是这种支付方式在运输中时常出现,例如海上的国际货物运输中,在 FOB 价格条件下,买方才是真正的托运人,所以就有可能采用运费到付的方式,但此时,应当在运输单证中注明,运费由收货人支付。

本条规定旅客、托运人或者收货人有向承运人支付票款或者运费的义务,同时也规定,承运人未按照约定路线或者合理路线运输而增加票款或者运费的,旅客、托运人或者收货人可以拒绝支付增加部分的票款或者运费。在日常的生活和经济活动中,常常出现这样一些情况,承运人不按照运输合同中约定的运输路线或者合理的运输路线进行运输,向旅客要求增加票款,向货物的托运人或者收货人要求增加运费。承运人没有正当理由不按照约定的路线或者合理的路线进行运输，是其自己的过错，旅客、托运人或者收货人没有任何过错，因此在此种情况下，旅客、托运人或者收货人可以拒绝支付增加部分的票款或者运费。

第二节　客 运 合 同

第二百九十三条　客运合同自承运人向旅客交付客票时成立，但当事人另有约定或者另有交易习惯的除外。

【释义】　本条是关于旅客运输合同的成立时间所作的规定。

旅客运输合同作为民事合同的一种，其订立和成立与其他民事合同的订立和成立有相同的地方，但是旅客运输合同的订立和成立时间上也有其特殊的地方。这主要体现在以下几个方面：

1. 从合同行为主体方面来看，在旅客运输合同中，运输部门一般具有独占的地位，制作并发布标准合同，其相对人是社会中不特定的大众，任何人都可以按这些企业发布的标准合同确立合同关系。但是旅客运输领域中还有一个特殊情况的存在，即旅客运输供求关系所造成的运力与运量的矛盾总是存在的。在运力大于运量的情况下，承运人不应拒绝也不会拒绝旅客。如果在运力小于运量的情况下，承运人就可能满足不了所有旅客的要求。在实践中，如铁路客运中，往往在售票窗口告示某车次的可售票的数量；班轮客运中承运人在营业地或者报纸上公告航次和舱位数量，承运人在此运量的范围内才受拘束。

2. 从运输合同的内容来看，承运人所制作公布的客票、价目表和班次时刻表等间接或者直接地构成合同内容，但是否构成合同的内容，是以合同是否成立为界限，在旅客购票以前，即合同成立以前,这些内容的性质仅在于说明承运人的运输能力、运输安排、价格等实际情况,对承运人法定资格、经营范围、经营行为能力的公示,此时上述内容还不构成具体运输合同的内容,只有在旅客向承运人交付票款,取得客票后,合同才成立,上述内容也才成为运输合同的内容。

3. 旅客运输合同一般在旅客取得客票时,合同成立。在旅客运输合同中,一般合同一成立,旅客就已履行了其主要的义务,即支付票款的义务。

旅客运输合同的成立时间和地点,涉及合同当事人受合同约束的开始时间和案件管辖问题,而国际旅客运输合同的成立往往还涉及法律适用问题。在普通情况下,客票就是旅客运输合同成立的凭据,也就是说,承运人向旅客签发的客票证明了承运人和旅客之间订立了合同。所以旅客运输合同的成立时间一般即是旅客客票的取得时间。但是在运输合同的当事人另有约定的情况下,旅客运输合同的成立时间可以不是在客票的交付时成立,例如,在航空运输中,旅客与承运人约定航空运输合同从旅客登上飞机时成立,则该航空运输合同的成立时间即为旅客登上飞机那一刻。本条还规定,在另有交易习惯的情况下,旅客运输合同的成立时间也可以不在交付客票时成立,例如在出租车运输中,客票的交付时间一般在运输行为完成后,按出租车运输的交易习惯,该运输合同在旅客登上出租车时就成立。

第二百九十四条　旅客应当持有效客票乘运。旅客无票乘运、超程乘运、越级乘运或者持失效客票乘运的,应当补交票款,承运人可以按照规定加收票款。旅客不交付票款的,承运人可以拒绝运输。

【释义】　本条是关于旅客应当持有效客票乘运义务的

规定。

客票是旅客运输合同的证明，旅客持有的客票一般也就意味着其与承运人之间有运输关系的存在，旅客凭客票就可以要求承运人履行运输的义务，但是由于客票具有流通性和一次性的特点，如铁路运输中的火车票，所以旅客也必须履行持有效的客票进行乘运的义务。但是在旅客运输中常常出现旅客无票进行乘运、越级乘运、超程乘运或者持已经失效的客票进行乘运的现象。所谓越级乘运就是指旅客自行乘坐超过客票指定的等级席位，如在海上旅客运输合同中，旅客买的是四等舱的客票，但他在船上自行占了三等舱的席位。所谓超程乘运就是旅客自行乘运的到达地超过了客票指定的目的地，例如在铁路运输中，旅客购买的客票上的目的地是长沙，而该旅客却持该客票坐到了广州。

对于旅客无票乘运、超程乘运、越级乘运或者持失效客票乘运的行为，应当如何处理？铁路法第十四条规定，旅客乘车应当持有效车票。对无票乘车或者持失效车票乘车的，应当补收票款，并按照规定加收票款；拒不交付的，铁路运输企业可以责令下车。海商法第一百一十二条规定，旅客无票乘船、越级乘船或者超程乘船，应当按照规定补足票款，承运人可以按照规定加收票款；拒不交付票款的，船长有权在适当地点令其离船，承运人有权向其追偿。根据本条的规定，可以看出，承运人对旅客这种行为的处理可以分为两个层次。首先，旅客无票乘运、超程乘运、越级乘运或者持失效客票乘运的，应当向承运人补交票款。同时根据本条的规定承运人或者有关主管部门有权颁布规定，旅客无票乘运、超程乘运、越级乘运或者持失效客票乘运的，承运人可以按规定加收票款。补足票款是乘客的义务，所以本条用了“应当”，至于是否按规定向乘客加收票款，则由承运人自己酌情处理，所以用了“可以”二字。其次，旅客不交付票款的，承运人可以拒绝运输。这里的拒绝运输是指承运人有权在适当的地点令其离开运输工具。当然在旅客拒不交付票款，承运人在适当地点令其离开运输工具后，承运人仍有权向旅客追偿。

第二百九十五条　旅客因自己的原因不能按照客票记载的时间乘坐的，应当在约定的时间内办理退票或者变更手续。逾期办理的，承运人可以不退票款，并不再承担运输义务。

【释义】　本条是关于旅客办理退票或者变更乘运手续的规定。

客票是旅客运输合同的凭证，在客票上通常都载明了航次或者车次、运输开始的时间、客位的等级和票价等内容。承运人应当按照客票载明的时间进行乘运，并且要保证旅客在载明的时间内到达目的地。但是旅客自己也应当在客票载明的时间内乘坐。如果旅客因自己的原因不能按照客票记载的时间进行乘坐的，承运人或者有关部门的规定一般都允许旅客在一定的时间内退票或者变更客票。也就是说，在客票载明的乘坐时间前，承运人或者有关部门规定一般都给予了旅客单方解除运输合同或者单方变更运输合同的权利，但是这种权利是有时间限制的，如果旅客在约定的时间内不办理退票或者变更手续，则超过该时间后，承运人可以不退票款，并且也不再承担运输旅客的义务。例如在铁路运输中，铁路承运人一般都规定在火车开车前几个小时后，就不再办理旅客的退票或者变更客票的手续。同时还规定，旅客退票的，一般要对承运人赔偿一定的损失；旅客变更客票的，承运人一般要收取一定的手续费。

对于本条的规定需要注意的是，本条的规定只适用于由于旅客自己的原因不能按照客载明的时间乘坐的情形。如果旅客不能按照客票的时间乘坐的原因是由于承运人造成的，则根据本节第二百九十九条的规定，旅客可以要求承运人安排改乘其他班次或者退票。此时对于旅客要求退票的，承运人应当全额退还票款。

第二百九十六条　旅客在运输中应当按照约定的限量携带行李。超过限量携带行李的，应当办理托运手续。

【释义】 本条是关于旅客应当按照约定的限量携带行李的规定。

旅客运输合同中，承运人的主要义务是将旅客从起运地运到目的地，而不是为了专门运输行李。但是为了旅客乘运途中的方便，承运人或者有关部门一般也允许旅客随身携带一定数量的行李。到底旅客在乘运过程中可以随身携带多少数量的行李，旅客与承运人一般在运输合同中都有约定。例如，在航空旅客运输中，航空承运人一般规定每位旅客随身携带的行李重量不得超过一定的公斤数。对于旅客超过约定随身携带行李数量的行李应当怎么办？在运输实践中的一般做法是承运人要求旅客办理托运的手续，如果旅客拒不办理托运手续，一定要随身携带的，承运人可以拒绝运输。对于旅客托运的行李应当按照货物运输合同的规定进行处理。

第二百九十七条　旅客不得随身携带或者在行李中夹带易燃、易爆、有毒、有腐蚀性、有放射性以及有可能危及运输工具上人身和财产安全的危险物品或者其他违禁物品。

旅客违反前款规定的，承运人可以将违禁物品卸下、销毁或者送交有关部门。旅客坚持携带或者夹带违禁物品的，承运人应当拒绝运输。

【释义】 本条是关于旅客携带违禁物品或者危险物品的规定。

安全对于旅客运输有着特别重要的意义。在旅客运输活动中,因为旅客随身携带或者在行李中夹带违禁物品或者易燃、易爆、有毒、腐蚀性等危险品而导致出现严重后果的例子并不少见。特别在铁路运输中,由于旅客随身携带危险物品而造成人身伤害和财产损害的事件屡屡出现。这里所指的危险物品是指危及人身安全和财产安全的物品,具体所指就是本条提到的易燃、易爆、有毒等物品,如烟花爆竹、炸药等。这里所指的违禁物品就是指有可能对国家利益和整个社会的利益造成影响的物品,如枪支、毒品等。这是本法对旅客规定的强制性义务,旅客不得违反。铁路法第二十八条规定,托运、承运货物、包裹、行李,必须遵守国家关于禁止或者限制运输物品的规定。海商法第一百一十三条第一款规定,旅客不得随身携带或者夹带违禁品或者易燃、易爆、有毒、有腐蚀性、有放射性以及有可能危及船上人身财产安全和其他危险品。

在旅客运输中,旅客在登上运输工具之前,承运人一般都要对旅客进行安全检查,以防止旅客把危险物品或者违禁物品带上运输工具。但是在有的情况下,还是有旅客违反本条第一款的规定把危险物品或者违禁物品带上了运输工具,对于此种情况应当如何处理?根据本条第二款的规定,旅客违反前款规定的,承运人可以将危险物品或者违禁物品卸下、销毁或者送交有关部门。例如在海上旅客运输中,旅客随身携带烟花爆竹上船,在航行途中被承运人发现,为了航行的安全,承运人有权将烟花爆竹抛弃投入海中。在承运人将危险物品或者违禁物品卸下、销毁或者送交有关部门的情况下,承运人可以不负赔偿责任。同时如果旅客由于违反本条第一款的规定对其他旅客的人身和财产或者对承运人的财产造成损害的,旅客还应当负赔偿责任。本条第二款还规定,如果旅客坚持要携带或者夹带违禁物品的,承运人应当拒绝运输。这里用的是"应当"二字,与本章第三百零八条的货物运输安全的规定不一样,这主要是在旅客运输中,对人身安全的保护要采取更为严格的措施。

第二百九十八条　承运人应当向旅客及时告知有关不能正常运输的重要事由和安全运输应当注意的事项。

【释义】 本条是关于承运人应当履行向旅客告知重要事项义务的规定。

在旅客运输中,常常会出现一些异常情况导致运输行为不能正常进行,例如发生不可抗力致使承运人不能将旅客按时运到目的地;还比如在运输途中,运输工具突然发生故障,致使运输行为不能进行等,这里的不可抗力、运输工具发生故障就是运输不能进行的重要事由。在这些不能正常运输的重要事由中,有的是承运人的过错造成的,有的则不是承运人的过错造成的,而是由于不可抗力、意外事件或者第三人的原因造成的,不管承运人对此是否有过错,承运人都应当及时向旅客告知这些不能正常运输的重要事由。本条之所以对承运人要如此要求,一是为了使旅客自己及时采取措施以避免不能正常运输给自己造成损失,例如在不能按时到达目的地的情况下,旅客一旦知道了迟延运输的原因后,如果认为迟延到达可能对自己造成重大损失的,他就可以变更客票改其他班次到达目的地;二是可以让旅客知道不能正常运输的原因,以避免造成混乱和无端的猜疑。

承运人除了应当向旅客及时告知有关不能正常运输的重要事由外,根据本条的要求还应当向旅客及时告知安全运输应当注意的事项。正如前所述运输活动是一项比较危险的活动,保证运输的安全是承运人最大的义务。旅客作为一个个体，对于运输当中的安全乘运知识可能了解不多，为了让旅客安全乘坐，安全到达目的地，作为具有这方面专业知识的承运人就应当向旅客及时告知安全运输应当注意的事项。例如在民用航空运输中，航空承运人就应当在起飞前向乘客告知系上安全带、如何保持正确的乘姿、在发生紧急情况下如何使用氧气袋和安全舷梯等知识。如果由于承运人的过错没有告知旅客安全运输应当注意的事项，造成旅客的人身或者财产损害的，承运人应当负赔偿责任。

对本条需要注意的是，承运人应当“及时”告知旅客有关不能正常运输的重要事项和安全运输应当注意的事项。这里的“及时”是一个弹性要求，应当视具体情况来决定承运人的告知是否及时，例如在前面所举的民用航空运输中，航空承运人在起飞前告知乘客有关安全运输应当注意的情况就为“及时”；如果在起飞后，才告知这些情况就为不及时。

第二百九十九条　承运人应当按照客票载明的时间和班次运输旅客。承运人迟延运输的，应当根据旅客的要求安排改乘其他班次或者退票。

【释义】　本条是关于承运人迟延运输的规定。

客票是承运人与旅客之间订立运输合同的凭证，同时客票上也对合同的很多内容作了记载，如运输时间、运输的班次等，旅客购买了客票后，旅客运输合同也就成立。承运人按照客票记载的时间和班次对旅客进行运输是其义务，否则就是对运输合同的违反。铁路法第十二条规定，铁路运输企业应当保证旅客按车票载明的日期、车次乘车，并到达目的站。因铁路运输企业的责任造成旅客不能按照车票载明的日期、车次乘车的，铁路运输企业应当按照旅客的要求，退还全部票款或者安排改乘到达相同目的站的其他列车。

迟延运输是旅客运输中的一个普遍现象，对于这种现象应当如何处理？本条规定，承运人迟延运输的，应当根据旅客的要求安排改乘其他班次或者退票。这里的迟延运输包括由于承运人的责任造成的，也包括其他原因造成的运输迟延。不可抗力虽然不是承运人造成的，但考虑到旅客在突然降临的自然灾害面前被迫停止乘运，虽然不是承运人造成的，承运人也不能把旅客放在旅途中撒手不管。在承运人迟延运输的情况下，如何处理的选择权在旅客手中。根据本条的规定，旅客可以要求退票。如果旅客还要求继续乘坐运输工具的，承运人应当根据旅客的要求安排旅客改乘其他班次以到达目的地。

第三百条　承运人擅自变更运输工具而降低服务标准的，应当根据旅客的要求退票或者减收票款；提高服务标准的，不应当加收票款。

【释义】　本条是关于承运人擅自变更运输工具的规定。

在旅客运输中，承运人应当按照旅客运输合同约定的运输工具进行运输。但是有的承运人在运输过程中却擅自变更了运输工具，例如在汽车运输中，承运人在运输合同中承诺用豪华公共汽车运输旅客，但是在实际运输中却用一般公共汽车进行运输；还例如承运人将旅客运到中途，却要求旅客换乘到另一辆公共汽车上。承运人这种擅自变更运输工具的行为，没有经过旅客的同意，违背了旅客的意志，是对运输合同的违反，有时会对旅客的利益造成损害。承运人擅自变更运输工具降低服务标准的行为实质上是对旅客要求按合同的约定获得相应服务权利的侵害，所以在这种情况下，应当尊重旅客的选择权，旅客要求退票的，承运人应当退还旅客的全部票款；旅客要求减收票款的，承运人应当按照旅客的要求减收票款。但是在有的情况下，承运人擅自变更了运输工具后，反倒提高了对旅客的服务标准，例如在汽车运输中，承运人在合同中承诺用一般的公共汽车进行运输，但在实际运输中，却用豪华客车进行了运输，这无疑提高了对旅客的服务标准。在这种情况下，承运人是否可以加收票款？虽然承运人变更运输工具的行为提高了旅客的服务标准，但是承运人是擅自变更运输工具的行为，没有经过旅客的同意，所以即使提高了服务标准，承运人也不应当加收旅客的票款。

第三百零一条　承运人在运输过程中，应当尽力救助患有急病、分娩、遇险的旅客。

【释义】 本条是关于承运人对旅客应当尽救助义务的规定。

承运人应当将旅客安全运输到约定地点。安全运输不但包含了承运人本身要采取措施保证旅客的安全，在运输过程中，对于患有急病、分娩、遇险的旅客，承运人还应当尽力救助。虽然旅客的这些情况大多不是由承运人的原因造成的，但是作为承运人，如果其有能力对旅客的急病、分娩等情况采取救助，而对旅客的安危采取不闻不问的态度，这是有悖于一般的善良道德风俗的，也是与合同的基本原则——诚实信用原则是相违背的。所以本条规定，承运人在运输过程中，应当对患有急病、分娩、遇险的旅客尽力采取措施救助。这是承运人在运输过程所应承担的道德义务，也是法律规定的法定义务。如果未尽此义务，要承担责任。

第三百零二条　承运人应当对运输过程中旅客的伤亡承担

损害赔偿责任，但伤亡是旅客自身健康原因造成的或者承运人证明伤亡是旅客故意、重大过失造成的除外。

前款规定适用于按照规定免票、持优待票或者经承运人许可搭乘的无票旅客。

【释义】 本条是关于旅客运输中承运人对旅客人身伤亡应负责任的规定。

运输行为的需求在于高速和安全，当代运输虽然安全程度越来越高，但社会经济发展要求的速度越来越高，在速度和安全之间，存在对立统一的关系。现代任何一种运输生产活动都存在与其他社会经济活动不同的风险，保障旅客在运输途中的安全也就成了旅客运输承运人最大的义务。所以本条规定，承运人应当对运输过程中旅客的伤亡承担赔偿责任。但是在旅客运输合同中，应当实行什么样的责任制度呢？有的认为应当实行过错责任制度，即承运人只有在具有过错造成旅客人身伤亡的情况下，才承担损害赔偿责任。我们认为，在旅客运输活动中，应当实行无过错责任制度，即承运人即使在没有过错的情况下，也应当承担损害赔偿责任。这是基于以下几点原因：

1. 在整个旅客运输活动中，旅客所受到的大多数损害，一般都与承运人的运输行为有关，或者由承运人的作为或不作为造成，或者由承运人未尽管理职责而间接造成。在有些情况下，并不是承运人违约或者侵权造成旅客伤害，如旅客乘火车旅行途中被车外人掷石头击伤。此时承运人仍应当承担赔偿责任，这是法律保护旅客人身安全利益，而赋予承运人的一项责任或义务。

2. 在旅客运输中，应当强调对旅客人身生命的特别保护，而对承运人实行无过错责任制度，可以有效地保护旅客的人身安全，促使承运人采取各种措施以保护旅客的安全。

3. 在现代运输业中,运输活动的公用性和独占特点以及国家的全面干预,要求承运人实行无过错责任制度。同时由于运输保险业的发展,运输风险大为分散,这就为承运人实行无过错责任制度奠定了基础。

4. 各国运输法对承运人责任制度的规定各不相同,但在现代经济条件下,无过错责任制度已成为旅客运输合同中的基本取向。究其原因,仍在于前面所述的国家对旅客运输行为的严格管理,承运人的独占性和公用性以及由此产生的国家对旅客的严加保护。就是我国的运输立法也在向无过错责任制度靠拢。如从交通部颁布的《汽车旅客运输规则》来看,在公路运输中,实行的是无过错责任。铁路法虽没有明确规定是无过错责任制度,但从铁路法规定的免责条件来看,铁路运输中,也是实行的无过错责任制度。我国的民用航空法第一百二十四条规定,因发生在民用航空器过程中的事件,造成旅客人身伤亡的,承运人应当承担责任;但是旅客的人身伤亡完全是旅客本人的健康原因造成的,承运人不承担责任。可见航空旅客运输中是实行的比无过错责任制度更为严格的严格责任制。

法律在对旅客实行严格保护的同时,也应当充分保护承运人。本法对承运人的保护就体现在免责规定上。本条规定了在两种情况下,承运人可以免除责任:

1. 旅客的故意或者重大过失。如旅客自己寻短见从火车上跳车自杀的,承运人就不承担赔偿责任。但是这里需要注意的是,只有旅客有重大过失的情况下,承运人才可以免责。如果旅客对伤亡的造成只有一般过失,承运人仍应当负赔偿责任。但需要注意的是,免责事由应当由承运人举证。

2. 旅客自身健康原因造成的伤亡。如旅客在运输途中突发重病而死亡的。

由于运输方式的不同,风险的程度也不一样,所以各专门法对旅客运输中承运人的免责事由也不一样。根据特别法优于普通法的原则,特别法有不同的规定时,应当适用特别法的规定。例如,民用航空法第一百一十四条规定的免责事由只有旅客的健康原因,对于不可抗力造成旅客人身伤亡的,在民用航空中,承运人仍应当承担责任。各专门运输法对承运人的赔偿的数额基本上都作了限制性规定,如海商法第一百一十七条规定了旅客人身伤亡的,每名旅客的赔偿不超过 46666 计算单位。民用航空法第一百二十九条规定,对每名旅客的赔偿责任限额为 16600 计算单位。所以各专门法对赔偿限额有特别规定的,应当依照其规定。

本条第二款还规定,对于按照规定免票、持优待票或者经承运人许可搭乘的无票旅客也应当适用本条第一款的规定。

第三百零三条　在运输过程中旅客自带物品毁损、灭失,承运人有过错的,应当承担损害赔偿责任。

旅客托运的行李毁损、灭失的,适用货物运输的有关规定。

【释义】　本条是关于承运人对旅客自带物品毁损、灭失应负赔偿责任的规定。

在旅客运输中,旅客一般都随身携带了一些物品,对于这些物品,承运人也应当尽足够的责任和义务保证物品的安全,如果由于承运人原因造成了旅客的自带物品毁损灭失的,承运人应当负赔偿责任。本条中对承运人实行的是过错责任原则,也就是说,在发生旅客自带物品毁损、灭失的情况下,承运人对自带物品的毁损、灭失有过错的,才承担责任。旅客自己随身携带行李,所以其也应当尽足够的注意保护这些物品。

本条第二款还规定,旅客托运的行李毁损、灭失的,适用货物运输的有关规定。这是因为托运的行李不是旅客随身携带的,其从实质上讲,是货物运输合同,所以应当适用货物运输的有关规定。即适用本章第三节货运合同的有关规定。

第三节 货运合同

第三百零四条 托运人办理货物运输,应当向承运人准确表明收货人的名称或者姓名或者凭指示的收货人,货物的名称、性质、重量、数量,收货地点等有关货物运输的必要情况。

因托运人申报不实或者遗漏重要情况,造成承运人损失的,托运人应当承担损害赔偿责任。

【释义】 本条是关于托运人如实申报情况义务的规定。

在承运人托运货物之前,往往需要托运人在办理货物运输之时向承运人准确地表明一些运输当中必要的情况,以便于承运人准确、安全地进行运输。在货物运输业务中,一般都是采用由托运人填写运单的方式(如在海上货物运输中,一般是提单;在民用航空货物运输一般是航空货运单;在铁路货物运输中,一般是货运单)来进行申报的,而承运人也一般是凭借托运人填写的内容来了解货物的情况,并且采取相应的措施对货物进行运输中的保护;同时承运人也是根据运单上填写的收货人的名称或者地址,向收货人交货。如果托运人不向承运人准确、全面地表明这些运输必要的情况,就有可能造成承运人无法正确地进行运输,甚至有可能对承运人造成损失。为了避免这种情况的出现,本条强调了托运人在办理货物运输时,应当准确地向承运人表明有关货物运输的必要的情况。在专门法中,对托运人的这项义务也作了规定,如民用航空法第一百一十七条规定,托运人应当对航空货运单上所填写的货物的说明和声明的正确性负责。因航空货运单上所填的说明和声明不符合规定、不正确或者不完全，给承运人或者承运人对之负责的其他人造成损失的，托运人应当承担赔偿责任。铁路法第十九条规定，托运人应当如实填报托运单，铁路运输企业有权对填报的货物和包裹和品名、重量、数量进行检查。经检查，申报与实际不符的，检查费用由托运人承担；申报与实际相符的，检查费用由铁路运输企业承担，因检查对货物和包裹中的物品造成的损坏由铁路运输企业赔偿。托运人因申报不实而少交的运费和其他费用应当补交，铁路运输企业按照国务院铁路主管部门的规定加收运费和其他费用。海商法第六十六条规定，托运人托运货物，应当妥善包装，并向承运人保证装船时所提供的货物的品名、标志、包装或者件数、重量或者体积的正确性；由于包装不良或者上述资料不正确，对承运人造成损失的，托运人应当负赔偿责任。

根据本条第一款的规定，托运人办理货物运输，一般应当向承运人准确表明以下内容：(1)收货人的名称或者姓名或者凭指示的收货人。这在货物运输合同中是很重要的，因为在运输合同中签订合同的一方托运人很多时候不是货物的接收方，接收方往往是与承运人并不相识的第三方，为了便于承运人及时交货，就需要托运人在运输开始之前向承运人在运单上或者以其他方式表明收货人的名称或者姓名。本条还规定，托运人在有的情况下，还应当向承运人表明“凭指示的收货人”的意思。这主要是针对在海上货物运输的情况下，托运人在交付货物进行运输时，还没有确定货物给谁时，就在提单上写明“凭指示交付”的字样，也就是承运人凭托运人的指示交付或者提单持有人的指示交付货物。(2)收货地点。这对承运人的正确运输也是非常重要的，如果承运人不知道收货人的收货地点，也就无法在某个确定的地点进行交付货物，也就无法完成运输任务。

(3)货物的名称、性质、重量、数量等内容。这里货物的性质是指货物的属性。除了上面列举的各种情况外,托运人还应当向承运人准确提供货物运输必要的其他情况,如货物的表面情况、包装情况等。

托运人申报不实或者遗漏重要的情况(这里的“申报不实”是指托运人所提供的情况与实际情况不符合;这里的“遗漏重要情况”是指托运人应当向承运人提供一些有关运输的重要情况,却没有提供),往往会造成两种结果。第一种结果是因为托运人的申报不实或者遗漏重要情况给承运人造成损失,例如托运人把五吨重的货物误报为三吨,承运人的起重机负荷仅为三吨,造成机毁货损,损及承运人船舶。对于这种情况,应当如何处理?本条第二款规定,因托运人申报不实或者遗漏重要情况,造成承运人损失的,托运人应当承担损害赔偿责任。第二种结果是因为托运人申报不实或者遗漏重要情况,致使承运人按照托运人申报的情况进行运输,结果给托运人造成损失。对于这种情况,应当如何处理?向承运人准确、全面地表明运输必要的情况是托运人的义务,如果因为托运人不履行这项义务或者履行这项义务不符合合同的约定给自己造成损失的,证明托运人对损失的产生是有过错的,所以理应由托运人自己承担损失,承运人可以不负任何责任。

第三百零五条　货物运输需要办理审批、检验等手续的,托运人应当将办理完有关手续的文件提交承运人。

【释义】 本条是关于托运人托运货物必须办理某些手续的规定。

货物的运输往往会涉及各种手续,如国际货物运输合同,就必须向海关办理出口货物的报关,同时还必须为出口的货物办妥检疫、检验等手续;有些货物的运输还必须经过有关政府主管部门审批和同意。货物运输中所涉及的各种手续是运输所必须的,如果没有这些手续,承运人不能进行正常运输。所以在运输前,承运人一般都要求托运人办理这些手续,并且应当将办理完这些手续的文件提交给承运人,以便于承运人运输。我国的各专门法基本上都强调了托运人的这项义务,民用航空法第一百二十三条规定,托运人应当提供必要的资料和文件,以便在货物交付前完成法律、行政法规规定的有关手续;因没有此种资料、文件,或者此种资料、文件不充足或者不符合规定造成的损失,除由于承运人或者其受雇人、代理人的过错造成的除外,托运人应当对承运人承担责任。海商法第六十七条规定,托运人应当及时向港口、海关、检疫、检验和其他主管机关办理货物运输所需的各项手续,并将已办理各项手续的单证送交承运人;因办理各项手续的有关单证送交不及时、不完备或者不正确,使承运人的利益受到损害的,托运人应当负赔偿责任。

本条对托运人应当办理的手续列举了审批、检验两种,但是托运人在货物运输前应当办理的手续不限于这两种,一般还包括检疫、港口准入等,在危险品的运输时,还包括危险品运输的许可手续。托运人一般应当在承运人进行货物运输前向承运人及时提供这些手续,如果不及时向承运人提供这些手续,就有可能造成运输的迟延,或者对承运人造成损失。对于托运人没有向承运人提供这些手续或者提供的手续不完备或者没有及时提供这些手续,给承运人造成损失的,托运人应当赔偿损失。

第三百零六条　托运人应当按照约定的方式包装货物。对包装方式没有约定或者约定不明确的,适用本法第一百五十六条的规定。

托运人违反前款规定的，承运人可以拒绝运输。

【释义】 本条是关于托运人应当对货物履行包装义务的规定。

在货物运输中，对货物进行包装是很重要的，我们知道，货物的运输实际上就是货物在两地之间的位移，其一般都要经过长时间的移动，而移动的过程中可能遇到各种地形、气候以及运输工具本身的影响，而这种影响在可能对货物的安全构成威胁，所以对货物进行妥善包装就涉及运输过程中运输货物的安全。例如对于易腐烂变质的货物，如不对其进行包装，有可能在运输过程中就腐烂变质了。当然并不是说，任何货物的运输都必须进行包装，货物是否需要包装要根据货物本身的特性、运输路程的情况以及所使用的运输工具来决定。例如运输的货物是硬货，并且运输的路程很短，不包装对货物的安全不构成任何问题，此时不包装也是可以的。提出货物包装要求的一般是承运人或者主管运输的部门，运输合同的当事人一般在运输合同对包装的方式也会作出约定。

对于托运人应当依据什么标准对货物进行包装，本条规定得比较详细。运输合同的当事人对货物的包装标准可以进行约定，但是当事人对包装的约定不得违反国家对包装标准的强制性规定，在当事人对包装约定的标准不违反国家规定的强制性标准的情况下，托运人应当按照约定的包装标准对货物进行包装。但是在有的情况下，托运人与承运人对包装的方式并没有进行约定或者虽有约定，但约定得不清楚，在这种情况下，本条第一款规定，适用本法第一百五十六条的规定。本法第一百五十六条规定，出卖人应当按照约定的包装方式交付标的物。对包装方式没有约定或者约定不明确，依照本法第六十一条的规定仍不能确定的，应当按照通用的方式包装，没有通用方式的，应当采取足以保护标的物的包装方式。该条中的足以保护标的物的包装方式，在运输合同中是指托运人根据货物的性质、重量、运输方式、运输距离、气候条件及运输工具的装载条件，使用符合运输要求，便于装卸和保证货物安全的包装。

按照本条第二款的规定，如果按照规定货物需要包装，而托运人违反本条第一款的规定没有进行包装的或者包装不符合约定或者运输安全需要的，承运人可以拒绝运输，对于因此给托运人造成的损失，承运人不负赔偿责任；对于因此给承运人造成损失的，托运人应当向承运人赔偿损失。

第三百零七条　托运人托运易燃、易爆、有毒、有腐蚀性、有放射性等危险物品的，应当按照国家有关危险物品运输的规定对危险物品妥善包装，作出危险物标志和标签，并将有关危险物品的名称、性质和防范措施的书面材料提交承运人。

托运人违反前款规定的，承运人可以拒绝运输，也可以采取相应措施以避免损失的发生，因此产生的费用由托运人承担。

【释义】　本条是关于运输危险货物的规定。

在货物运输中，托运人往往会托运一些易燃、易爆、有毒、有腐蚀性的、有放射性等危险物品。在运输这些危险物品时往往就会涉及安全问题，如果在运输过程中对这些危险物品不进行妥善处理，就有可能对货物、运输工具等财产或者人身安全造成极大的威胁，所以对危险物品的安全运输作出强制性规定就显得极为重要。也正因为这样，各专门运输法对危险物品的运输基本上都作了特别规定，海商法第六十八条规定，托运人托运危险货物，应当依照有关海上危险货物运输的规定，妥善包装，作出危险品标志和标签，并将其正式名称和性质以及应当采取的预防危害措施书面通知承运人；托运人未通知或者通知有误的，承运人可以在任何时间、任何地点根据情况需要将货物卸下、销毁或者使之不能为害,而不负赔偿责任。托运人对承运人因运输此类货物所受到的损害,应当负赔偿责任。铁路法第二十八条规定,托运、承运货物、包裹、行李,必须遵守国家关于禁止或者限制运输物品的规定。民用航空法第一百零一条规定,公共运输企业运输危险品,应当遵守国家有关规定。禁止以非危险品托运危险品。危险品品名由国务院民用航空主管部门规定并公布。本条正是在借鉴各专门运输法规定的基础上对危险货物的运输作出的规定,在本条第一款的规定中,对托运人规定了三项义务:(1)对危险物品进行妥善包装。这里的妥善包装应当按照有关危险物品运输的规定进行,这些规定在国务院的行政法规或者运输主管部门的规章中基本上都有规定,例如国务院制定的《公路货物运输合同实施细则》《铁路货物运输合同实施细则》《水路货物运输合同实施细则》等。海上危险货物运输的包装则应符合联合国国际海事组织所颁布的危险品运输规则的有关规定。(2)托运人应当在危险物品上作出标志和标签。例如在易爆的物品上标上"危险物品,请注意"的标签;在易燃的物品上贴上"火"的标志。在危险物品上作出标志和标签的目的是便于人们识别、提请人们注意,也是为了承运人进行安全运输。(3)托运人还应当将有关危险物品的名称、性质和防范措施的书面材料提交承运人。要求托运人提供这些材料的目的是为承运人采取措施进行安全运输,同时也是为了让承运人了解危险物品后,决定是否进行运输。托运人不得将危险物品报成非危险物品的名称,否则就要承担责任。

本条第二款规定,如果托运人没有对危险物品妥善进行包装或者没有对危险物作出标志和标签或者没有将有关危险物品的名称、性质和防范措施的书面材料及时提交承运人的,承运人可以拒绝进行运输;如果是在运输过程中发现了托运人托运的是危险物品的,承运人也可以采取各种措施避免损失的发生,这些措施包括承运人可以在任何地点、任何时间根据情况将货物卸下、销毁或者使之不能为害。如果因为承运人采取的措施对托运人造成损失的,承运人可以不负赔偿责任。但如果因此而给承运人造成损失的,托运人应当向承运人负赔偿责任,同时承运人因为采取措施而产生的各种费用也应当由托运人承担。这里需要强调的是,即使托运人没有违反本条第一款规定的义务,承运人也知道危险物品的性质并且同意运输的,但在运输过程中该危险货物对于运输工具、人员的安全和其他货物造成危险时,承运人仍可以采取各种相应的措施以避免损失的发生。在这种情况下,即使给托运人造成损失,承运人也可以不承担损害赔偿责任。

第三百零八条 在承运人将货物交付收货人之前,托运人可以要求承运人中止运输、返还货物、变更到达地或者将货物交给其他收货人,但应当赔偿承运人因此受到的损失。

【释义】 本条是关于托运人变更或者解除运输合同权利的规定。

所谓托运人的变更或者解除权,就是货物运输合同成立后,托运人有权变更或者解除合同,这种变更或者解除可以不经过承运人同意,承运人也无权过问相对方变更和解除合同的原因,只要托运人提出变更或者解除合同,均应予以变更或者解除。我国海商法第八十九条规定,船舶在装货港开航前,托运人可以要求解除合同。此处虽然是用的“可以要求”字样,但实质上,托运人的解除要求,承运人必须同意,因此仍为单方任意解除。民用航空法第一百一十九条规定,托运人在履行航空货物运输合同规定的义务的条件下,有权在出发地机场或者目的地机场将货物提回,或者在途中经停时中止运输,或者在目的地点或者途中要求将货物交给非航空货运单上指定的收货人,或者在途中将货物运回出发地机场。但是这里需要注意的是在提单运输中(主要在海上货物运输中),由于提单具有物权凭证、可以转让的性质,托运人的权利义务等全部内容一并转移到了提单持有人。所以在提单运输中,在货物已经起运后,托运人如果已经转让了提单,托运人就没有权利单方变更或者解除合同。但是在这种情况下,提单持有者可以单方变更或者解除合同。所以本条规定,在承运人将货物交付收货人之前,托运人可以请求承运人中止运输、返还货物、变更到达地或者将货物交给其他收货人。但是如果因为单方变更或者解除合同给承运人造成损失的,托运人或者提货凭证持有人应当赔偿损失,并且还要承担因变更或者解除合同而产生的各种费用。

对于理解本条还需要注意以下几点:(1)如果托运人或者提单持有人的指示不能执行的,承运人应当立即通知托运人或者提单持有人。(2)托运人或者提单持有人的这种单方变更或者解除权只能在货物交付收货人之前行使,如果货物已经交付给收货人,则托运人或者提单持有人的这种变更或者解除合同的权利就即告终止。但是收货人拒绝接受货物的,或者承运人无法同收货人联系的,托运人或者提单持有人可以恢复行使这种权利。(3)本条的单方变更或者解除权只能由托运人或者提单持有人享有,承运人在运输合同成立后,不得单方变更或者解除合同,除非对方严重违约或者发生不可抗力。

第三百零九条　货物运输到达后,承运人知道收货人的,应当及时通知收货人,收货人应当及时提货。收货人逾期提货的,

应当向承运人支付保管费等费用。

【释义】 本条是关于提货的规定。

承运人将货物安全运到目的地后,并没有完成所有的运输义务,其还应当按照约定将货物交付于收货人。这是承运人的一项主要义务。承运人将货物安全运到目的地后,如果知道收货人的,应当及时通知收货人,以便于收货人及时提货,因为收货人对于货物何时到达目的地一般是不知道的。但是在有的情况下,货物到达目的地后,承运人并不知道收货人是谁,而托运人又没有及时告知承运人,在此时,承运人就没有及时通知收货人的义务。例如在海上货物运输中,托运人并没有告诉承运人收货人是谁,而只是在单证上写明“凭提示交付货物”,则承运人将货物运到目的地后,就可能不知道收货人是谁。所以本条才强调“承运人知道收货人的,应当及时通知收货人”。在货物到达目的地后,如果承运人不知道收货人是谁时,承运人应当通知托运人在合理期限内就运输的货物的处分作出指示。

一旦收货人接到承运人的通知,应当及时提货。这是收货人的主要义务。如果收货人在收到承运人的提货通知后的规定时间内或者没有规定时间而在合理时间内没有提取货物,而逾期提货的,应当向承运人支付逾期的保管费用,如果因为逾期提货给承运人造成损失的,收货人应当承担损失。如果在逾期期间,货物因发生不可抗力而毁损灭失的,承运人不负赔偿责任。收货人提货时,应当将提单或者其他提货凭证交还给承运人,承运人一般也只有在收货人出示了提货凭证后,才能向收货人交付货物。如果按照运输合同的规定或者提货凭证的规定,应当由收货人交付全部或者部分运费的,收货人还应当向承运人履行交付运费的义务后,才有权利提取货物。

第三百一十条　收货人提货时应当按照约定的期限检验货物。对检验货物的期限没有约定或者约定不明确，依照本法第六十一条的规定仍不能确定的，应当在合理期限内检验货物。收货人在约定的期限或者合理期限内对货物的数量、毁损等未提出异议的，视为承运人已经按照运输单证的记载交付的初步证据。

【释义】　本条是关于收货人检验货物的规定。

在货物运输合同中，承运人交付货物，收货人提货时，一个重要的问题就是收货人对货物的检验。货物经过运输后，其质量和数量很有可能发生变化，检验的目的是查明承运人交付的货物是否完好，是否与合同的约定相符合，因此对货物进行检验密切关系着收货人的利益。同时对货物进行检验，可以尽快地确定货物的质量状况和数量情况，明确责任，及时解决纠纷、有利于加速商品的流转。否则就会使当事人的法律关系长期处于不稳定的状态，不利于维护健康正常的合同秩序。所以本条强调收货人在提货时应当及时对货物进行检验。这是收货人的权利也是其义务。

对于收货人的检验时间，如果运输合同对检验时间有约定的，根据本条的规定，收货人应当在约定的期限内对货物进行检验。如果对检验货物的时间没有约定或者约定不明确的，根据本条的规定，收货人应当在合理的期限内检验货物。这里的“合理的期限”是一个弹性的规定，应当视实际情况确定具体的时间。对于货物的数量、较易发现的货物的毁损，收货人就应当在较短的时间内进行检验。例如，如果货物是易腐烂变质的东西，则收货人就应当在极短的时间内对货物进行检验。如果货物的毁损不是立即就能发现的，则收货人对货物进行检验的时间就会长一些。

对于收货人未在约定的期间内或者未在合理的期间内对货物的数量、毁损等未提出异议的法律后果，在立法过程中，曾有两种不同的意见：一种意见认为，收货人未在约定的期间内或未在合理的期间内对货物的数量、毁损等提出异议的，应当视为承运人交付的货物与运输单证上记载的完全一样，承运人就不承担责任了。另一种意见认为，收货人未在约定的期间内或者合理的期间内对货物的毁损、数量等提出异议的，只能视为承运人已经按照运输单证的记载交付的初步证据。本条基本上是采纳了第二种意见。民用航空法第一百三十四条规定，旅客或者收货人收受托运人或者货物而未提出异议的，为托运行李或者货物已经完好交付并与运输凭证相符合的初步证据。海商法第八十一条第一款规定，承运人未将货物灭失或者损坏的情况书面通知承运人的，此项交付视为承运人已经按照运输单证的记载交付经及货物状况良好的初步证据。本条中强调的初步证据，意味着收货人即使未在约定或者合理的期间内提出异议，但以后他仍可以提出据此进行异议和索赔的相反的证据，一旦有证据证明货物的毁损、灭失是发生在运输期间的，承运人仍应当赔偿。

第三百一十一条　承运人对运输过程中货物的毁损、灭失承担损害赔偿责任，但承运人证明货物的毁损、灭失是因不可抗力、货物本身的自然性质或者合理损耗以及托运人、收货人的过错造成的，不承担损害赔偿责任。

【释义】　本条是关于承运人对于货损责任的规定。

在货物运输中，承运人应当将货物安全运输到目的地。承运人应当对自接受货物时起至交付货物时止所发生的货物的毁损、灭失承担损害赔偿责任。这里的“毁损”是指搬运的货物因损坏而价值减少;“灭失”是指承运人无法将货物交付给收货人,既包括货物物质上的灭失,也包括占有的更新丧失及法律上不能回复占有的各种情形。运输行为是风险作业,同时在运输过程中损害的发生原因也是极其复杂的,法律在强调对托运人或者收货人利益保护的同时,也必须对承运人的利益作适当的保护,以体现公平的原则。法律对承运人的保护就体现在免责事由上。铁路法第十八条规定,由于下列原因造成货物、包裹、行李损失的,铁路运输企业不承担赔偿责任:(1)不可抗力。(2)货物或者包裹、行李中的物品本身的自然属性,或者合理损耗。(3)托运人、收货人或者旅客的过错。海商法第十一条也规定了承运人在十二种情况下,可以免除赔偿责任。原经济合同法第三十六条第一款第五项也规定,在符合法律和合同规定条件下的运输,由于下列原因造成货物灭失、短少、变质、污染、损坏的,承运方不承担违约责任:(1)不可抗力;(2)货物本身的自然性质;(3)货物的合理损耗;(4)托运方或者收货方本身的过错。本条对运输合同中承运人的免责事由的规定借鉴了专门运输法的规定和经济合同法的规定。

本条规定了承运人可以免除赔偿责任的三种情况:

1. 不可抗力。根据本法第一百一十七条的规定,不可抗力是指当事人不能预见、不能避免并且不能克服的客观情况,包括地震、台风、洪水等自然灾害,也包括战争等社会现象。第一百一十七条规定不可抗力是法定免责事由。

2. 货物本身的自然性质或者合理损耗。货物本身的自然性质,主要是指货物的物理属性和化学属性,例如运输的货物是气体,而气体的自然属性就是易挥发。如果由于挥发造成的损失,承运人就不承担损失。货物的合理损耗,主要是指一些货物在长时间的运输过程中,必然会有一部分损失,对于这一部分损失，承运人也不负赔偿责任。

3. 托运人、收货人的过错。这主要是指由于托运人或者收货人自身的原因造成的货物损失。根据本章的规定，主要是指以下几种情况：(1)由于托运人对货物包装的缺陷，而承运人在验收货物时又无从发现；(2) 托运人自己装上运输工具的货物，加固材料不符合规定的条件或者违反装载规定，交付货物时，承运人无法从外部发现的；(3)押运人应当采取而未采取保证货物安全措施的；(4)收货人负责卸货造成的损失；(5)托运人应当如实申报，而没有如实申报造成损失，导致承运人没有采取相应的保护措施造成的；等等。

承运人要求免除赔偿责任的，其应当负举证责任。如果承运人自己不能证明有不可抗力、货物本身的自然性质或者合理损耗以及托运人、收货人的过错的情形存在，其就要承担损害赔偿责任。

第三百一十二条　货物的毁损、灭失的赔偿额，当事人有约定的，按照其约定；没有约定或者约定不明确，依照本法第六十一条的规定仍不能确定的，按照交付或者应当交付时货物到达地的市场价格计算。法律、行政法规对赔偿额的计算方法和赔偿限额另有规定的，依照其规定。

【释义】　本条是关于如何确定货物赔偿额的规定。

在货物发生毁损、灭失的情况下，应当如何确定货物的赔偿额？本条对如何确定损害赔偿额规定了四个原则：

1. 当事人对货物毁损、灭失的赔偿额有约定的，就应当按约定数额进行赔偿。当事人在合同中可能规定了一个总的赔偿数额，也有可能规定了一个赔偿额的计算方法。但有的情况下，当事人办理了保价运输，这也实际上是对赔偿额的一种约定。

但是,要注意在保价运输的情况下,货物受损的赔偿。所谓保价运输就是承运人处理托运人、收货人提出赔偿要求的一种方式,即托运人在办理托运货物的手续时或者与承运人签订合同时,向承运人要求进行保价运输,声明货物的价格,并支付保价费。这实际上是当事人之间对货物损害赔偿额的一种约定。一般情况下,保价额相当于货物的价值。托运人办理保价运输的,承运人应当按照实际损失进行赔偿,但最高不得超过保价额。实际损失低于保价额的,按照实际损失进行赔偿。铁路法第十七条对货物的保价运输进行了规定,该条规定,铁路运输企业应当对承运的货物、包裹、行李自接受承运时起到交付时止发生的灭失、短少、变质、污染或者损坏,承担赔偿责任:托运人或者旅客根据自愿申请输保价运输的,按照实际损失赔偿,但最高不超过保价额。

2. 当事人对赔偿额没有约定或者约定不明确的,则承运人赔偿的数额应当依照本法第六十一条的规定进行确定。本法第六十一条规定,合同生效后,当事人就质量、价款或者报酬、履行地点等内容没有约定或者约定不明确的,可以协议补充;不能达成补充协议的,按照合同有关条款或者交易习惯确定。

3. 如果依照本法第六十一条的规定仍不能确定的,则按照交付或者应当交付时货物到达地的市场价格计算。本条之所以要规定此时以交付时或者应当交付时货物到达地的市场价格来计算货物的赔偿额,目的在于使托运人或者收货人获得假如货物安全及时到达并按合同交付时所获得的利益,有利于保护托运人或者收货人的利益。这里的“交付时”是指货物按时到达了目的地,但是货物有毁损的情况下,计算市场价格的起算时间;“应当交付时”是指货物没有按时到达,而货物有毁损的或者货物根本就灭失了,不存在了的情况下,市场价格的起算时间。

4. 法律、行政法规对赔偿额的计算方法和赔偿限额另有规定的，应当依照其规定进行赔偿。我国各专门法对承运人的赔偿责任范围基本上都作了规定，如铁路法第十七条第一款第二项规定，未按保价运输承运的，按照实际损失赔偿，但最高不超过国务院铁路主管部门规定的赔偿限额。民用航空法第一百二十条规定，国内航空运输承运人的赔偿责任限额由国务院民用航空主管部门制定，报国务院批准后颁布执行。第一百二十九条第二款规定，对托运行李或者货物的赔偿责任限额，每公斤为17 计算单位。海商法第五十六条规定，承运人对货物的灭失或者损坏的赔偿限额，按照货物件数或者其他货运单位计算，每件或者每个其他货运单位为666.67 计算单位，或者按照货物毛重计算，每公斤为2 计算单位，以二者中赔偿限额较高的为准。对于法律、行政法规的这些规定，应当在计算承运人的赔偿额时予以遵守。

对于本条需要注意的是，如果托运人在托运货物时自愿办理了货物运输保险的，在发生货物的毁损、灭失等保险事故时，得根据保险合同向保险人索赔。但保险人给付保险赔偿金后取得对承运人的赔偿金的代位求偿权。

第三百一十三条　两个以上承运人以同一运输方式联运的，与托运人订立合同的承运人应当对全程运输承担责任。损失发生在某一运输区段的，与托运人订立合同的承运人和该区段的承运人承担连带责任。

【释义】　本条是关于相继运输的规定。

所谓相继运输，就是多个承运人以同一种运输方式共同完成货物运输的一种运输方式。在相继运输中，托运人只与数个承运人中的某一个承运人签订运输合同,在实践中,主要是与第一承运人签订运输合同。相继运输中,一方面,同一运输方式的运输路线分为不同的运输区段,而完成这一运输过程必须经过若干运输区段、由不同运输区段的承运人完成;另一方面,运输关系要求特定的货物运输从起点到终点具有连续性、不能中断、不可分割的特性。在运输活动中,普遍存在的转车、转机、转船就是典型的相继运输,其主要特征就是"一票到底",利用人只要与第一承运人签订运输合同,就可以享受全程所有区段的运输。

相继运输所发生的特殊的运输合同关系,我国的海商法和民用航空法都作了详细规定。民用航空法规定了"连续运输",根据民用航空法第一百三十六条的规定,由几个航空运输承运人办理的运输,这些承运人共同作为运输合同的一方,除合同明确规定由缔约承运人须对全程运输负责外,各承运人只对自己履行的部分运输负责。

相继运输中,承运人的责任制度是立法中的一个难点,也是一个重点。有的认为,应当规定在相继运输中,各承运人应当承担连带责任。有的认为,应当规定由签订运输合同的第一承运人对运输的全程负责。我们认为,在签订合同时,除非承运人明确与托运人约定,各承运人是一个合伙关系,否则托运人无从知道各承运人之间的关系,一旦发生责任,托运人一般也只找与之签订运输合同的承运人,由签订运输合同的承运人承担责任,有运输合同作为依据,可以便于索赔。从这个角度来讲,规定由与托运人签订合同的承运人应当对全程运输承担责任是比较合理的。签订合同的承运人对托运人承担责任后,其可以向其他承运人追偿。同时本条还规定,如果损失发生的区段是明确的,则与托运人订立合同的承运人和该区段的承运人承担连带责任。

第三百一十四条　货物在运输过程中因不可抗力灭失，未收取运费的，承运人不得要求支付运费；已收取运费的，托运人可以要求返还。

【释义】　本条是关于货物在运输过程中因不可抗力而灭失时，运费如何处理的规定。

在运输活动中，常常出现这样一种情况，即托运的货物在运输过程中因不可抗力灭失了，货物的这种灭失不是因为承运人的原因造成的，也不是因为托运人、收货人的过错造成的。在这种情况下，对于货物灭失的风险根据本章第三百一十二条的规定，承运人不承担货物的损害赔偿责任，但是对于运费的支付风险应当如何处理呢？海商法第九十条规定，船舶在装货港开航前，因不可抗力或者其他不能归责于承运人和托运人的原因致使合同不能履行的，双方均可以解除合同，并互相不负赔偿责任。除合同另有约定外，运费已经支付的，承运人应当将运费退还给托运人；货物已经装船的，托运人应当承担装卸费用。我国台湾地区"民法典"第645条规定，运送物于运送途中因不可抗力而丧失者，运送人不得请求运费。其因运送而已受领之数额，应返还之。本条的规定是在参考海商法的规定和借鉴我国台湾地区"民法典"规定的基础上作出的，即货物在运输过程中因不可抗力灭失，未收取运费的，承运人不得请求支付运费。但是对于已经收取的运费，托运人是否可以请求返还？有的认为，已经收取运费的，由于承运人已经运输了一段时间，所以承运人可以不返还运费。有的认为，承运人未收取运费的，不但收取，对于已经收取的运费也应当予以返还。我们认为，托运人已经因货物的灭失而遭受了极大的损失，如果其还要负担运费，就意味着要承担双重损失，从公平和诚实信用的角度来讲，法律应当允许托运人请求承运人返还已支付的运费，使风险得以合理分担。所以本条规定,已收取的运费,托运人可以请求返还。

第三百一十五条　托运人或者收货人不支付运费、保管费以及其他运输费用的,承运人对相应的运输货物享有留置权,但当事人另有约定的除外。

【释义】　本条是关于承运人留置权的规定。

收取运费、保管费以及其他运输费用(如承运人为托运人或者收货人垫付的报关费等)是承运人的主要权利。但是在托运人或者收货人不交付运费、保管费以及其他运输费用的,承运人可以采取什么措施保护自己的权利呢?对此本条明确规定,托运人或者收货人不支付运费、保管费以及其他运输费用的,承运人对相应的运输货物享有留置权。

承运人在行使留置权时,应当注意下列事项:

1. 除法律另有规定外,承运人可以自行留置货物,不必通过法定程序留置货物。

2. 本条所指的对"相应的货物"留置货物包括两层含义:a. 对于可分的货物,承运人留置的货物应当合理和适当,其价值应包括未支付的运费、保管费以及其他运输费用加上可能因诉讼产生的费用,而不能留置过多的货物。当然如果承运人根本就没有获得任何费用,他也可以对全部货物行使留置权。b. 对于不可分的货物,承运人可以对全部货物进行留置,即使承运人已取得了大部分运费、保管费以及其他运输费用。

3. 本条还规定"但当事人另有约定的除外",此句包含了两层意思:第一是指当事人如果在合同中约定即使在运费、保管费以及其他运输费用没有付清的情况下,承运人也不能留置货物的,承运人就不能留置货物。第二是指如果托运人或者收货人提供了适当的担保,则承运人也不能留置货物。

第三百一十六条　收货人不明或者收货人无正当理由拒绝受领货物的,依照本法第一百零一条的规定,承运人可以提存货物。

【释义】　本条是关于收货人不明或者收货人拒绝受领货物的情况下,如何处理的规定。

在实际运输业务中,常因贸易合同纠纷或者其他原因,造成承运人将货物运输到目的地后,无法向收货人交货的情况,在这时应当如何处理?铁路法第二十二条第一款规定,自铁路运输企业发出领取通知之日起满30日仍无人领取的货物,或者收货人书面通知铁路运输企业拒绝领取的货物,铁路运输企业应当通知托运人,托运人自接到通知之日起满30日未作答复的,由铁路运输企业变卖;所得价款在扣除保管费用后尚有余款的,应当退还托运人,无法退还、自变卖之日起180日内托运人又未领回的,上缴国库。铁路法是把此货物当作无主物来处理的。海商法第八十六条规定,在卸货港无人提取货物或者收货人迟延、拒绝提取货物的,船长可以将货物卸在仓库或者其他适当场所,因此产生的费用和风险由收货人承担。本条规定,收货人不明或者收货人拒绝受领货物的,依照本法第一百零一条的规定,承运人可以提存货物。本条中的“收货人不明”既包括收货人下落不明,还包括在货物运输终止时,托运人并没有向承运人指明收货人是谁,而承运人向托运人通知请求其作出指示,而托运人逾期没有作出指示的情况,例如在海上货物运输中,托运人有时在提单上注明“凭指示交付”的字样,而没有具体写明收货人是谁。

对于本条应当注意以下几点:(1)如果运输的货物不适于

提存或者提存费用过高的，承运人应当可以依法拍卖或者变卖货物，然后提存所得的价款。例如货物是易于腐烂的食品，则承运人就不能直提存该食品。(2)在货物被提存后，承运人应当及时通知托运人，在收货人明确的情况下，应当及时通知收货人。(3)如果货物在提存后毁损、灭失的，则承运人不承担该货物毁损、灭失的风险。(4)如果承运人应得的运费、保管费以及其他运输费用加上提存的费用没有付清的，承运人可以依照规定留置该货物，以该货物拍卖或者折价后，从中扣除运费和其他各种费用后，再提存剩余的价款或者没有被留置的相应货物。

第四节　多式联运合同

随着国际贸易中越来越多地使用集装箱运送货物，出现了一种新的运输方式——货物的多式联运。多式联运是以至少以两种不同的运输方式将货物从接管的地点运至指定地点交付。与传统的单一运输方式相比，多式联运，特别是在成组运输的情况下，大大简化和加速了货物的装卸、搬运程序，运输服务以过去的港到港一直延伸到了门至门，减少了货损货差，减少了成本和费用，为贸易提供了一个更为理想、畅通、安全、经济、便利的运输方式。

以多式联运方式进行货物的运输在我国的贸易实践中已经大量出现，并且随着社会主义市场的发展，以多式联运的方式进行运输的行为会越来越普遍。这就需要有关多式联运合同方面的法律来对多式联运行为进行规范，海商法第四章第八节对多式联运合同虽然作了规定，但其在第一百零二条明确规定，该法有关多式联运合同的规定只针对其中一种必须是海上运输方式的多式联运合同，对其他不涉及海上运输方式的多式联运合同并不适用。同时多式联运合同与其他一般运输合同相比有着许多特殊之处。为了适应运输贸易发展的需要和规范多式联运合同关系,本法在运输合同一章专门设置了本节——多式联运合同。

第三百一十七条 多式联运经营人负责履行或者组织履行多式联运合同,对全程运输享有承运人的权利,承担承运人的义务。

【释义】 本条是关于多式联运经营人应当负责履行或者组织履行合同的规定。

本法所称的多式联运合同,是指多式联运经营人以两种以上的不同运输方式,负责将货物从接收地运至目的地交付收货人,并收取全程运费的合同。可见以两种以上的不同运输方式进行运输是多式联运合同区别于传统运输合同的最大特征。

在多式联运合同中,多式联运经营人是处于一个比较特殊的位置。本条所指的多式联运经营人,是指本人或者委托他人以本人名义与托运人订立多式联运合同的人。他是事主,而不是托运人的代理人或者代表人,也不是参加多式联运的各承运人的代理人或者代表人。从本条的规定可知,多式联运经营人要根据多式联运合同履行运输义务或者组织承运人履行运输义务。多式联运经营人可分为两种类型:第一种就是多式联运经营人自己拥有运输工具,并且直接参加了运输合同的履行。第二种就是多式联运经营人自己不拥有运输工具或者不经营运输工具,也不直接从事运输活动,而是在签订多式联运合同后,通过双边合同各运输方式承运人又单独签订各区段运输合同,组织其他承运人进行运输。但是不管多式联运经营人是属于哪一种情形,根据本条的规定,多式联运经营人都要对与之签订合同的托运人或者收货人承担全程运输的义务，同时根据本章的规定，多式联运经营人要承担全程运输所发生的责任和风险。当然他也享有作为全程运输承运人的权利，例如有向托运人或者收货人要求运输费用的权利等。

第三百一十八条　多式联运经营人可以与参加多式联运的各区段承运人就多式联运合同的各区段运输约定相互之间的责任，但该约定不影响多式联运经营人对全程运输承担的义务。

【释义】　本条是关于多式联运合同中责任制度的规定。

多式联运应当规定什么样的责任制度？一种意见认为，在多式联运中，应当实行分散责任制度，也就是说，多式联运经营人无须对全程运输负责，有关责任由发生责任的区段上的实际承运人负责并适用该区段的相应法律。另一种意见认为，多式联运运输中应当实行统一责任制度，即多式联运经营人对全程运输负责，多式联运经营人与实际承运人之间可另以合同约定相互之间的责任。分散责任制度不利于保护托运人或者收货人的利益，不利于托运人或者收货人索赔。同时托运人只与多式联运经营人签订合同，其一般不知道也不须知道货物的运输会由其他承运人来进行，从承担责任的依据上讲，在多式联运运输中实行统一责任制度更合理。并且海商法第一百零二条规定，多式联运经营人与参加多式联运的各区段承运人，可以就多式联运合同的各区段运输，另以合同约定相互之间的责任。但是，此项合同不得影响多式联运经营人对全程运输所承担的责任。《联合国多式联运公约》第 14 条规定，本公约规定的多式联运经营人对于货物的责任期间，自接管货物之时起到交付货物时为止。所以本条规定，多式联运经营人可以与参加多式联运的各区段承运人就多式联运合同的各区段运输约定相互之间的责任,但该约定不影响多式联运经营人对全程运输承担的义务。也就是说,多式联运经营人对全程运输中所发生的责任对托运人或者收货人负全责,但是多式联运经营人可以与参加多式联运的各区段运输约定相互之间的责任,例如在一个海陆空的多式联运合同中,多式联运经营人与海上运输区段的承运人、陆路运输区段的承运人、航空运输区段的承运人分别对每一段的运输责任约定,在多式联运经营人对托运人或者收货人负全程的运输责任后,可以依据其与每一区段的运输承运人签订的合同,向其他承运人追偿。

第三百一十九条　多式联运经营人收到托运人交付的货物时,应当签发多式联运单据。按照托运人的要求,多式联运单据可以是可转让单据,也可以是不可转让单据。

【释义】　本条是关于多式联运单据的规定。

在多式联运中,当多式联运经营人收到托运人交付的货物时,应当向托运人签发多式联运单据。所谓多式联运单据就是证明多式联运合同存在及多式联运经营人接管货物并按合同条款提交货物的证据。多式联运单据应当由多式联运经营人或者经他授权的人签字,这种签字可以是手签、盖章,符号或者用任何其他机械或者电子仪器打出。

多式联运单据一般包括以下十五项内容:(1)货物品类、标志、危险特征的声明、包数或者件数、重量;(2)货物的外表状况;(3)多式联运经营人的名称与主要营业地;(4)托运人名称;(5)收货人的名称;(6)多式联运经营人接管货物的时间、地点;(7)交货地点;(8)交货日期或者期间;(9)多式联运单据可转让或者不可转让的声明;(10)多式联运单据签发的时间、地点;(11)多式联运经营人或其授权人的签字;(12)每种运输方式的运费、用于支付的货币、运费由收货人支付的声明等;(13)航线、运输方式和转运地点;(14)关于多式联运遵守本公约的规定的声明;(15)双方商定的其他事项。但是以上一项或者多项内容的缺乏,不影响单据作为多式联运单据的性质。如果多式联运经营人知道或者有合理的根据怀疑多式联运单据所列的货物品类、标志、包数或者数量、重量等没有准确地表明实际接管货物的状况,或者无适当方法进行核对的,多式联运经营人应在多式联运单据上作出保留,注明不符合之处及怀疑根据或无适当核对方法。如果不加批注,则应视为已在多式联运单据上注明货物外表状况的良好。

根据本条的规定,多式联运单据依托运人的要求,可以是可转让的单据,也可以是不可转让的单据。在实践中,只有单据的签发人(即多式联运经营人)承担全程责任时,多式联运单据才有可能作成为可转让的单据。此时,多式联运单据具有物权凭证的性质和作用。在做成可转让的多式联运单据时,应当列明按指示或者向持票人交付。如果是凭指示交付货物的单据,则该单据经背书才可转让;向持票人交付货物时,则该单据无须背书即可以转让。当签发一份以上可转让多式联运单据正本时,应当注明正本份数,收货人只有提交可转让多式联运单据时才能提取货物,多式联运经营人按其中一份正本交货后,即履行了交货人的义务;如果签发副本,则应当注明“不可转让副本”字样。如果多式联运经营人按托运人的要求签发了不可转让多式联运单据,则应当指明记名的收货人,多式联运承运人将货物交给不可转让单据所指明的记名收货人才算履行了交货的义务。

第三百二十条　因托运人托运货物时的过错造成多式联运经营人损失的,即使托运人已经转让多式联运单据,托运人仍然

应当承担损害赔偿责任。

【释义】 本条是关于托运人应当向承运人承担过错责任的规定。

在多式联运中，托运人一般应当承担以下三方面的责任：

1. 保证责任。即在多式联运经营人接管货物时，发货人应视为已经向多式联运经营人保证他在多式联运单据中所提供的货物品类、标志、件数、重量、数量及危险特性的陈述的准确无误，并应对违反这项保证造成的损失负赔偿责任。

2. 对凡是因为托运人或者其受雇人或者代理人在受雇范围内行事时的过失或者大意而给多式联运经营人造成损失的，托运人应当向多式联运经营人赔偿责任。

3. 运送危险物品的特殊责任。托运人将危险品交多式联运经营人时，应当告知多式联运经营人危险物品的危险特性，必要时应告之应采取的预防措施。否则其要对多式联运经营人因运送这类货物所遭受的损失负赔偿责任。

在多式联运中，即使托运人已经转让多式联运单据的，但如果托运人因自己的过错给多式联运经营人造成损失的，托运人仍然应当承担损害赔偿责任。也就是说，托运人赔偿多式联运经营人的损失不受多式联运单据是否转让的影响，只要因托运人的过错造成多式联运经营人，不管多式联运单据在谁手中，多式联运经营人都可向托运人要求赔偿，而不能向持票人或者收货人要求赔偿。

第三百二十一条　货物的毁损、灭失发生于多式联运的某一运输区段的，多式联运经营人的赔偿责任和责任限额，适用调整该区段运输方式的有关法律规定。货物毁损、灭失发生的运输区段不能确定的，依照本章规定承担损害赔偿责任。

【释义】 本条是关于多式联运经营人承担赔偿责任所适用法律的规定。

在传统的单一运输方式中,对于承运人的赔偿问题基本上都有专门的运输法或者行政法规作了规定。但在多式联运中,由于其最大的特点就是用不同的运输方式进行运输,而我国的各专门运输法或者行政法规对不同的运输方式中的赔偿责任和赔偿限额的规定是不相同的,所以就存在一个问题,即一旦货物发生毁损、灭失的,多式联运经营人根据什么法律或者行政法规承担赔偿责任和赔偿限额?

本条的规定确立了两个原则:

1. 如果货物发生毁损灭失的区段是确定的,多式联运经营人的赔偿责任和责任限额,适用调整该区段运输方式的有关法律的规定。该原则体现了目前国际通行的多式联运经营人的"网状责任制"。例如托运人与多式联运经营人签订了一项从北京至纽约的多式联运合同。全程运输分为三个区段,首先是从北京至天津的公路运输,其次是天津到旧金山的国际海运,最后是从旧金山到纽约的铁路运输,如果货物的毁损、灭失能够确定发生在中国的公路运输区段,则多式联运经营人的赔偿责任和责任限额就按中国的公路运输方面的法律或者行政法规进行办理;如果发生在国际海运区段则按我国海商法的有关规定进行赔偿;如果发生在美国的铁路运输区段,就应按照美国的铁路法的规定进行办理。本条规定的网状制度的主要缺点是责任制度不确定,随发生损失的区段而定,事先难以把握。它的优点是多式联运经营人承担的赔偿责任与发生损坏区段承运人所负责任相同,使组织多式联运的经营人不承担不同责任的风险,便利了多式联运的组织工作和多式联运的发展。这也是国际上通行此项责任制度的主要原因。

2. 对于货物发生毁损、灭失的运输区段不能确定的，多式联运经营人应当依照本章的规定承担损害赔偿责任。在多式联运中，货损发生的运输区段有时不易查清，网状责任制通常用“隐蔽损害一般原则”规定多式联运经营人的责任，即对这一类货损采用某项统一的规定的办法确定经营人的责任。本条规定，对于隐蔽货损，即货损发生区段不能确定时，多式联运经营人应当按照本章关于承运人赔偿责任和责任限额的规定负赔偿责任。

本条没有规定涉及多式联运经营人如何向各区段承运人追偿此项赔偿金额问题。在货损区段能够确定时，多式联运经营人可以向其承运人追偿。如果是隐蔽货损，除合同另有约定外，多式联运经营人是无法向任何人追偿的。因此，如果多式联运经营人要摆脱这种损失，唯一的办法就是通过与参加多式联运的各区段承运人之间订立的运输合同取得适当解决。对此本节第三百一十八条作了规定，即多式联运经营人可以与参加多式联运的各区段承运人约定相互之间的责任。

第十八章 技术合同

本章共四节，四十三条。对技术合同的概念、技术合同的内容、职务技术成果的归属、技术合同的无效等作了一般性规定。对技术开发合同、技术转让合同、技术咨询合同和技术服务合同的概念、合同当事人的权利义务、违约责任等内容作了具体规定。

第一节 一般规定

第三百二十二条 技术合同是当事人就技术开发、转让、咨询或者服务订立的确立相互之间权利和义务的合同。

【释义】 本条是关于技术合同定义的规定。

技术合同是当事人就技术开发、转让、咨询或者服务订立确立相互之间权利和义务的合同。这条的规定，基本保留了原技术合同法第二条规定的内容，但适用主体扩大了。原技术合同法只适用中国法人之间、法人和公民之间、公民之间就技术开发、技术转让、技术咨询和技术服务所订立的确立民事权利与义务关系的合同，不适用涉外合同，即当事人一方是外国的企业、其他组织或者个人的合同除外。现在的规定，不仅适用国内技术合同，也适用涉外技术合同。

第三百二十三条 订立技术合同，应当有利于科学技术的

进步，加速科学技术成果的转化、应用和推广。

【释义】 本条是关于订立技术合同应当遵循的原则的规定。

当事人订立技术合同，首先应当遵循平等、自愿、公平、诚实信用、遵守法律的基本原则。依据技术合同的特点，当事人订立技术合同，还应当遵循有利于科学技术的进步，加速科学技术成果的转化、应用和推广的原则。

技术合同是技术成果商品化的法律形式，实行技术合同的目的，是将技术成果推向市场，创造更大的经济效益和社会效益。因此，当事人在订立技术合同时，应当从推动科学技术进步，促进科技与经济发展出发，确定权利义务，努力研究开发新技术、新产品、新工艺、新材料及其系统，促进先进适用的科技成果在生产实践中获得应用，使科学技术更好地为社会主义现代化建设服务。规定这一原则的目的，在于鼓励和引导当事人正确运用技术合同这一有效的法律形式，在科研和生产之间架起一座桥梁，促使技术成果尽快向生产领域转移，形成新的生产力。

第三百二十四条　技术合同的内容由当事人约定，一般包括以下条款：

（一）项目名称；

（二）标的的内容、范围和要求；

（三）履行的计划、进度、期限、地点、地域和方式；

（四）技术情报和资料的保密；

（五）风险责任的承担；

（六）技术成果的归属和收益的分成办法；

（七）验收标准和方法；

（八）价款、报酬或者使用费及其支付方式；

（九）违约金或者损失赔偿的计算方法；

（十）解决争议的方法；

（十一）名词和术语的解释。

与履行合同有关的技术背景资料、可行性论证和技术评价报告、项目任务书和计划书、技术标准、技术规范、原始设计和工艺文件，以及其他技术文档，按照当事人的约定可以作为合同的组成部分。

技术合同涉及专利的，应当注明发明创造的名称、专利申请人和专利权人、申请日期、申请号、专利号以及专利权的有效期限。

【释义】 本条是关于技术合同条款的内容的规定。

订立技术合同的当事人应当在平等、自愿的基础上，协商确定合同内容。技术合同的内容即合同条款是当事人权利和义务的体现，也是当事人履行合同、判明违约责任的主要依据。技术合同条款一般由合同双方当事人协商约定，不需要由法律作出具体规定。但是，考虑到我国法律知识尚不普及，技术合同的内容比较复杂，有必要在法律中作一些规定，以指导当事人订立技术合同。因此，合同法作了这样一条规定。本条规定，技术合同的条款一般应当包括：

1. 项目名称。一般指技术合同标的涉及项目的名称，当事人应当准确约定。

2. 标的的内容、范围和要求。合同标的，是合同法律关系的客体，是合同当事人双方权利和义务共同指向的对象。不同的技术合同标的，有着不同的技术范围和技术指标要求。因此，当事人在订立技术合同时，不仅要明确技术合同标的，而且还要根据不同标的的要求，明确该标的的技术范围和技术指标要求。

3. 履行的计划、进度、期限、地点、地域和方式。履行的地点是指合同的履行地。履行地域是指履行技术合同所涉及的区域范围。如利用受让的技术生产商品销售的范围。履行方式是指当事人采用什么样的方式和手段履行合同规定的义务。履行方式根据合同的内容不同而有所不同。对履行方式的具体要求应当在合同中明确规定。

4. 技术情报和资料的保密。有些技术合同的内容涉及国家安全或者当事人的重大利益,需要对技术情报和资料加以保密,对此,双方当事人应当在合同中对保密事项、保密范围、保密期限以及违反保密责任等加以规定。

5. 风险责任的承担。技术合同中约定的内容可能得不到完全实现,甚至完全不能实现,这就是风险。特别是技术开发合同作为一种探索未知的创造性活动,既有成功的可能,也存在失败的风险。因此,技术合同应当约定风险条款,明确当事人所应承担的风险责任。

6. 技术成果的归属和收益的分成办法。技术合同履行的结果可能创造出一项或几项技术成果,当事人应当在合同中约定其所有权和使用权的归属、分享以及由此产生的利益分成办法。

7. 验收标准和方法。技术合同的履行是否符合合同的约定,需要验收后予以确定。因此,当事人应当在合同中约定技术合同的验收项目、验收标准及验收办法。

8. 价款、报酬或者使用费及其支付方式。技术合同的价款、报酬和使用费,由当事人根据技术成果的经济效益和社会效益、研究开发技术的成本、技术成果的工业化开发程度、当事人享有的权益和承担的责任,协商议定。价款、报酬和使用费的支付方式由当事人约定,可以采取一次总付、分期支付,或者提成支付等方式。

9. 违约金或者损失赔偿的计算方法。违约金是合同一方当事人违反合同约定,向另一方当事人支付的金钱。技术合同的当事人有可能违反合同的约定,给另一方当事人造成损失。因此,当事人应当在合同中约定违约金、违反合同的损害赔偿的计算办法以及违约金与损害赔偿的关系。

10. 解决争议的方法。当事人双方应当约定合同发生争议时的解决方式,如采取仲裁方式解决,就需要在合同中订明仲裁条款或者签订仲裁协议。

11. 名词和术语的解释。技术合同的内容具有很强的专业性,在合同文本中要使用一些专业名词术语和简化符号,为防止因理解不同而发生争议,对关键性术语和简化符号,需经双方协商作出明确无疑义的解释。

上述技术合同应当具备的条款是指导性条款,不要求订立技术合同的当事人必须采用,也不限制当事人在合同中约定其他权利义务,如当事人可以约定对技术合同的担保等。与履行合同有关的技术背景资料、可行性论证和技术评价报告、项目任务书和计划书、技术标准、技术规范、原始设计和工艺文件,以及其他技术文档,按照当事人的约定可以作为合同的组成部分。

技术合同涉及专利的,还应当遵守专利法的有关规定,合同中应当注明发明创造的名称、专利申请人和专利权人、申请日期、申请号、专利号以及专利权的有效期限。

第三百二十五条　技术合同价款、报酬或者使用费的支付方式由当事人约定,可以采取一次总算、一次总付或者一次总算、分期支付,也可以采取提成支付或者提成支付附加预付入门费的方式。

约定提成支付的，可以按照产品价格、实施专利和使用技术秘密后新增的产值、利润或者产品销售额的一定比例提成，也可以按照约定的其他方式计算。提成支付的比例可以采取固定比例、逐年递增比例或者逐年递减比例。

约定提成支付的，当事人应当在合同中约定查阅有关会计帐目的办法。

【释义】 本条是关于技术合同价款、报酬和使用费支付方式的规定。

价款、报酬和使用费是技术作为技术合同标的的价金，也是一方当事人获取、使用技术所应支付的代价。价款是技术作为知识形态的商品价值的货币表现形式，也是技术作为商品进行等价交换的结果。由于技术在形成过程中所耗费的人类劳动、使用的资金、运用的科技知识、信息、经验、技能和研究方法的不同，以及技术产生的经济效益和社会效益的不同，技术没有统一的市场价格，也不能由国家根据经济理论和价格政策确定。技术合同的价款、报酬和使用费由当事人协商确定。当事人应当根据技术成果的经济效益和社会效益、研究开发技术的成本、技术成果的工业化开发程度、当事人享有的权益和承担的责任，协商议定。价款、报酬、使用费中包含非技术性款项的，应当分项计算。

当事人可以在技术合同中约定采取如下方式支付价款、报酬和使用费：

1. 一次总算、一次总付。这种方式是技术合同的一方当事人在合同成立后，将合同约定的全部价款、报酬或者使用费向另一方当事人一次付清。

2. 一次总算、分期支付。这种方式是技术合同的当事人将技术合同的价款、报酬、使用费在合同中一次算清，一方当事人在合同成立后,分几次付清合同约定的价款、报酬或者使用费。

3. 提成支付。这种方式是技术合同的一方当事人在接受技术成果或者其他智力劳动标的后,从付诸实施所获得的收益中,按照约定的比例提取部分收入交付另一方当事人作为技术合同的价款、报酬或者使用费。

当事人约定提成支付的,可以按照产品价格、实施专利和使用技术秘密后新增的产值、利润或者产品销售额的一定比例提成,也可以按照约定的其他方式计算。提成支付的比例可以采取固定比例、逐年递增比例或者逐年递减比例。由于这种支付方式存在计算、监督、检查复杂等问题,因此,当事人应当在合同中约定查阅有关会计账目的办法。

4. 提成支付附加预付入门费。这种方式是指接受技术的技术合同的一方当事人在合同成立后或者在取得技术成果后先向另一方当事人支付部分价款、报酬或者使用费(称为入门费或初付费),其余部分按照合同约定的比例提成,并按照合同约定的时间支付。

第三百二十六条　职务技术成果的使用权、转让权属于法人或者其他组织的,法人或者其他组织可以就该项职务技术成果订立技术合同。法人或者其他组织应当从使用和转让该项职务技术成果所取得的收益中提取一定比例,对完成该项职务技术成果的个人给予奖励或者报酬。法人或者其他组织订立技术合同转让职务技术成果时,职务技术成果的完成人享有以同等条件优先受让的权利。

职务技术成果是执行法人或者其他组织的工作任务,或者主要是利用法人或者其他组织的物质技术条件所完成的技术成果。

【释义】 本条是关于职务技术成果及职务技术成果财产权归属的规定。

技术成果,是指利用科学技术知识、信息和经验作出的产品、工艺、材料及其改进等技术方案。因技术成果所产生的权益属于知识产权。知识产权包括人身权和财产权。人身权,是指与人身相联系或者密不可分的没有直接财产内容的权利。财产权是人身权的对称,指具有经济利益的权利。

技术成果的财产权,即使用和转让技术成果的权利。技术成果财产权的归属要根据技术成果是职务技术成果还是非职务技术成果来决定。

一项技术成果,根据完成技术成果个人的研究开发活动与岗位职责及法人或者其他组织的物质技术投入的关系,可以划分为职务技术成果和非职务技术成果。

职务技术成果是执行法人或者其他组织的工作任务或者主要是利用法人或者其他组织的物质技术条件所完成的技术成果。依据这一规定,确认职务技术成果的标准有两条:一是执行法人或者其他组织的工作任务;二是主要是利用法人或者其他组织的物质技术条件。

执行法人或者其他组织的任务,主要是指承担法人或者其他组织的科学研究和技术开发课题或者履行本岗位的职责。利用法人或者其他组织的物质技术条件,是指法人或其他者组织提供的资金、设备、器材、未公开的技术情报和资料。但是利用法人或者其他组织提供的物质技术条件,按照事先约定,返还资金或交纳使用费的不在此限。调动工作的人员既执行了原法人或者其他组织的任务,又利用了所在法人或者其他组织的物质技术条件所完成的技术成果,由其原法人或者其他组织和所在法人或者其他组织合理分享。确认技术成果是否是职务技术成果，并不要求同时具备上述两个条件，只要具备一个条件就可以认定是职务技术成果。

职务技术成果的使用权、转让权属于法人或者其他组织，法人或者其他组织可以就该项职务技术成果订立技术合同。个人未经法人或者其他组织同意，擅自以生产经营为目的使用、转让法人或者其他组织的职务技术成果，是侵犯法人或者其他组织技术权益的侵权行为。

职务技术成果的财产权虽然属于法人或者其他组织，但是，职务技术成果凝聚了技术成果完成者的创造性劳动，应当对完成职务技术成果的完成者给予相应的奖励和报酬。同时，还应当根据使用和转让该项技术成果所取得的经济收益，给予一定的奖励和报酬。合同法规定，法人或者其他组织应当从使用和转让职务技术成果所取得的收益中提取一定的比例，对完成职务技术成果的个人给予奖励或者报酬。这里所称的奖励，是指法人或者其他组织根据使用职务技术成果和通过履行技术开发合同、技术转让合同、技术咨询合同、技术服务合同所获得的收益，按照国家有关规定发给技术成果完成者的奖金。该项奖励费用从实施技术成果所获得的利润和使用、转让技术成果所获得的价款、报酬或者使用费中列支，不计入法人或者其他组织奖金总额。合同法起草过程中，有的同志提出，当前，我国科技体制改革的一个关键环节，是正确落实科技人员对其完成的科技成果的财产权中应得的份额，使尊重知识、尊重人才在利益上得到体现。职务技术成果的完成人应在法人或者其他组织转让和实施该项技术成果中享有一定的比例收益，这是职务技术成果完成人应得的报酬，不同于一般的科技奖励，合同法应当将对个人奖励的数额作比较明确的规定。考虑到技术成果涉及的领域广泛，使用、转让技术成果存在差异，由此产生的收益也不尽一致,故合同法除规定法人或者其他组织应当从使用、转让职务技术成果所取得的收益中提取一定比例,对完成该项职务技术成果的个人给予奖励外,还明确规定要给予报酬。此外,合同法还规定法人或者其他组织订立技术合同转让职务技术成果时,职务技术成果的完成人享有以同等条件优先受让的权利。

第三百二十七条　非职务技术成果的使用权、转让权属于完成技术成果的个人,完成技术成果的个人可以就该项非职务技术成果订立技术合同。

【释义】　本条是关于非职务技术成果财产权归属的规定。

未执行法人或者其他组织的工作任务,也未利用法人或者其他组织的物质技术条件所完成的技术成果,是非职务技术成果。非职务技术成果的财产权即非职务技术成果的使用权、转让权属于完成技术成果的个人。完成技术成果的个人有权就该项非职务技术订立技术合同,有权获得因使用或者转让该项技术成果所取得的收益。法人或者其他组织擅自以生产经营目的使用或者转让属于个人的非职务技术成果,是侵犯个人合法权益的行为。

第三百二十八条　完成技术成果的个人有在有关技术成果文件上写明自己是技术成果完成者的权利和取得荣誉证书、奖励的权利。

【释义】　本条是关于技术成果人身权的规定。

人身权分为人格权和身份权两个方面。人格权是法律赋予权利主体本身所应有的权利,如姓名、名称、名誉以及人身不受侵犯等权利。身份权是基于血缘关系或者某种法律事实而产生的权利,如家庭关系中的亲权、监护权、作品的发表权、署名权等。技术成果的人身权,即在有关技术成果文件上署名以及取得国家荣誉证书、奖章和其他奖励的权利。这一权利与完成技术成果的完成者人身紧密相连,因此,这一权利应当属于对完成技术成果作出了创造贡献的个人。因技术成果产生的人身权利专属于完成该项技术成果的个人,其他任何人无权分享。本条中所称的完成技术成果的个人,是指对技术成果单独作出或者共同作出创造性贡献的人。不包括仅提供资金、设备、材料、试验条件的人员,进行组织管理的人员,协助绘制图纸、整理资料、翻译文献等辅助服务人员。本条中所称的技术成果文件,是指专利申请书、科学技术奖励申报书、科技成果登记书等确认技术成果完成者身份和授予荣誉的证书和文件。

第三百二十九条　非法垄断技术、妨碍技术进步或者侵害他人技术成果的技术合同无效。

【释义】　本条是关于无效技术合同的规定。

合同的无效,是指合同虽然已经成立,但因其违反法律、行政法规或社会公共利益而被确认为不具有法律效力。合同法在总则第三章对哪些合同是无效合同作了详细规定。除此之外,还根据技术合同的特点在本条中规定了技术合同无效的两种情形,即非法垄断技术,妨碍技术进步或者侵害他人技术成果的技术合同无效。

非法垄断技术,妨碍技术进步,是指合同的一方当事人通过合同条款限制另一方当事人在合同标的技术的基础上进行新的研究开发,限制另一方当事人从其他渠道吸收技术,或者阻碍另一方根据市场的需求,按照合理的方式充分实施专利和使用技术秘密。侵害他人技术成果,指侵害另一方或者第三方的专利权、专利申请权、专利实施权、技术秘密使用权和转让权或者发明权、发现权以及其他科技成果权的行为。

无效的技术合同，从订立时起就没有法律约束力。但是，技术合同的部分无效，不影响其余部分的效力，其余部分仍然有效。技术合同被确认为无效后，对合同无效负有责任的一方应当赔偿因合同无效给另一方造成的损失，当事人双方对合同无效均负有责任的，各自承担相应的责任。技术合同无效的法律后果，具体依照合同法关于合同无效的有关规定办理。

第二节 技术开发合同

第三百三十条 技术开发合同是指当事人之间就新技术、新产品、新工艺或者新材料及其系统的研究开发所订立的合同。

技术开发合同包括委托开发合同和合作开发合同。

技术开发合同应当采用书面形式。

当事人之间就具有产业应用价值的科技成果实施转化订立的合同，参照技术开发合同的规定。

【释义】 本条是关于技术开发合同定义和种类的规定。

1. 技术开发合同的概念

技术开发合同是当事人之间就新技术、新产品、新工艺和新材料及其系统的研究开发所订立的合同。

新技术、新产品、新工艺或者新材料及其系统，一般指当事人在订立技术合同时尚未掌握的产品、工艺、材料及其系统等技术方案，但在技术上没有创新的现有产品改型、工艺变更、材料配方调整以及技术成果的检验、测试和使用的除外。

订立技术开发合同，应当有必要的研究开发经费、基础设施、技术情报资料等条件。当事人在订立合同前应当进行必要的、全面细致的可行性论证，广泛收集有关的技术信息，选择适当的研究开发方案,尽量避免重复研究和开发。就列入国家计划的科技项目订立技术开发合同,必须符合计划和项目任务书的要求;就其他项目订立的技术开发合同,应当符合有关技术政策。

技术开发合同的内容由双方当事人在平等、自愿的基础上协商确定。合同的内容一般应当具备下列条款:(1)项目名称;(2)标的技术的内容、形式和要求;(3)研究开发计划;(4)研究开发经费或者项目投资的数额及其支付、结算方式;(5)利用研究开发经费购置的设备、器材、资料的财产权属;(6)履行的期限、地点和方式;(7)风险责任的承担;(8)技术成果的归属和分享;(9)验收的标准和方法;(10)报酬的计算和支付方式;(11)违约金或者损失赔偿额的计算方法;(12)技术协作和技术指导的内容;(13)争议的解决办法;(14)名词和术语的解释。列入国家计划的科技项目订立的合同,应当附具计划书、任务书以及主管机关的批准文件。

与其他合同相比,技术开发合同的内容较多,如研究开发经费及利用研究开发经费购置的财产及权属、技术成果的归属等;技术开发合同是一项探索性活动,履行期长,涉及风险责任的承担;技术开发合同标的比较复杂,涉及研究开发行为及研究开发行为的对象,因此,本条规定当事人订立技术开发合同应当采用书面形式。

2. 技术开发合同的种类

技术开发合同包括委托开发合同和合作开发合同。

委托开发合同,是指当事人一方委托另一方进行研究开发所订立的合同。即委托人向研究开发人提供研究开发经费和报酬,研究开发人完成研究开发工作并向委托人交付研究成果。委托开发合同的特征是研究开发人以自己的名义、技术和劳务独立完成研究开发工作,委托人不得非法干涉。

合作开发合同,是指当事人各方就共同进行研究开发所订立的合同。即当事人各方共同投资、共同参与研究开发活动、共同承担研究开发风险、共享研究开发成果。合作开发合同的各方以共同参加研究开发中的工作为前提,可以共同进行全部研究开发工作,也可以约定分工,分别承担相应的部分。当事人一方仅提供资金、设备、材料等物质条件或者承担辅助协作事项,由另一方进行研究开发工作的合同,是委托开发合同。

在合同法的起草过程中,有的部门及有关同志认为,随着信息时代的到来,计算机软件在各个方面起着非常重要的作用,实践中对计算机构软件的开发及使用产生的纠纷也十分突出,草案对计算机软件的开发使用没有明确规定,不适应实际工作的需要。用技术开发合同规范大型行业通用计算软件的开发,是实践中的通行做法,建议合同法把对计算机软件的开发列入技术开发合同中。对此,进行了广泛的调查研究,充分讨论论证,计算机软件的开发属于创作作品,对开发的计算机软件的使用,属于对作品的使用,宜由著作权法调整,不宜放在技术合同中。

在合同法起草中,科技部提出,当事人就科技成果转化订立的合同逐渐增多,为适应技术创新和科技产业化的需要,建议规定"当事人之间就具有产业应用价值的科技成果实施转化订立的合同,参照技术开发合同的规定"。

第三百三十一条　委托开发合同的委托人应当按照约定支付研究开发经费和报酬;提供技术资料、原始数据;完成协作事项;接受研究开发成果。

【释义】　本条是关于委托开发合同的委托人主要义务的规定。

委托人的主要义务是:

第一,按照合同的约定,支付研究开发经费和报酬。

研究开发经费,是指完成研究开发工作所需要的成本。除合同另有约定,委托人应当提供全部研究开发工作所需要的经费,包括购买研究必需的设备仪器、研究资料、试验材料、能源、试制、安装以及情报资料等项费用。研究开发经费是委托开发合同履行所必需的费用,一般应当在合同成立后,研究工作开始前支付,也可以根据研究的进度分期支付,但不得影响研究开发工作的正常进行。当事人应当在合同中约定研究开发经费的结算办法。合同约定按照实际支付的,研究开发经费不足时,委托人应当补充支付;研究开发经费剩余时,研究开发人应当如数返还。如果合同中约定研究开发经费包干使用,那么结余经费应当归研究开发人所有,不足的经费由研究开发人自行解决。如果合同中没有约定研究开发经费结算办法,可以按照包干使用的办法,处理使用研究开发经费。

委托人向研究开发人支付的报酬,是指研究开发成果的使用费和研究开发人员的科研补贴。与研究开发经费不同,它是研究开发人获得的劳动收入。合同约定研究开发经费的一定比例作为使用费和科研补贴的,可以不单列报酬。

第二,按照合同的约定,提供技术资料、原始数据、完成协作事项。

委托开发工作是研究开发人根据委托人的要求进行的,只有委托人提供完备的技术资料、原始数据以及研究开发人所要求的必要的技术背景资料和数据,并做好必要的协助工作,研究开发人的研究开发才能更好地满足其要求。因此,合同成立后,委托人负有按照合同约定提供研究开发工作必要的技术资料、原始数据并完成协作的义务。但是,委托人为研究开发人提供有关资料、数据,完成协作工作,只是为开发工作提供的辅助性劳动,不能因此认为是参加了开发研究,将委托开发合同变为合作开发合同。在研究开发过程中,委托人还应当应研究开发人的要求,补充必要的背景资料和数据,但应以研究开发人为履行合同所需要的范围为限。

第三,按期接受研究开发成果。

委托开发合同履行后,委托人享有接受该项研究开发成果的权利。这也是委托人的义务。委托人应当按期接受这一成果。当事人可以在合同中约定委托人接受研究开发成果的方式、时间或者期限,便于合同及时履行。

第三百三十二条　委托开发合同的研究开发人应当按照约定制定和实施研究开发计划;合理使用研究开发经费;按期完成研究开发工作,交付研究开发成果,提供有关的技术资料和必要的技术指导,帮助委托人掌握研究开发成果。

【释义】　本条是关于委托开发合同的研究开发人主要义务的规定。

研究开发人的主要义务是:

第一,按照约定制订和实施研究开发计划。

委托开发合同是委托人委托研究开发人进行研究开发的一种合同。为保证研究开发成果符合委托人的要求,研究开发人应当进行必要的可行性论证,并根据合同的要求,选择适当的研究开发方案,制订切实可行的计划,并积极组织实施。

第二,合理使用研究开发经费。

研究开发经费是专为研究开发工作使用的,开发人应当按照合同的约定,本着专款专用的原则,根据开发项目的实际需要,合理有效地使用委托人支付的研究开发经费,不得擅自挪作他用。委托人有权检查研究开发经费的使用情况,但不能妨碍研究开发人的正常工作。当事人可以在合同中约定研究开发经费使用、检查等有关事项。

第三,按期完成研究开发工作,交付研究开发成果,提供有关的技术资料和必要的技术指导,帮助委托人掌握研究开发成果。

研究开发人应当按照合同的约定,按期完成研究开发工作,并及时将研究开发成果交付委托人。研究开发人可以采用下列一种或者几种方式提交研究开发成果,但其数量不能超过合理的范围:(1)产品设计、工艺规程、材料配方和其他图纸、论文、报告等技术文件;(2)磁带、磁盘、计算机软件;(3)动物或者植物的新品种、微生物菌种;(4)样品、样机;(5)成套技术设备。

研究开发人按照合同约定,完成研究开发工作并交付工作成果时,还应当向委托人提供有关的技术资料,并给予必要的技术指导,帮助委托人掌握该技术成果,使之尽快在生产实践中应用。

研究开发人也不得在向委托人交付研究开发成果前,将研究开发成果转让给第三人。

第三百三十三条　委托人违反约定造成研究开发工作停滞、延误或者失败的,应当承担违约责任。

【释义】　本条是关于委托人违反委托开发合同违约责任的规定。

委托人违反约定造成研究开发工作停滞、延误或者失败的,应当承担违约责任。这是对委托人违反约定应当承担责任的一般规定。具体讲:

委托人迟延支付研究开发经费,造成研究开发工作停滞、延误的，研究开发人不承担责任。委托人逾期不支付研究开发经费或者报酬的，研究开发人有权解除合同，委托人应当返还技术资料，补交应付的报酬，赔偿因此给研究开发人造成的损失。

委托人按照合同约定提供技术资料、原始数据和协作事项或者所提供的技术资料、原始数据和协作事项有重大缺陷，导致研究开发工作停滞、延误、失败的，委托人应当承担责任，委托人逾期不提供技术资料、原始数据和协作事项的，研究开发人有权解除合同，委托人应当赔偿因此给研究开发人造成的损失。

委托人逾期不接受研究开发成果的，研究开发人有权处分研究开发成果。所获得的收益在扣除约定的报酬、违约金和保管费后，退还委托人。所得收益不足以抵偿有关报酬、违约金和保管费的，有权请求委托人赔偿损失。

第三百三十四条　研究开发人违反约定造成研究开发工作停滞、延误或者失败的，应当承担违约责任。

【释义】　本条是关于研究开发人违反委托开发合同违约责任的规定。

研究开发人违反约定，造成研究开发工作停滞、延误或者失败的，应当承担违约责任。这是对研究开发人违反委托开发合同应当承担责任的一般规定。具体讲：

研究开发人未按计划实施研究开发工作的，委托人有权要求其实施研究开发计划并采取补救措施。研究开发人逾期不实施研究开发计划的，委托人有权解除合同。研究开发人应当返还研究开发经费，赔偿因此给委托人造成的损失。

研究开发人将研究开发经费用于履行合同以外的目的的，委托人有权制止并要求其退还相应的经费用于研究开发工作。因此，造成研究开发工作停滞、延误或者失败的，研究开发人应当支付违约金或者赔偿损失。经委托人催告后,研究开发人逾期未退还经费用于研究开发工作的,委托人有权解除合同。研究开发人应当返还研究开发经费,赔偿因此给委托人造成的损失。

由于研究开发人的过错,造成研究开发成果不符合合同约定条件的,研究开发人应当支付违约金或者赔偿损失;造成研究开发工作失败的,研究开发人应当返还部分或者全部研究开发经费,支付违约金或者赔偿损失。

第三百三十五条　合作开发合同的当事人应当按照约定进行投资,包括以技术进行投资;分工参与研究开发工作;协作配合研究开发工作。

【释义】 本条是关于合作开发合同各方当事人主要义务的规定。

在合作开发合同中,当事人各方的主要义务是:

第一,按照合同的约定进行投资,包括以技术进行投资。

共同投资是合作开发合同的重要特征,也是合作开发合同各方当事人的主要义务。合同当事人各方应当依照合同的约定投资。这里的投资,是指合作开发合同当事人以资金、设备、材料、场地、试验条件、技术情报资料、专利权、技术秘密成果等方式对研究开发项目所作的投入。采取资金以外的形式进行投资的,应当折算成相应的金额,明确当事人在投资中所占的比例。

第二,按照合同约定的分工参与研究开发工作。

合作开发合同的各方当事人虽然都要出钱,进行投资,但各方还必须出人直接参与研究开发工作。所以参与研究开发工作是合作开发合同的特征。参与研究开发工作,包括按照约定的计划和分工共同进行或者分别承担设计、工艺、试验、试制等研究开发工作。当事人一方提供资金、设备、材料等物质条件，承担辅助协作事项，另一方进行研究开发工作的合同，不属于合作开发合同，应当按委托开发合同处理。

第三，协作配合研究开发工作。

合作开发是以双方的共同投资和共同劳动为基础的，各方在合作研究中的配合是取得研究开发成果的关键。因此，合作各方可以在合同中约定成立由双方代表组成的指导机构，对研究开发工作中的重大问题进行决策、协调和组织研究开发活动，保证研究开发工作的顺利进行。

第三百三十六条　合作开发合同的当事人违反约定造成研究开发工作停滞、延误或者失败的，应当承担违约责任。

【释义】　本条是关于合作开发合同当事人违约责任的规定。

合作开发合同的当事人违反约定造成研究开发工作停滞、延误或者失败的，应当承担违约责任。如果当事人一方逾期不进行投资或者不履行其他约定的义务，另一方或者其他各方当事人有权解除合同。当事人一方应当赔偿因此给另一方或者其他各方造成的损失。

第三百三十七条　因作为技术开发合同标的的技术已经由他人公开，致使技术开发合同的履行没有意义的，当事人可以解除合同。

【释义】　本条是关于解除技术开发合同条件的规定。

合同的解除，是指合同有效成立后，当具备合同解除条件时，因当事人一方或者双方的意思表示而使合同关系消灭的一种行为。

合同法第九十三条、第九十四条规定了解除合同的条件。

根据技术开发合同的特点，合同法又规定了技术开发合同可以解除的另一种情形，即作为技术开发合同标的的技术已经由他人公开，致使履行技术开发合同没有意义，当事人可以解除合同。

在合同法起草时，许多科研部门及有关同志提出，技术开发合同的标的虽然已经公开，但合同订立后，技术研究开发人已经有所投入并付出了一定的劳动，在这种情况下，合同可以解除，但应当明确规定赔偿技术研究开发人已经付出的有关费用。还有的同志建议，从实际情况出发，对合同订立后，技术开发合同的标的已经由他人公开的两种不同情况分别规定赔偿责任。第一，合同订立后立即发现技术开发合同的标的已经公开；对此，合同的另一方当事人可以不赔或者少赔研究开发人的损失。第二，技术开发人在实施技术开发工作过程中，技术开发合同的标的被公开，对此，合同的另一方当事人应当根据研究开发人的实际损失进行赔偿。考虑到这些同志的意见可以解决实践中的一些纠纷，因此合同法草案曾规定，“因作为技术开发合同标的的技术已经由他人公开，致使技术开发合同的履行没有意义的，当事人可以解除合同。当事人应当按照约定承担因解除合同产生的赔偿责任。没有约定或者约定不明确的，由有过错的一方承担，双方均没有过错的，由当事人合理分担。”又考虑到合同解除后产生的不仅仅是赔偿问题，还有解除权的行使等问题，合同法总则对合同解除后产生的问题已有明确规定，故对此不再在技术合同一章中重复规定。

在委托开发合同中，如果研究开发人明知受委托的技术开发合同的标的是已有技术，应改为技术转让或者技术服务合同。

在合作开发合同中，合作开发的各方当事人有义务将自己知道技术开发的标的已经公开的情况及时通知另一方当事人，以减少或避免不必要的损失。

第三百三十八条 在技术开发合同履行过程中,因出现无法克服的技术困难,致使研究开发失败或者部分失败的,该风险责任由当事人约定。没有约定或者约定不明确,依照本法第六十一条的规定仍不能确定的,风险责任由当事人合理分担。

当事人一方发现前款规定的可能致使研究开发失败或者部分失败的情形时,应当及时通知另一方并采取适当措施减少损失。没有及时通知并采取适当措施,致使损失扩大的,应当就扩大的损失承担责任。

【释义】 本条是关于技术开发合同风险责任的规定。

技术开发是一项探索性活动,蕴藏着开发不出来的危险。在研究开发过程中,如果当事人一方或者双方已尽了最大努力,但仍因科技知识、认识水平或试验条件等客观因素的限制,出现无法克服的技术困难,致使研究开发全部或者部分失败,未能取得合同约定的预期目的,即为技术开发合同的风险。

一项技术开发的失败或者部分失败属于风险,应当具备以下各项条件:(1)课题本身在国际和国内现有技术水平下具有足够的难度;(2)研究开发方尽了主观努力;(3)该领域专家认为研究开发失败属于合理的失败。

由于技术开发存在风险,风险一旦出现,将使技术开发合同无法履行,给当事人造成损失。因此,当事人应当在订立合同时明确约定风险责任的承担。如果当事人没有约定或者约定不明确,风险发生后,当事人可以协议补充风险责任。不能达成补充协议的,可以按照合同的有关条款或者交易习惯确定,仍不能确定,风险责任由当事人合理分担。

在研究开发过程中,当事人一方发现可能导致研究开发失败或者部分失败的情况时,应当及时通知另一方并采取适当措施减少损失。合同法明确规定这是技术开发合同当事人的义务。如果当事人未能及时通知对方当事人,也未能及时采取措施,制止损失的广大,应当就扩大的损失承担责任。

第三百三十九条　委托开发完成的发明创造,除当事人另有约定的以外,申请专利的权利属于研究开发人。研究开发人取得专利权的,委托人可以免费实施该专利。

研究开发人转让专利申请权的,委托人享有以同等条件优先受让的权利。

【释义】　本条是关于履行委托开发合同完成的技术成果的归属和分享的规定。

委托开发合同的当事人可以在合同中约定委托开发完成的发明创造的权利归属。如果当事人在合同中没有约定或者约定不明确,那么,委托开发完成的发明创造,申请专利的权利属于研究开发人,但研究开发人取得专利权的,委托人可以免费实施该专利。研究开发人转让专利申请权的,委托人可以优先受让该专利申请权。

第三百四十条　合作开发完成的发明创造,除当事人另有约定的以外,申请专利的权利属于合作开发的当事人共有。当事人一方转让其共有的专利申请权的,其他各方享有以同等条件优先受让的权利。

合作开发的当事人一方声明放弃其共有的专利申请权的,可以由另一方单独申请或者由其他各方共同申请。申请人取得专利权的,放弃专利申请权的一方可以免费实施该专利。

合作开发的当事人一方不同意申请专利的,另一方或者其他各方不得申请专利。

【释义】　本条是关于履行合作开发合同完成的技术成果

的归属和分享的规定。

技术开发合同的当事人可以在合同中约定合作开发完成的发明创造的权利归属。如果当事人在合同中没有约定或者约定不明确,那么,合作开发完成的发明创造,申请专利的权利属于合作开发的当事人共有。当事人一方不同意申请专利的,另一方或者其他各方不得申请专利。当事人一方转让其共有的专利申请权的,其他各方可以优先受让其共有的专利申请权。当事人一方声明放弃其共有的专利申请权,可以由另一方单独申请或者由其他各方共同申请。申请人取得专利的,放弃专利申请权的一方可以免费实施该专利。

第三百四十一条　委托开发或者合作开发完成的技术秘密成果的使用权、转让权以及利益的分配办法,由当事人约定。没有约定或者约定不明确,依照本法第六十一条的规定仍不能确定的,当事人均有使用和转让的权利,但委托开发的研究开发人不得在向委托人交付研究开发成果之前,将研究开发成果转让给第三人。

【释义】　本条是关于履行技术开发合同产生的技术秘密的归属和分享的规定。

合作开发合同的当事人可以在合同中约定,因履行技术开发合同产生的技术秘密的使用权、转让权的归属以及利益的分配办法。如果当事人没有约定或者约定不明确,可以协议补充;不能达成补充协议的,按照合同的有关条款或者交易习惯确定;仍不能确定的,当事人各方对技术秘密都有使用和转让的权利,但委托开发的研究开发人在向委托人交付研究开发成果前,不得擅自将研究开发成果转让给第三人。

第三节 技术转让合同

第三百四十二条 技术转让合同包括专利权转让、专利申请权转让、技术秘密转让、专利实施许可合同。

技术转让合同应当采用书面形式。

【释义】 本条是关于技术转让合同定义和范围的规定。

技术转让,就是某一主体将其所有或者掌握的技术让与另一主体使用的行为。技术转让是技术成果进入市场,实现技术成果商品化的重要方式。1985 年 5 月中共中央作出《关于科学技术体制改革的决定》,开放了我国的技术市场,其目的在于加速科技成果的转化、应用和推广。合同法为保障科技成果转让有法可依,对技术转让合同作了明确规定。

本条所称的技术转让合同包括专利权转让合同、专利申请权转让合同、专利实施许可合同和技术秘密转让合同。

1. 专利权转让合同。专利权是依法批准的发明人或其权利受让人对其发明成果在一定年限内享有的独占权或专用权。专利权转让合同,是指专利权人作为让与人将其发明创造专利的所有权或者持有权移交受让人,受让人支付约定价款所订立的合同。

2. 专利申请权转让合同。专利申请权是发明人或者设计人对其专利技术享有的一定专属权利,这种专属权利像专利权一样,可以转让。发明人或设计人在就其发明创造成果申请专利前,可以通过订立专利申请权转让合同,将其申请专利的权利转让给受让人并收取一定的价金。专利申请权转让合同,是指让与人将其就特定的发明创造申请专利的权利移交给受让人,受让人支付约定价款所订立的合同。

3. 技术秘密转让合同。技术秘密，是指不为公众所知悉的技术，即专利技术以外的技术，包括未申请专利的技术、未授予专利权的技术以及不受专利法保护的技术。技术秘密转让合同，是指让与人将拥有的技术秘密成果提供给受让人，明确相互之间技术秘密成果使用权、转让权，受让人支付约定使用费所订立的合同。技术秘密的使用权，是指以生产经营为目的使用技术秘密的权利。转让权，是指通过合同向他人提供和转让技术秘密的权利。

4. 专利实施许可合同。专利实施许可合同，是指专利权人或者其授权的人作为让与人许可受让人在约定的范围内实施专利，受让人支付约定使用费所订立的合同。专利法第十二条规定，任何单位或者个人实施他人专利，除国家法律明确规定有关单位或者个人可以强制实施的以外，都必须与专利权人订立书面实施许可合同，向专利权人支付专利使用年费。被许可人无权允许合同规定以外的任何单位或者个人实施该专利。专利实施许可合同转让的是专利使用权，转让后，受让人有权在约定的范围内使用专利。

技术转让合同应当转让特定和现有的专利权、专利申请权、专利实施权、技术秘密使用权和转让权为内容，不包括尚待研究开发的技术成果或者传授不涉及专利或者技术秘密知识、技术、经验和信息订立的合同。

技术转让合同的内容复杂，涉及转让技术的范围、转让的对象、受让人使用转让技术的范围和方式、技术的保密、使用费的支付，以及对使用技术产生的新的技术成果的归属等，技术转让合同涉及专利的，还要明确专利申请日、申请号、专利号和专利权的有效期限，因此，当事人应当采用书面形式订立技术转让合同。

第三百四十三条　技术转让合同可以约定让与人和受让人实施专利或者使用技术秘密的范围，但不得限制技术竞争和技术发展。

【释义】　本条是关于技术转让合同限制性条款的规定。

1985年国务院发布的《关于技术转让的暂行规定》指出，“一切有助于开发新产品、提高产品质量、降低产品成本、改善经营管理、提高经济效益的技术，出让方同接受方都可以按自愿互利、协商一致的原则转让。”也就是说，一切技术，只要是能够促进经济建设和社会发展，都可以依法转让。但属于国家机密的技术，其转让应当经主管部门批准；涉及国家安全和社会公共利益的，由有关部门指定单位实施的技术、国家实行许可证制度的技术，其转让应当符合主管部门的规定；违反法律和社会公共利益的技术，不得转让。

技术转让合同可以约定让与人和受让人实施专利或者使用专利技术的范围。实施专利或者使用专利技术的范围，是指实施专利的期限、实施专利或者技术秘密的地区和方式。但是，技术转让合同的当事人不得以合同条款限制技术竞争和技术发展，包括：(1)不得通过合同条款限制另一方在合同标的技术的基础上进行新的研究开发；(2)不得通过合同条款限制另一方从其他渠道吸收技术，或者阻碍另一方根据市场的需求，按照合同的方式充分实施专利和使用技术秘密。

第三百四十四条　专利实施许可合同只在该专利权的存续期间内有效。专利权有效期限届满或者专利权被宣布无效的，专利权人不得就该专利与他人订立专利实施许可合同。

【释义】　本条是关于专利实施许可合同有效期限的规定。

专利实施许可合同只在该项专利权的存续期间内有效。根据专利法的规定,发明专利权的期限为二十年,实用新型专利权和外观设计专利权的期限为十年,均自申请之日起计算。在专利权有效期限终止或者专利权宣布无效后,专利权人不得就该项专利与他人订立专利实施许可合同。

专利实施许可合同的让与人应当在合同有效期内维持专利的有效性。在合同有效期内,专利权被终止的,合同同时终止,让与人应当支付违约金或者赔偿损失。专利权被宣布无效的,让与人应当赔偿由此给受让人造成的损失。

第三百四十五条　专利实施许可合同的让与人应当按照约定许可受让人实施专利,交付实施专利有关的技术资料,提供必要的技术指导。

【释义】　本条是关于专利实施许可合同让与人主要义务的规定。

专利实施许可合同让与人的主要义务是:第一,保证自己是所提供的专利技术的合法拥有人,并且保证所提供的专利技术完整、无误、有效,能够达到合同约定的目的。第二,按照合同的约定,许可受让人实施专利,交付实施专利有关的技术资料,提供必要的技术指导。第三,承担保密义务。第四,排他实施许可合同的让与人不得在已经许可让与人实施专利的范围内,就同一专利与第三人订立专利实施许可合同。独占实施许可合同的让与人不得在已经许可受让人实施专利的范围内实施该专利。独占实施许可合同,即让与人将在一定地域或期限内实施专利技术的权利授予被让与人后,自己不再享有在该范围、该期限内实施专利技术的权利,不再享有向第三人发放实施许可该项专利技术的权利。排他实施许可合同,即让与人在授予受让人实施专利技术的范围、期限内,同时保留自己实施该项专利技术的权利。

第三百四十六条　专利实施许可合同的受让人应当按照约定实施专利,不得许可约定以外的第三人实施该专利;并按照约定支付使用费。

【释义】 本条是关于专利实施许可合同受让人主要义务的规定。

专利实施许可合同受让人的主要义务是:第一,按照合同的约定,支付价款。第二,按照合同约定的范围、方式、期限等实施专利技术,并按照约定支付使用年费。第三,未经让与人同意,不得许可合同约定以外第三人实施该项专利技术。第四,承担保密义务。

第三百四十七条　技术秘密转让合同的让与人应当按照约定提供技术资料,进行技术指导,保证技术的实用性、可靠性,承担保密义务。

【释义】 本条是关于技术秘密转让合同让与人主要义务的规定。

技术秘密转让合同让与人的主要义务是:第一,保证自己是所提供技术的合法拥有者,并且保证所提供的技术完整、无误、有效,能够达到合同约定的目标;第二,按照合同的约定,提供技术资料,进行技术指导,保证技术的实用性、可靠性;第三,承担保密义务;第四,承担受让人按照约定使用技术秘密侵害他人合法权益的责任;第五,使用技术秘密不得超出约定的范围;第六,不得擅自许可第三人使用该项技术秘密。

第三百四十八条　技术秘密转让合同的受让人应当按照约定使用技术，支付使用费，承担保密义务。

【释义】　本条是关于技术秘密转让合同受让人主要义务的规定。

技术秘密转让合同受让人的主要义务是：第一，按照合同的约定使用技术，支付使用费；第二，未经让与人同意，不得擅自许可第三人使用该项技术秘密；第三，使用技术秘密不得超越合同约定的范围；第四，承担保密义务。

第三百四十九条　技术转让合同的让与人应当保证自己是所提供的技术的合法拥有者，并且保证所提供的技术完整、无误、有效，能够达到约定的目标。

【释义】　本条是关于技术转让合同让与人保证义务的规定。

技术转让合同让与人订立技术转让合同的主要目的是通过转让技术，收取报酬。因此，向受让人转让技术是技术转让合同让与人的基本义务。让与人转让的技术不能是剽窃、冒充、仿造的，必须是自己合法拥有的，也就是说，让与人应当保证自己是所提供技术的合法拥有者，或者保证自己有权转让或者有权许可、使用、实施该项技术。让与人在转让技术时，还应当保证所提供的技术或者文件资料的完整、准确、有效，能够达到合同预期的目标。受让人使用让与人转让或者许可的技术生产或者销售产品，如果被第三人指控侵权，应当由受让人应诉；并承担责任；如果被第三人指控的侵权成立，受让人的经济损失由让与人负责赔偿。

第三百五十条　技术转让合同的受让人应当按照约定的范

围和期限，对让与人提供的技术中尚未公开的秘密部分，承担保密义务。

【释义】 本条是关于技术转让合同受让人保密义务的规定。

技术转让合同的让与人对受让人转让的技术，有的是处于保密状态的技术，有的技术虽已公开，但是相关的背景材料、技术参数等未曾公开，这些技术及相关材料有可能涉及国家利益或者让与人的重大经济利益。因此，受让人对让与人提供或者传授的技术和有关技术资料，应当按照合同约定的范围和期限承担保密义务。对超过合同约定范围和期限仍需保密的技术，受让人应当遵循诚实信用的原则，履行合同保密的附随义务。

第三百五十一条　让与人未按照约定转让技术的，应当返还部分或者全部使用费，并应当承担违约责任；实施专利或者使用技术秘密超越约定的范围的，违反约定擅自许可第三人实施该项专利或者使用该项技术秘密的，应当停止违约行为，承担违约责任；违反约定的保密义务的，应当承担违约责任。

【释义】 本条是关于技术转让合同的让与人违约责任的规定。

1. 违反专利权转让合同的责任。让与人不履行合同义务，迟延办理专利权移交手续，未提供有关的技术资料，转让的专利不是让与人合法拥有的专利或者违反保密义务的，应当返还部分或者全部使用费，并且应当承担违约责任。

2. 违反专利申请权转让合同的责任。让与人不履行合同，迟延提供技术情报和资料的，或者所提供的技术情报和资料没有达到使该领域一般专业技术人员能够实施发明创造的程度的，应当承担违约责任。违反保密义务的，应当承担违约责任。

3. 违反专利实施许可合同的责任。让与人未按照约定转让专利技术，应当返还部分或者全部使用费，并且承担违约责任；使用专利技术超越约定的范围，违反约定擅自许可第三人使用该项专利技术，应当停止违约行为，承担违约责任；违反保密义务的，承担违约责任；承担受让人按照约定使用专利技术侵害他人合法权益的责任。

4. 违反技术秘密转让合同的责任。让与人未按照合同约定转让技术秘密的，应当返还部分或者全部使用费，并且承担违约责任；使用技术秘密超越合同约定的范围，违反约定擅自许可第三人使用该项技术秘密，应当停止违约行为，承担违约责任；技术秘密成果达不到合同约定的技术指标，承担违约责任。违反保密义务，泄露技术秘密，使受让人遭受损失的，承担违约责任。承担受让人按照约定使用技术秘密侵害他人合法权益的责任。

第三百五十二条　受让人未按照约定支付使用费的，应当补交使用费并按照约定支付违约金；不补交使用费或者支付违约金的，应当停止实施专利或者使用技术秘密，交还技术资料，承担违约责任；实施专利或者使用技术秘密超越约定的范围的，未经让与人同意擅自许可第三人实施该专利或者使用该技术秘密的，应当停止违约行为，承担违约责任；违反约定的保密义务的，应当承担违约责任。

【释义】　本条是关于技术转让合同的受让人违约责任的规定。

1. 违反专利权转让合同的责任。受让人未按照约定支付价款，应当补交并按照约定支付违约金，不补交价款或者支付违约金的,应当停止实施专利,交还技术资料,承担违约责任;违反保密义务的,承担违约责任。

2. 违反专利申请权转让合同的责任。受让人不履行合同,迟延支付价款的,承担违约责任。未按照约定支付价款,应当补交并承担违约责任;不补交价款或者不支付违约金的,应当返还专利申请权,交还技术资料,并承担违约责任。违反保密义务的,承担违约责任。

3. 违反专利实施许可合同的责任。受让人未按照约定支付使用费,应当补交使用费并按照约定支付违约金;不补交使用费或者支付违约金的,应当停止使用专利技术,交还技术资料,承担违约责任;使用专利技术超越约定范围,未经让与人同意擅自许可第三人使用该专利技术的,应当停止违约行为,承担违约责任;违反保密义务的,应当承担违约责任。

4. 违反技术秘密转让合同的责任。受让人不按照合同约定支付使用费的,应当补交使用费并按照约定支付违约金;不补交使用费或者支付违约金的,应当停止使用技术秘密,交还技术资料,承担违约责任;使用技术秘密超越约定的范围,未经让与人同意擅自许可第三人实施使用该技术秘密的,应当停止违约行为,承担违约责任;违反保密义务,泄露技术秘密,给让与人造成损失的,应当承担违约责任。

第三百五十三条　受让人按照约定实施专利、使用技术秘密侵害他人合法权益的,由让与人承担责任,但当事人另有约定的除外。

【释义】 本条是关于技术转让合同转让人侵权责任的规定。

技术转让合同的实质是科学技术知识、信息和生产实践经验在不同法律关系主体之间的传递和扩展。这种传递和扩展同时也是技术权益的转移,即采用合同形式把专利权、专利申请权、专利使用权和技术秘密的使用权转移给受让人。让与人转让的是某一项技术成果,不是利用公知的技术知识为对方提供咨询服务,因此,转让人有义务保证受让人按照合同约定实施专利、使用技术秘密不会导致侵害他人的合法权益。如果受让人按照合同约定实施专利、使用技术秘密引起侵害他人合法权益的,该侵权责任由让与人承担,但是合同当事人另有约定的除外。

第三百五十四条 当事人可以按照互利的原则,在技术转让合同中约定实施专利、使用技术秘密后续改进的技术成果的分享办法。没有约定或者约定不明确,依照本法第六十一条的规定仍不能确定的,一方后续改进的技术成果,其他各方无权分享。

【释义】 本条是关于技术转让合同中后续改进技术成果分享办法的规定。

后续改进,是指在技术转让合同有效期内,一方或双方对作为合同标的的专利技术或者技术秘密成果所作的革新和改良。技术转让合同的订立和履行,不仅实现了现有技术的转移、推广和应用,而且也是当事人进行改良、革新和进行新的研究开发的基础。合同订立后,当事人一方或者双方在技术转让合同标的技术的基础上作出创新和改良是常见的现象。这种创新和改良推动了科学技术迅速发展。

本条规定首先明确了实施专利、使用技术秘密后续改进的技术成果属于完成该项后续改进的人。其次,技术转让合同的当事人双方可以按照互利的原则,在合同中约定实施专利、使用技术秘密后续改进的技术成果的分享办法。没有约定或者约定不明确，当事人可以协议补充，不能达成补充协议的，按照合同有关条款或者交易习惯确定。按照合同有关条款或者交易习惯仍不能确定，一方后续改进技术的技术成果，其他各方无权分享。

互惠使用后续改进的技术，当事人应当另行订立合同。

第三百五十五条　法律、行政法规对技术进出口合同或者专利、专利申请合同另有规定的，依照其规定。

【释义】 本条是关于技术进出口合同的规定。

我国境内的自然人、法人或者其他组织从国外引进或者向国外输出技术与技术输出国或者技术引进国的当事人订立的合同，称为技术进出口合同。

近几年，随着我国对外科学技术交流的发展，我国的企业和其他经济组织、事业单位不仅从国外引进技术，并且也向国外输出技术。其所借助的法律形式是订立技术进出口合同。因此，在合同法起草中，有的人提出，制定技术合同法后，随着改革开放的不断深入，技术进出口越来越多，为了适应这一形势的需要，国家有关部门制定了技术引进合同管理条例等规定，这次制定合同法，应当把技术进出口合同作为技术转让合同的内容加以规定。对此，合同法草案曾将技术进出口合同的内容作出规定，如提交九届全国人大常委会第四次会议审议的合同法（草案）曾对订立技术引进合同的情形、技术引进合同的申请和审批、技术引进合同的期限、技术引进合同的内容等作了规定。在对合同法草案广泛征求意见后，许多部门和同志认为，技术进出口的情况比较复杂。订立技术进出口合同，虽然是市场主体的自主行为，但对涉及产业发展或者国计民生的重大技术进出口合同,还要经有关主管部门审批。国家有关部门正在制定相关的法律法规对此加以规范。技术进出口实质上是技术转让,当事人在订立技术进出口合同时,对涉及技术转让的问题,可以依据合同法中的技术转让合同的有关规定办理,对涉及技术进出口的管理问题,依据其他法律或者行政法规的规定。因此,本条规定,法律、行政法规对技术进出口合同另有规定的,依照其规定。

专利权转让、专利申请权转让涉及专利问题,因此,当事人订立专利权转让合同或者专利申请权转让合同,不仅要遵守本章的有关规定,还要遵守专利法等其他法律、法规的规定。

第四节　技术咨询合同和技术服务合同

第三百五十六条　技术咨询合同包括就特定技术项目提供可行性论证、技术预测、专题技术调查、分析评价报告等合同。

技术服务合同是指当事人一方以技术知识为另一方解决特定技术问题所订立的合同,不包括建设工程合同和承揽合同。

【释义】　本条是关于技术咨询合同和技术服务合同定义的规定。

1. 技术咨询合同

技术咨询合同,是指科技人员作为受托人运用自己的科学技术知识和技术手段,对委托人提出的特定技术项目进行可行性论证、技术预测、专题技术调查、分析评价等活动,委托人支付咨询费的合同。故本条规定,技术咨询合同包括就特定技术项目提供可行性论证、技术预测、专题技术调查、分析评价报告等合同。

当事人可以就下列技术项目的预测、分析、论证、预测和调查订立技术咨询合同:(1)有关科学技术与经济、社会协调发展的软科学研究项目。(2)促进科技进步和管理现代化,提高经济效益和社会效益的技术项目。(3)其他专业性技术项目。

当事人一方委托另一方就解决特定技术问题提出实施方案、进行实施指导所订立的合同,是技术服务合同,不适用有关技术咨询合同的规定。

2. 技术服务合同

技术服务合同,是指当事人一方以技术知识为另一方解决特定技术问题所订立的合同,不包括建设工程合同和承揽合同。

技术服务合同中所称的特定技术问题,是指需要运用科学技术知识解决专业技术工作中有关改进产品结构、改良工艺流程、提高产品质量、降低产品成本、节约资源能耗、保护资源环境、实现安全操作、提高经济效益和社会效益等问题。

符合下列条件的,可以认定是技术服务合同:(1)合同的标的是运用专业技术知识、经济和信息解决特定技术问题的项目;(2)服务内容是改进产品结构、改良工艺流程、提高产品质量、降低产品成本、节约资源能耗、保护资源环境、实现安全操作、提高经济效益和社会效益等专业技术工作;(3)工作成果有具体质量和数量指标;(4)技术知识的传递不涉及专利和技术秘密成果的权属。

下列合同不属于技术服务合同:(1)以常规手段或者为生产经营目的进行一般加工、定作、修理、修缮、广告、印刷、测绘、标准化测试等订立的加工承揽合同和建设工程的勘察、设计、安装、施工合同。但以非常规技术手段,解决复杂、特殊技术问题而单独订立的合同除外。(2)就描晒复印图纸、翻译资料、摄影摄像和体验等所订立的合同。(3)计量检定单位就强制性计量检定所订立的合同。(4)理化测试分析单位就仪器设备的购销、租赁及用户服务所订立的合同。

第三百五十七条　技术咨询合同的委托人应当按照约定阐明咨询的问题，提供技术背景材料及有关技术资料、数据；接受受托人的工作成果，支付报酬。

【释义】　本条是关于技术咨询合同的委托人主要义务的规定。

技术咨询合同的委托人应当全面履行合同约定的各项义务：第一，按照合同的约定，阐明咨询问题，提供技术背景材料及有关技术资料、数据；第二，为受托人进行调查论证提供必要的工作条件；第三，除合同另有约定，承担受托人进行调查研究、分析论证、试验测定的经费；第四，应受托人的要求及时补充有关资料和数据；第五，应受托人的要求，对受托人提供的技术资料和数据予以保密，只有在合同没有约定的情况下，可以引用、发表和向第三人提供；第六，按照合同约定的期限和方式接受受托人的工作成果，及时支付报酬。

第三百五十八条　技术咨询合同的受托人应当按照约定的期限完成咨询报告或者解答问题；提出的咨询报告应当达到约定的要求。

【释义】　本条是关于技术咨询合同的受托人主要义务的规定。

技术咨询合同的受托人应当全面履行合同约定的各项义务：第一，对技术项目进行调查、论证；第二，发现委托人提供的技术资料、数据有明显错误和缺陷的，应当及时通知委托人补充、修改；第三，利用自己的技术知识和人才优势，按照合同的约定完成咨询报告或者解答问题；保证咨询报告和意见符合合同约定的要求；第四，应委托人的要求，对委托人提供的技术资料和数据予以保密，只有在合同没有约定的情况下，可以引用、发表和向第三人提供;第五,按照合同约定,承担调查研究、分析论证、试验测定的经费;第六,维护委托人的技术、经济权益。在合同有效期内,就同类技术项目与委托人的竞争者订立技术咨询合同的,应当征得委托人的同意。

第三百五十九条　技术咨询合同的委托人未按照约定提供必要的资料和数据,影响工作进度和质量,不接受或者逾期接受工作成果的,支付的报酬不得追回,未支付的报酬应当支付。

技术咨询合同的受托人未按期提出咨询报告或者提出的咨询报告不符合约定的,应当承担减收或者免收报酬等违约责任。

技术咨询合同的委托人按照受托人符合约定要求的咨询报告和意见作出决策所造成的损失,由委托人承担,但当事人另有约定的除外。

【释义】　本条是关于技术咨询合同当事人违约责任和涉及决策风险责任的规定。

1. 违约责任

技术咨询合同的当事人违反合同约定,应当依照合同约定的违约条款以及合同法有关违约责任的规定,承担违约责任。

(1)委托人违反技术咨询合同的违约责任

委托人未按期支付报酬的,应当补交报酬,并承担违约责任;未按照约定提供必要的数据和资料,或者所提供的数据、资料有严重缺陷,影响工作进度和质量的,已支付的报酬不得追回,未支付的报酬应当支付。给受托人造成损失的,应当承担违约责任。委托人逾期不提供或者不补充有关技术资料、数据和工作条件,导致受托人无法开展工作的,受托人有权解除合同,委托人承担违约责任。但合同另有约定的除外。委托人不接受或者逾期不接受工作成果的,向受托人支付的报酬不得追回,未支付的报酬应当支付,并且还应当支付受托人因保管工作成果所支出的费用。

(2)受托人违反技术咨询合同的违约责任

受托人迟延提交咨询报告和意见的,应当减收或者免收报酬,并承担违约责任;提供的咨询报告和意见不符合合同约定条件的,应当减收或者免收报酬,并承担违约责任;不提交咨询报告和意见,或者所提交的咨询报告和意见水平低劣,无参考价值的,应当免收报酬,并承担违约责任;受托人在接到委托人提交的技术资料和数据后,不进行调查论证,委托人有权解除合同,受托人应当返还委托人已付的报酬,并承担违约责任,但是合同另有约定的除外。

2. 技术咨询合同涉及的决策风险责任

当事人可以在技术咨询合同中约定对咨询报告和意见的验收或者评价办法。合同没有约定的,按照合乎实用的一般要求组织鉴定。咨询报告和意见经验收合格后,合同即告终止。委托人是否采纳以及如何采纳受托人作出的咨询报告或者意见,由委托人自行决策。受托人对委托人实施咨询报告或意见所受到的损失,不负赔偿责任,除非合同另有约定。这就是技术咨询合同涉及的决策风险责任。这是因为:

(1)技术咨询合同的受托人为委托人完成的咨询建议、设计方案、分析调查结论以及可行性报告等,是受托人根据自己掌握的技术知识、信息和经验对技术项目进行的分析、论证和预测,只供委托人决策时选择参考,不是直接可以付诸实践的技术研究成果。

(2)技术咨询合同的履行具有滞后性,委托人是在受托人提交咨询报告或意见后,经过鉴别和取舍后才实施的。而社会客观情况是复杂多变的,此时的咨询报告或意见是否还能适应实际情况,起到指导实践的作用,尚有待于实践的检验。

(3)正确的咨询报告或意见付诸实施后,还要根据实际情况采取相应的措施,有时要作必要的修改和补充,而技术咨询合同的受托人一般不参加委托人对技术项目的决策和实施,因此,受托人对委托人按照咨询报告和意见作出决策并付诸实施所发生的损失不承担责任。但是,合同另有约定除外。

本条关于技术咨询合同涉及的决策责任的规定,目的是鼓励受托人积极向委托人提供咨询意见,但是受托人不能因此对委托人委托的技术项目不作调查研究,对咨询报告和意见不负责。如果受托人提供的咨询报告和意见没有科学依据,或者有明显的缺陷甚至错误,应当承担违反合同的违约责任。

第三百六十条　技术服务合同的委托人应当按照约定提供工作条件,完成配合事项;接受工作成果并支付报酬。

【释义】 本条是关于技术服务合同的委托人主要义务的规定。

技术服务合同的委托人应当全面履行合同约定的义务:第一,按照合同的约定提供工作条件,完成配合事项;第二,按照合同的约定,承担受托人完成专业技术工作,解决技术问题需要的经费;第三,应受托人的要求,在约定的期限内补充、修改或者更换已提供的,不符合合同约定的技术资料、数据、样品、材料或者工作条件,并及时通知受托人;第四,在履行合同期间,对受托人因发现继续工作对材料、样品或者设备等有损坏危险,而中止工作的通知以及处理建议,在约定的期限内作出答复;第五,接受工作成果并支付报酬;第六,对受托人完成的工作成果承担保密义务。

第三百六十一条　技术服务合同的受托人应当按照约定完成服务项目，解决技术问题，保证工作质量，并传授解决技术问题的知识。

【释义】　本条是关于技术服务合同的受托人主要义务的规定。

技术服务合同的受托人应当全面履行合同约定的义务：第一，按照约定完成服务项目，解决技术问题，保证工作质量，并传授解决技术问题的知识；第二，除合同另有约定的以外，承担完成专业技术工作，解决技术问题的经费；第三，发现委托人提供的技术资料、数据、样品、材料或者工作条件不符合合同约定的，应当及时通知委托人在约定的期限内补充、修改或者更换；第四，在履行合同期间，发现继续工作对材料、样品或者设备等有损坏危险时，应当中止工作，并及时通知委托人或者提出建议；第五，对委托人提供的技术资料、数据、样品承担保密义务。

第三百六十二条　技术服务合同的委托人不履行合同义务或者履行合同义务不符合约定，影响工作进度和质量，不接受或者逾期接受工作成果的，支付的报酬不得追回，未支付的报酬应当支付。

技术服务合同的受托人未按照合同约定完成服务工作的，应当承担免收报酬等违约责任。

【释义】　本条是关于技术服务合同的当事人违约责任的规定。

技术服务合同的当事人违反合同约定，应当承担违约责任。

1. 委托人的违约责任

委托人不履行合同义务或者履行合同义务不符合约定，影

响工作进度和质量,不接受或者逾期接受工作成果的,支付的报酬不得追回,未支付的报酬应当支付。具体讲:

委托人未按照合同约定提供有关技术资料、数据、样品和工作条件,影响工作质量和进度的,应当如数支付报酬。委托人逾期不提供约定的物质技术条件的,受托人有权解除合同,委托人应当支付违约金或者赔偿由此给受托人造成的损失。

委托人逾期不支付报酬或者违约金的,应当交还工作成果,补交报酬,支付违约金或者赔偿损失。

委托人迟延接受工作成果的,应当支付违约金和保管费。委托人逾期不领取工作成果的,受托人有权处分工作成果,从所获得的收益中扣除报酬、违约金和保管费后剩余部分返还委托人,所获得的收益不足以抵偿报酬、违约金和保管费的,有权请求委托人赔偿损失。

此外,委托人还应当承担在接到受托人关于提供的技术资料、数据、样品、材料或者工作条件不符合合同约定的通知后,未能在约定的期限内补充、修改、更换或者不按期作出答复的责任;承担在履行合同期间,接到受托人因发现继续工作将对材料、样品或者设备等发生损坏危险而中止工作或者处理建议的通知后,未在约定的期限内作出答复的责任;承担违反保密义务,泄露受托人完成的需要保密的工作成果的责任。

2. 受托人的违约责任

技术服务合同的受托人未按照合同约定完成服务工作的,应当承担免收报酬等违约责任。具体讲:

受托人迟延交付工作成果的,应当支付违约金。受托人逾期不交付工作成果的,委托人有权解除合同,受托人应当交还技术资料和样品,返还已付的报酬,支付违约金或者赔偿损失。

受托人的工作成果、服务质量有缺陷,委托人同意利用的,受托人应当减收报酬并采取适当补救措施;工作成果、服务质量有严重缺陷,没有解决合同约定的技术问题的,受托人应当免收报酬,支付违约金或者赔偿损失。

受托人对委托人交付的样品、技术资料保管不善,造成灭失、缺少、变质、污染或者损坏的,应当支付违约金或者赔偿损失。

此外,受托人还应当承担发现委托人提供的技术资料、数据、样品、材料或者工作条件不符合合同约定,未能及时通知委托人的相应责任;承担在履行合同期间,发现继续工作会对材料、样品或者设备等有损坏危险而中止工作后,不及时通知委托人并未采取适当措施的相应责任;承担违反保密义务,泄露委托人提供的需要保密的技术资料、数据、样品的相应责任。

在实际生活中,有些技术服务合同的工作成果、服务质量,在短期内难以发现缺陷,需要经过较长时期的实践检验,对此,技术服务合同的当事人可以在合同中约定保证期。在保证期内发现服务质量缺陷的,受托人应当负责返工或者采取补救措施。但因委托人使用、保管不当引起的问题除外。

第三百六十三条　在技术咨询合同、技术服务合同履行过程中,受托人利用委托人提供的技术资料和工作条件完成的新的技术成果,属于受托人。委托人利用受托人的工作成果完成的新的技术成果,属于委托人。当事人另有约定的,按照其约定。

【释义】　本条是关于技术咨询、技术服务合同履行过程中产生的技术成果的归属和分享的规定。

技术咨询合同履行过程中,受托人在对委托人提供的数据、资料和背景材料进行研究分析、论证时,可能会产生新的技术成果;委托人根据受托人提供的咨询报告,在分析、论证的基础上,也可能会开发出新的技术成果。同样,技术服务合同的受托人有时会基于委托人提供的有关背景材料、技术资料、数据、样品和工作条件等派生出新的技术成果。委托人也可能在取得受托人的技术服务成果后,进行后续研究开发,利用所掌握的知识,创造出新的技术成果。

新的技术成果,是指技术咨询合同或者技术服务合同的当事人在履行合同义务之外派生完成的或者后续发展的技术成果。处理这类技术成果的归属和分享基本原则是,第一,谁完成谁拥有;第二,允许当事人作特别约定。故合同法在本条规定,技术咨询合同、技术服务合同履行过程中,受托人利用委托人提供的技术资料和工作条件完成的新的技术成果,属于受托人。委托人利用受托人的工作成果完成的新的技术成果,属于委托人。当事人另有约定的,按照其约定。

依据这一规定,当事人可以在技术咨询合同或者技术服务中约定这种可能产生的技术成果的归属和分享办法。当事人对履行技术咨询合同、技术服务合同所产生的新的技术成果的归属和分享办法的特别约定,优于法律的一般原则规定。如果当事人在合同中对新产生的技术成果的归属和分享办法没有约定,或者约定不明确,那么,受托人利用委托人提供的技术资料和工作条件完成的新的技术成果,属于受托人。委托人利用受托人的工作成果完成的新的技术成果,属于委托人。另一方无权参与分享新的技术成果。

第三百六十四条　法律、行政法规对技术中介合同、技术培训合同另有规定的,依照其规定。

【释义】 本条是关于技术中介合同和技术培训合同的规定。

技术中介合同,是指当事人一方以知识、技术、经验和信息为另一方与第三方订立技术合同进行联系、介绍、组织工业化开发并对履行合同提供服务所订立的合同。

技术培训合同,是指当事人一方委托另一方对指定的专业技术人员进行特定项目的技术指导和专业训练所订立的合同,不包括职业培训、文化学习和按照行业、单位的计划进行的职工业余教育。

合同法起草过程中,有人提出,技术中介合同和技术培训合同是技术服务合同中两类重要的合同,实践中也大量存在。随着技术的发展,技术服务合同侧重的是技术培训,例如,对农民养殖技术的培训,特别是知识经济的发展和再就业工程的启动,技术培训将越来越重要。技术中介合同则是加速技术成果转化的重要一环。实践中技术中介情况复杂,纠纷较多,建议合同法对技术培训合同、技术中介合同作出规定。考虑到技术培训合同、技术中介合同与技术服务合同的内容大体相似,对技术培训合同与技术中介合同的特殊性问题还需进一步研究,故本条规定,法律、行政法规对技术中介合同、技术培训合同另有规定的,依照其规定。

科技部(原国家科委)曾发文,对什么是技术培训合同、什么是技术中介合同,这两类合同应当具备的主要条款、双方当事人的权利义务、违约责任以及其他有关内容等都作了详细的规定,当事人在依照合同法订立、履行技术培训合同或者技术中介合同时,可以参照这一规定。

第十九章　保 管 合 同

本章共十六条，对保管合同的定义、成立、有偿与无偿、保管凭证、保管人的权利义务、寄存人的权利义务、贵重物品的寄存以及消费保管等作了规定。

第三百六十五条　保管合同是保管人保管寄存人交付的保管物，并返还该物的合同。

【释义】　本条是关于保管合同定义的规定。

保管合同又称寄托合同，寄存合同，是指双方当事人约定一方将物交付他方保管的合同。保管物品的一方称为保管人，或者称为受寄人，其所保管的物品称为保管物，或者称为寄托物，交付物品保管的一方称为寄存人，或者称为寄托人。

保管合同始自于罗马法。罗马法把寄托分为通常寄托与变例寄托。通常寄托，是指受寄人应于合同期满后将受托保管的原物返还寄托人，而变例寄托是指受寄人得返还同种类、品质、数量之物，包括金钱寄托、讼争物寄托及危难寄托。前苏联民法不称寄托而称保管，其第422条规定："依照保管合同，一方应当保管另一方交给他的财产，并完好地返还该财产。"

保管合同的标的物，即保管物是否限于动产，各地立法有两种趋势：第一，以德国、意大利为代表的，在民法典中明确规定寄托物以动产为限。如意大利民法典第1760条对寄托下的定义为："寄托是一方接受他方的某个动产，负责保管并返还的契约。"第二,以日本和我国台湾地区为代表的,在其民法典中对寄托下的定义中,不明确寄托物为动产或为不动产。如日本民法典第657条规定:"寄托,因当事人一方约定为相对人保管而受取某物,而发生效力。"郭明瑞、王轶所著的《合同法新论·分则》中认为,"日本民法一般寄托中的标的物即包括动产也包括不动产,这是日本法的一个特点。"又例如我国台湾地区"民法典"第589条规定:"称寄托者,谓当事人一方以物交付他方,他方允为保管之契约。"台湾刘发鋆著的《民法债编分则实用》中对寄托标的物所作的解释是,"寄托标的物以物为限,无论为动产或不动产,为代替物或不代替物,均无不可。"可见我国台湾地区"民法"与日本民法对此规定是一脉相承的。

我国合同法第三百六十五条对保管合同下的定义中,也没有规定保管物以动产为限。现实中保管不动产的例子是很多的,房屋、果园、池塘等都可以成为保管的对象。因此,法律有必要调整因委托他人保管不动产而形成的权利义务关系。

第三百六十六条　寄存人应当按照约定向保管人支付保管费。

当事人对保管费没有约定或者约定不明确,依照本法第六十一条的规定仍不能确定的,保管是无偿的。

【释义】　本条是关于保管合同的报酬的规定。

寄存人和保管人可以约定保管是有偿的,也可以约定保管是无偿的。如果约定保管是有偿的,寄存人应当按照约定的数额、期限、地点向保管人支付报酬,否则承担违约责任。

寄存人和保管人没有就是否支付报酬作出约定,或者约定不明确的,双方可以协议补充,不能达成补充协议的,按照合同有关条款或者交易习惯确定。所谓按照合同有关条款或者交易习惯确定，要考虑的问题主要有以下两项：一是根据保管人是否从事保管这个职业。如果双方没有约定报酬或者约定不明确，但是能够确定保管人就是从事保管这个职业的，如保管人是小件寄存的业主，依此应当推定该合同是有偿合同。二是依其他情形应当推定保管是有偿的。如就保管物的性质、保管的时间、地点和方式而言，一般人的判断都是有偿的，则应推定保管是有偿的。如果推定保管是有偿的，寄存人应当向保管人支付报酬。

当事人可以在合同中明确约定保管是无偿的。除此之外，在当事人未约定保管费的情况下，依照本法第六十一条的规定仍不能确定是有偿的，保管是无偿的。即当事人未约定保管是有偿的或者是无偿的，按照合同有关条款或者交易习惯不能确定保管是有偿的情况下，保管就应推定是无偿的。确定保管合同的有偿与无偿，是保管合同的重要问题。我国合同法处理这个问题的基本原则就是依双方当事人意思自治。即双方当事人可以在合同中明确约定保管是有偿的或者是无偿的，双方当事人依约定办事。在双方当事人没有约定保管是否支付报酬的情况下，允许双方当事人协议补充，这也是当事人意思自治原则的体现。在双方当事人不能达成补充协议的情况下，即双方当事人在履行合同时就此问题发生纠纷，人民法院或者仲裁机构可以依据合同中的有关条款或者交易习惯确定。确定的结果有两个：一是有偿的，二是无偿的。例如，甲在火车站将行李寄存在乙开的小件寄存处，双方就是否支付保管费发生争议，按乙是以此为业这个情形，甲应当向乙支付报酬。再例如：甲到某超级市场购物，进入市场前将随身携带的挎包存放在超级市场的寄存处。甲购物后去提取挎包时，寄存处管理人员要求甲支付保管费，甲拒绝支付。在此案中，法院应当支持甲的主张，因为按照一般交易习惯，超级市场的寄存处是不应当收费的。

从传统上看，罗马法将保管合同规定为无偿合同。在近现代的民事立法上一般也规定保管合同以无偿为原则，以有偿为补充。例如日本民法典第1917条规定，“通常寄存，本质上为无偿契约。”再如我国台湾地区“民法典”第589条第2款规定，“受寄人除契约另有订定，或依情形，非受报酬……”这样规定的理由主要是：保管合同主要是社会成员之间相互提供帮助或服务部门向社会提供服务的一种方式，这种保管合同在现实生活中多是无偿的。我国强调的是保管合同是否有偿由当事人约定，在没有约定的情况下，依合同有关条款或者交易习惯不能确定是有偿的，则保管合同是无偿的。

第三百六十七条　保管合同自保管物交付时成立，但当事人另有约定的除外。

【释义】　本条是关于保管合同何时成立的规定。

保管合同为实践合同。保管合同的成立，不仅须有当事人双方意思表示一致，而且须有寄存人将保管物交付给保管人，即寄存人交付保管物是保管合同成立的要件。因此，保管合同是实践合同而非诺成合同。关于保管合同为实践合同还是诺成合同，各地立法规定不一，大陆法系国家和地区多将保管合同规定为实践合同。法国、德国、意大利、日本以及我国台湾地区的民法中，对保管合同下的定义都强调当事人一方接受他方的物品，保管合同始生效力。例如日本民法典第657条规定，“寄托，因当事人一方约定为相对人保管而受取某物，而发生效力。”我国台湾地区“民法典”第589条规定，“称寄托者，谓当事人一方以物交付他方，他方允为保管之契约。”通过日本和我国台湾地区的规定来看，保管合同的成立以寄存人交付所需保管的物为前提，即使有双方合意一致，但是没有物的交付，保管合同也不生效力。从我国合同法第三百六十七条规定的保管合同的成立来看,我国对保管合同的成立以保管物的交付为要件,即保管合同自保管物交付时成立。保管合同与第二十章规定的仓储合同的性质基本上是一样的,但二者也有许多重要的区别,区别之一就是保管合同为实践合同,而仓储合同为诺成合同。因为仓储合同是专门从事保管业务的保管人(仓库)与存货人订立的合同,双方为各自实现自己的经济利益,基于诚实信用的原则,要求双方订立的合同为诺成合同,即从双方意思表示一致时起,合同成立,双方即受合同约束。而保管合同多为无偿,多数国家更以保管合同以无偿为原则在立法中予以体现,从符合社会传统和社会习惯的要求来看,应当规定保管合同为实践合同。例如甲和乙系邻居,甲和乙口头订立一合同,甲将一辆自行车委托乙代为保管,在甲未交付自行车给乙保管前,合同也不成立。假使在这个阶段,甲决定不再把自行车交乙保管,乙也不能追究甲的违约责任,反之,如果乙拒绝为甲保管自行车,也无需承担违约责任。

保管合同尽管以保管物的交付为成立要件,但当事人另有约定的除外。例如当事人在合同中明确约定"自合同签字之日起即生效力",如果有这样的约定,则双方当事人自合同签字之日起即受合同约束,双方应当按照合同的约定履行自己的义务,不得擅自变更或者解除合同,否则承担违约责任。双方当事人在合同中作这样的约定,多是由于保管是有偿的,特别是保管人为了实现获得保管费的合同目的而订立的。当寄存人不交付保管物时,保管人就可以依法追究寄存人的违约责任。

第三百六十八条　寄存人向保管人交付保管物的,保管人应当给付保管凭证,但另有交易习惯的除外。

【释义】　本条是关于保管人向寄存人给付保管凭证的义

务的规定。

寄存人向保管人交付保管物后,保管合同成立。保管人应当向寄存人给付保管凭证。给付保管凭证不是保管合同成立的形式要件,如果当事人另有约定或者依交易习惯无须给付保管凭证的,也可以不给付保管凭证,但也不影响保管合同的成立。

关于保管凭证与保管合同的关系,有的学者主张,在有保管凭证的保管中,保管人给付保管凭证后,保管合同始为成立。在无保管凭证的保管中,保管合同自寄存人交付保管物时起成立。这种观点的前提还是承认保管合同是实践合同,只是在有保管凭证的保管合同成立的时间上提出了不同的主张。这种观点没有解决在有保管凭证的保管合同中,在寄存人交付保管物后,一旦保管人应当给付而未给付保管凭证,合同是否成立的问题。所以不能把给付保管凭证作为合同成立的形式要件,而是以寄存人交付保管物作为合同成立的形式要件,只要寄存人交付了保管物,即使保管人应当给付保管凭证而未给付,也应当认定保管合同成立,否则极不利于保护寄存人的利益。

从原则上讲,寄存人向保管人交付保管物后,保管人就应当给付保管凭证,但当事人另有约定或者依交易习惯无须给付的除外。例如,在车站、码头等设立的小件寄存处,一般的交易习惯是给付保管凭证。而在某些商场外的停车场,按照交易习惯就不给付保管凭证,只要有车位就可以停车,只是出来时需付款,保管人给付付款凭证。

现实生活中,人们为了互相协助而发生的保管行为,多是无须给付保管凭证的,因为这是基于寄存人与保管人之间互相信任。给付保管凭证在现实社会生活和经济生活中具有重要意义。保管合同为不要式合同,多数情况下只有口头形式没有书面形式,因此保管凭证对确定保管人与寄存人、保管物的性质和数量、保管的时间和地点等具有重要作用。因此，一旦双方发生纠纷，保管凭证将是最重要的证据。

第三百六十九条　保管人应当妥善保管保管物。

当事人可以约定保管场所或者方法。除紧急情况或者为了维护寄存人利益的以外，不得擅自改变保管场所或者方法。

【释义】　本条是关于保管人对保管物尽妥善保管义务的规定。

保管人负有返还保管物的义务，即保管合同只是转移物的占有而不转移物的所有权。保管合同的目的是为寄存人保管保管物，即维持保管物的现状并予以返还。因此，保管人为返还保管物并实现合同目的，应当妥善保管保管物，这是保管人应负的主要义务之一。

有些国家和地区对保管人的这一义务区分无偿与有偿分别作出规定，从而相对应地对法律责任作出有区别的规定。例如法国民法典第 1927 条和第 1928 条规定，受寄人，应以与保管自己的物品同样的注意保管寄存物；如受寄人为保管寄存物领取报酬者，应更加严格地执行。我国台湾地区“民法典”第 590 条规定，“受寄人保管寄托物，应于处理自己事务为同一之注意。其受有报酬者，应以善良管理人之注意为之。”从法国和我国台湾地区的规定来看，如果保管是无偿的，保管人保管他人的财物应像保管自己的财物一样，给予同样的注意；如果保管是有偿的，保管人保管他人财物应比保管自己的财物给予更多的注意，即尽到善良管理人的责任。这些国家和地区的法律区分保管为有偿和无偿，从而对保管人提出了不同的要求。因为无偿保管主要是社会成员之间相互协助，而有偿保管则是商业行为，从商业道德的特殊要求出发，对有偿保管的保管人的要求应当更高，责任应当更重。受寄是无偿的,对于重大过失承担赔偿责任,对于轻过失造成保管物毁损、灭失的,则可免除责任。受寄是有偿的,受寄人除证明自己对保管物的毁损、灭失没有过失的以外,一律承担损害赔偿责任。

依合同法第三百六十九条第二款的规定,当事人可以约定保管场所或者保管方法。当事人已经约定的,应当从其约定;当事人无约定的,保管人应当依保管物的性质、合同目的以及诚实信用原则,妥善保管保管物。当事人约定了保管场所或者保管方法的,除紧急情况或者为了维护寄存人利益的以外,不得擅自改变保管场所或者方法。所谓紧急情况,如保管物因第三人的原因或者因自然原因,可能发生毁损、灭失的危险时,保管人除应当及时通知寄存人外,为了维护寄存人的利益,可以改变原来约定的保管场所或者保管方法。很多国家都有类似的规定,如意大利民法典第1770条第2款规定,"如果紧急情况需要,受寄人得以不同于合意的方式进行保管,同时在可能的情况下,应立即通知寄存人。"

寄存人寄存金钱、有价证券、珠宝或者其他贵重物品的,保管人应当按照贵重物品保管要求保管寄存的贵重物品。

第三百七十条　寄存人交付的保管物有瑕疵或者按照保管物的性质需要采取特殊保管措施的,寄存人应当将有关情况告知保管人。寄存人未告知,致使保管物受损失的,保管人不承担损害赔偿责任;保管人因此受损失的,除保管人知道或者应当知道并且未采取补救措施的以外,寄存人应当承担损害赔偿责任。

【释义】　本条是关于寄存人的告知义务的规定。

寄存人对保管人负有告知的义务,包括以下两种情况:一是如果保管物有瑕疵的,应当将真实情况如实告知保管人。二是按照保管物的性质需要采取特殊保管措施的，寄存人应当告知保管人。所谓“保管物的性质”，如保管物属于易燃、易爆、有毒、有腐蚀性、有放射性等危险物品或者易变质物品。

寄存人违反前两项义务，使保管物本身遭受损失的，保管人不承担损害赔偿责任。

寄存人违反前两项义务，使保管人的人身、财产遭受损失的，寄存人应当承担损害赔偿责任。但保管人知道或者应当知道并且未采取补救措施的，寄存人不承担损害赔偿责任。所谓“保管人知道或者应当知道并且不采取补救措施”，是指保管人在接受寄存人交付的保管物时或者在保管期间，尽管寄存人违反了告知义务而没有告知，但保管人已经发现了保管物存在瑕疵、不合理的危险或者易变质等情况，没有将发现的情况及时通知寄存人并要求寄存人取回，或者主动采取一些特殊的保管措施，以避免损失的发生或扩大。法律规定在这种情况下保管人无权要求寄存人承担损害赔偿责任。

第三百七十一条　保管人不得将保管物转交第三人保管，但当事人另有约定的除外。

保管人违反前款规定，将保管物转交第三人保管，对保管物造成损失的，应当承担损害赔偿责任。

【释义】　本条是关于保管人负有亲自保管保管物的义务的规定。

在保管合同的履行过程中，按照诚实信用的原则和总则第八十四条的规定，保管人在未征得寄存人同意的前提下，不得将保管物转交第三人保管，即应当亲自保管保管物。当事人另有约定的，不在此限。如双方当事人约定，当保管人患病而不能亲自保管时，可以不经寄存人同意而将保管物转交第三人保管。

法律要求保管人亲自保管，对社会生活及交易的安全、稳定具有重要意义。在公民之间因为相互协助而订立的保管合同，基本上是基于公民之间相互信任的关系而订立的。例如甲委托乙保管一个存折，主要是基于甲对乙的信任。甲如果对乙不信任，不会轻易将存折交给乙保管。正是由于甲对乙的信任，即甲确信他的存折由乙保管即安全、可靠，又能如期归还，所以才将存折交给乙保管。如果乙擅自将存折转交第三人保管，就辜负了甲对他的信任，并且可能给甲带来损失。

保管人亲自保管保管物是保管人的一项义务。保管人违反该义务，擅自将保管物转交第三人保管，使保管物因此造成损害，保管人应当承担损害赔偿责任。对保管物造成的损害强调的是基于保管人转保管的过错造成的损害。即如果保管人不将保管物转交第三人保管，而是自己亲自保管，就不会发生这种损害。

第三百七十二条　保管人不得使用或者许可第三人使用保管物，但当事人另有约定的除外。

【释义】　本条是关于保管人不得使用或者许可第三人使用保管物义务的规定。

保管合同，寄存人只转移保管物的占有给保管人，而不转移使用权和收益权，即保管人只有权占有保管物，而不能使用保管物。这是保管合同的一般原则。特殊保管合同，即消费保管则另当别论。（消费保管是保管人保管货币或者其他可替代物，保管人在接受货币或者其他可替代物后，依双方的约定，该货币或者其他可替代物的所有权移转给保管人，保管人当然享有对该物的使用权、收益权和处分权，而只需以同种类、品质、数量的物返还即可。对消费保管将在本法第三百七十八条中详细论述。）

保管合同的目的是为寄存人保管保管物,一般要求是维持保管物的现状,虽然没有使保管物升值的义务,但却负有尽量避免减损其价值的义务。因此,法律规定禁止保管人使用或者许可第三人使用保管物。当事人另有约定的不在此限。例如,甲、乙系邻居,甲要出国很长时间,于是委托乙保管电视机。双方约定,为避免电视机长期闲置而造成损坏,乙可以对电视机适当使用。以上事例还是出于保管的目的。如果甲、乙双方约定,乙可以任意使用,也无须向甲支付报酬,这实际和借用合同无异,而不再是保管合同。因为保管合同的目的还是使保管物保持原状并予以返还。

当事人没有在合同中预先约定保管人可以使用保管物,或者保管人未经寄存人同意而擅自使用或者许可第三人使用保管物,造成保管物损坏的,保管人应当承担损害赔偿责任。有些国家还规定,即使没有造成保管物损坏的,也应当按照保管物的使用之价值,对寄存人给付相当之报偿。

第三百七十三条　第三人对保管物主张权利的,除依法对保管物采取保全或者执行的以外,保管人应当履行向寄存人返还保管物的义务。

第三人对保管人提起诉讼或者对保管物申请扣押的,保管人应当及时通知寄存人。

【释义】　本条是关于保管人返还保管物的义务及危险通知义务的规定。

保管人返还保管物是保管人的一项基本义务。依合同法第三百七十六条规定,无论当事人是否约定保管期间,寄存人均享有随时领取保管物的权利,保管人得应寄存人的请求随时负有返还保管物的义务。

保管人保管货币的，应当返还相同种类、数量的货币。保管其他可替代物的，应当按照约定返还相同种类、品质、数量的物品。

保管人负有返还保管物的义务，但由于第三人的原因而使履行返还义务发生危险时，保管人应当及时通知寄存人。按照本条第二款之规定，第三人对保管物主张权利而对保管人提起诉讼或者对保管物申请扣押的，保管人应当及时通知寄存人。这是法律规定在此种情形之下保管人的通知义务。通知的目的在于使寄存人及时参加诉讼，以维护自己的合法权益。保管人可以请求法院更换寄存人为被告，因为保管人根本不是所有权人，这是第三人与寄存人之间的争议。如果第三人向法院申请对保管物采取财产保全措施，例如第三人在诉讼前向法院申请财产保全，请求扣押保管物。法院在扣押保管物后，保管人应当及时通知寄存人，以便寄存人及时向法院交涉，或者提供担保以解除保全措施。

第三人对保管物主张权利，除保管物已经被法院采取财产保全措施或者已经被法院强制执行而不能返还的以外，保管人仍应当履行向寄存人返还保管物的义务。“第三人对保管物主张权利”，包括第三人认为该保管物是属于他所有而被他人非法占有时，向人民法院起诉，请求法院依法强令不法占有人返还原物的权利。财产保全，是指人民法院在案件受理前或者诉讼过程中，为保证将来生效判决的顺利执行，对当事人的财产或者争议的标的物采取的强制措施。我国民事诉讼法第九十二条和第九十三条对诉前财产保全和诉讼财产保全规定了应当具备的条件。财产保全限于给付之诉，目的是防止因当事人一方的不当行为（如出卖、转移、隐匿、毁损争议标的物等行为）使判决不能执行或者难以执行。财产保全的措施有查封、扣押、冻结或法律规定的其他方法。执行,是指人民法院的执行组织依照法律规定的程序,对发生法律效力的法律文书确定的给付内容,运用国家的强制力依法采取执行措施,强制义务人履行义务的行为。执行的措施就保管合同的保管物而言,主要是强令交付,即强令将保管物交付所有权人,或者先由法院采取扣押的措施,再转交给所有权人。例如甲非法占有乙的财物,乙起诉到法院要求甲返还。法院判决甲向乙返还原物。但甲为对抗法院的判决,而将该财物存放在丙处,由丙保管。这时法院即可对由丙保管的财物采取执行措施,强令丙将财物返还给乙。这以后丙当然不再负有向甲返还保管物的义务。

第三百七十四条　保管期间,因保管人保管不善造成保管物毁损、灭失的,保管人应当承担损害赔偿责任,但保管是无偿的,保管人证明自己没有重大过失的,不承担损害赔偿责任。

【释义】 本条是关于保管物在毁损、灭失的情况下,保管人责任的规定。

保管人应当对保管物尽到妥善保管的义务。保管期间,因保管人保管不善造成保管物毁损、灭失的,原则上保管人都应当承担损害赔偿责任。保管在有偿与无偿的情况下,保管人责任的大小(或轻重)应有所区别。

保管是有偿的,保管人应当对保管期间保管物的毁损、灭失承担损害赔偿责任,但是保管人能够证明自己没有过错的除外。所谓“保管人能够证明自己没有过错的除外”,是指保管人能够证明已经尽到了妥善保管义务。此外,保管物的毁损、灭失是由于保管物自身的性质或者包装不符合约定造成的,保管人也不承担责任。例如,因寄存人的过错,对保管物包装不良,致使寄存的汽油挥发的,保管人不承担赔偿责任。

保管是无偿的,保管人对其故意或者重大过失造成保管物毁损、灭失的情形承担损害赔偿责任。保管人故意造成保管物毁损、灭失的,尽管保管是无偿的,保管人承担损害赔偿责任也是理所应当的。此外,在保管是无偿的情况下,保管人对因重大过失造成保管物毁损、灭失的后果承担损害赔偿责任。所谓"重大过失",是指保管人对保管物明知可能造成毁损、灭失而轻率地作为或者不作为。

无偿与有偿的区别是:在有偿的情况下,无论保管人是故意还是过失,保管人都应对保管物的毁损、灭失负责;在无偿的情况下,保管人只对故意或者重大过失造成保管物毁损、灭失的后果负责,轻微过失不负责。二者的相同点是:凡是因不可归责于保管人的事由造成保管物毁损、灭失的都不负损害赔偿责任。

第三百七十五条 寄存人寄存货币、有价证券或者其他贵重物品的,应当向保管人声明,由保管人验收或者封存。寄存人未声明的,该物品毁损、灭失后,保管人可以按照一般物品予以赔偿。

【释义】 本条是关于寄存贵重物品及责任的规定。

寄存人单就货币、有价证券或者如珠宝等贵重物品进行寄存的,应当向保管人声明,声明的内容是保管物的性质及数量,保管人在验收后进行保管,或者以封存的方式进行保管。本条规定的保管需要明确两个问题:第一,本条规定的寄存货币不属于消费保管,而是要求保管人返还原物的合同。如客人将金钱交由旅店保管,旅店之主人验收后予以封存,并负返还原物的义务。第二,寄存货币、有价证券、珠宝等贵重物品而形成的保管合同与商业银行的保管箱业务或者饭店提供的保险箱服务不同。

寄存人将货币、有价证券或者其他贵重物品夹杂于其他物品之中，按一般物品寄存，且在寄存时未声明其中有贵重物品并经保管人验收或者封存的，如果货币、有价证券或者其他贵重物品与一般物品一并毁损、灭失，保管人不承担货币、有价证券或者其他贵重物品损、灭失的损害赔偿责任，只按照一般物品予以赔偿。

第三百七十六条　寄存人可以随时领取保管物。

当事人对保管期间没有约定或者约定不明确的，保管人可以随时要求寄存人领取保管物；约定保管期间的，保管人无特别事由，不得要求寄存人提前领取保管物。

【释义】 本条是关于领取保管物的规定。

保管合同未约定保管期间的，寄存人可以随时领取保管物；保管合同约定了保管期间的，寄存人也可以随时领取保管物。这是寄存人的权利，同时又是保管人的义务，即保管人得应寄存人的请求，随时返还保管物。这样规定的理由是：保管的目的是为寄存人保管财物，当寄存人认为保管的目的已经实现时，尽管约定的保管期间还未届满，为了寄存人的利益，寄存人可以提前领取保管物。而且寄存人随时领取保管物，也不问保管为有偿或无偿。保管是无偿的，寄存人提前领取保管物，可以提早解除保管人的义务，对保管人实为有利；保管是有偿的，只要寄存人认为已实现保管目的而要求提前领取的，保管人也无阻碍之理。

当事人未约定保管期间的，保管合同自然可以随时终止。不但寄存人可以随时领取保管物而终止合同，保管人也可以随时请求寄存人领取保管物而终止合同。当事人约定保管期间的，保管人无特别事由，如保管人患病、丧失行为能力等事由，不得请求寄存人提前领取保管物。

第三百七十七条 保管期间届满或者寄存人提前领取保管物的,保管人应当将原物及其孳息归还寄存人。

【释义】 本条是关于保管人返还保管物及其孳息的规定。

保管期间届满保管人返还保管物,或者应寄存人的要求随时返还保管物,是保管人的一项基本义务。但是保管人还应当将保管物的孳息一并返还寄存人。孳息是指原物产生的物。包括天然孳息和法定孳息。天然孳息是原物根据自然规律产生的物,如幼畜。法定孳息是原物根据法律规定带来的物,如存款利息、股利、租金等。根据物权的一般原则,除法律或合同另有约定外,孳息归原物所有人所有。在保管合同中,保管人并不享有保管物的所有权,所有权仍归寄存人享有。因此,保管人除返还保管物外,如果保管物有孳息的,还应一并返还孳息。例如,甲为乙保管一头母牛,如果在保管期间母牛产出小牛的,保管人甲应当将母牛及其幼畜一并返还寄存人乙。当然如果当事人另有约定的除外。例如甲乙约定,小牛作为保管的报酬归甲所有,这样保管人甲就不在承担返还孳息的义务。

第三百七十八条 保管人保管货币的,可以返还相同种类、数量的货币。保管其他可替代物的,可以按照约定返还相同种类、品质、数量的物品。

【释义】 本条是关于消费保管的规定。

消费保管也称为不规则保管,是指保管物为可替代物时,如约定将保管物的所有权移转于保管人,保管期间届满由保管人以同种类、品质、数量的物返还的保管而言。

消费保管合同与一般保管合同有以下几点不同:

1. 消费保管合同的保管物必须为可替代物,即种类物。种类物是相对于特定物而言的,是指以品种、质量、规格或度量衡确定,不需具体指定的转让物,如标号相同的水泥,相同品牌、规格的电视机等。消费保管合同的保管物只能是种类物,而不能是特定物。特定物是指具有独立特征或被权利人指定,不能以他物替代的转让物,包括独一无二的物和从一类物中指定而特定化的物,如齐白石的画、从一批解放牌汽车中挑选出来的某一辆。寄存人就特定物寄存,保管人只能返还原物。

2. 并不是所有种类物的寄存都属于消费保管合同。例如本章第三百七十五条规定的寄存货币的情形,就属于是返还原货币的保管合同,而不属于消费保管合同。消费保管合同必须是当事人约定将保管物的所有权移转于保管人,保管人在接受保管物后享有占有、使用、收益和处分的权利。而一般的保管合同,保管人只是在保管期间占有保管物,原则上不能使用保管物,这是消费保管与一般保管的重要区别之一。

3. 既然保管物的所有权移转保管人,因此从寄存人交付时起,保管人就享有该物的利益,并承担该物的风险。

4. 保管人仅须以同种类、品质、数量的物返还即可。

寄存货币的消费保管合同与储蓄合同非常相似。有些学者认为储蓄合同就是消费保管合同,但二者是不同的。寄存货币的消费保管合同的目的侧重于为寄存人保管货币,一般不向寄存人支付利息。而储蓄合同中的存款人的目的除有保管货币的目的外,还有获取利息的目的。在我国,储蓄合同已成为一种独立的有名合同,因此归入消费保管合同实无必要,而且不利于保护存款人的利益和金融业务的需要。

寄存货币的消费保管合同与民间借贷有着本质上的区别。民间借贷合同是从借款人借款的角度来规定双方的权利义务关系，而寄存货币的消费保管主要是从寄存人寄存货币的角度来规定双方的权利义务关系。所以，二者不能用同一种法律规范来调整。

第三百七十九条　有偿的保管合同，寄存人应当按照约定的期限向保管人支付保管费。

当事人对支付期限没有约定或者约定不明确，依照本法第六十一条的规定仍不能确定的，应当在领取保管物的同时支付。

【释义】　本条是关于保管费支付期限的规定。

有偿的保管合同，寄存人应当按照约定的期限向保管人支付保管费。例如仓储合同中可以约定，存货人在提取仓储物后5日内支付仓储费。但是在一般的保管合同中，寄存人支付保管费的期限一般应于保管关系终止时支付。无论寄存人是在保管期间届满领取保管物，还是提前领取保管物而终止保管合同，寄存人应当在领取保管物的同时支付保管费。

当事人订立的分期保管的保管合同，寄存人应当按照约定的期限向保管人支付保管费。例如，甲与其住宅区的存车处签订了一年存放自行车的合同，即是属于分期保管的合同。分期保管合同，就是约定了明确的保管期间，在此期间内，寄存人可以多次提取和存放保管物。而一次性的保管合同，寄存人提取保管物后，保管合同即可终止。这是分期保管合同与一般保管合同的根本区别。甲在与存车处的合同中约定，保管费每月5元，于每月初1～4日内到存车处交付。甲即需按照合同约定的期限按时交付存车费。

仓储合同或者分期保管合同中对支付期限没有约定或者约定不明确的，当事人可以协议补充，不能达成补充协议的，按照合同有关条款或者交易习惯确定。例如甲与存车处的合同中没有约定保管费的支付期限,但是按照存车处与其他寄存人的合同约定的支付期限都是每月的1~4日,这就是交易习惯,甲也应在每月的1~4日内交费。

第三百八十条　寄存人未按照约定支付保管费以及其他费用的,保管人对保管物享有留置权,但当事人另有约定的除外。

【释义】　本条是关于保管人留置权的规定。

依照合同法第三百六十六条的规定,当事人可以在合同中约定寄存人向保管人给付报酬,以及给付报酬的数额、方式、地点等。当事人有此约定的,寄存人应当按照约定向保管人支付报酬,即保管费。

所谓"其他费用",是指保管人为保管保管物而实际支出的必要费用。法律对"其他费用"的处理有以下几种情况:第一,当事人约定是有偿保管,保管人为保管保管物而实际支出的费用已经包括于报酬(保管费)之内;第二,当事人约定是无偿保管,但可以约定寄存人应当支付为保管而支出的实际费用。如有此约定,寄存人应依约定行事。即使无此约定,按照公平原则,寄存人也应当支付为保管而支出的实际费用。

寄存人违反约定不支付保管费(报酬)以及其他费用的,保管人对保管物享有留置权,即以该财产折价或者以拍卖、变卖该财产的价款优先受偿的权利。但需注意的是,依照我国担保法的规定,保管人在留置保管物后,应当给予寄存人不少于两个月的期限履行债务。如果寄存人逾期仍不履行债务,才可以处理留置的财产。而且在这段时间内,保管人仍负有妥善保管留置物的义务,如果保管不善致使留置物毁、灭失的,保管人应当承担民事责任。当事人另有约定的,也可以不行使留置权。因保管合同发生的债权,债权人享有的留置权虽然是法定的留置权,但是当事人可以约定不行使留置权。担保法第八十四条第三款规定："当事人可以在合同中约定不得留置的物。"例如寄存人寄存的手表是寄存人祖传的，对寄存人具有特殊意义，可以与保管人在合同中约定：即使寄存人未按照约定支付保管费，保管人也不得对该手表进行留置。

第二十章　仓储合同

本章共十五条，对仓储合同的定义、生效、危险物品的储存、仓储物的验收、仓单的性质和作用以及存货人和保管人的权利义务等作了规定。

第三百八十一条　仓储合同是保管人储存存货人交付的仓储物，存货人支付仓储费的合同。

【释义】 本条是关于仓储合同定义的规定。

仓储合同，是指当事人双方约定由保管人（又称仓管人或仓库营业人）为存货人保管储存的货物，存货人支付仓储费的合同。

仓储业是随着商品经济的发展，从保管业中发展、壮大起来的特殊营业。近代以来，仓储业日渐发达，原因就是随着国际及地区贸易的扩大，仓储业能为大批量货物提供便利、安全、价格合理的保管服务。因此仓储合同不再作为一般的保管合同来对待，而是作为一种独立的有名合同在合同法中加以规定。

仓储合同具有以下特征：

1. 保管人必须是具有仓库营业资质的人，即具有仓储设施、仓储设备，专事仓储保管业务的人。这是仓储合同主体上的重要特征。

2. 仓储合同的对象仅为动产，不动产不可能成为仓储合同的对象。

3. 仓储合同为诺成合同。仓储合同自成立时起生效。

4. 仓储合同为不要式合同,可以是书面形式,也可以是口头形式。

5. 仓储合同为双务、有偿合同。保管人提供储存、保管的义务,存货人承担支付仓储费的义务。

6. 仓单是仓储合同的重要特征。

第三百八十二条 仓储合同自成立时生效。

【释义】 本条是关于仓储合同何时生效的规定。

仓储合同是诺成合同,又称为不要物合同,即双方当事人意思表示一致就可成立、生效的合同。而保管合同是实践合同,或称为要物合同。保管合同除双方当事人达成合意外,还必须有寄存人交付保管物,合同从保管物交付时起成立。这是仓储合同与保管合同的重要区别之一。

仓储合同为不要式合同,既可以采用书面形式,又可以采用口头形式。无论采用何种形式,只要符合合同法中关于合同成立的要求,合同即告成立,而无须以交付仓储物为合同成立的要件。这就意味着,双方当事人意思表示一致即受合同约束,任何一方不按合同约定履行义务,都要承担违约责任。

也有的学者主张仓储合同为实践合同。这种主张不利于交易的安全和稳定。因为仓储合同是双务有偿合同。无论是存货人还是保管人都有商业营利的需要,特别是保管人就是以替他人储存、保管货物为业。保管人接受仓储物予以储存,存货人支付仓储费,双方就是一种交易行为,如果规定仓储合同为实践合同,则不利于这种交易的安全和稳定。因此本条规定:"仓储合同自成立时生效。"

关于仓储合同的主要条款,除可参照合同法总则第十二条规定的合同一般包括的条款外，双方当事人还可以对仓储合同特殊要求的一些条款进行约定。仓储保管合同的主要条款一般有：(1)货物的品名或品类；(2)货物的数量、质量、包装；(3)货物验收的内容、标准、方法、时间；(4)货物保管条件和保管要求；(5)货物进出库手续、时间、地点、运输方式；(6)货物损耗标准和损耗的处理；(7)计费项目、标准和结算方式、银行、账号、时间；(8)责任划分和违约处理；(9)合同的有效期限；变更和解除合同的期限。

第三百八十三条　储存易燃、易爆、有毒、有腐蚀性、有放射性等危险物品或者易变质物品，存货人应当说明该物品的性质，提供有关资料。

存货人违反前款规定的，保管人可以拒收仓储物，也可以采取相应措施以避免损失的发生，因此产生的费用由存货人负担。

保管人储存易燃、易爆、有毒、有腐蚀性、有放射性等危险物品的，应当具备相应的保管条件。

【释义】　本条是关于储存危险物品和易变质物品的规定。

存货人储存易燃、易爆、有毒、有腐蚀性、有放射性等危险物品或者易变质物品，应当向保管人说明该物的性质。所谓“说明”，应当是在合同订立时予以说明，并在合同中注明。这是诚实信用原则的必然要求。如果存货人在订立合同后或者在交付仓储物时才予以说明，那么保管人根据自身的保管条件和技术能力，如果不能保管的，则可以拒收仓储物或者解除合同。

存货人除应当对需要储存的危险物品及易变质物品的性质作出说明外，还应当提供有关资料，以便保管人进一步了解该危险物品的性质，为储存该危险物品作必要的准备。

存货人没有说明所储存的货物是危险物品或易变质物品，

也没有提供有关资料,保管人在入库验收时,发现是危险物品或易变质物品的,保管人可以拒收仓储物。保管人在接收仓储物后发现是危险物品或易变质物品的,除及时通知存货人外,也可以采取相应措施,以避免损害的发生,因此产生的费用由存货人承担。例如,将危险物品搬出仓库转移至安全地带,由此产生的费用由存货人承担。如果存货人没有对危险物品的性质作出说明并提供有关资料,从而给保管人的财产或者其他存货人的货物造成损害的,存货人应当承担损害赔偿责任。如果存货人未说明所存货物是易变质物品而导致该物品变质损坏的,保管人不承担赔偿责任。

保管人储存易燃、易爆、有毒、有腐蚀性、有放射性等危险物品的,应当具备相应的保管条件。如果保管人不具备相应的保管条件,就对上述危险物品予以储存,对自身造成的损害,存货人不负赔偿责任。

第三百八十四条　保管人应当按照约定对入库仓储物进行验收。保管人验收时发现入库仓储物与约定不符合的,应当及时通知存货人。保管人验收后,发生仓储物的品种、数量、质量不符合约定的,保管人应当承担损害赔偿责任。

【释义】　本条是关于仓储物验收的规定。

保管人和存货人应当在合同中对入库货物的验收问题作出约定。验收问题的主要内容有三项:一是验收项目;二是验收方法;三是验收期限。

1. 保管人的正常验收项目为:货物的品名、规格、数量、外包装状况,以及无须开箱拆捆直观可见可辨的质量情况。包装内的货物品名、规格、数量,以外包装或货物上的标记为准;外包装或货物上无标记的,以供货方提供的验收资料为准。散装货物按国家有关规定或合同规定验收。

2. 验收方法为:全部验收和按比例验收。

3. 验收期限:验收期限自货物和验收资料全部送达保管人之日起,至验收报告送出之日止。

保管人应当按照合同约定的验收项目、验收方法和验收期限进行验收。保管人验收时发现入库的仓储物与约定不符的,如发现入库的仓储物的品名、规格、数量、外包装状况与合同中的约定不一致的,应当及时通知存货人。由存货人作出解释,或者修改合同,或者将不符合约定的货物予以退回。

保管人验收后发生仓储物的品种、数量、质量不符合约定的,保管人应当承担损害赔偿责任。在理解本条保管人的赔偿责任时,品种、数量不符合约定,应当承担损害赔偿责任较为明确;质量问题的赔偿责任,要注意以下两点:(1)这是讲的是质量不符合约定。对不同条件、不同性质的仓储物的质量,可以按照交易习惯和当事人的特别约定来确定质量问题。(2)如果约定不明确,发生质量问题是否由保管人承担赔偿责任,依照本法第三百九十四条的规定,因仓储物的性质,包装不符合约定等造成灭失、损坏的,保管人不负赔偿责任。

第三百八十五条　存货人交付仓储物的,保管人应当给付仓单。

【释义】 本条是关于保管人给付仓单义务的规定。

仓单是保管人收到仓储物后给存货人开付的提取仓储物的凭证,以便存货人取回或处分其仓储物。仓单的作用表现在以下几点:

1. 仓单可以证明保管人已收到仓储物,以及保管人和存货人之间仓储关系的存在。

2. 仓单是有价证券的一种，其性质为记名的物权证券，存货人可以在仓单上背书并经保管人签字或者盖章，可以转让提取仓储物的权利。

3. 仓单是提取仓储物的凭证。存货人或者仓单持有人应当凭仓单提取仓储物。

关于仓单与仓储合同的关系：仓单不能代替仓储合同。无论当事人采用书面形式还是采用口头形式，当事人订立合同后即受合同约束。存货人交付仓储物是履行合同，而保管人给付仓单也是履行合同。尽管仓单中记载了仓储合同中的主要内容，但仓单不是仓储合同，只是作为仓储合同的凭证。仓单与仓储合同的关系如同提单与海上货物运输合同的关系一样，依我国海商法第四十四条规定，提单是作为海上货物运输合同的凭证。

仓单作为一种有价证券，有的国家的立法采两券主义，即保管人在收到仓储物后应同时填发两张仓单：一为提取仓单，用提取仓储物和通过背书转让仓储物之用；另一为出质仓单，以供仓储物出质之用。我国合同法采一券主义，即保管人只填发一张仓单，该仓单除作为已收取仓储物的凭证和提取仓储物的凭证外，既可以通过背书转让仓单项下货物的所有权，也可以用于出质。我国担保法第七十五条明确规定，仓单可以出质。第七十六条中规定，以仓单出质的，质押合同自仓单交付之日起生效。

第三百八十六条　保管人应当在仓单上签字或者盖章。仓单包括下列事项：

（一）存货人的名称或者姓名和住所；

（二）仓储物的品种、数量、质量、包装、件数和标记；

（三）仓储物的损耗标准；

（四）储存场所；

（五）储存期间；

（六）仓储费；

（七）仓储物已经办理保险的，其保险金额、期间以及保险人的名称；

（八）填发人、填发地和填发日期。

【释义】 本条是关于仓单应记载事项的规定。

仓单是收取仓储物的凭证和提取仓储物的凭证，仓单还可以通过背书转让或出质，因此仓单应当具备一定的形式。无论仓单是转让还是出质，受让人和质权人并不了解存货人和保管人之间的合同的具体内容，因此法律规定了仓单应当记载的事项，以便受让人或质权人明确自己的权利和行使自己的权利。

1. 仓单上必须有保管人的签字或者盖章，否则不生仓单应有之效力。

2. 仓单是记名证券，因此仓单上应当记载存货人的名称或者姓名及住所，否则不符合记名证券的本质特征。

3. 仓单可经背书而生物权移转之效力，因此对仓储物详细情况的记载是必需的，仓单上应明确记载仓储物的品种、数量、质量、包装、件数和标记。

4. 仓单上应记载仓储物的损耗标准。这对提取仓储物和转让仓储物是至关重要的，可以避免发生很多纠纷。

5. 仓单上应记载储存场所，如果仓单经背书转让，则仓单持有人就可以明确仓储物的储存场所。

6. 仓单上应记载储存期间。如果仓单经背书转让，则仓单持有人就可以明确应在多长时间内提取仓储物。

7. 仓单上应记载仓储费。如果仓单经背书而转让，则仓单持有人在提取仓储物时应支付仓储费。

8. 仓储物已经办理保险的，其保险金额、期间以及保险公司的名称应在仓单上注明。仓储物已经办理保险的，如果存货人转让仓储物，则保险费可以计入成本。转让以后，受让人享受保险利益，一旦发生保险合同中约定的保险事故，受让人可以找保险公司索赔。因此仓单上记载上述事项是非常必要的。

9. 仓单上应记载填发人、填发地和填发日期。这是任何物权证券的基本要求，提单也是如此。

第三百八十七条 仓单是提取仓储物的凭证。存货人或者仓单持有人在仓单上背书并经保管人签字或者盖章的，可以转让提取仓储物的权利。

【释义】 本条是关于仓单转让和出质的规定。

我国合同法对仓单采一券主义，仓单即可以依法转让，也可以依法出质。

仓单作为有价证券，所以可以流通。流通的形式有两种：一是转让仓单，即转让仓单项下仓储物的所有权；二是以仓单出质，质权人即享有提取仓单项下仓储物的权利。仓单转让的，仓单持有人即成为所有权人，可以依法提取仓储物。以仓单出质的，适用担保法的规定。依我国担保法第七十七条规定，仓单上载明提货日期的，如果提货日期先于债务履行期的，质权人可以在债务履行期届满前提货，并与出质人协议将提取的货物用于提前清偿所担保的债权或者向与出质人约定的第三人提存。

无论是仓单转让还是仓单出质，都应当通过法定的形式才能生效。

存货人转让仓单应当在仓单上背书并经保管人签字或者盖章始生效力。如果只在仓单上背书但未经保管人签字或者盖章，即使交付了仓单，转让行为也不生效力。所谓“背书”，是指存货人在仓单的背面或者粘单上记载被背书人(受让人)的名称或姓名、住所等有关事项的行为。为什么要经保管签字或者盖章呢?因为保管人是仓储物的合法占有人,而仓储物的所有权仍归存货人,为保护存货人的所有权,防止其他人以不法途径获得仓单,从而损害存货人的利益,也使保管人自己免予承担不应有的责任,因此存货人转让仓单的,除存货人应当在仓单上背书外,还应当由保管人在仓单上签字或者盖章,仓单转让的行为才发生效力。

存货人以仓单出质的,应当与质权人签订质押合同,在仓单上背书并经保管人签字或者盖章,并将仓单交付质权人,质押合同始生效力。因为一旦债务人不能在债务履行期间届满前履行债务,质权人就享有提取仓储物的权利。因此,如果没有存货人(出质人)在仓单上背书和保管人在仓单上签字或者盖章,质权人就不能提取仓储物,同样,也只有存货人(出质人)在仓单上背书和保管人的签字或者盖章,才有助于保护存货人的所有权和保管人的合法占有权。

第三百八十八条　保管人根据存货人或者仓单持有人的要求,应当同意其检查仓储物或者提取样品。

【释义】 本条是关于仓单持有人有权检查仓储物或者提取样品的规定。

存货人将货物存置于仓库,存货人为了了解仓库堆藏及保管的安全程度与保管行为,保管人因存货人的请求,应允许其进入仓库检查仓储物或者提取样品。

由于仓单是物权证券,存货人可以转让仓单项下仓储物的所有权,也可以对仓单项下的仓储物设定担保物权,即出质。仓单经背书并经保管人签字或者盖章而转让或出质的,仓单受让人或质权人即成为仓单持有人。无论是转让仓单还是出质仓单,仓单持有人与存货人一样,都有检查仓储物或者提取样品的权利。

第三百八十九条 保管人对入库仓储物发现有变质或者其他损坏的,应当及时通知存货人或者仓单持有人。

【释义】 本条是关于保管人在仓储物变质或者其他损坏情况下的通知义务的规定。

保管人对仓储物有妥善保管的义务,保管人应当按照保管合同中约定的保管条件和保管要求妥善进行保管。保管人因保管不善造成仓储物变质或者其他损坏的,应当承担赔偿责任。例如,保管条件已不符合原来的约定,如合同约定用冷藏库储存水果,但冷藏库的制冷设施发生故障,保管人不采取及时修理等补救措施,致使水果腐烂变质的,保管人应承担赔偿责任。

保管人在符合合同约定的保管条件和保管要求进行保管的情况下,因仓储物的性质、包装不符合约定或者超过有效储存期,造成仓储物变质、损坏的,尽管保管人不承担责任,但是保管人应当及时将此种情况通知存货人或者仓单持有人。即使仓储物没有变质或其他损坏,但有发生变质或其他损坏的危险时,存货人也应当及时通知存货人或者仓单持有人。这是对保管人的更进一步要求。

合同法第六十条规定:“当事人应当按照约定履行自己的义务。当事人应当遵循诚实信用原则,根据合同的性质、目的和交易习惯履行通知、协助、保密等义务。”也就是说,当事人除按合同约定履行自己的合同义务以外,还应当按照诚实信用原则及合同的性质、目的和交易习惯履行合同中没有约定的通知、协助、保密等义务。本条的规定就是合同法总则第六十条规定的精神的具体化。保管人应当按照诚实信用原则,根据仓储合同的性质、目的及交易习惯,在仓储物有变质、损坏或者有变质、损坏的危险时,负有及时通知存货人或者仓单持有人的义务。

第三百九十条　保管人对入库仓储物发现有变质或者其他损坏,危及其他仓储物的安全和正常保管的,应当催告存货人或者仓单持有人作出必要的处置。因情况紧急,保管人可以作出必要的处置,但事后应当将该情况及时通知存货人或者仓单持有人。

【释义】 本条是关于保管人对有变质或者其他损坏的仓储物如何处理的规定。

保管人对入库仓储物发现有变质或者其他损坏,这种变质或损坏是非可归责于保管人的原因造成的,例如因仓储物的性质、包装不符合约定造成仓储物本身的变质或损坏,保管人除及时通知存货人或者仓单持有人外,如果该仓储物已经危及其他仓储物的安全和正常保管的,那就不只是通知的问题了,还应当催告存货人或者仓单持有人作出必要的处置。因情况紧急,保管人可以作出必要的处置,但事后应当将该情况及时通知存货人或者仓单持有人。

存货人或者仓单持有人在接到保管人的通知或催告后,应当及时对变质的仓储物进行处置,这是存货人应尽的义务。因为变质或损坏的仓储物已经危及其他仓储物的安全和正常保管。如果存货人不尽此义务,由此给其他仓储物或者保管人的财产造成损害的,存货人应当承担损害赔偿责任。

保管人对变质货物的紧急处置权,类似于对危险货物的紧急处置权。存货人储存危险货物没有向保管人说明并提供有关资料,保管人在接收后发现的,可以对该仓储物进行紧急处置,由此产生的费用由存货人承担。因此,保管人紧急处置变质的仓储物,由此产生的费用也应该由存货人承担。无论是危险货物还是变质货物,都是在危及其他仓储物的安全和正常保管,保管人已来不及通知存货人或者仓单持有人进行处置的情况下,或者存货人对保管人的通知置之不理的情况下,保管人才可以对该仓储物进行紧急处置。并且在事后应当将该情况及时通知存货人或者仓单持有人。因此保管人的紧急处置权不是随意行使的,而是为了其他仓储物的安全和正常的保管秩序,在不得已的情况下才能行使。

第三百九十一条　当事人对储存期间没有约定或者约定不明确的,存货人或者仓单持有人可以随时提取仓储物,保管人也可以随时要求存货人或者仓单持有人提取仓储物,但应当给予必要的准备时间。

【释义】　本条是关于储存期间不明确时如何提取仓储物的规定。

当事人对储存期间没约定或者约定不明确的,存货人或者仓单持有人可以随时提取仓储物。保管人根据自己的储存能力和业务需要,也可以随时要求存货人或者仓单持有人提取仓储物,但应当给予必要的准备时间。所谓"给予必要的准备时间",是指保管人预先通知提货,然后确定一个合理的期限,以给存货人或者仓单持有人留出必要的准备时间,在期限届至前提货即可。并不是在通知的当时就必须提取仓储物。例如,保管人甲和存货人乙没有约定储存期间,但约定每天收取仓储费100元。在这种情况下,乙可以随时提取仓储物,仓储费按实际的储存日期确定。甲也可以随时请求乙提取仓储物,但应当给乙必要的准备时间,仓储费也是按实际的储存日期计算。

第三百九十二条　储存期间届满，存货人或者仓单持有人应当凭仓单提取仓储物。存货人或者仓单持有人逾期提取的，应当加收仓储费；提前提取的，不减收仓储费。

【释义】　本条是关于储存期间有明确约定时如何提取仓储物的规定。

仓单的主要特征或重要职能之一就是作为提取仓储物的凭证。因此存货人或者仓单持有人应当凭仓单提出仓储物。

当事人在合同中约定储存期间的，存货人或者仓单持有人应当在储存期间届满凭仓单提取仓储物，并按约定支付仓储费；存货人或者仓单持有人也可以提前提取仓储物，但是不减收仓储费；存货人或者仓单持有人逾期提取仓储物的，应当加收仓储费。

当事人在仓储合同中明确约定储存期间的，在储存期间届满前，保管人不得要求存货人或者仓单持有人提取仓储物，法律另有规定或者当事人另有约定的除外。例如，依本法第三百八十三条的规定，存货人存放危险品而未将危险品的性质如实告知保管人，保管人可以在储存期间届满前要求存货人提取仓储物，而终止合同。

第三百九十三条　储存期间届满，存货人或者仓单持有人不提取仓储物的，保管人可以催告其在合理期限内提取，逾期不提取的，保管人可以提存仓储物。

【释义】　本条是关于仓单持有人不提取仓储物时如何处理的规定。

储存期间届满，存货人或者仓单持有人提取仓储物，既是存货人或者仓单持有人的权利，也是存货人或者仓单持有人的义务。如果在储存期间届满，存货人或者仓单持有人不能或者拒绝提取仓储物,保管人可以确定一个合理的期限,催告存货人或者仓单持有人在此期限内提取。如果逾期仍不提取的,保管人可以依照本法第一百零一条的规定将仓储物提存。保管人将仓储物提存后,如果存货人或者仓单持有人未支付仓储费的,依照本法第一百零九条的规定,可以请求其支付仓储费。存货人或者仓单持有人迟延给付的,还可以按照约定要求存货人或者仓单持有人给付违约金。没有约定违约金的,可以要求支付迟延给付的逾期利息。

第三百九十四条　储存期间,因保管人保管不善造成仓储物毁损、灭失的,保管人应当承担损害赔偿责任。

因仓储物的性质、包装不符合约定或者超过有效储存期造成仓储物变质、损坏的,保管人不承担损害赔偿责任。

【释义】 本条是关于保管人因保管不善造成保管物毁损、灭失时责任的规定。

储存期间,保管人负有妥善保管仓储物的义务。所谓"妥善保管",主要应当是按照仓储合同中约定的保管条件和保管要求进行保管。保管条件和保管要求是双方约定的,大多数情况下是存货人根据货物的性质、状况提出保管的条件和要求。只要是双方约定的,保管人就应当按照约定的保管条件和保管要求进行保管。保管人没有按照约定的保管条件和保管要求进行保管,造成仓储物毁损、灭失的,保管人应当承担损害赔偿责任。

保管人除应当按照约定的保管条件和保管要求进行保管外,还应当尽到善良管理人的责任。因为保管人的保管行为是有偿的,所以保管仓储物应当比保管自己的货物给予更多的注意。保管人应当经常对储存设施和储存设备进行维修和保养。

还应当经常对仓储物进行巡视和检查，注意防火防盗。此外，为了存货人的利益，保管人在符合约定的保管条件和保管要求的情况下，发现仓储物变质、损坏，或者有变质、损坏的危险时，及时通知存货人或者仓单持有人，这其中包括对临近失效期的仓储物，也应当及时通知存货人或者仓单持有人作出处置。这是诚实信用原则的要求。

仓储物在毁损、灭失的情况下，保管人就应当承担赔偿责任，但是保管人能够证明仓储物的毁损、灭失是因仓储物本身性质的原因、或者因包装不符合约定、或者因仓储物超过有效储存期，而造成的，保管人不承担赔偿责任。

第三百九十五条　本章没有规定的，适用保管合同的有关规定。

【释义】　本条是关于适用保管合同的规定。

尽管仓储合同与保管合同有几项重要区别，如保管合同是实践合同，而仓储合同为诺成合同；再如保管合同是否有偿由当事人约定，而仓储合同均为有偿契约，等等。但仓储合同与保管合同的本质是一样的，即都是为他人保管财物。有些学者认为，仓储合同就是特殊的保管合同。因此，在本章中没有特别规定的，适用保管合同的有关规定。例如，保管人不得将仓储物转交第三人保管、保管人不得使用或者许可第三人使用仓储物，等等。

第二十一章　委托合同

本章共十八条，主要内容包括：委托合同的概念，特别委托与概括委托，受托人的报告义务，受托人亲自处理事务的义务，受托人的报酬请求权，委托人支付报酬的义务，请求损害赔偿的权利，贸易代理、委托合同解除的规定等。

第三百九十六条　委托合同是委托人和受托人约定，由受托人处理委托人事务的合同。

【释义】　本条是关于委托合同概念的规定。

委托合同又称委任合同，是指当事人双方约定一方委托他人处理事务，他人同意为其处理事务的协议。在委托合同关系中，委托他人为自己处理事务的人称委托人，接受委托的人称受托人。

委托合同是一种历史悠久的合同类型，早在古代巴比伦《汉谟拉比法典》中，就对委托合同作了专门的规定。此后法国、德国、日本民法典及我国台湾地区的“民法典”对委托合同也都作了规定。委托合同有广泛的适用范围，它可产生于任何一种民事主体之间，它可以在自然人之间、法人之间或者自然人与法人之间缔结；可以为概括的委托，也可以为特别的委托。委托合同的目的是有利于生产经营，方便人们日常生活，加强国际经济贸易的联系。具有人身属性的法律行为或事实行为，一般不适用委托合同，如收养关系的建立或终止、婚姻关系的产生和消灭、立遗嘱、结婚、收养子女等。

1. 委托合同的特征

（1）委托合同的标的是劳务

委托人和受托人订立委托合同的目的，在于通过受托人办理委托事务来实现委托人追求的结果，因此，该合同的客体是受托人处理委托事务的行为。

（2）委托合同是诺成、非要式、双务合同

委托人与受托人在订立委托合同时不仅要有委托人的委托意思表示，而且还要有受托人接受委托的承诺，即承诺与否决定着委托合同是否成立。委托合同自承诺之时起生效，无须以履行合同的行为或者物的交付作为委托合同成立的条件。

委托合同成立无须履行一定的形式，即口头、书面等方式都可以。

委托合同经要约承诺后合同成立，无论合同是否有偿，委托人与受托人都要承担相应的义务。对委托人来说，委托人有向受托人预付处理委托事务费用的义务，当委托合同为有偿合同时还有支付受托人报酬等义务。对受托人来说，受托人有向委托人报告委托事务、亲自处理委托事务、转交委托事务所取得财产等义务。

（3）委托合同可以是有偿的，也可以是无偿的

委托合同是建立在双方当事人彼此信任的基础上。委托合同是否有偿，应以当事人双方根据委托事务的性质与难易程度协商决定，法律不作强制规定。

2. 关于委托事务的范围

委托合同的目的在于受托人处理委托人的事务。关于“事务”的解释，直接关系到委托合同的适用范围，对此，日本民法典第643条和第656条规定，仅限于法律行为，始得为委任合同

之标的。就法律行为以外的事务所成立的合同，称为“准”委任合同，准用委任合同的规定。

本条虽然未对受托人办理事务的内容作具体解释，但依照本法第二条的规定，只要能够产生民事权利义务关系的任何事务，委托人均可请受托人办理，既包括实体法规定的买卖、租赁等事项，也包括程序法规定的办理登记、批准等事项，还包括代理诉讼等活动。但委托人所委托的事务不得违反法律的有关规定，如委托他人代为销售、运输毒品、淫秽物品等，或者按照事务的性质不能委托他人代理的事务，如与人身密切联系的婚姻登记、立遗嘱等。

3. 受托人以谁的名义处理委托事务

在合同法起草过程中，对于委托合同是否要以委托人的名义处理委托事务，有不同的看法。一种观点认为，委托合同应当规定受托人以委托人而非自己的名义进行活动，这样，也能够划清和行纪合同的关系。另一种观点认为，委托合同不应规定受托人以谁的名义处理委托事务。委托只涉及委托人与受托人之间的法律关系，不涉及第三人；代理则涉及代理人、被代理人及第三人三方的法律关系。委托是产生一切委托事务的基础，如代理、行纪、居间等均由委托而产生。委托合同是一基础合同，法律应予专门规定。合同法基本采纳了后一种观点，侧重解决委托人和受托人之间的权利义务问题。

第三百九十七条　委托人可以特别委托受托人处理一项或者数项事务，也可以概括委托受托人处理一切事务。

【释义】　本条是关于委托权限的规定。

受托人在处理委托事务时，应以委托人指示的权限为准。以受托人权限范围为标准把委托划分为两大类，即特别委托和概括委托。

划分特别委托与概括委托的意义在于，使受托人能够明确自己可以从事哪些代理活动，也使第三人知道受托人的身份和权限，使之有目的、有选择地订立民事合同，以防止因代理权限不明确而引起不必要的纠纷，如果发生了纠纷，也便于根据代理权限确定当事人之间的相互责任。

特别委托是指双方当事人约定受托人为委托人处理一项或者数项事务的委托。特别委托一般有以下几种情况：(1)不动产出售、出租或者就不动产设定抵押权。(2)赠与。由于赠与属于无偿行为，所以需要有委托人的特别授权。(3)和解。在发生纠纷后，有关人员在处理问题时需要双方当事人彼此作一定的妥协与让步，以终止争执或者防止争执的协议，它包括民法上的和解或者诉讼法上的和解，以致破产法上的和解。(4)诉讼。当事人就有关事宜向法院提起诉讼，请求法院依照法定程序进行审判的行为。(5)仲裁。仲裁是指当事人发生争执时，不诉请法院判决，而是提请仲裁机构判断，其效力同法院的判决一样。受托人接受特别委托时，对于委托事务的处理，可以采取一切为维护委托人的合法权益而必要的合法行为。

概括委托是指双方当事人约定受托人为委托人处理一切事务的协议。例如，委托人委托受托人处理其买卖业务或租赁业务的所有事宜，即是概括委托。

第三百九十八条　委托人应当预付处理委托事务的费用。受托人为处理委托事务垫付的必要费用，委托人应当偿还该费用及其利息。

【释义】　本条是关于委托人应当预付费用及偿还费用的规定。

受托人在处理事务过程中往往需要花费一定的费用,无论委托合同是否有偿,委托人都有义务事先提供处理委托事务的费用和补偿受托人为处理委托事务所垫付的必要的费用。

1. 委托人预付费用的义务。由于委托合同的特点是受托人用委托人的费用处理委托事务,因此,受托人对于费用没有垫付的义务,预付费用可以说是委托人的义务。受托人处理委托事务,如委托律师向法院提起诉讼,就应当先预付诉讼费。因为费用是为了委托人的利益而需要支出的,它与合同约定的报酬不是一个概念。我国台湾地区"民法典"第 545 条规定:"委任人因受任人之请求,应预付处理委任事务之必要费用。"

对于委托人支付的预付款,如果委托事务处理完毕,尚有剩余,受托人应当返还给委托人。

2. 委托人偿还受托人支出必要费用的义务。由于受托人处理委托事务应当由委托人事先预付费用,受托人就没有垫付费用的义务,但如果垫付了,则有请求偿还的权利,即受托人为处理委托事务所垫付费用,委托人应当偿还。应当把委托人支付报酬与偿还处理委托事务所应负担的费用相区别。偿还处理委托事务的费用不是对价关系。所谓必要费用,如差旅费用、有关财产的运输费、仓储费、交通费、邮费等。受托人处理事务所支出的费用,不仅会有金钱支出,有时也会有物的消耗。至于判断费用的支出是否必须,应当依据所委托事物的性质及处理时的具体情况来定。何为"必要",其标准是什么,我们认为,支出费用的合理原则应从以下三个方面考虑:其一,直接性原则。受托人支出的费用应与所处理的事务有直接联系;其二,有益性原则。受托人支出的必要费用应有利于委托人,目的是让委托人受益;其三,经济性原则。受托人在直接支出费用时,应尽善良人的行为,采用尽量节约、适当的方法处理事务。也就是说,必须是客观上确有必要,才可以请求偿还,以防其滥用。不能以受托人主观上是否认为支出为必要为标准。而应以受托人实施行为时的客观状态作为标准。

3. 委托人偿还利息的义务。偿还费用还应包括自受托人暂付费用之日起的利息。如果双方当事人在订立合同时对利率有约定的,事后就应按其约定,如果对利率没有约定或者约定的不明确时,就应当依照法定利率计算。例如,甲因出国数年将自己的房屋委托乙看管并出租。数年后甲回国,乙应将房屋及其历年的房屋出租费交付给甲,但甲应当将乙为管理该房屋支出的维修等必要费用,连同自乙支付时起的利息,偿还给乙。

第三百九十九条　受托人应当按照委托人的指示处理委托事务。需要变更委托人指示的,应当经委托人同意;因情况紧急,难以和委托人取得联系的,受托人应当妥善处理委托事务,但事后应当将该情况及时报告委托人。

【释义】 本条是关于受托人应当按照委托人的指示处理委托事务的规定。

受托人按照委托人的指示处理委托事务,这是受托人首要的义务。委托合同是受托人接受委托人的委托而订立,因此,受托人应当一丝不苟地按照委托人的指示,在委托人授权的范围内认真维护委托人的合法权益,想方设法完成委托事务。受托人原则上不得变更委托人的指示,如果受托人在处理委托事务的过程中,因客观情况发生变化,为了维护委托人的利益而需要变更委托人的指示时,法律规定应当经委托人同意。

受托人只有在具备以下条件的情况下才可以不按这些指示办事:(1)因情况紧急,需要立即作出新的措施;(2)由于客观上的原因,难以和委托人取得联系;(3)依据情况这样办是为了委托人的利益所必须。例如，甲委托乙为其出售股票，明确指示了某日以后再抛出，但突然股票价格骤跌，如果等到甲指示的某日再出售，股票价格将低落不堪；委托人又外出办事，短时间难以取得联系；在这种情况下，乙推定如果委托人知道此情况，也会变更其指示，受托人就有变更指示的权利，应当机立断妥善处理。如果受托人在不应该变更指示的时候而变更了，就应当负损害赔偿责任。

国外民法典对此也有规定，如德国民法典第665条规定："受托人受委托人的指示处理委托事务时，依情形认为委托人如知其情事亦能允许变更其指示者，得违反委托人的指示。"

第四百条　受托人应当亲自处理委托事务。经委托人同意，受托人可以转委托。转委托经同意的，委托人可以就委托事务直接指示转委托的第三人，受托人仅就第三人的选任及其对第三人的指示承担责任。转委托未经同意的，受托人应当对转委托的第三人的行为承担责任，但在紧急情况下受托人为维护委托人的利益需要转委托的除外。

【释义】　本条是关于受托人有义务亲自处理委托事务的规定。

委托合同的订立和履行是以当事人双方之间的相互信任为基础，委托人选择受托人是以对其能力（业务能力、专门知识）和信誉的信赖为前提，该合同的订立，既体现了委托人对于受托人的办事能力和信誉的信任，也表明受托人了解委托人和愿意为其办理委托事务的意志。这种彼此信任是委托合同赖以订立和存续的基础。因此，委托合同强调当事人的人身属性。这样就要求受托人应当亲自办理委托事务，受托人不得擅自将自己受托的委托事务转托他人处理。

合同法对于转委托的情况作了如下规定:第一,转委托须事先取得委托人的同意。法律上所以不许任意转委托,是恐妨害委托人的利益。但如果委托人同意转委托时,则法律就没有禁止的必要,因为合同是以双方当事人自愿为原则,当事人意思表示一致,受托人才可以再委托第三人代为处理委托事务。第二,在紧急情况下受托人为维护委托人的利益转委托的,对第三人的行为不承担责任。例如,委托人临时患急病,不能前去处理,由于情况紧急,如果不转托第三人代为处理,就会使委托人受到很大的损失。

第四百零一条　受托人应当按照委托人的要求,报告委托事务的处理情况。委托合同终止时,受托人应当报告委托事务的结果。

【释义】 本条是关于受托人负有报告义务的规定。

受托人在办理委托事务的过程中,应当根据委托人的要求,向委托人报告事务处理的进展情况、存在的问题,以使委托人及时了解事务的状况。如果委托合同约定了报告的时间,受托人应按时进行报告。

委托合同终止时,受托人应就办理委托事务的情况,向委托人全面报告办理经过和结果,如处理委托事务的始末、各种账目、收支计算等,并要提交必要的书面材料和证明文件。

对此问题,各国的规定各有不同。法国民法典第1993条规定,“受托人应将处理的事务向委托人报告”。瑞士债法第400条和日本民法典第645条规定,只在委托人请求报告时,受托人才有报告的义务。德国民法典第666条规定,除在委托人请求报告时受托人有报告义务外,在自己认为有必要报告时,及在合同终止时,均有报告的义务。

第四百零二条 受托人以自己的名义,在委托人的授权范围内与第三人订立的合同,第三人在订立合同时知道受托人与委托人之间的代理关系的,该合同直接约束委托人和第三人,但有确切证据证明该合同只约束受托人和第三人的除外。

【释义】 本条是关于受托人以自己的名义和第三人订立合同,第三人知道代理关系的,该合同直接约束委托人与第三人的规定。

委托合同产生代理关系。大陆法系有关代理的规定,一般是在民法总则中作出的,代理人以被代理人的名义从事活动,活动后果由被代理人承担。委托合同产生行纪关系。属于大陆法系的有的国家或者地区,一般在民法的债编中对行纪合同作出规定,行纪人接受委托后以自己的名义从事活动,活动的直接后果由行纪人承担,并按照行纪合同解决行纪人与委托人之间的权利义务问题。

行纪合同的有关规定可以适用经济贸易中的特殊情况,但不能适用受托人以自己的名义从事活动的所有情况。英美法系有关间接代理的规定,以及大陆法系有关商事代理的规定,都允许在一定的条件下,受托人以自己的名义从事的活动,其活动后果直接由委托人承担。我国在对外开放过程中,因外贸经营权以及其他原因,也出现受托人以自己的名义从事贸易代理活动。根据代理制度的原理,适应经济贸易中有关代理的不同要求,兼顾委托人、受托人以及第三人的合法权益,合同法借鉴国际货物销售代理公约等有关规定,对本条以及委托人的介入权、第三人的选择权作出了规定。

依照本条的规定,在下列条件下,受托人以自己的名义与第三人订立的合同,该合同不是直接约束受托人和第三人,而是直接约束委托人和第三人:第一,第三人清楚地知道受托人与委托人之间的代理关系，也就是说第三人知道受托人是委托人的代理人；第二，第三人是在订立合同时就知道受托人与委托人之间的代理关系，如果是订立合同的当时不知道，是事后知道，不适用本条的规定；第三，有确切证据证明该合同只约束受托人与第三人的，也不能适用本条的一般规定。这里讲的有证据证明该合同只约束受托人与第三人的情形，比如，受托人与第三人约定该合同只约束第三人与受托人，不涉及其他人；有交易习惯表明该合同只约束受托人与第三人，如行纪合同；有证据证明如果委托人作为该合同的当事人，第三人就不会订立该合同等。

第四百零三条　受托人以自己的名义与第三人订立合同时，第三人不知道受托人与委托人之间的代理关系的，受托人因第三人的原因对委托人不履行义务，受托人应当向委托人披露第三人，委托人因此可以行使受托人对第三人的权利，但第三人与受托人订立合同时如果知道该委托人就不会订立合同的除外。

受托人因委托人的原因对第三人不履行义务，受托人应当向第三人披露委托人，第三人因此可以选择受托人或者委托人作为相对人主张其权利，但第三人不得变更选定的相对人。

委托人行使受托人对第三人的权利的，第三人可以向委托人主张其对受托人的抗辩。第三人选定委托人作为其相对人的，委托人可以向第三人主张其对受托人的抗辩以及受托人对第三人的抗辩。

【释义】　本条是关于委托人的介入权、第三人的选择权的规定。

委托人的介入权指的是在受托人与第三人的合同关系中，

委托人取代受托人的地位,介入原本是受托人与第三人的合同关系中。委托人行使介入权的条件是:第一,受托人以自己的名义与第三人订立合同,第三人不知道受托人与委托人之间的代理关系,也就是说受托人与第三人是该合同的当事人,该合同对受托人与第三人具有约束力。第二,当第三人不履行合同义务时,间接影响到委托人的利益,这时受托人应当向委托人披露第三人。第三,因受托人的披露,委托人可以行使介入权。委托人行使介入权的,应当通知受托人与第三人。第三人接到通知后,除第三人与受托人订立合同时如果知道该委托人就不会订立合同的以外,委托人取代受托人的地位,该合同对委托人与第三人具有约束力。第四,因受托人的披露,委托人也可以不行使介入权,仍然由受托人处理因第三人违约而产生的问题。

第三人的选择权指的是在受托人与第三人的合同关系中,因委托人的原因造成受托人不履行义务,受托人应当向第三人披露委托人,第三人因此可以选择受托人或者委托人作为相对人主张其权利,即第三人可以选择请求委托人承担违约责任,也可以请求仍然由受托人承担违约责任。但第三人只能选择其一,选定后不得变更。

规定委托人的介入权、第三人的选择权,有利于解决因代理产生的合同纠纷,有利于贸易代理制度更好地为经济建设服务,但委托人的介入权、第三人的选择权是有条件的,不能滥用。

第四百零四条　受托人处理委托事务取得的财产,应当转交给委托人。

【释义】　本条是关于受托人转移利益的规定。

受托人应当将自己因处理委托事务而取得的各种利益及时转交给委托人。这是受托人的义务。这里所说的“取得的财产”,包括取得的金钱、实物,以及金钱与实物所生的孳息,以及其他财产权利。例如,受托人因出售委托人的物品而取得的价金,或为委托人出租房屋所取得的租金等。

受托人转移利益的义务,不仅适用于受托人,还适用于转委托的第三人。

第四百零五条　受托人完成委托事务的,委托人应当向其支付报酬。因不可归责于受托人的事由,委托合同解除或者委托事务不能完成的,委托人应当向受托人支付相应的报酬。当事人另有约定的,按照其约定。

【释义】　本条是关于委托人支付报酬的规定。

有偿的委托合同,在委托事务完成后,委托人应当按照约定向受托人支付报酬。即使是委托合同中并没有约定报酬的,但依据习惯或者依据委托事务的性质应该由委托人给付报酬的,委托人仍然有支付给受托人报酬的义务。

一般处理事务完毕,委托关系才终止。但在委托事务未全部完毕之前合同提前终止的情况也很多,提前终止委托人是否还要给付报酬呢,各地的民法典对此有不同的规定,我国台湾地区“民法典”第548条规定“委任关系因非可归责于受任人之事由,于事务处理未完毕前已终止者,受任人得就其已处理之部分,请求报酬”。

因不可归责于受托人的事由,委托合同解除或者委托事务不能完成,其原因主要来自以下两个方面:第一,是因委托人的原因,如委托人有本法第九十四条规定的情形,受托人依法解除合同的;或者委托人不给付处理事务的费用,致使事务无法进行的。第二,由于客观原因,如发生不可抗力,或者委托人死亡、破产,委托合同终止的,或者受托人死亡、丧失行为能力无法使委托事务完成的等。上述事由都不是因受托人的过错造成的，不能归责于受托人，委托人应当根据受托人处理委托事务所付出的工作时间的长短或者所提供事务的大小，给付受托人相应的报酬。

第四百零六条　有偿的委托合同，因受托人的过错给委托人造成损失的，委托人可以要求赔偿损失。无偿的委托合同，因受托人的故意或者重大过失给委托人造成损失的，委托人可以要求赔偿损失。

受托人超越权限给委托人造成损失的，应当赔偿损失。

【释义】　本条是关于受托人过错致委托人损失的责任的规定。

在有偿的委托合同中，受托人在处理委托事务时只要有过错，并给委托人造成损失，就要承担赔偿责任。在无偿的委托合同中，受托人在一般过失下并不承担赔偿责任，只有在故意和重大过失的情况下，才对损害承担赔偿责任。所谓重大过失是指一般人对该行为所产生的损害后果都能预见到，而行为人却因疏忽大意没有预见到，致使损害后果发生。由于无偿委托合同，受托人没有报酬，因此，其承担责任相比有偿委托合同要轻一些。

受托人超越权限给委托人造成损失的，无论委托合同是否有偿，都应当赔偿损失。

第四百零七条　受托人处理委托事务时，因不可归责于自己的事由受到损失的，可以向委托人要求赔偿损失。

【释义】　本条是关于委托人对受托人损失承担责任的规定。

受托人在委托权限范围内认真处理委托事务,在自己毫无过错和过失的情况下,使自己的财产或者人身造成损害的,有向委托人请求赔偿的权利。

受托人在处理委托事务过程中因不可归责于自己的事由遭受损害的情况有很多,例如,由于委托人在受托人无过错的情况下,解除委托合同的;委托人未经受托人同意,又委托第三人处理同一事务致使受托人报酬减少的;等等。

第四百零八条　委托人经受托人同意,可以在受托人之外委托第三人处理委托事务。因此给受托人造成损失的,受托人可以向委托人要求赔偿损失。

【释义】　本条是关于委托人另行委托他人处理事务的规定。

相互信任是委托合同双方当事人订立合同的基础,它具有严格的人身属性,因此,委托人如果要把委托事务再委托他人处理,需要征得受托人的同意。

委托人另行委托第三人处理委托事务,可能给受托人造成损失,如报酬减少。造成受托人损失的,受托人可以向委托人请求赔偿损失。

第四百零九条　两个以上的受托人共同处理委托事务的,对委托人承担连带责任。

【释义】　本条是关于共同委托的规定。

共同委托是指委托人委托两个或者两个以上的受托人共同行使代理权处理事务。但是,如果委托人为两个或者两个以上的数人时,而受托人只有一个人时,则不是共同委托。

共同委托的特点:

1. 共同委托的代理权必须是由数个受托人共同行使的

所谓共同行使,是指数个受托人享有共同的权利义务,即平等享有、共同享有的代理权,处理事务时只有经过全体受托人的共同同意,才能行使代理权。这并不是一个委托人同时委托了两个或者两个以上受托人,都产生共同委托的问题,如委托人在受托人之外另行委托他人处理委托事务的情况。又如,有时受托人虽然为数人,却不能认定是共同委托。例如,一个大商场委托甲代为购进家用电器,委托乙帮助销售电视机,又委托丙帮忙销售冰箱。这里虽然甲、乙和丙都是委托合同的受托人,他们都是共同接受一个委托人的委托,但是受托人甲、乙、丙之间并不存在联系,他们是各自独立的接受委托、各自行使代理权、各自承担责任,是同时存在的三个独立的委托合同,而不是共同委托。

2. 受托人承担连带责任

共同委托中的一个受托人与其他受托人协商后或者数个受托人共同协商后,单独或者共同实施的委托行为,其实施的委托行为应该被认为是全体受托人的共同行为,由此而造成损失的,若干个受托人依法应当对委托合同的履行承担连带责任。但是,如果共同受托人中的一个受托人或者数个受托人没有经过协商而擅自单独行使代理权的,由此造成的损失,仍然承担连带责任。当然,当事人事先约定了按份责任的除外,即合同中无特别规定,他们应对委托人承担连带责任。

第四百一十条　委托人或者受托人可以随时解除委托合同。因解除合同给对方造成损失的,除不可归责于该当事人的事由以外,应当赔偿损失。

【释义】 本条是关于解除合同的规定。

委托合同是以双方信任为存在的条件,如果一方不守信用,失信于另一方,继续履行合同已无必要,法律赋予了双方当事人的权利,即只要一方想终止合同,就可以随时解除合同,而且无须有任何的理由。

1. 委托人可以随时撤销委托。如果互相没有信任或者已不再需要办理委托的事项,委托人即可单方解除委托合同,无须征得受托人的同意即可发生效力。但是受托人可以要求委托人赔偿相应的损失。

2. 受托人可以随时辞去委托。委托合同的成立既需要委托人对受托人的了解和信任,也需要受托人对委托人的信任。如果受托人不愿意办理受委托的事务,受托人无须表明任何理由,即可解除合同。

委托合同的一方当事人在不利于对方当事人的时期解除委托合同而造成对方损失的,应当承担赔偿责任,所谓不利于对方当事人的时期,就不利于委托人方面而言,当受托人在未完成委托事务的情况下解除合同时,委托人自己不可能亲自处理该项事务,而且又不能及时找到合适的受托人代他处理该委托事务而发生损害的情形;就不利于受托人方面而言,是指由于委托人在受托人处理委托事务尚未完成前解除了合同,使受托人因不能继续履行义务而少获的报酬。委托人除对受托人已履行的部分给付报酬外,对在不可归责于受托人的情况下,因解除委托合同给委托人造成的报酬减少承担赔偿责任。

但是受托人处理事务不尽注意义务,怠于委托事务的处理,委托人无奈而解除委托合同,虽会给受托人造成一定损失,但因解除合同事由不可归责于委托人或者不能完全归责于委托人,委托人对受托人因合同终止而遭受的损失不予赔偿或者只赔偿其部分损失。

第四百一十一条　委托人或者受托人死亡、丧失民事行为能力或者破产的，委托合同终止，但当事人另有约定或者根据委托事务的性质不宜终止的除外。

【释义】　本条是关于委托合同终止的规定。

委托合同的成立，是以双方信任为基础，为人格专属的法律关系，如果当事人一方死亡、丧失行为能力或者破产，其继承人、法定代理人与合同的另一方当事人能否取得互相的信任还是未知数，为了避免不必要的纠纷出现，法律规定在这些情况下，委托合同可以终止。

以上三种情况是法定事由发生时合同应当终止，但也有例外情况：

1. 合同另有约定时除外。当事人可以另行约定即使有死亡、破产及丧失行为能力的情况发生，委托关系仍不消灭，有此约定的，当然依照其约定。例如，委托律师诉讼，委托合同可以约定，不因委托人死亡而停止代理诉讼。

2. 因委托事务的性质不宜终止的。境外及有关地区对此也作了规定，如我国台湾地区"民法典"第 550 条规定："委任关系因当事人一方死亡、破产或丧失行为能力而消灭；但契约另有订定或因委任事务之性质不能消灭者，不在此限"。如德国民法典第 672 条规定，委托人死亡或丧失行为能力，原则导致委托合同的终止，但以下两种情况例外：其一，对委托人的死亡或丧失行为能力发生疑问；其二，不宜立即终止的委托合同。瑞士债务法则规定，除有相反约定或因委托事务的性质不能消灭者外，委托合同因委托人或受托人的死亡而消灭。

第四百一十二条　因委托人死亡、丧失民事行为能力或者破产，致使委托合同终止将损害委托人利益的，在委托人的继承

人、法定代理人或者清算组织承受委托事务之前，受托人应当继续处理委托事务。

【释义】 本条是关于受托人应继续处理委托义务的规定。

委托人出现死亡、丧失行为能力或者破产这三种法定事由时，一般来说，委托关系终止。但是，如果出现了本条规定的情况，委托合同不能终止，受托人还应当负有继续处理委托事务的义务，应当采取必要的措施保护对方当事人的利益，直至委托人的继承人、法定代理人或者清算组织承受了委托事务为止。

受托人继续处理事务，如果委托合同是有偿的，则受托人仍得请求报酬。因此，对委托人来说，并未增加负担，对受托人的利益则起到防止损害发生的作用。

受托人负有继续处理委托事务的义务，但是，继续处理委托事务应到何时为止？笔者认为，应继续到委托人或者其继承人或其法定代理人能接受时为止。例如，委托人死亡，委托人的继承人有时因远在外国，一时不能赶回来，如果受托人不继续处理其事务，势必使委托人的继承人发生损害。受托人应继续处理至委托人的继承人能够接受时为止。

第四百一十三条　因受托人死亡、丧失民事行为能力或者破产，致使委托合同终止的，受托人的继承人、法定代理人或者清算组织应当及时通知委托人。因委托合同终止将损害委托人利益的，在委托人作出善后处理之前，受托人的继承人、法定代理人或者清算组织应当采取必要措施。

【释义】 本条是关于受托人继续处理义务的规定。

受托人的继承人、法定代理人或者清算组织负有两项义务：一是及时通知委托人的义务。二是委托合同终止将损害委托人利益的情况下,受托人的继承人、法定代理人或者清算组织应当采取必要的措施保护委托人的利益。例如,保存好委托事务有关的单证和资料;保管好委托事务的财产,以便交付给委托人。法律规定受托人的继承人、法定代理人或者清算组织承担上述通知义务和采取必要措施的义务,是因为受托人死亡后,继承人有继承其财产的权利;受托人丧失民事行为能力后,由法定代理人代理其民事活动;法人破产后,由清算组织接管,对破产财产清理、保管、估价、处理和分配。清算组织可以代表破产企业进行必要的民事活动。继承人、法定代理人、清算组织,在承受受托人遗产或者处理受托人事务时,应当遵循诚实信用的原则,将受托人的有关事宜妥善处理。

继续处理委托事务应到何时为止?一直处理到委托人能够接受时为止。委托人在知道受托人死亡、丧失民事行为能力或者破产,需要有一段时间进行善后处理,如需要找新的受托人代替前一受托人的工作,寻找的过程需要时间等,在委托人处理好以前,受托人的继承人、法定代理人或者清算组织有义务采取必要的、有效的措施,继续处理委托事务。

第二十二章 行纪合同

本章共十条，主要内容有：行纪合同的概念，行纪人享有介入权、处置权、留置权，以及自负费用的义务、妥善保管的义务，委托人享有指示权及支付报酬的义务等。

第四百一十四条 行纪合同是行纪人以自己的名义为委托人从事贸易活动，委托人支付报酬的合同。

【释义】 本条是关于行纪合同概念的规定。

行纪合同是指行纪人接受委托人的委托，以自己的名义，为委托人从事贸易活动，委托人支付报酬的合同。接受委托的一方为行纪人，而另一方则为委托人。如某配件厂（甲方）委托某销售公司（乙方）代销产品，乙接受甲的委托并以自己的名义代甲销售，代销价款归甲方，乙方收取代销费。在这个关系中，甲为委托人，乙为行纪人。

行纪合同也称信托合同，最早罗马法所称信托是一种遗产处理形式。是指被继承人将遗产的全部、一部或者一特定物，嘱托其继承人转交给指定的第三人，这时的信托并不产生法律上的效力。英美法信托是从英国中世纪所通行的用益权制度发展而来，源于英国的衡平法。信托是英美法中一项很重要的财产法律制度。其主要内容是受托人根据信托人（财产所有人）的委托，为受益人（第三人）的利益而运用此财产，对信托人的财产进行管理、处分。大陆法系由于有财团法人制度及法定代理制度,可以实现信托所想要达到的目的,因此大陆法无信托制度。随着行纪业务的发展,行纪合同逐渐被广泛应用,成为一种独立的合同类型,与委托合同并存。有些国家和地区把行纪合同规定在商法典中,如法国商法典和德国商法典对行纪合同都作了专门详细的规定。我国台湾地区“民法典”对行纪也有专门的规定。

我国改革开放前受计划经济的限制,行纪业很不发达,只有一些国营和集体的信托商店、旧货寄售商店和贸易货栈等,主要是公民的寄售业务。改革开放后,全国各地相继恢复和新建许多贸易信托、行纪等机构,包括房地产中介机构独家销售公司等。由于行纪人往往是在一定领域内从事专门性行纪活动,比较了解行情,熟悉业务和供求关系,且手段简便、灵活,可以为委托人提供有效的服务,对扩大商品流通,促进贸易发展起着重要的作用。

如何理解本条对行纪合同的定义,重要的一点是分清行纪合同与委托合同的界限。行纪合同和委托合同有相同点:如都是以提供劳务为合同的标的;都是以当事人双方的信任为基础;都是以处理一定事务为目的。

两者的区别在于:

第一,适用范围不同。行纪合同适用范围窄,仅限于代销等贸易行为;而委托合同的适用范围宽。第二,行纪合同的受托人只能以自己的名义处理委托事务;委托合同的受托人处理事务既可以用委托人名义,也可以用自己的名义。第三,行纪人一般是专门从事贸易活动,其开业和经营需要经过国家有关部门的审查、登记;而委托合同的当事人不必是专门从事贸易活动的,可以是公民,也可以是法人。第四,行纪合同是有偿合同;而委托合同既可以是有偿合同也可以是无偿合同。

第四百一十五条　行纪人处理委托事务支出的费用，由行纪人负担，但当事人另有约定的除外。

【释义】　本条是关于行纪人的费用负担的义务。

行纪人作为中介人当然应当具备法人成立的这些条件，既然是经营，就必然会有商业风险，所谓风险就行纪合同来说，反映在行纪人在为委托人处理委托事务，不仅需要尽职尽力，而且行纪的活动经费还需要行纪人自己负担，如交通费、差旅费等。行纪人所支出的这些费用，应该说是处理委托事务的成本。只有当行纪合同履行完毕，才能由委托人支付报酬，报酬就包括成本与利润。如果行纪人没有处理好委托事务，他所付出的代价，即支出的成本费用，也就算商业风险，由其自己负担了。但是也有例外情形，如委托人与行纪人事先有约定，不论事情成功与否，行纪人为此支出的活动费用，都由委托人偿还。行纪人处理委托事务的费用由行纪人自己负担是与委托合同的不同之处。

第四百一十六条　行纪人占有委托物的，应当妥善保管委托物。

【释义】　本条是关于行纪人保管义务的规定。

行纪合同的性质决定了其为有偿合同，行纪人对于自己为委托人购进或者出售的物品，妥善保管委托物应当是行纪人履行义务的一项重要义务。其具体实施应以选择对委托人最有利的条件，并以善良管理人的注意进行保管。许多国家法律均要求“行纪人应当以普通商人的注意处理行纪事务”。

寄售商品通常以积压商品、旧物品等居多，由此行纪人有义务尽心尽力尽职地妥善保管好，如果因保管不善造成物品损坏灭失、缺少、变质、污染的，行纪人应承担赔偿责任。除非行纪人能证明其已经尽了善良管理人的注意。对于灭失、毁损的财物，如果是由于不可抗力或物品本身的自然损耗等不可归责于行纪人的事由造成损失，行纪人可以免除责任，由委托人自己承担损失。如果委托人对财物有特别指示，如委托人支付投保费，请行纪人代委托人投保财物保险，行纪人没有投保保险的，其损失的责任理应由行纪人承担。但行纪人在既无约定又无指示的情况下，对其占有的财物投保保险，如果其保险是为了保险人的利益且不违反委托人明示或可推定的意思，有权请求委托人支付保险费及自支出时起的利息。

第四百一十七条　委托物交付给行纪人时有瑕疵或者容易腐烂、变质的，经委托人同意，行纪人可以处分该物；和委托人不能及时取得联系的，行纪人可以合理处分。

【释义】　本条是关于行纪人处置委托物义务的规定。

行纪人是为了满足委托人所追求的经济利益而为其处理事务的，所以行纪人应当按照委托人的指示，从维护委托人利益的角度出发，选择最有利于委托人的条件完成行纪事务。行纪合同的目的决定了行纪人遵从委托人指示的义务。在行纪合同的履行过程中，委托出卖的物品，在委托人交付给行纪人的时候，已表现出有瑕疵或者根据物品的性质是属于容易腐烂、变质的，行纪人为了保护委托人的利益，有义务及时通知委托人，在征得委托人同意的前提下，行纪人可以按照委托人的指示对委托物进行处置，如拍卖、变卖。

一般情况下，行纪人不得擅自改变委托人的指示办理行纪事务，但如果处在委托物在交付时有瑕疵，快要腐烂、变质了，行纪人又无法与委托人取得联络，如通讯中断、委托人远行等原因，致使行纪人不可能征得委托人的同意。在这种时候，如果不及时合理的处置,就会使委托人的利益遭受更大的损失。为了保护委托人的利益,法律赋予行纪人有权以合理的注意来处置委托物。

对于行纪人未尽到其应尽的义务,如发现委托物有瑕疵或者即将腐烂、变质,而怠于通知委托人,又没有采取合理的措施,致使损失进一步扩大的,给委托人造成损失的,应负赔偿责任。如果行纪人对于出售的物品、购进商品不作检查,或虽已作检查但对发现的物品的瑕疵没有按照规定程序记录存证,并且没有及时通知委托人的,行纪人就应对委托物的瑕疵或者毁损、灭失承担责任。

第四百一十八条　行纪人低于委托人指定的价格卖出或者高于委托人指定的价格买入的,应当经委托人同意。未经委托人同意,行纪人补偿其差额的,该买卖对委托人发生效力。

行纪人高于委托人指定的价格卖出或者低于委托人指定的价格买入的,可以按照约定增加报酬。没有约定或者约定不明确,依照本法第六十一条的规定仍不能确定的,该利益属于委托人。

委托人对价格有特别指示的,行纪人不得违背该指示卖出或者买入。

【释义】　本条是关于行纪人按照委托人指定价格买卖的规定。

行纪人应当依照委托人已明确指定的价格操作,行纪人违反委托人指示的交易而进行买卖的,委托人可以拒绝承受,因此而造成的损害,由行纪人赔偿。

行纪人不按指示价格处理事务无非有以下两种情况:

一是行纪人以低于指示价格卖出或者以高于指示价格买

入。商场如战场，风云变化莫测，其价格此一时彼一时，行情不利于委托人时，行纪人为了避免损失进一步的扩大，以劣于委托人的指示从事行纪活动的，即以低于委托人指定的价格卖出或者高于指定的价格买入时，应当及时取得委托人的同意；在没有征得委托人同意的情况下，行纪人擅自做主变更指示而作为的，对于违背委托人利益而带来的后果，委托人有权拒绝接受对其不利的行纪行为，并有权要求行纪人赔偿损失。但是行纪人把损失的差额部分补足时，应认为行纪人的行为对于委托人发生法律效力，委托人不得以违反指示为由拒绝接受。例如，甲委托乙以一台电脑 1 万元的价格代其销售 100 台电脑，由于电脑市场受金融风波的影响，出现供大于求不景气的现象，在没有征得甲同意的情况下，乙以一台电脑 8000 元的价格卖出这批电脑，这时乙应该补偿甲为此而受到的损失，即按照一台电脑补 2000 元的价格计算。

二是当执行委托任务的结果比合同规定的条件更为优越时，即行纪人以高于委托人的指示卖出或者以低于指定价格买入，使委托人增加了收入或者节约了开支，其增加的利益（高价卖出多出的价款或低价买入结余的价款），应当归属于委托人，但行纪人可以要求增加报酬。如果行纪合同没有约定或者约定不清楚的，双方可以协商解决；如果还不能达成补充协议的，按照合同有关条款或者按照商业交易的习惯确定，还不能确定的，利益归委托人，行纪人不能取得报酬。

第四百一十九条　行纪人卖出或者买入具有市场定价的商品，除委托人有相反的意思表示的以外，行纪人自己可以作为买受人或者出卖人。

行纪人有前款规定情形的，仍然可以要求委托人支付报酬。

【释义】 本条是关于行纪人介入权的规定。

行纪人可以作为出卖人或者买受人,卖出或者购买委托人的委托物。这就是通常说的行纪人的介入权,即行纪人按照委托人的指示,实施行纪行为时,有权以自己作为买受人或者出卖人与委托人进行交易活动。行纪人的介入权由商业习惯发展而来的,最早出现于德国商法,此后,日本商法、瑞士商务法等纷纷效仿。

行纪人行使介入权,实际上就是行纪人自己作为买受人或出卖人,其与委托人之间直接订立买卖合同。买卖合同的成立,一般认为介入是实施行纪行为的一种特殊方法,行纪人虽然实施介入到买卖合同中来,但依然是行纪人。

行纪合同的委托物必须是有市场价格的商品。这是介入权构成的要件。这一要件既是行纪人产生介入权的要件,又是判定行纪人是否在对委托人不利时实施介入以及行纪人实施介入对委托人不利时损害赔偿的标准。行纪人所依据的价格应当明确,以便能公平地行使介入权。

既然行纪人仍然是行纪合同的一方当事人,委托人就应当按照行纪合同约定的报酬支付给行纪人,而不能以行纪人是买卖合同的买受人为由,拒绝支付报酬。因为这是买卖合同和行纪合同两个合同关系,就应当分别由这两个合同关系的法律调整,不能混合。例如,甲委托乙购买一部汽车。乙正好有一辆车同型号同质量的新车,便按照委托人指定的价格,自己以出卖人的身份把该辆汽车卖给甲。这时乙既是买卖合同的出卖人,又是行纪合同的行纪人。甲不仅要向乙支付买车的价款,而且还应向乙支付行纪合同所约定的报酬。

但是,如果在订立行纪合同或者行纪人在履行义务时告之委托人自己想作为买受人或者出卖人时,委托人明确表示不同意的，行纪人便不能实施该行为。

第四百二十条　行纪人按照约定买入委托物，委托人应当及时受领。经行纪人催告，委托人无正当理由拒绝受领的，行纪人依照本法第一百零一条的规定可以提存委托物。

委托物不能卖出或者委托人撤回出卖，经行纪人催告，委托人不取回或者不处分该物的，行纪人依照本法第一百零一条的规定可以提存委托物。

【释义】　本条是关于行纪人提存的规定。

1. 委托人无正当理由拒绝受领买入商品时，行纪人的提存权

行纪人按照委托人的指示和要求为其购买的买入物，委托人应当及时受领，并支付报酬，从而终止委托合同。行纪人行使提存权的条件是：第一，行纪人应当催告委托人在一定期限内受领；第二，委托人无正当理由逾期仍拒绝受领买入物的；第三，行纪人应当按照本法第一百零一条关于提存的规定行使提存权。

2. 委托人不处分、不取回不能出卖的委托物时，行纪人的提存权

委托行纪人出卖的委托物，如果不能卖出或者委托人撤回出卖委托物时，行纪人应当通知委托人取回，行纪人虽然可以暂时代为保管，但行纪人没有继续保管委托物的义务。经过行纪人的催告，在合理期限内，委托人逾期仍不取回或者不处分委托物的，行纪人可以行使提存权。

3. 行纪人享有拍卖权

拍卖权是指委托人无故拒绝受领或者不取回出卖物时，法律赋予行纪人依照法定程序将委托物予以拍卖的权利，并可以优先受偿，即就拍卖后的价款中扣除委托人应付的报酬、偿付的

费用以及损害赔偿金等，如果还有剩余，行纪人应当交给有关部门进行提存。

第四百二十一条　行纪人与第三人订立合同的，行纪人对该合同直接享有权利、承担义务。

第三人不履行义务致使委托人受到损害的，行纪人应当承担损害赔偿责任，但行纪人与委托人另有约定的除外。

【释义】　本条是关于行纪人的直接履行义务的规定。

行纪合同的法律关系较之其他要复杂一些，这当中有两层法律关系，既有行纪人与委托人之间的委托合同关系，又有行纪人与第三人之间的买卖合同关系；同时涉及三方主体，即委托人和行纪人与第三人之间的法律关系。而在行纪人与第三人订立的买卖合同中，行纪人是作为合同一方的当事人为委托人的利益而与第三人订立的合同。既然行纪人是合同的当事人，就必须自己直接对合同享有权利承担义务。在从事买卖事务时，不论行纪人是否告诉第三人自己是代理人的身份，或者第三人是否知道委托人的姓名，都不影响行纪人以自己的名义参与的买卖关系的法律效力。由于委托人与第三人之间不产生直接的法律关系，委托人无权对行纪人与第三人之间的买卖关系提出自己的异议。

在发生合同违约行为、追究违约责任时，第三人不得直接对委托人主张损害赔偿权，而只能向行纪人主张权利，而且行纪人也不得以自己没有过错为由而拒绝承担违约责任，行纪人只能先承担责任后，再向委托人行使追偿权。同样的，第三人如果违约的，不得直接对委托人行使请求权，而只能向行纪人主张权利，行纪人此时也不得以自己无过错为由而拒绝承担自己的责任。行纪人承担责任向委托人履行后，再行使向第三人的追偿权。

第四百二十二条　行纪人完成或者部分完成委托事务的，委托人应当向其支付相应的报酬。委托人逾期不支付报酬的，行纪人对委托物享有留置权，但当事人另有约定的除外。

【释义】 本条是关于委托人支付报酬义务的规定。

1. 请求报酬的权利

行纪人就自己处理委托事务的不同情况，可以按照合同的约定请求委托人支付报酬。有以下几种情况：(1)行纪人按照委托人的指示和要求履行了全部合同的义务，有权请求全部报酬；(2)因委托人的过错使得合同义务部分或者全部不能履行而使委托合同提前终止，行纪人可以请求支付全部报酬；(3)行纪人部分完成委托事务的，可以就已履行的部分的比例请求给付报酬。

报酬数额，一般由合同双方事先约定，如有国家规定，则应当按照国家规定执行。原则上应于委托事务完成之后支付报酬，但当事人约定预先支付或分期支付的也可以按约定执行，如果寄售物品获得比原约定更高的价金，或者代购物品所付费用比原约定低，可以约定按比例增加报酬。

2. 行纪人享有留置权

委托人不按照约定支付报酬时，行纪人对其占有的委托物可以行使留置权。留置期届满后，以留置物折价或者从变卖留置物所得价款中优先受偿。留置委托物需具备以下几个条件：

(1)已合法占有委托物。行纪人行使留置权，必须是行纪人已经合法占有委托物，非法占有委托物的不得行使留置权。

(2)委托人没有理由的拒绝支付报酬。行纪人行使留置权，必须具有委托人按期不予支付报酬的事实存在。

(3)委托合同中没有事先约定过不得留置的条款。如果委托人与行纪人在行纪合同订立时已经约定，不得将委托物进行留置的，行纪人就不得留置委托物，但是，委托人需要提供其他物品作为担保。

委托人向行纪人支付报酬超过了合同约定的履行期限的，应当承担逾期不支付报酬的责任，此时行纪人对占有委托物品享有留置权。

按照担保法对留置物的规定，行纪人留置委托后，已经合理期限的催告，委托人逾期仍不履行的，行纪人就可以行使留置权，并以留置物折价或者从拍卖、变卖留置物的价款中优先受偿。如果留置物经过折价、拍卖、变卖后，其价款超过了委托人应支付的报酬，剩余部分还应当归委托人所有，如果结果不足以支付行纪人的报酬，行纪人还有权利请求委托人继续清偿。合同法第四百二十二条规定："行纪人完成或者部分完成委托事务的，委托人应当向其支付相应的报酬。委托人逾期不支付报酬的，行纪人对委托物享有留置权，但当事人另有约定的除外。"

第四百二十三条　本章没有规定的，适用委托合同的有关规定。

【释义】　本条是关于适用委托合同的规定。

行纪合同与委托合同有许多共同点，行纪关系中委托人与行纪人的关系就是委托关系，只不过委托的事项特殊固定，所以，本条规定，本章没有规定的，适用委托合同的有关规定。

第二十三章　居 间 合 同

本章共四条，规定了居间合同的概念、居间人的报告义务、委托人支付报酬的义务和居间费用的负担等内容。

第四百二十四条　居间合同是居间人向委托人报告订立合同的机会或者提供订立合同的媒介服务，委托人支付报酬的合同。

【释义】　本条是关于居间合同概念的规定。

1. 居间合同的概念

居间合同，是指当事人双方约定一方接受他方的委托，并按照他方的指示要求，为他方报告订立合同的机会或者为订约提供媒介服务，委托人给付报酬的合同。在居间合同中，接受委托报告订立合同机会或者提供交易媒介的一方为居间人，给付报酬的一方为委托人。

居间作为中介的一种形式，其宗旨是把同一商品的买卖双方联系在一起，以促成交易后取得合理佣金的服务。无论何种居间，居间人都不是委托人的代理人，而只是居于交易双方当事人之间起介绍、协助作用的中间人。

居间合同的主体：委托人可以是任何公民、法人；而居间人只能是经过有关国家机关登记核准的从事居间营业的法人或公民。

居间业务根据居间人所接受委托内容的不同，既可以是只为委托人提供订约机会的报告居间,也可以是为促成委托人与第三人订立合同进行介绍或提供机会的媒介居间,也还可以是报告居间与媒介居间兼而有之的居间活动。

所谓报告订约机会,是指居间人接受一方委托人的委托,寻觅、搜索信息报告委托人,从而提供订立合同的机会。德国民法典、瑞士债务法等称此类居间人为报告居间人或指示居间人;所谓提供订立合同的媒介服务,是指介绍双方当事人订立合同,居间人不但要向委托人报告订约的机会,而且还要进一步周旋于委托人与第三人之间,努力促成其合同成立。德国商法典、日本民法典等称此类居间人为媒介居间人。两种情况,只有中介活动成功,促成合同成立,居间人才能取得合同约定或者法律规定的报酬。

居间制度源于古希腊、古罗马帝国时期,当时的社会发展处于简单商品经济形态,任何人都可为居间活动。到了欧洲中世纪,居间活动受到了一定的限制,从自由经营主义转为干涉主义,国家对其行业进行了控制,使居间人带有公职人员的性质。如法国商法典把居间人分为两种:一种是特权居间人,此等中间人须经政府的任命,居于公务员的地位,具有特殊的权利及义务;而另一种是除第一种以外的居间人。英国的居间人须经地方官署许可才可以执业;德国旧商法规定,居间人是一种官吏。到了近代,随着社会的进步及商品生产与流通领域的飞速发展,居间活动又开始兴旺,很多国家都对居间活动采用了完全自由经营主义来调整居间法律关系。德国民法典首先把居间活动作为民事合同的一种作了规定。以后大多数国家的民商法典和民商法理论上都承认居间合同为一种独立的典型合同。在大陆法国家的立法上,采民商分立的国家,一般以商法调整媒介居间,以民法调整指示居间;在采取民商合一的国家,则不作媒介居间与指示居间的区分。我国采取不作区分的立法体例。

2. 居间合同的法律特征

(1)居间合同以促成委托人与第三人订立合同为目的

在居间合同中,居间人是为委托人提供服务的,这种服务表现为报告订约的机会或为订约的媒介。居间合同的标的是居间人进行居间活动的结果,其目的在于通过居间活动获取报酬。居间人的活动只有促成委托人与第三人之间建立起有效的合同关系才有意义。

(2)居间人在合同关系中处于介绍人的地位

居间合同的客体是居间人依照合同的约定实施中介服务的行为。无论何种居间,居间人都不是委托人的代理人或当事人一方,居间人只是按照委托人的指示,为委托人报告有关可以与委托人订立合同的第三人,给委托人提供订立合同的机会,或者在当事人之间充当“牵线搭桥”的媒介作用,并不参加委托人与第三人之间具体的订立合同的过程,他的角色只是一个中介服务人。只是在交易双方当事人之间起介绍、协助作用。

(3)居间合同具有诺成性、双务性和不要式性

居间合同的诺成性,是指只要委托人与居间人意思表示一致,居间人就负有依委托人的指示进行居间的义务,而一旦居间人的活动取得结果,委托人就应支付报酬,合同即成立,而无须以实物的交付作为合同成立的要件。

居间合同的双务性,是指居间合同一经成立,当事人双方均需承担一定的义务。就居间人而言,居间人有据实报告的义务;对委托人而言,合同因居间而成立后他有支付报酬的义务。

居间合同的不要式性,是指当事人可以采取口头或者书面形式,居间合同的成立也无须采用特定的形式。如果约定不明确,应当遵循交易惯例。

（4）居间合同具有有偿性

居间人以收取报酬为业，居间人促成合同成立后，委托人当然要向居间人支付报酬，作为对居间人活动的报偿。不要报酬促进他人订立合同的行为，不是居间合同，而是一种服务性活动，行为人不承担居间合同中的权利义务。

3. 居间合同与相关合同的关系

居间合同与委托合同、行纪合同的异同点：

委托合同属于服务性合同，服务合同包括保管、行纪、居间、委托等很多种类的合同，它们之间有一个共同的特征，其标的是供劳务，而不是物的交付。但它们相互之间又有其各自的特征。

居间合同与委托合同、行纪合同，三者的相同点都是属于提供劳务性质的合同。它们的不同点在于：

（1）居间合同的居间人，限于报告订约机会或媒介订约，其服务的范围有限制，只是介绍或协助委托人与第三人订立合同，居间人本人并不参与委托人与第三人之间的合同；委托合同的受托人办理委托事务时，以委托人或者以自己的名义进行活动，代委托人与第三人订立合同，依照委托人的指示参与并可决定委托人与第三人之间的关系内容，处理事务的后果直接归于委托人；行纪合同的行纪人是行纪合同的一方当事人，行纪人以自己的名义为委托人办理交易事务，与第三人发生直接的权利义务关系，处理事务的后果是间接地而不是直接地归于委托人。

（2）居间合同的居间人，是为委托人提供与第三人订立合同的机会，其行为本身不具有法律意义；委托合同的受托人是按委托人的要求处理受托事务，处理的事务可以是有法律意义的事务，也可以是非法律意义的事务；行纪合同的行纪人则是按委托人的要求，从事购销、寄售等特定的法律行为，行纪人受托的事务只能是法律行为。

(3)居间合同是有偿合同,但居间人只能在有居间结果时才可以请求报酬,并且在为订约媒介居间时可从委托人和其相对人双方取得报酬;委托合同可以是有偿的,也可以是无偿的;行纪合同都是有偿合同,行纪人却仅从委托人一方取得报酬。

第四百二十五条　居间人应当就有关订立合同的事项向委托人如实报告。

居间人故意隐瞒与订立合同有关的重要事实或者提供虚假情况,损害委托人利益的,不得要求支付报酬并应当承担损害赔偿责任。

【释义】　本条是关于居间人报告义务的规定。

1. 关于居间人的报告义务

居间人的报告义务是居间人在居间合同中承担的主要义务,居间人应依诚实信用原则履行此项义务。

订约的有关事项,包括相对人的资信状况,生产能力、产品质量以及履约能力等与订立合同有关事项。订立合同的有关事项根据不同的合同还有许多不同的事项。对居间人来说,不可能具体了解,只需就其所知道的情况如实报告委托人就可以了。但作为居间人应当尽可能掌握更多的情况,提供给委托人,以供其选择。依德国的有关判例和学说,依照诚实信用原则,居间人就一般对于订约有影响的事项虽不负有积极的调查义务,然就所知事项负有报告于委托人的义务。笔者认为,此意思与我国合同法的规定是一致的。

委托人与居间人订立居间合同,往往是由于信息不够灵通,才请居间人为自己办理事务,其目的就在于通过居间人找到订约的机会。而这一目的的达到,居间人按照委托人的要求采取实事求是的态度据实报告是十分重要的。报告不真实,将误导委托人订立有可能受到损害的合同，这与居间合同的本意是完全违背的。

2. 损害赔偿责任

居间人有如实报告的义务，如果居间人故意隐瞒与订立合同有关的重要事实或者提供虚假情况，损害委托人利益的，不得要求支付报酬并应当承担损害赔偿责任。

诚实信用原则应是居间人履行合同指导思想之一。居间合同的履行过程中，居间人必须实事求是地就自己所实际掌握的信息，如实地向委托人提供最方便、最有利、最有价值、最及时的订约渠道，并保证提供的信息真实和可靠，没有任何隐瞒欺骗或掺杂任何自己主观臆测，对于有影响的事项及商业信息，如第三人的资信状况、支付能力、标的物是否有瑕疵等，居间人都必须据实、公正的报告，而不得弄虚作假，从中盘剥渔利，不得与第三人恶意串通损害委托人的利益，也不得恶意促成委托人与第三人订立合同。如果居间人没有尽到以上这些忠实的义务，反而为获取居间报酬而故意作虚假介绍、或者是与一方当事人事先串通好，故意告知虚假事实以促成委托人与第三人订立合同，从而损害了委托人或者第三人的合法利益，这些情况一旦发生，居间人非但无权向委托人请求居间报酬，而且还应当就自己因其故意提供虚假情况而给委托人造成的损失承担赔偿责任。例如，甲委托乙为其购买原装彩色电视机一台。经乙寻找认识了丙，在丙向乙介绍产品时，乙发现彩电不是原装的，而是组装的，但想到优厚的劳务费，况且丙暗中又给了乙“好处费”，于是，乙没有将实情告诉给甲。在甲与丙签订买卖合同后，甲发现了问题，便向丙提出损害赔偿要求。此案中的乙为了拿到居间劳务费，不仅没有履行据实报告的义务，而且还采取隐瞒真相的手段，与第三人恶意串通而损害了甲的合法权益。因此，乙不仅无权向甲主张居间报酬的请求权，而且就其故意造成的损失，承担损害赔偿责任。

除上述义务外，基于诚实信用原则，居间人还负有其他一些义务。例如，居间人不得对交易双方订立合同实施不利影响，从而影响合同的订立或损害委托人的利益；在居间活动中应当遵守法律、法规和国家政策，遵循商事惯例和交易习惯，不得从事违法的居间活动等。

第四百二十六条　居间人促成合同成立的，委托人应当按照约定支付报酬。对居间人的报酬没有约定或者约定不明确，依照本法第六十一条的规定仍不能确定的，根据居间人的劳务合理确定。因居间人提供订立合同的媒介服务而促成合同成立的，由该合同的当事人平均负担居间人的报酬。

居间人促成合同成立的，居间活动的费用，由居间人负担。

【释义】　本条是关于居间人的报酬的规定。

居间人取得报酬必须具备两个要件：第一，所介绍的合同，必须成立；第二，合同的成立，与居间人的介绍有因果关系。只有两者同时具备，委托人才负有支付报酬的义务。

1. 关于居间人的报酬

(1)报酬支付的前提，须是居间人促成委托人与第三人的合同成立

委托人支付报酬是以居间人已为委托人提供了订约机会或经介绍完成了居间活动，并促成了合同的成立为前提条件。所谓促成合同成立，是指合同合法、有效的成立，如果所促成的合同属无效或可撤销的合同，不能视为促成合同成立，居间人仍不能请求支付报酬。由于居间合同可以随时终止，有时不免会发生委托人为了逃避支付报酬的义务，故意拒绝居间人已经完成

了的中介服务,而后再与因中介而认识的第三人订立合同。就此情况,居间人并不因此而丧失报酬的请求权,因为居间人行使报酬请求权,是以委托人与第三人的合同成立为前提,而不是以该合同是否得到履行为要件。如甲委托乙租房子,乙为其找到价格便宜的房主丙,甲为了不支付居间费,而假借房子的质量不好,终止了居间合同,尔后甲又擅自找到丙要求租房。应该认为,甲的行为无疑是违背了诚实信用的原则,因此委托人仍然需要支付报酬。

委托人是否给付居间人报酬及其支付数额,原则上应按照居间合同约定。这里合同的约定,可以是以书面形式或者口头形式明确的,如果居间合同中对于居间人的报酬没有约定或者约定的不明确,委托人和居间人,可以协议补充;如果仍然达不成补充协议的,应当按照合同的有关条款,或者商业交易习惯来确定;如果还是解决不了,可以根据居间人的劳务合理确定,所谓合理应考虑诸多原因,如居间人所付出的时间、精力、物力、财力、人力以及居间事务的难易程度等因素,合理确定。

(2)受益的当事人平均负担报酬的义务

支付报酬以居间事务的不同而有不同的标准。报告居间,因居间人仅向委托人报告订约机会,而不与其相对人发生关系,因此,居间人的报酬,应当由委托人给付。在媒介居间合同中,居间人不仅向委托人提供报告订约机会,而且还要找第三人促成合同订立,由于有了居间人的中介活动,使得委托人与第三人双方发生了法律关系,委托人与第三人都因此而受益,因此,一般情况下,除合同另有约定或另有习惯外,居间人的报酬原则上应由因媒介居间而订立合同的委托人与第三人双方平均负担。

2. 关于居间活动的费用

居间人促成合同成立的,居间活动的费用,由居间人负担。

因费用已作为成本计算在报酬之内，居间人不得再另外请求给付费用。

第四百二十七条　居间人未促成合同成立的，不得要求支付报酬，但可以要求委托人支付从事居间活动支出的必要费用。

【释义】　本条是关于居间人的居间费用的规定。

在居间合同中只有居间人的居间活动达到目的，委托人才负有给付报酬的义务。居间人的活动能否达到目的，委托人与第三人之间的合同能否促成，有着不确定性，不是完全可由居间人的意志决定的。因此，委托人的给付义务是否须履行，也是不确定的。有时尽管居间人为了使合同能促成也尽了向委托人报告或者媒介的义务，但合同终究没有成立，没有达到居间合同的目的，居间人仍然不能请求报酬，委托人有权不予支付报酬，因为报酬是居间人服务成果的对价，没有促成合同成立，则不得请求支付报酬。这一点与承揽合同必须是承揽人完成了工作后才能请求报酬是一样的。

居间活动费用是居间人在促使合同成立的活动中支出的必要费用，与报酬不是一个概念。因此，有时居间人虽然为促成合同成立付出了劳务和费用，但合同未促成，仍不能请求支付报酬，只能请求委托人支付从事居间活动支出的必要费用，如居间活动中支出的交通费等。

附　则

第四百二十八条　本法自 1999 年 10 月 1 日起施行,《中华人民共和国经济合同法》、《中华人民共和国涉外经济合同法》、《中华人民共和国技术合同法》同时废止。

【释义】 本条是关于合同法施行时间和经济合同法、涉外经济合同法、技术合同法废止时间的规定。

合同法于 1999 年 3 月 15 日经第九届全国人民代表大会第二次会议审议通过,自 1999 年 10 月 1 日起施行。合同法施行之日起,经济合同法、涉外经济合同法、技术合同法同时废止。合同法自通过到施行间隔 6 个半月,在这段时间里,对过去根据经济合同法、涉外经济合同法和技术合同法制定的行政法规,特别是地方性法规、规章有关合同的规定,要进行清理。凡是与合同法规定不符合的,要加以修改,有些要予以废除。因此,合同法自通过后,需要有一个过渡期,以便做好衔接工作。同时,为了更好地实施合同法,也需要一段宣传、普及合同法的时间。

第二部分 附 录

最高人民法院关于适用《中华人民共和国合同法》若干问题的解释(一)

(1999 年 12 月 1 日最高人民法院审判委员会第 1090 次会议通过 1999 年 12 月 19 日公布 法释〔1999〕19 号 自 1999 年 12 月 29 日起施行)

为了正确审理合同纠纷案件,根据《中华人民共和国合同法》(以下简称合同法)的规定,对人民法院适用合同法的有关问题作出如下解释:

一、法律适用范围

第一条 合同法实施以后成立的合同发生纠纷起诉到人民法院的,适用合同法的规定;合同法实施以前成立的合同发生纠纷起诉到人民法院的,除本解释另有规定的以外,适用当时的法律规定,当时没有法律规定的,可以适用合同法的有关规定。

第二条 合同成立于合同法实施之前,但合同约定的履行期限跨越合同法实施之日或者履行期限在合同法实施之后，因履行合同发生的纠纷，适用合同法第四章的有关规定。

第三条 人民法院确认合同效力时，对合同法实施以前成立的合同，适用当时的法律合同无效而适用合同法合同有效的，则适用合同法。

第四条 合同法实施以后，人民法院确认合同无效，应当以全国人大及其常委会制定的法律和国务院制定的行政法规为依据，不得以地方性法规、行政规章为依据。

第五条 人民法院对合同法实施以前已经作出终审裁决的案件进行再审，不适用合同法。

二、诉讼时效

第六条 技术合同争议当事人的权利受到侵害的事实发生在合同法实施之前，自当事人知道或者应当知道其权利受到侵害之日起至合同法实施之日超过 1 年的，人民法院不予保护；尚未超过一年的，其提起诉讼的时效期间为 2 年。

第七条 技术进出口合同争议当事人的权利受到侵害的事实发生在合同法实施之前，自当事人知道或者应当知道其权利受到侵害之日起至合同法施行之日超过 2 年的，人民法院不予保护；尚未超过 2 年的，其提起诉讼的时效期间为 4 年。

第八条 合同法第五十五条规定的“1 年”、第七十五条和第一百零四条第二款规定的“5 年”为不变期间，不适用诉讼时效中止、中断或者延长的规定。

三、合同效力

第九条 依照合同法第四十四条第二款的规定，法律、行政法规规定合同应当办理批准手续，或者办理批准、登记等手续才生效，在一审法庭辩论终结前当事人仍未办理批准手续的，或者仍未办理批准、登记等手续的，人民法院应当认定该合同未生效；法律、行政法规规定合同应当办理登记手续，但未规定登记后生效的，当事人未办理登记手续不影响合同的效力，合同标的物所有权及其他物权不能转移。

合同法第七十七条第二款、第八十七条、第九十六条第二款所列合同变更、转让、解除等情形，依照前款规定处理。

第十条　当事人超越经营范围订立合同，人民法院不因此认定合同无效。但违反国家限制经营、特许经营以及法律、行政法规禁止经营规定的除外。

四、代　位　权

第十一条　债权人依照合同法第七十三条的规定提起代位权诉讼，应当符合下列条件：

（一）债权人对债务人的债权合法；

（二）债务人怠于行使其到期债权，对债权人造成损害；

（三）债务人的债权已到期；

（四）债务人的债权不是专属于债务人自身的债权。

第十二条　合同法第七十三条第一款规定的专属于债务人自身的债权，是指基于扶养关系、抚养关系、赡养关系、继承关系产生的给付请求权和劳动报酬、退休金、养老金、抚恤金、安置费、人寿保险、人身伤害赔偿请求权等权利。

第十三条　合同法第七十三条规定的"债务人怠于行使其到期债权，对债权人造成损害的"，是指债务人不履行其对债权人的到期债务，又不以诉讼方式或者仲裁方式向其债务人主张其享有的具有金钱给付内容的到期债权，致使债权人的到期债权未能实现。

次债务人（即债务人的债务人）不认为债务人有怠于行使其到期债权情况的，应当承担举证责任。

第十四条 债权人依照合同法第七十三条的规定提起代位权诉讼的,由被告住所地人民法院管辖。

第十五条 债权人向人民法院起诉债务人以后,又向同一人民法院对次债务人提起代位权诉讼,符合本解释第十三条的规定和《中华人民共和国民事诉讼法》第一百零八条规定的起诉条件的,应当立案受理;不符合本解释第十三条规定的,告知债权人向次债务人住所地人民法院另行起诉。

受理代位权诉讼的人民法院在债权人起诉债务人的诉讼裁决发生法律效力以前,应当依照《中华人民共和国民事诉讼法》第一百三十六条第(五)项的规定中止代位权诉讼。

第十六条 债权人以次债务人为被告向人民法院提起代位权诉讼,未将债务人列为第三人的,人民法院可以追加债务人为第三人。

两个或者两个以上债权人以同一次债务人为被告提起代位权诉讼的,人民法院可以合并审理。

第十七条 在代位权诉讼中,债权人请求人民法院对次债务人的财产采取保全措施的,应当提供相应的财产担保。

第十八条 在代位权诉讼中,次债务人对债务人的抗辩,可以向债权人主张。

债务人在代位权诉讼中对债权人的债权提出异议,经审查异议成立的,人民法院应当裁定驳回债权人的起诉。

第十九条 在代位权诉讼中,债权人胜诉的,诉讼费由次债务人负担,从实现的债权中优先支付。

第二十条 债权人向次债务人提起的代位权诉讼经人民法院审理后认定代位权成立的,由次债务人向债权人履行清偿义务,债权人与债务人、债务人与次债务人之间相应的债权债务关系即予消灭。

第二十一条 在代位权诉讼中,债权人行使代位权的请求数额超过债务人所负债务额或者超过次债务人对债务人所负债务额的,对超出部分人民法院不予支持。

第二十二条 债务人在代位权诉讼中,对超过债权人代位请求数额的债权部分起诉次债务人的,人民法院应当告知其向有管辖权的人民法院另行起诉。

债务人的起诉符合法定条件的,人民法院应当受理;受理债务人起诉的人民法院在代位权诉讼裁决发生法律效力以前,应当依法中止。

五、撤 销 权

第二十三条 债权人依照合同法第七十四条的规定提起撤销权诉讼的,由被告住所地人民法院管辖。

第二十四条 债权人依照合同法第七十四条的规定提起撤销权诉讼时只以债务人为被告,未将受益人或者受让人列为第三人的,人民法院可以追加该受益人或者受让人为第三人。

第二十五条 债权人依照合同法第七十四条的规定提起撤销权诉讼,请求人民法院撤销债务人放弃债权或转让财产的行为,人民法院应当就债权人主张的部分进行审理,依法撤销的,该行为自始无效。

两个或者两个以上债权人以同一债务人为被告,就同一标的提起撤销权诉讼的,人民法院可以合并审理。

第二十六条 债权人行使撤销权所支付的律师代理费、差旅费等必要费用,由债务人负担;第三人有过错的,应当适当分担。

六、合同转让中的第三人

第二十七条 债权人转让合同权利后,债务人与受让人之间因履行合同发生纠纷诉至人民法院,债务人对债权人的权利提出抗辩的,可以将债权人列为第三人。

第二十八条　经债权人同意,债务人转移合同义务后,受让人与债权人之间因履行合同发生纠纷诉至人民法院,受让人就债务人对债权人的权利提出抗辩的,可以将债务人列为第三人。

第二十九条　合同当事人一方经对方同意将其在合同中的权利义务一并转让给受让人,对方与受让人因履行合同发生纠纷诉至人民法院,对方就合同权利义务提出抗辩的,可以将出让方列为第三人。

七、请求权竞合

第三十条　债权人依照合同法第一百二十二条的规定向人民法院起诉时作出选择后,在一审开庭以前又变更诉讼请求的,人民法院应当准许。对方当事人提出管辖权异议,经审查异议成立的,人民法院应当驳回起诉。

最高人民法院关于适用《中华人民共和国合同法》若干问题的解释（二）

（2009 年 2 月 9 日最高人民法院审判委员会第 1462 次会议通过　2009 年 4 月 24 日公布　法释〔2009〕5 号　自 2009 年 5 月 13 日起施行）

为了正确审理合同纠纷案件，根据《中华人民共和国合同法》的规定，对人民法院适用合同法的有关问题作出如下解释：

一、合同的订立

第一条　当事人对合同是否成立存在争议，人民法院能够确定当事人名称或者姓名、标的和数量的，一般应当认定合同成立。但法律另有规定或者当事人另有约定的除外。

对合同欠缺的前款规定以外的其他内容，当事人达不成协议的，人民法院依照合同法第六十一条、第六十二条、第一百二十五条等有关规定予以确定。

第二条　当事人未以书面形式或者口头形式订立合同，但从双方从事的民事行为能够推定双方有订立合同意愿的，人民法院可以认定是以合同法第十条第一款中的“其他形式”订立的合同。但法律另有规定的除外。

第三条　悬赏人以公开方式声明对完成一定行为的人支付报

酬,完成特定行为的人请求悬赏人支付报酬的,人民法院依法予以支持。但悬赏有合同法第五十二条规定情形的除外。

第四条 采用书面形式订立合同,合同约定的签订地与实际签字或者盖章地点不符的,人民法院应当认定约定的签订地为合同签订地;合同没有约定签订地,双方当事人签字或者盖章不在同一地点的,人民法院应当认定最后签字或者盖章的地点为合同签订地。

第五条 当事人采用合同书形式订立合同的,应当签字或者盖章。当事人在合同书上摁手印的,人民法院应当认定其具有与签字或者盖章同等的法律效力。

第六条 提供格式条款的一方对格式条款中免除或者限制其责任的内容,在合同订立时采用足以引起对方注意的文字、符号、字体等特别标识,并按照对方的要求对该格式条款予以说明的,人民法院应当认定符合合同法第三十九条所称"采取合理的方式"。

提供格式条款一方对已尽合理提示及说明义务承担举证责任。

第七条 下列情形,不违反法律、行政法规强制性规定的,人民法院可以认定为合同法所称"交易习惯":

(一)在交易行为当地或者某一领域、某一行业通常采用并为交易对方订立合同时所知道或者应当知道的做法;

(二)当事人双方经常使用的习惯做法。

对于交易习惯,由提出主张的一方当事人承担举证责任。

第八条 依照法律、行政法规的规定经批准或者登记才能生效的合同成立后,有义务办理申请批准或者申请登记等手续的一方当事人未按照法律规定或者合同约定办理申请批准或者未申请登记的,属于合同法第四十二条第(三)项规定的"其他违背诚实信用原则的行为",人民法院可以根据案件的具体情况和相对人的请求,判决相对人自己办理有关手续;对方当事人对由此产生的费用和给相对人造成的实际损失，应当承担损害赔偿责任。

二、合同的效力

第九条　提供格式条款的一方当事人违反合同法第三十九条第一款关于提示和说明义务的规定，导致对方没有注意免除或者限制其责任的条款，对方当事人申请撤销该格式条款的，人民法院应当支持。

第十条　提供格式条款的一方当事人违反合同法第三十九条第一款的规定，并具有合同法第四十条规定的情形之一的，人民法院应当认定该格式条款无效。

第十一条　根据合同法第四十七条、第四十八条的规定，追认的意思表示自到达相对人时生效，合同自订立时起生效。

第十二条　无权代理人以被代理人的名义订立合同，被代理人已经开始履行合同义务的，视为对合同的追认。

第十三条　被代理人依照合同法第四十九条的规定承担有效代理行为所产生的责任后，可以向无权代理人追偿因代理行为而遭受的损失。

第十四条　合同法第五十二条第（五）项规定的“强制性规定”，是指效力性强制性规定。

第十五条　出卖人就同一标的物订立多重买卖合同，合同均不具有合同法第五十二条规定的无效情形，买受人因不能按照合同约定取得标的物所有权，请求追究出卖人违约责任的，人民法院应予支持。

三、合同的履行

第十六条　人民法院根据具体案情可以将合同法第六十四条、第六十五条规定的第三人列为无独立请求权的第三人，但不得依职权将其列为该合同诉讼案件的被告或者有独立请求权的第三人。

第十七条 债权人以境外当事人为被告提起的代位权诉讼，人民法院根据《中华人民共和国民事诉讼法》第二百四十一条的规定确定管辖。

第十八条 债务人放弃其未到期的债权或者放弃债权担保，或者恶意延长到期债权的履行期，对债权人造成损害，债权人依照合同法第七十四条的规定提起撤销权诉讼的，人民法院应当支持。

第十九条 对于合同法第七十四条规定的“明显不合理的低价”，人民法院应当以交易当地一般经营者的判断，并参考交易当时交易地的物价部门指导价或者市场交易价，结合其他相关因素综合考虑予以确认。

转让价格达不到交易时交易地的指导价或者市场交易价百分之七十的，一般可以视为明显不合理的低价；对转让价格高于当地指导价或者市场交易价百分之三十的，一般可以视为明显不合理的高价。

债务人以明显不合理的高价收购他人财产，人民法院可以根据债权人的申请，参照合同法第七十四条的规定予以撤销。

第二十条 债务人的给付不足以清偿其对同一债权人所负的数笔相同种类的全部债务，应当优先抵充已到期的债务；几项债务均到期的，优先抵充对债权人缺乏担保或者担保数额最少的债务；担保数额相同的，优先抵充债务负担较重的债务；负担相同的，按照债务到期的先后顺序抵充；到期时间相同的，按比例抵充。但是，债权人与债务人对清偿的债务或者清偿抵充顺序有约定的除外。

第二十一条 债务人除主债务之外还应当支付利息和费用，当其给付不足以清偿全部债务时，并且当事人没有约定的，人民法院应当按照下列顺序抵充：

（一）实现债权的有关费用；

（二）利息；

（三）主债务。

四、合同的权利义务终止

第二十二条　当事人一方违反合同法第九十二条规定的义务，给对方当事人造成损失，对方当事人请求赔偿实际损失的，人民法院应当支持。

第二十三条　对于依照合同法第九十九条的规定可以抵销的到期债权，当事人约定不得抵销的，人民法院可以认定该约定有效。

第二十四条　当事人对合同法第九十六条、第九十九条规定的合同解除或者债务抵销虽有异议，但在约定的异议期限届满后才提出异议并向人民法院起诉的，人民法院不予支持；当事人没有约定异议期间，在解除合同或者债务抵销通知到达之日起三个月以后才向人民法院起诉的，人民法院不予支持。

第二十五条　依照合同法第一百零一条的规定，债务人将合同标的物或者标的物拍卖、变卖所得价款交付提存部门时，人民法院应当认定提存成立。

提存成立的，视为债务人在其提存范围内已经履行债务。

第二十六条　合同成立以后客观情况发生了当事人在订立合同时无法预见的、非不可抗力造成的不属于商业风险的重大变化，继续履行合同对于一方当事人明显不公平或者不能实现合同目的，当事人请求人民法院变更或者解除合同的，人民法院应当根据公平原则，并结合案件的实际情况确定是否变更或者解除。

五、违 约 责 任

第二十七条　当事人通过反诉或者抗辩的方式，请求人民法院依照合同法第一百一十四条第二款的规定调整违约金的，人民法院应予支持。

第二十八条 当事人依照合同法第一百一十四条第二款的规定,请求人民法院增加违约金的,增加后的违约金数额以不超过实际损失额为限。增加违约金以后,当事人又请求对方赔偿损失的,人民法院不予支持。

第二十九条 当事人主张约定的违约金过高请求予以适当减少的,人民法院应当以实际损失为基础,兼顾合同的履行情况、当事人的过错程度以及预期利益等综合因素,根据公平原则和诚实信用原则予以衡量,并作出裁决。

当事人约定的违约金超过造成损失的百分之三十的,一般可以认定为合同法第一百一十四条第二款规定的"过分高于造成的损失"。

六、附　　则

第三十条 合同法施行后成立的合同发生纠纷的案件,本解释施行后尚未终审的,适用本解释;本解释施行前已经终审,当事人申请再审或者按照审判监督程序决定再审的,不适用本解释。

后　记

《中华人民共和国合同法》已经九届全国人大二次会议通过，自 1999 年 10 月 1 日起施行。合同法是民法的重要组成部分，是市场经济的基本法律制度，对于保护合同当事人的合法权益，维护社会经济秩序，促进社会主义现代化建设具有重要作用。为了配合合同法的宣传和实施，我们撰写了这本《中华人民共和国合同法释义》。本书力求准确、详尽、通俗地逐条阐释合同法的内容。

本书由全国人大常委会法制工作委员会副主任胡康生同志主编，民法室主任王胜明同志、副主任孙礼海同志任副主编。其他撰写人员有：姚红、何山、贾东明、杨明仑、武再平、郑淑娜、陈佳林、段京连、李文阁、王瑞娣、贾红梅、杜涛、郝作成、石宏、严冬枫。

作　者
1999 年 3 月